अशोक वाजपेयी : चुनी हुई रचनाएँ—2

वाणी प्रकाशन

नयी दिल्ली-110002

फोन : 3273167, 3275710 • फैक्स : 3275710

e-mail : vani_prakashan@yahoo.com

vani_prakashan@mantraonline.com

अशोक वाजपेयी
चुनी हुई रचनाएँ–2

सम्पादक
मदन सोनी

ISBN 81-7055-769-0

वाणी प्रकाशन
21-ए, दरियागंज, नयी दिल्ली-110002
द्वारा प्रकाशित

प्रथम संस्करण : 2001

मूल्य : 750.00 (दोनों खंड)

शुभम् ऑफसेट, दिल्ली-110032
द्वारा मुद्रित

ASHOK VAJPAYI : CHUNI HUI RACHNAI–2
Edited by Madan Soni

संचयन के इस दूसरे खण्ड में श्री अशोक वाजपेयी का विमर्शात्मक लेखन शामिल है। यह लेखन उनकी उस विशिष्ट सत्ता-दृष्टि की ही एक अपेक्षाकृत सचेतन, बौद्धिक और बहिरंग अभिव्यक्ति है जिसकी चर्चा इस संचयन (प्रथम खण्ड) की भूमिका में की गयी है। उन्होंने संस्कृति तथा साहित्य की विभिन्न विधाओं, विशेष-रूप से कविता, के प्रश्नों और उसके समकालीन परिदृश्य पर व्यापक-रूप से लिखा है। पिछले लगभग 40 वर्षों में फैले अपने सघन संस्कृति-कर्म के दौरान उन्होंने सभी प्रमुख शास्त्रीय और आधुनिक कलाओं के सौन्दर्य और उनकी समकालीन सांस्कृतिक अवस्थिति के साथ गहन मनोयोग साधते उन पर अन्तर्दृष्टिपूर्ण लेखन किया है। आविन्यो-प्रवास के दौरान लिखे गये उनके सृजनात्मक गद्य से उनकी मेधा का एक नया, अन्तर्मुखी, सृजनात्मक पक्ष प्रकट होता है।

इस संचयन में उनके विमर्शात्मक लेखन के सभी प्रमुख पक्षों को समाविष्ट करने की कोशिश की गयी है। आविन्यो-गद्य से किये गये चयन के सिवा शेष सभी के लेखन-क्रम को यहाँ भी विचलित किया गया है। जो नया सिलसिला दिया गया है उसमें निबन्धों को प्रायः उनकी विषय-वस्तु के आधार पर एक-दूसरे के क़रीब लाने की कोशिश की गयी है।

—म. सो.

अनुक्रम

आलोचना की ज़रूरत	9
आलोचना का देश	15
आलोचना का पुनर्वास	24
साहित्य का पक्ष	30
सीढ़ियाँ शुरू हो गई हैं	41
कस्तूरी मृग और घास/कुछ नोट्स	46
विचारों से विदाई	53
बुजुर्गों के लिए जगह	65
कविता का गल्प	69
कविता में क्या होता है!	78
फिर तार सप्तक	89
हारी होड़	97
अकेलेपन का वैभव	102
भयानक खबर की कविता	113
शब्दों के बीच की नीरवता का कवि	126
तीसरे संसार की जरूरत	134
बीच बहस में कविता	140
रघुवीर सहाय का स्वदेश	150
जीने की अटूट इच्छा	165
समकालीन नरक का एक भूगोल	173
उदाहरण होने से बचकर	180
तलाश के दो मुहावरे	189
प्राचीनों से गप लगाता हुआ आधुनिक	204
राग-विराम की गोधूलि का गल्प	208

अन्दर और बाहर एक आदमी 214
दूर बैठे का दुःख 223
सुनने-गुनने का अर्थ 232
देह का देश-काल 250
दूसरों की उपस्थिति में 268
अनन्त जीवन-संगीत 286
शब्द, स्मृति और संगीत 291
रज़ा का समय 295
परदेसी नहीं, लेकिन इन्सान 301
कुहरे में रास्ते 305
साहित्य के प्रति अनुराग को मनुष्य के प्रति अनुराग के विरुद्ध और जीवन-विमुख दृष्टि के रूप में नहीं देखा जाना चाहिए 311
हँसता हुआ नूरानी चेहरा… 372
हमेशा एक दरवाज़ा है 401
खिड़की खुलती है पर कोई झाँकता नहीं 402
आकाशगंगा को आवाज़ देती घास 403
धूप ने मुझसे पूछा है 404
दस्तक है : कोई नहीं है दरवाज़े के बाहर 405
अनन्त की चौकसी करते पुरखे 406
आकाश पहले भी था 407
पवित्र जगह 408
शब्द का घर 410
हमेशा एक दरवाज़ा है 412
अनश्वरता का सन्देह 414
रास्ता एक ही नहीं था 416
हम पर पत्तियाँ गिर रही हैं 418
कोको और अज़ामा 419
परिशिष्ट 421

आलोचना की ज़रूरत

रचना के लिए यह ज़रूरी नहीं है कि वह खुद अपनी हालत की, अपने होने के औचित्य की पड़ताल करे जबकि आलोचना के लिए यह लगभग अनिवार्य है कि वह न केवल रचना के औचित्य के बारे में सवाल उठाए बल्कि स्वयं अपने बारे में भी निर्ममता से सवाल उठाए और उनके हल खोजे। इस बाध्यता के रहते आज के रचना-दृश्य के बारे में सबसे साफ़ बात जो कही जा सकती है वह यह है कि आमतौर पर आलोचना में विश्वास की जितनी कमी दिखाई देती है, उतनी शायद पहले कभी नहीं थी। ऐसा अविश्वास कृतिकारों तक ही सीमित होता तो उसे आलोचना-मात्र के प्रति कृतिकारों की शाश्वत दुविधा का ताज़ा संस्करण मानकर समझा जा सकता था। लेकिन यह अविश्वास कुछ इतना सर्वग्रासी हो गया लगता है कि स्वयं आलोचकों को आलोचना में, समीक्षा-कर्म में विश्वास नहीं रहा है। वरना एक ऐसे समय में जब हमारी संस्कृति और समाज संघर्ष और उग्रता के नए चरण में हों, आलोचना के क्षेत्र में ठण्डेपन और उदासीनता का कारण रचनात्मक उत्तेजकों का अभाव नहीं माना जा सकता। यों 'साहित्य क्यों' और 'आलोचना क्यों' दोनों ही सवाल उठ चुके हैं और उनसे भी पहले साहित्य-कर्म में महत्त्वबोध के क्षय की बात की जा चुकी है। आज आलोचना की ज़रूरत पर विचार करने के लिए वस्तुस्थिति का जायजा लेना अनिवार्य हो गया है। क्या रचना में गहरी उथल-पुथल है और आलोचना ही उदासीन है? या कि आलोचना की सबसे अधिक ज़रूरत रचनाशीलता की पूरी सक्रियता और प्राणवत्ता के लिए है—खासकर एक ऐसे समाज में, जो लगता है, धीरे-धीरे साहित्य की परवाह करना छोड़ रहा है। कहीं ऐसा तो नहीं है कि आलोचना के कठिन अनुशासन से ऊब या खीझकर नई पीढ़ी ने आलोचना का कोई और अधिक स्वीकार्य, आसान और लचीला विकल्प खोज लिया है?

अगर पिछले कुछ वर्षों की युवा कृतियों का जायज़ा लिया जाए तो यह दिलचस्प तथ्य सामने आता है कि उनमें से ज़्यादातर की प्रतिष्ठा उनके कृतित्व के आलोचनात्मक विश्लेषण और मूल्यांकन से नहीं उपजी है बल्कि उनकी कविताओं पर किसी ग़ैर-साहित्य एजेंसी द्वारा की गयी अपढ़, कल्पनाहीन और लगभग मूर्ख

प्रतिक्रियाओं की आकांक्षा बनाए रखना अभी तक आम हिन्दी-लेखक की जानी-पहचानी आदत रही है। आलोचना से लाख असन्तुष्ट रहने के बावजूद साहित्य के मूल्य-निर्णय का काम आलोचक के ही जिम्मे था और यह उसकी मूल्यदृष्टि पर निर्भर था कि वह ऐसा करने में शुद्ध साहित्यिक मानों का उपयोग करे या साहित्येतर सामाजिक-राजनीतिक प्रत्ययों का या दोनों के किसी कल्पनाशील सन्तुलित समावेश का। लेकिन अब लग रहा है कि युवा लेखक ने मूल्य-निर्णय का काम आलोचक के बजाय पुलिस-थानेदार को सौंप दिया है। इसका सबसे सीधा प्रमाण यही है कि कई युवा कवियों की रचनाओं का कोई प्रामाणिक विश्लेषण उनके तथाकथित महत्त्व को सिद्ध और स्थापित करने के लिए किसी आलोचक या उनका नाम जपनेवाली पत्रिकाओं ने नहीं किया और चूँकि वे पुलिस द्वारा गिरफ़्तार आदि हुए, उनकी कविता को सामाजिक-राजनीतिक रूप से खतरनाक मान लिया गया और उन्हें शहादत की आभा से आलोकित कर नितान्त अबौद्धिक ढंग से महत्त्वपूर्ण प्रतिभा मान लिया गया है। जिस माहौल में कविताओं से समझ, कल्पना और बौद्धिक तैयारी के साथ भिड़े बिना ऐसी मान्यता और प्रतिष्ठा की सुविधा हो, वहाँ अचरज नहीं कि और लेखक भी किसी-न-किसी तरह सामाजिक रूप से खतरनाक होने की आकांक्षा और प्रयत्न कर रहे हैं—कुछ-कुछ उसी तरह जैसे मुक्तिबोध की मरणोत्तर कीर्ति से आतंकित और उत्साहित होकर कुछ लोग दारुण ढंग से मरने को इतिहास में स्थायी जगह पाने का कारगर उपाय मानने लगे थे। इसलिए अगर युवा कवियों के बीसियों संग्रह छोटी पत्रिकाओं तक में असमीक्षित रहे हैं तो भले यह हमें दुखद लगे, लेकिन उस हालत में अप्रत्याशित नहीं है जिसका बखान ऊपर है। यह भी आकस्मिक नहीं है कि अभी हाल में एक युवा कवि ने एक आलोचक की प्रशंसा करते हुए उसके 'एंटीक्रिटिकल' रुख को कविता की समझ के लिए अच्छा संकेत बताया है!

यह मानसिकता, जिसमें समझदार पाठक (जिसे आलोचक भी कहा जाता है) के बजाय थानेदार की प्रतिक्रिया अधिक महत्त्वपूर्ण है, सिर्फ़ युवा लेखकों तक ही सीमित हो ऐसा नहीं है। श्री हरिशंकर परसाई पर हुए आक्रमण पर जो तुरन्त और विलम्बित दोनों ही तरह की प्रतिक्रियाएँ हुईं, वे भी इसी मानसिकता का एक दूसरे ढंग का उदाहरण हैं। जिन तत्त्वों ने उन पर आक्रमण किया बताते हैं, उन श्री परसाई अपने लेखन में बरसों से तीखे प्रहार करते रहे हैं और एक लेखक के रूप में वह उनका बुनियादी सरोकार रहा है। लेकिन इस आक्रमण के पहले और, यह अधिक दुर्भाग्यपूर्ण है कि उसके बाद भी, इस दृष्टि से उनके कृतित्व का आकलन करने का बौद्धिक उत्साह किसी को नहीं हुआ : इस भोलीभाली सूचना के अलावा कि श्री परसाई इन प्रतिक्रियावादी तत्त्वों के विरुद्ध संघर्ष करते रहे हैं और उन पर हमला लेखक की बुनियादी स्वतन्त्रता पर हमला है, पाठकों को और क्या मालूम है? इस

विरोध और संघर्ष की रचनात्मक बुनावट और मानवीय चरितार्थता क्या है, इसकी पड़ताल करने की किसी को कोई ज़रूरत नहीं लगी। एक विशिष्ट लेखक पर उसकी विशिष्ट दृष्टि के कारण हमला हुआ है, लेकिन उसकी विशिष्टता से ठोस बौद्धिक ढंग से निपटने के विवेकपूर्ण प्रयत्न से बचने के लिए उसे तुरन्त एक प्रतीक में बदल दिया गया और लेखक-समाज अतिरंजित भावाकुलता में सन्तुष्ट हो रहा। श्री परसाई को यह निरर्थक सन्तोष हो सकता है कि उनके लेखन के खतरनाक होने का नोटिस लिया गया है। लेकिन उनकी रचना या संघर्ष की समझ कुछ बढ़ी होगी, ऐसी उम्मीद निराधार होगी। अनुभव और दृष्टि के सच को, रचना के भाषाई सत्ता होने के सच को, और लेखक की नैतिक ज़िम्मेदारी के सच को, ज़ाहिर है, देखने की किसी को न फुरसत है और न जरूरत। यह हालत सारे रचनात्मक कर्म को किस क़दर कामचलाऊ और अपने फलितार्थ में अमानवीय बना दे सकती है, यह कहने की ज़रूरत नहीं है।

यह नहीं है कि आज के लेखक आलोचक को अप्रासंगिक मानकर पूरी तरह खारिज कर चुके हों। ऐसा कर पाना न सिर्फ़ आसान नहीं है बल्कि काफ़ी हद तक असम्भव भी है। हिन्दीभाषी समाज का जैसा विकास हुआ है उसमें साक्षरता के बढ़ने के साथ-साथ व्यावसायिकता का दबाव भी बड़ा है और गम्भीर साहित्य का पाठक-वर्ग बढ़ने के बजाय घटता गया है। पुस्तकों का प्रकाशन बढ़ा है लेकिन उनके निजी खरीददार नहीं, और अब यह हालत है कि जिस साल सरकारी खरीद में कटौती हो जाती है उस साल हिन्दी-प्रकाशन गहरे संकट में फँस जाता है। ज़्यादातार साहित्य के पाठक दूसरे लेखक ही है। ऐसी स्थिति में आलोचक शायर एकमात्र शुद्ध पाठक है जो किसी लेखक को मिल सकता है। बंगला, मराठी, मलयालम में जहाँ एक सुनिश्चित पाठक-वर्ग है, वहाँ लेखक को उस वर्ग के होने और उसके साहित्य से प्रतिकृत होने का आश्वासन होता है और वह चाहे तो आलोचक को नज़रन्दाज़ कर सकता है। लेकिन हिन्दी में यह सुखद सुविधा नहीं है। रीझकर या खीजकर हिन्दी-लेखक को आलोचक से सरोकार रखना ही पड़ता है, क्योंकि प्राचीनों की तरह काल को निरवधि और पृथ्वी को विपुल मानकर किसी समानधर्मा की अनन्त प्रतीक्षा करने का धैर्य आज के लेखक में नहीं है। ऐसी हालत में कहना कि 'पाठक मूल पढ़ रहा है' और अमल कर रहा है आलोचक 'उसूल बक रहा है और अलग पड़ रहा है' इच्छित विचार-भर है, स्थिति या सचाई नहीं। जो उथल-पुथल या कार्रवाई आज हो रही है, हो सकता है कि हमारा लेखन उसका गवाह हो, हमसफ़र हो, पर उसकी वजह से या उसके उकसाए कुछ हो रहा है यह मानना अतर्कित है और तथ्यों से मेल नहीं खाता। मुख्तसर यह कि अगर थोड़ी अतिरंजना की जाए तो कहा जा सकता है कि हिन्दी में आलोचना, याने वह एकान्त नागरिकता, जिसमें समझ, हिस्सेदार साहस और विनय हों, रचना की

बुनियादी शर्त है। आलोचक से हिन्दी-लेखक का रिश्ता, इसीलिए, अद्वितीय है, और लगभग 'ट्रैजिक फ़िक्सेशन' के बराबर है। अगर आलोचक भी रचना से प्रतिकूल नहीं हो रहा है तो शायद कोई नहीं हो रहा है—आलोचना रचना और पाठक-समुदाय के बीच पुल होने के बजाय रचना और शून्य नामहीनता के बीच प्रतिरोध है। आलोचना इस विशेष स्थिति बल्कि एकाधिकार का दुरुपयोग कर सकती है और पिछले दिनों कई बार ऐसा हुआ है। ऐसी आलोचना की कमी नहीं है जो अपने सारे वाक्चातुर्य और प्रखरता के बावजूद, दरअसल साहित्य को अपने रौंदने के लिए पड़ी सामग्री मानकर किन्हीं ऊँचे रचनात्मक प्रतिमानों को प्रतिष्ठित या लागू करने के उद्देश्य से लिखी गई होने का आभास देते हुए भी दरअसल दूसरों को पीटने, नेस्तानबूद या तहस-नहस करने की दुर्दान्त इच्छा और बौद्धिक दम्भ से लिखी गई है।

आलोचना से बहुत सारे नए-युवा लेखकों को यह शिकायत है कि वह उनके कृतित्व को नितान्त समसामयिक प्रतिमानों के आधार पर जाँचने-परखने के बजाय ऐसे प्रतिमानों का उपयोग करती है जो अधिक व्यापक और किसी हद तक कालातीत हैं। ऐसी हालत में लेखकों के बीच मान्य और लोकप्रिय होने के चक्कर में आलोचना का इस प्रलोभन में पड़ना स्वाभाविक है कि वह साहित्य की परम्परा को बिलकुल नज़रन्दाज़ कर निरे समकालीन लेखन को ही एकमात्र सन्दर्भ मानकर अपना कार्य करे। रचनाकार अगर यह भूल जाता है, जैसाकि युवा रचनाकार अकसर ही, कि संघर्ष, अन्याय, भूख और आम आदमी की हमारे इतिहास में परम्परा है और उसे याद करने से या उसके साथ जुड़ने से हमारा अनुभव अधिक तीव्र, अधिक मानवीय और अन्ततः अधिक कलासमृद्ध होता है, तो आलोचना का यह कर्त्तव्य है कि साहित्य में इस पहचान को सक्रिय रखे और संघर्ष और जुझारूपन को लेकर जो अहंकार, 'अभूतपूर्वता' और 'अनैतिहासिकता' का रौब बहुत से नए लेखन में है उसे भरसक विनय और ऐतिहासिक अनुभव में रूपान्तरित करने का प्रयत्न करे। स्मृतिहीन साहित्य और संस्कृति बहुत दिनों जीवित नहीं रह सकते और जब ऐसा खतरा लगभग एक नई रूढ़ि बनकर घर करता जा रहा हो, आलोचना में ही स्मृति का पुनर्वास हो सकता है : बल्कि आलोचना ऐसे समय स्वयं स्मृति हो सकती है जो साहित्य और संस्कृति को समुदाय के जीवत्व से जोड़े और पोसे।

यों भी संघर्ष, जुझारूपन और उग्रता के माहौल में अकसर रचनात्मक साहित्य भावावेगी हो उठता है और लेखक अपने आवेगों की तीव्रता के दायरे में आए ब्यौरों को ही वस्तुस्थिति समझने की स्वाभाविक भूल का शिकार बन जाता है। यह तर्क से सिद्ध करने की ज़रूरत नहीं है कि जिस उग्र सामाजिक संघर्ष में आज का लेखक शामिल होना चाहता है उसमें कोई गहरी और प्रभावकारी हिस्सेदारी बिना प्रखर बौद्धिकता के सम्भव नहीं है। भावनाओं की ईमानदारी से भले ही मुहावरों

में चमक आती हो, वह ऐसे संघर्ष को चरितार्थ करने के लिए काफ़ी नहीं है। बल्कि जिन शक्तियों और जिस व्यवस्था के विरुद्ध यह संघर्ष है उनके यह बहुत अनुकूल होगा कि उसमें आलोचना-बुद्धि का अभाव हो, क्योंकि तब संघर्ष का भ्रम तो बना रहेगा, पर सच्ची चोटें नहीं हो पाएँगी। अगर समकालीन संघर्ष निरे आवेग या निरी कार्रवाई तक सीमित रहे अर्थात् अवमूल्यित रहे तो यह स्थिति व्यवस्था के लिए कुल मिलाकर लाभप्रद और निपटने योग्य नही रहेगी। इसलिए ऐन इस वक़्त आलोचना-बुद्धि को एकाग्र सक्रिय रखना और उसे रचनात्मक प्रयत्न का अनिवार्य तत्त्व बनाना, संघर्ष की सार्थकता और उसके सफल और कारगर होने की सम्भावना बढ़ाना है। संघर्ष के सन्दर्भ में ईमानदारी की ऐसी कोई भी परिभाषा अधूरी और नाकाफ़ी होगी जो आलोचना-बुद्धि की अनिवार्यता को स्वीकार न करती हो। वे लोग बड़े भोले हैं और समझते हैं कि यथास्थिति के खिलाफ़ तथाकथित जेहाद काफ़ी है। उनमें से कुछ की ईमानदारी की क़द्र करते हुए भी उन्हें यह जताना बहुत ज़रूरी हो गया है कि यथास्थिति के हमारे समाज, अर्थतन्त्र, राजनीति, मानसिकता और भाषा में इतने रूप हैं कि निरा जेहाद काफ़ी नहीं है, जिरह भी ज़रूरी है—यह जिरह रचनाएँ भी करती हैं ओर आलोचना भी। अगर जिरह होना बन्द हो जाए तो ज़रूरी नहीं है कि इसका मतलब यह है कि यथास्थिति शब्द से डर रही है या टूट, बदल या हार रही है। यह भी हो सकता है कि भाषा में सिर्फ़ अँधेरा बढ़ रहा है और यथास्थिति चालाकी से बचने के लिए सुरक्षित खिसक गयी है। अकसर जेहाद बोलने के हीरोइक्स से ज्यादा समझदारी की बात यह होगी कि व्यवस्था को जिरह करने के लिए मजबूर किया जाए। आलोचना का यह एक ज़रूरी काम है कि वह इस समझदारी का दबाव लगातार साहित्यिक दृश्य पर डाले।

आज का अधिकांश लेखन सामाजिक यथार्थ से सीधे जुड़ा हुआ है और प्रायः इसका रचनात्मक अन्वेषण करता और उसपर निर्णय देता है। आलोचना भी अन्ततः, आज भी, आदमी की हालत की पड़ताल है, भले ही ऐसा करने में वह साहित्य और कलाओं के साक्ष्य का सहारा लेती है। उसके पास भी सामाजिक यथार्थ के सीधे अनुभव और वस्तुस्थिति की अपनी समझ है। जाहिर है इस समझ का वह समकालीन लेखन को जाँचते-परखते वक्त इस्तेमाल करेगी। कुछ लेखकों ने इधर ऐसी मुद्रा अख्तियार कर रखी है जैसे कि सामाजिक यथार्थ पर सिर्फ़ रचना एक एकाधिकार है और आलोचना को उससे कुछ लेना-देना नहीं है। बल्कि वे चाहते हैं कि सामाजिक सचाइयों की जैसी अभिव्यक्ति या समझ उनके लेखन में है उसे वैसा-का-वैसा स्वीकार कर लिया जाए और आलोचना अधिक-से-अधिक उसकी कलात्मक चरितार्थता-भर की पड़ताल और बखान करे। आलोचना सिर्फ़ रचना का नहीं, उसके माध्यम से मनुष्य का ही साक्षात्कार है। और अगर रचना सामाजिक यथार्थ को अपना उपजीव्य बताती है तो उसकी प्रामाणिकता, विश्वसनीयता और वस्तुपरकता की जाँच किए

बिना यह साक्षात्कार सार्थक बल्कि पूरा भी नहीं हो सकता। हमारी समूची संस्कृति के स्वास्थ्य के लिए यह अनिवार्य है कि आलोचना रचना में सामाजिक यथार्थ को लेकर व्याप्त सरलीकरणों, रूमानियत और राजनीतिक भोलेपन और नैतिक सम्वेदनहीनता के विरुद्ध लगातार संघर्ष करे ताकि साहित्य में व्यक्त अनुभव, आकलन और समझ राजनीति, विज्ञान, पत्रकारिता, अर्थशास्त्र जैसे अनुशासनों के मुकाबले अवयस्क या अविश्वसनीय न माने जाएँ जैसाकि इन दिनों अकसर माना जा रहा है। यह अजब विडम्बना है कि हालाँकि हमारा साहित्य शायद पहले के मुक़ाबले कहीं अधिक सामाजिक यथार्थ से प्रतिकृत और सामाजिक संघर्ष में अपनी भूमिका निभाने के प्रति उत्सुक और सतर्क है, समाज में उसका स्थान अधिकाधिक हाशिये पर का होता जा रहा है। उसकी कोई खास परवाह समाज करता है, ऐसा नहीं लगता। आलोचना की एक बुनियादी चिन्ता साहित्य को अन्य अनुशासनों के समकक्ष उसका केन्द्रीय स्थान वापस दिलाने की है और एक ऐसा माहौल और दबाव बनाए रखने की है जिसमें समकालीन रचना आज की हालत की उत्कट, वयस्क, समावेशी और वस्तुनिष्ठ पहचान बने और बनी रह सके।

आलोचना का देश

साहित्य में अनेक दृष्टियों का एक साथ रहना आवश्यक है, नहीं तो दिग्भ्रम होने का डर है। इसीलिए मैंने तमाम भावों की एक साथ पूजा करने का समर्थन किया। हिन्दी के साहित्यिकों का अन्याय सीमा पार कर जाता है। उन्हें अपनी सूझ के सामने दूसरे सूझते ही नहीं।

—निराला

अगर बीसवीं शताब्दी के अवसान के निकट हम प्रायः समूचे संसार में अन्ततः बहुलतावादी प्रजातांत्रिक दृष्टि की लोकव्यापी विजय होते देख रहे हैं और स्वयं कविता के समकालीन गल्प उसकी प्रजतांत्रिक बहुलता से ही उपजे हैं तो यह आशा करना असंगत नहीं है कि हमारी आलोचना को भी इसी प्रवृत्ति को पुष्ट और प्रतिबिम्बित करना चाहिए। यहाँ आशय उस ढेर सारी आलोचना से नहीं है जो अविचारित अराजकता के चलते बहुलतावादी है। हमारा आशय उस आलोचना से है जो गंभीरता और ज़िम्मेदारी से हमारे समय की कृतियों, पुरानी कृतियों की समकालीन व्याख्या और खोज और इनके माध्यम से जीवन के बारे में कुछ खोजने-बखारने की कोशिश करती है।

एक बुनियादी अन्तर्विरोध का सामना हमें शुरू में ही करना पड़ेगा। रचना का स्वभाव विशेषीकरण का है और आलोचना का सामान्यीकरण का। कविता का गल्प अपनी सगुणता में, अपनी बहुलता में आलोचना के सत्य को लगातार चुनौती देता प्रतीत होता है। आलोचना जो प्रवृत्ति-निरूपण, प्रतिमान-निर्माण, कालविभाजन आदि करती है रचना प्रायः उसमें पूरी तरह अँट नहीं पाती। रचना एक अर्थ में पूर्णता पाती है जबकि आलोचना हमेशा अधूरी रहने को अमिशप्त है—रचना आलोचना के माध्यम से अपना अर्थविस्तार करती है, अपने को नई-नई व्याख्याओं में पुनरुज्जीवित करती है पर आलोचना को कभी पूर्णता नहीं मिल पाती। जिस हद तक आलोचना में अपनी असमाप्यता का बोध सक्रिय रहता है उस हद तक वह निर्णयात्मकता के जड़ बिन्दु पर पहुँचने से बचती है। वह रचना को जानने-समझने की कोशिश करती है और उस समझ को औरों तक पहुँचाती है।

पर साथ ही अपने पर सन्देह करती है, अपनी समझ पर खरा शक भी करती रहती है। शायद आत्मसन्देह का यह अनिवार्य स्पेस आलोचना को उसकी सामान्यीकरण करने की विवशता से किसी हद तक दोषमुक्त करता है। यह विश्लेषण का विषय होगा कि किसी आलोचक-विशेष में यह स्पेस है या नहीं—अगर है तो एक नियंत्रक तत्त्व है, या निरा अलंकार ही।

रचना के लिए जीवन रहस्य है और आलोचना के लिए रचना। कुछ अर्थों में आलोचना इस दोहरे रहस्य का सामना करती है—रचना के रहस्य का और जीवन के रहस्य का। दोनों की प्रकृति निश्चय ही अलग है—जीवन का रहस्य एक प्रवाह है, अटूट और अनन्त, अनाकृत और अराजक। रचना का रहस्य आकृत है, ससीम और व्यवस्थित। पर रचना के रहस्य को समझने और उस समझ को दूसरों तक पहुँचाने का आलोचना का काम बिना जीवन के रहस्य-भाव के उसमें सक्रिय हुए प्रामाणिक और विश्वसनीय नहीं हो सकता। अन्ततः आलोचना के लिए, रचना की ही तरह, जीवन ही प्रमाण है। निश्चयात्मकता का स्वाँग भरे बिना आलोचना रचना की और उसके माध्यम से जीवन की सचाई की खोज करती है। ऐसी खोज में निश्चयात्मकता की जगह विश्वसनीयता लेती है।

सहयोगी प्रयास और असमाप्य प्रक्रिया होने के बावजूद आलोचना दूसरों के सामने प्रस्तुत होते हुए भी अपनी बात कहती है। जैसे कविता की सगुणता की विशेषता और मानवीयता आलोचक के व्यक्तित्व, उसकी उलझनों और सूझ-बूझ से निकलती है।

आलोचना का काम सिर्फ़ पहले के या उसके समकालीन रचनाओं का विश्लेषण, मूल्यांकन, प्रवृत्ति-निर्धारण भर नहीं है उससे कहीं आगे जाकर उसकी ज़िम्मेदारी समकालीन समाज में रचना के लिए जगह बनाना। उसकी स्वतन्त्रता, उसकी स्वायत्तता के लिए सम्भावना बनाय रखना। उन शक्तियों से लोहा लेना भी जो साहित्य का शोषण करती हैं या करना चाहती हैं। चूँकि आलोचना एक वैचारिक प्रक्रिया भी है, उसकी एक जिम्मेदारी साहित्य और विचारों के बीच सम्बन्ध खोजना और स्थापित करना है—साहित्यिक-विचार या साहित्य-सिद्धान्तों को सिद्धान्त जगत् में उचित स्थान और मान्यता दिलाना भी है, सबसे बढ़कर साहित्य को वैचारिक संवाद में अवस्थित करना और उसे वहाँ लगातार बनाए रखना है।

अगर रचना सामान्य और सरलीकृत की तानाशाही का प्रतिरोध करती है तो सामान्यीकरण के प्रति अपने अनिवार्य आकर्षण और विचारों की अपनी विवशता के बावजूद आलोचना के लिए यह ज़रूरी है कि वह इस प्रतिरोध को अपना समर्थन दे, उसकी रौशनी में अपने आचरण का लगातार संशोधन करती चले। लेखक की अपनी दृष्टि की भी अपनी रचना में तानाशाही हो सकती है—आलोचना उसके प्रति चौकन्नी रहती है। वह सच्चे और खरे को पाकर आनन्द मनाती है, दुर्घटना

पर विलाप करती है और ज़रूरत पड़ने पर खतरे की घंटी बजाती है। अगर उसमें अनेक दृष्टियों का एक-दूसरे से जूझता पर एक-दूसरे से संवाद करता प्रजातंत्र नहीं है तो रचना में ऐसा प्रजातंत्र अधिक देर तक, अगर वहाँ सौभाग्य से बचा हो, टिका नहीं रह सकता।

आलोचना का एक ज़रूरी काम साहित्य के पाठक का संस्कार करना है। हिन्दी में साहित्य की जो दुर्भाग्यपूर्ण सामाजिक स्थिति है उसके रहते यह संस्कार प्रायः सम्भव नहीं हो पाता। बल्कि इस हालत में लेखकों की दृष्टि अकसर आलोचना पर ट्रैजिक ढंग से एकाग्र हो जाती है जो दोनों के स्वास्थ्य के लिए हानिकर है। हमारे समाज में, कम-से-कम महत्त्वपूर्ण कविता के, आलोचक लगभग एकमात्र पाठक हैं अगर वे नहीं पढ़ रहे हैं तो यह भयावह सम्भावना है कि कविता कोई नहीं पढ़ रहा है। यह लेखक और आलोचना के बीच सम्बन्ध में विकृति लाता है। उस विकृति के प्रति सजग रहना ज़रूरी है।

फ्रेंच चिन्तक पाल बीनीशू ने कहा है, "किसी भी शताब्दी में अपने स्वभाव के कारण मानवीय अन्तरात्मा समाज और इतिहास से परे उठ जाती है—वह ऐसे युगों की मानवता से फिर जुड़ जाती है जो बीत चुके या आगे आनेवाले हैं और उनसे संवाद करती है।" आलोचना इस संवाद को सुगम बनाती है। वह रचना को नितान्त समसामयिकता के बन्धन से मुक्त कर उसे एक व्यापक निरन्तरता में अवस्थित करती है। वह समसामयिक और शाश्वत के बीच सम्प्रेषण का अभिज्ञान है और अगर दुर्भागय से ऐसा सम्प्रेषण टूट गया हो तो उसे फिर से स्थापित करने का उद्यम करती है।

ऊपर आलोचना के बारे में जो कुछ कहा गया है अगर वह सब उसकी ज़िम्मेदारी है तो ज़ाहिर है कि उसका कार्य बहुत कठिन और अनेकस्तरीय है। तोदोरोव ने कहा है, 'हमें और तथ्य नहीं, और विचार चाहिए।" इस एक ज़रूरत के सिलसिले में हम हिन्दी की वर्तमान आलोचना के दुर्भाग्य की बात कर सकते हैं। हिन्दी में नया सोच-विचार प्रायः बन्द-सा हो गया है—उसका अधिकांश दरअसल पहले से सोचे-विचारे का पुनर्कथन और पुनर्पुष्टि है। कई बार वह किसी नयी कृति या पुराने गौरवग्रन्थ का इसी विचार के लिए चतुर दुर्विनियोजन है। जैसे कविता में इन्नोवेटिवनेस का अवसान हो चुका है, आलोचना में भी नवाचार का घोर अभाव है। ऊपर देखें तो लगेगा कि आलोचना में बड़ा सैद्धान्तिक काम हो रहा है पर दरअसल यह कहना मुश्किल है कि पिछले दो-तीन दशकों में ऐसे कोई नए सिद्धान्त हैं जो हमने पहली बार विकसित किए हों। शायद यह अतिशयोक्ति नहीं है कि कविता के मुक़ाबले आलोचना आज अधिक कंजर्वेटिव है। वह अपनी दकियानूसी से कविता में जो नया और प्रयोगशील हो भी रहा हो तो उसे एक तरह का अदृश्य पर अचूक प्रतिरोध देती है। हमारी आलोचना का, उदाहरण के लिए, विनोद कुमार शुक्ल या

विपिन कुमार अग्रवाल जैसे कवियों को नज़रन्दाज़ करना आकस्मिक नहीं है। कविता को उसके निरे कथ्य और भावार्थ में रिड्यूज कर उसे जाँचना-परखना कविता की जटिलता का अवमूल्यन तो है ही, वह जानबूझकर ऐसे काव्यमूल्यों का आतंक परिदृश्य पर फैलाना भी है जिनमें जटिलता और सूक्ष्मता, कल्पना और साहस के तत्त्व संदिग्ध या अनावश्यक हो जाएँ।

आलोचना का एक ज़रूरी काम अपने समय की युवा रचना का प्रवक्ता बनना रहा है—उसने प्रायः अपने समवयसी साहित्य के लिए कुछ सिद्धान्त और नई पद्धतियाँ सुझाने और विकसित करने की ज़िम्मेदारी भी ली है। अगर इस दृष्टि से देखें तो कवियों की जो नई पीढ़ी इस समय सक्रिय है उसकी प्रवक्ता कोई आलोचना नहीं है। इसका कारण यह भी है कि आलोचना अब कवि-स्वभाव का अंग नहीं रह गई है जबकि वह नई कविता में थी—हम याद कर सकते हैं कि अज्ञेय, मुक्तिबोध, साही, मलयज आदि सभी पहले कवि थे, बाद में आलोचक। यों तो हर पीढ़ी आलोचना की दुर्दशा पर दो आँसू बहाती ही है, पर इधर की पीढ़ी के कवियों द्वारा दूसरों पर दोषारोपण व्यर्थ है। इस पीढ़ी ने अगर अपना कोई आलोचक पैदा नहीं किया तो या तो यह उसकी आलोचनात्मक असामर्थ्य का द्योतक है या इसका प्रमाण कि दरअसल उसमें कोई अलग या स्वतन्त्र, विशिष्ट और ध्यान देने योग्य संवेदना और विचारों का, दृष्टियों का परिवर्तन है नहीं।

यह सही है कि हर समय, बावजूद वैचारिक मतभेदों के, अपने समय के महत्त्वपूर्ण लेखकों और कृतियों के बारे में एक व्यापक आलोचनात्मक मतैक्य बना रहता है। अगर हम समकालीन परिदृश्य की बात सोचें तो ऐसा मतैक्य अज्ञेय, मुक्तिबोध, शमशेर, त्रिलोचन, नागार्जुन, विजयदेव नारायण साही, रघुवीर सहाय, श्रीकान्त वर्मा, कुँवरनारायण आदि के बारे में है। प्रश्न यह है कि यह मतैक्य आलोचनात्मक उद्यम से बनता-विकसित होता है या एक तरह हवा बँध जाती है जिसे, बिना विश्लेषण और जाँच-परख की कठिन प्रक्रिया से गुज़रे, व्यापक स्वीकृति मिल जाती है। यह बात इस सन्दर्भ में विशेष रूप से विचारणीय हो जाती है कि आजकल जनसंचार माध्यमों द्वारा छवि निर्माण का उद्योग बहुत फैल गया है और आलोचनात्मक निबन्धों के बजाय टिप्पणियों से कीर्तियाँ बनाने-बिगाड़ने का धन्धा कुछ यों चल निकला है कि कीर्ति के पीछे आलोचना का यत्न हो यह ज़रूरी नहीं है। ऊपर जो नाम लिए गए हैं उन पर बाक़ायदा सुविचारित पुस्तकें तो दूर, महत्त्वपूर्ण निबन्धों की संख्या भी बहुत कम है। हमारी इधर की आलोचना हालाँकि समकालीन साहित्य पर ही अधिकतर एकाग्र है, उसके ध्यान और उद्यम केन्द्र में ठोस लेखक या कृतियाँ नहीं हैं। वह उनकी सूचियाँ बनाती है, अकसर दाख़िल-ख़ारिज भी करती रहती है पर उनकी विशिष्ट सगुणता से विस्तार और गहराई में साक्षात् करने से मानों बचती रहती है। यह दुखद है कि रचना के यथार्थ के

किसी हिस्से को आलोचना दबोचकर या उसका लगभग अपहरण कर वह उसे अपने आलोचनात्मक यथार्थ में बदल लेती है—आलोचना के लिए अपनी प्रिय धारणाओं के उदाहरण से अधिक जैसे कविताओं और कवियों का महत्त्व ही न हो। शायद आलोचना डरती है कि कविता के गल्प का समूचा साक्षात्कार उसे अपना कायाकल्प करने, अपने सिद्धान्तों के अधूरेपन पर विचार करने, उन्हें छोड़कर कोई नए अपनाने पर विवश न कर दे। एक विचित्र अर्थ में हमारी आलोचना स्वायत्त है—वह रचना की सच्चाई से विचलित या संशोधित होने को तैयार नहीं है।

लेखक या कृतियाँ आलोचना के केन्द्र में न हों वे बहस में बने रहते हैं। अकसर ये बहसें वाचिक परम्परा में गोष्ठियों में और कुछ अख़बारों के स्तम्भों और टिप्पणियों में चलती हैं। कई बार वे इसका भ्रम भी पैदा कर देती हैं कि बड़ा व्यापक और विचारोत्तेजक संवाद चल रहा है। सचाई तो यह है कि विचारधारात्मक उठापटक दृश्य पर इतनी हावी हो गई है कि खरे और खुले वैचारिक संवाद से आलोचना अपसरण कर रही है। जो लोग पहले से ही सहमत हैं और वेध्य नहीं हैं उनके बीच जो सार्वजनिक उबाऊ बातचीत चलती रहती है उसे संवाद कहना हास्यास्पद है। ऐसे सार्वजनिक मंच लेखकों के बन गए हैं जहाँ दूसरे विचार के लेखकों का प्रवेश वर्जित है—हिन्दी में इस समय वैचारिक असहिष्णुता और छुआछूत का जो वातावरण है और उसमें एक तरह की आपसी शत्रुता जैसी छा गई है वह अभूतपूर्व है। अकसर यह माहौल उन मीडियाकर लेखकों द्वारा बनाया गया है जिन्हें ऐसे मंचों से मिली वैधता और मान्यता के अलावा स्वयं अपनी रचनात्मक या आलोचनात्मक शक्ति पर भरोसा नहीं है—अकसर झगड़ा या मतभेद बड़े लेखकों को लेकर है भी नहीं। झगड़ा मीडियाकर्स को लेकर है। हिन्दी में शायद ही पहले कभी मीडियाकर्स दृश्य पर इतने आक्रामक ढंग से हावी रहे हों और शायद ही उनके आतंक में लेखकों के आपसी सम्बन्ध और आलोचना का वैचारिक स्तर इतना विकृत हुआ हो।

स्वयं विचारों के स्तर पर जो नई चुनौतियाँ सामने हैं उनसे आलोचना का एक बड़ा हिस्सा मुँह चुरा रहा है—कम-से-कम अभी तक उसने अपनी कट्टरता और असहिष्णुता पर कोई पुनर्विचार किया हो इसका कोई प्रमाण हमारे सामने नहीं आया है। मार्क्सवाद और उसके आधार पर खड़ी व्यवस्थाओं में इन दिनों भयावह और गहरी उथल-पुथल है। उसके चलते प्रजातान्त्रिका और उसके मूल्यों का, 'बहुनिन्दित' बहुलता का स्वीकरण और पिछले पचास वर्षों से मान्यता और मूल्यवत्ता से बहिष्कृत लेखकों और कृतियों का पुनर्वास हो रहा है। इन युगान्तरकारी परिवर्तनों के प्रति हमारी प्रगतिशील आलोचना इतनी उदासीन क्यों है? अगर इतिहासबोध के आधार पर एक नया समतावादी समाज और इस बहाने एक नया मनुष्य बनाने का क्रान्तिकारी प्रयत्न असफल हो गया लगता है, अगर सर्वहारा की तानाशाही

सर्वहारा की नहीं एक नए प्रभवुर्ग की तानाशाही बनने को अभिशप्त रही है, अगर अभिव्यक्ति की स्वतन्त्रता को स्थगित करना बहुत घातक सिद्ध हुआ है तो इस मूल्यदृष्टि को अपनी आलोचना का मूलाधार बनानेवाले इस क़दर चुप्पी साधे क्यों बैठे हैं? क्या यूरोप में और स्वयं मार्क्सवाद में जो हो रहा है उसे निरा राजनीतिक अवसरवाद कहकर ख़ारिज किया या टाला जा सकता है? क्या रूस में सामाजिक यथार्थ सतही और छिछली अवधारणा मानकर घूरे पर फेंक दिया जाएगा लेकिन हमारे आलोचना के गर्भगृह के ऊपर उसकी ध्वजा फहराती रहेगी?

हो सकता है मान्यता और वैधता का एक बना बनाया सर्किट आसानी से पा सकने के प्रलोभन में तरुण कवि इस तरह की विजड़ित या अपने हश्र से स्तम्भित विचारधारा की ओर आकर्षित होते रहें पर देर-सबेर उसे इन चुनौतियों का जवाब तो देना ही होगा। वह जवाब शस्त्र-समर्पण नहीं होगा पर अपनी पद्धतियों और मूल्यांकन का यातनादायी पुनरीक्षण होगा ऐसा उम्मीद करनी चाहिए। जड़ीभूत सौन्दर्याभिरुचि ही नहीं होती, जीवन और इतिहास का बोध भी हो सकता है।

हमारी आलोचना में कुछ बने बनाए युग्मों के लगभग अपरीक्षित और अतर्कित स्वीकार और व्याप्ति ने भी उसके अपने ढंग से सोचने-विचारने की ओर बढ़ने में बाधा पहुँचाई है। व्यक्ति और समाज, कथ्य और शिल्प, यथार्थ और कल्पना आदि ऐसे ही युग्म हैं। एक प्राचीन समाज होने के नाते भारत में संसार को समझने और बदलने की अपनी विशिष्ट पद्धतियाँ रही हैं और उनका प्रभाव हमारे लोक जीवन में आज भी पर्याप्त है। स्वयं समकालीन रचना अपनी जटिल विशिष्टताओं में इस तरह के युग्मपरक सरलीकरण का निषेध या अतिक्रमण करती है। पर चूँकि आलोचना के एक बड़े हिस्से ने अपने को इन सृजनात्मक तथ्यों और उनके निहितार्थों से अपने को स्वतन्त्र और स्वायत्त मान रखा है, वह एक तरह से रचना के मुक़ाबले कहीं ज्यादा कंजरवेटिव साबित हो रही है। कभी-कभार विश्लेषण के लिए उपयोगी युग्मों को परम कोटियाँ मानकर व्यवहार करना साहित्य की पूर्णता का प्रत्याख्यान है और विचार के कष्टदायी उद्यम से बचकर सरलीकरण की शरण लेना है।

पर, सौभाग्य से, इस अँधेरे के बावजूद कुछ रौशनी भी है। इधर ऐसी आलोचना विकसित हो रही है जो अपने बार-बार कलावादी कहे जाने के लांछन को सहकर और सच्चे बौद्धिक रूप नोटिस न लिये जाने की परवाह किए बिना, रचना के साथ एक द्वन्द्वात्मक और समृद्धिदायी सम्बन्ध बनाती है। वह रचना से उकसाए जाने पर उत्कट विचार करती और उसमें सूक्ष्मताओं का सीधे सामना करने का साहस करती है, बजाय नज़रन्दाज़ या अपठनीय हो जाने के भय से छोड़ने के। हमें यह नहीं भूलना चाहिए कि पठनीयता और प्रेषणीयता एक ही चीज़ें नहीं हैं—जिसे सूक्ष्म की चिन्ता है, जिसमें विशिष्ट के प्रति आकर्षण है, जो जटिल से घबराता नहीं है, सच्ची विचारोत्तेजना और चटखारेपन का अन्तर पहचानता है, जो

आध्यात्मिक और दार्शनिक प्रश्नों और चिन्ताओं को उतना ही मानवीय मानता है जितना तथाकथित सामाजिक प्रश्नों और चिन्ताओं को, जो आलोचना को भी वैसी स्वतन्त्रता और स्वायत्तता देने को तैयार है जैसाकि रचना को, उसे यह आलोचना राहत देगी। वहाँ लेखक या रचना उदाहरण या किसी विचार का संस्करण नहीं है। वह उपस्थिति है जिसके प्रति और जिसके सभी सम्भव निहितार्थों के प्रति ध्यानाकर्षण आलोचना की नैतिक ज़िम्मेदारी है। ज़ाहिर है कि ऐसी आलोचना पर वे बार-बार टूट पड़ते हैं जो बजाय रचना की स्वतंत्रता ओर स्वाभिमान की रक्षा और सुनिश्चय करने और उसके लिए संघर्ष करने के उसे अपनी ही तरह वैचारिक पिछलगुआ बना देना चाहते हैं।

अगर हम अपनी स्थिति की यूरोप से तुलना करें तो पाएँगे कि यह सहज स्वाभाविक है कि वहाँ के आलोचक समूचे यूरोप की एक संग्रथित परम्परा मानकर अवरधारणाओं, प्रविधियों लेखकों-कृतियों का आलोचनात्मक विश्लेषण और उपयोग करें। हमारे यहाँ यद्यपि प्राचीन शास्त्रीय परम्परा समूचे भारत में व्याप्त रही है, हम पर औपनिवेशिकता ओर उत्तर-औपनिवेशिकता का लगभग समवर्ती और समान प्रभाव पड़ा है, इस समय कोई समग्र भारतीय आलोचना-परम्परा नहीं है। रवीन्द्रनाथ ठाकुर के अपवाद को छोड़कर एक भी ऐसा आधुनिक भारतीय लेखक या कृति नहीं है जिसका हम उल्लेख या उपयोग कर पाते हों। हम समकालीन फ्रेंच या अमेरिकी आलोचकों के सिद्धान्तों से सुपरिचित हैं और जब-तब उनके प्रभाव में भी हैं पर मसलन बंगला आलोचक शंखघोष क्या सोचते हैं या कन्नड़ चिन्तक यू आर अनन्तमूर्ति के क्या विचार हैं यह हमें पता नहीं। सांस्कृतिक आदान-प्रदान में हिन्दी की भूमिका है और औपनिवेशिक मानसिकता से मुक्ति के उसके संग्राम में उसे समानधर्माओं की तलाश अन्य भाषाओं में होनी ही चाहिए। इसके अलावा शायद ऐसी समग्रता और समवाय विकसित होने पर शायद हम बेहतर समझ सकेंगे कि क्यों बंगला और कन्नड़ में सशक्त मार्क्सवादी साहित्य होने के बावजूद वहाँ लेखक समाज में ऐसी कटुता और कट्टरता का वातावरण नहीं है जैसाकि, दुर्भाग्य से, हिन्दी में है।

शत्रु मंच और मित्र पत्रिकाओं के पदों में सोचनेवाली आज की आलोचना अकसर लेखकों की मान्यता या स्वीकृति को शत्रु और मित्र की पदावली में पेश करती है। प्रसाद या प्रेमचन्द, अज्ञेय या मुक्तिबोध, रेणु या निर्मल वर्मा आदि ऐसे ही अवास्तविक युग्म हैं जिनमें से किसी एक को ही चुनने की कोई बौद्धिक या नैतिक विवशता वस्तुतः है नहीं। सच तो यही है कि हमें दोनों चाहिए : न अकेले प्रेमचन्द से हमारा काम चलता है, न अकेले प्रसाद से। दोनों ही हमें मिले हुए हैं और उनके बीच चुनाव की स्थिति बनाना बुद्धि-विरोधी है और एक हद तक अनैतिक भी। जिस बहुलतावाद को हम अपनी बौद्धिक ओर सृजनात्मक परम्परा

और व्यापक जीवन पद्धति का अनिवार्य तत्त्व मानते हैं उसके चलते इस युग्मवादिता का वैसे भी कोई औचित्य नहीं है। बल्कि यह चिन्ता की बात है कि यह बहुलता हमारे समाज में जो प्रजातान्त्रिक अधिकार और छूट देती है कुछ लोग उसी का उपयोग करते हुए विचारों की एक तानाशाही लादने का उपक्रम करें।

सजग आलोचना वह है जो किसी भी समाज में व्याप्त वैचारिक एकरूपता का लगातार, रचना के साक्ष्य से और अपनी निरन्तर विचारशीलता से, परीक्षण करे और उसे विचलित करती रहे। उसका अध्यात्म शायद हमारे समय में इस समाज में यही है कि वह कविता के लिए कम होती जाती जगह को बचाने और बढ़ाने के लिए और उसकी स्वतन्त्रता और स्वाभिमान को, उसे मनुष्य की अन्तरात्मा के एक अक्षय साक्ष्य के रूप में सुरक्षित रखने का संघर्ष कभी भी शिथिल न होने दे—सारे शोरगुल के बीच कविता की आवाज़ दब न पाए और अलग और स्पष्ट सुनाई देती रहे यही आलोचना की चेष्टा का अचूक लक्ष्य हो सकता है।

आज सारे संसार की राजनीति में जो हो रहा है और अभी हाल में हमारे देश में भी हुआ उसने सत्ता की जवाबदेही के सिद्धान्त को, उसकी बुनियादी नैतिकता को एक बार फिर व्यवस्था का केन्द्रीय प्रश्न बना दिया है। मुक्तिबोध ने बरसों पहले लेखक को पहले अपना पॉलिटिक्स तय करने की सलाह दी थी—उस सलाह को पलटने का वक्त आ गया है। कम-से-कम आलोचक को आज अपनी 'राजनीति' तय करने के पहले अपनी 'नीति' तय करना चाहिए। आलोचना की नैतिकता आज उसका केन्द्रीय प्रश्न है।

जिसे हम नई कविता कहते हैं उसकी शुरुआत हुए आधा सदी बीत चुकी है। इस बीच कविता को लेकर अनेक नई स्थापनाएँ और प्रविधियाँ सामने आई हैं। फिर भी हम एक नया लचीला काव्यशास्त्र अब तक क्यों नहीं विकसित कर पाए हैं? यह नहीं कि इस दिशा में नए प्रतिमान खोजने की, गढ़ने की कोशिश नहीं हुई है पर उसके पीछे बुनियादी प्रेरणा साहित्य के शक्ति सन्तुलन में हस्तक्षेप करने की, किसी लेखक या कृतियों या प्रवृत्ति को पदस्थ-अपदस्थ करने की अधिक रही है। नतीजे में हम पाते हैं कि, आलोचक की, शायद आलोचना की भी, शक्ति तो घटी-बढ़ी है, नया शास्त्र विश्वासोत्पादक या व्यापक रूप से स्वीकार्य नहीं हो पाया। यहाँ यह लक्ष्य करना न भूलना चाहिए कि आलोचना शक्ति भी देती है और साहित्य के व्यापक वैचारिक संसार में उसकी एक भूमिका होती है। यह उसकी नैतिक उत्प्रेरणा पर निर्भर है कि वह शक्ति का अखाड़ा बनती है या कि ज्ञान का विनोद।

एक बड़ी कठिनाई विचार के क्षेत्र में किसी भी विचार को समग्र मानकर उसे सर्वसत्तावादी हैसियत देना है। हो सकता है कि सचाई या ज्ञान के किसी पक्ष के बारे में उस विचार की उपयोगिता हो लेकिन उसे सर्वव्यापी मानते ही अतिव्याप्ति के दोष के अलावा सचाई के उन सभी क्षेत्रों को तजने या नज़रन्दाज़ करने की

समस्या पैदा होती है जो उस विचार से समरस या उसके अनुरूप न हों। इसके बरक़्स अगर हम यह मानकर चलें कि साहित्यिक विचार एक समावेशी और संश्लिष्ट इकाई है जिसमें कई तरह के विचारों का सक्रिय और सहअस्तित्व सम्भव है तो हम किसी एक विचार की सर्वग्रासिता से उपजनेवाली संकीर्णता से बच जाएँगे और कविता के गल्प के लिए आलोचना का भी एक सम्यक् गल्प ढूँढ़ पाएँगे। इस निबन्ध के शुरू में उद्धृत निराला की 'तमाम भावों की एक साथ पूजा' की बात कुछ इसी दिशा में संकेत है।

उदाहरण के लिए मार्क्सवाद और मनोविश्लेषणवाद को लें। दोनों ही विचारदर्शन साहित्य के अपने दर्शन नहीं हैं जैसे कि छायावाद था। पर दोनों के साहित्य के लिए निहितार्थ हैं—उनके दक़ियानूस अनुयायी उन्हें समग्र दर्शन मानते हैं। पर मानवीय सचाई इतनी जटिल और बहुल है कि किसी एक विचारदर्शन में उसका समग्रीकरण सम्भव नहीं है। अब अगर कोई रचना अपने को सामाजिक सचाई से जोड़ती हो तो उसे समझने में मार्क्सवादी दृष्टि मददगार होगी। इसी तरह से मानसिक जगत् को समझने में फ्रायडियन पद्धति और आध्यात्मिक सचाई को जाँच-परखने में धार्मिक दृष्टि सहायक हो सकती है। ऐसा कम ही होता है कि किसी महत्त्वपूर्ण लेखक या रचना में सचाई का एक ही पक्ष हो और इसलिए ऐसी किसी एक दृष्टि से काम नहीं चलेगा। इसलिए साहित्य का अपना विचार-दर्शन ऐसी कई दृष्टियों का समुच्चय होगा और उनमें आपस में जो अन्तर्विरोध बौद्धिक या अन्य प्रकार के हों उनका तनाव या द्वन्द्व का भी समावेशिता में शमन हो जाएगा। न तो जीवन की सचाइयों का समग्रीकरण हो सकता है न ही कविता के गल्प का। उसी के अनुरूप आलोचना ऐसे ही; समग्रता के छद्म और फँसाव से बचकर, अपनी असमाप्यता और अन्तहीन खुलेपन का चरम गल्प रचती है—एक ऐसी विचार-स्पन्दित देश जिसमें सभी दृष्टियाँ और प्रविधियाँ सापेक्ष हैं।

(इलाहाबाद विश्वविद्यालय की निराला व्याख्यानमाला 1990 में दिए गए तीन लिखित व्याख्यानों में से एक)

आलोचना का पुनर्वास

आज से साठ वर्ष पहले पैरिस में फ़ासिज़्म के विरुद्ध लेखकों की एक कांग्रेस में बोरिस पास्तरनाक देर से अजब-सी पोशाक पहने और बिना कांग्रेस के विषय में जाने हुए पहुँचे थे। उन्होंने एक छोटा-सा वक्तव्य दिया था जिसमें कहा कि कविता हरी घास में बिखरी होती है और उसे देख पाने के लिए नीचे की ओर कुछ झुकना पड़ता है। बिना झुके कविता को देख पाना मुमकिन नहीं होता। हालाँकि यह वक्तव्य कांग्रेस के विषय से सर्वथा अप्रासंगिक था, उसे उस सम्मेलन का सबसे मार्मिक वक्तव्य माना गया। पास्तरनाक ने जिन दो क्रियाओं का ज़िक्र किया है, देखने और झुकने का, वे आलोचना के सिलसिले में बुनियादी क्रियाएँ हैं।

आलोचना का सम्बन्ध देखने से है। आलोचना रचना को और उसमें व्यक्त जीवन को, भाषा के उस विशिष्ट संयोजन को जिसे रचना कहते हैं, देखना है। यह देखना निपट नंगी आँख से देखना अकसर नहीं हो पाता। हमारी आँख रचना को पहली बार नहीं देखती है। वह पहले भी कुछ देख चुकी है। कुँजड़े की आँख रोज-ब-रोज़ लाल टमाटरों के ढेर देखती है पर उसमें जो ठीक है या सड़ा-गला है उसे अचूक पहचान लेती है। बाक़ी को वह लगभग अनदेखा करती है। आलोचना की आँख अभ्यस्त आँख है, जो देखती और अनदेखती दोनों ही है। वह अकसर अपने धुँधलेपन से देखती है, हो सकता है अपने पर लगे चश्मे से भी। पर जो भी हो, आलोचना देखना है। वह ठोस को, उसके ब्यौरों को देखना है। वह जो दृश्य है उसे देखना है—उस दृश्य को किसी और दृश्य के संस्करण के रूप में, देखना नहीं है। वह दृश्य में हरी घास, उसके कुछ पियराए तिनकों, उनके बीच की चट्टान और उस पर पलभर के लिए बैठ गए नीलकंठ पक्षी, उसके पीछे फैले नारंगी आकाश की पट्टी और उसकी बगल में खड़ी उदास बच्ची को, जिसका खेल थमा हुआ है, अलग-अलग देखना है, उनके सम्बन्ध में देखना है। देखना इस दृश्य को किसी और दृश्य में अनूदित करने से इनकार करना भी है। वह उन्हें समान्यीकृत करने का निषेध भी है। पर आँख इस पर खरा सन्देह कर सकती है कि जो उसे दीख रहा है वही दृश्य है। आलोचना देखती है और अपने देखने पर लगातार सन्देह भी करती चलती है। हो सकता है जो नज़र में आ रहा है वह कुछ और ही हो। वह

दृश्य की वास्तविकता पर नहीं, अपनी क्षमता पर सन्देह करती है। वह पलटकर अपने को देखती है। मानों आँख पलटकर दृश्य को नहीं अपने को ही देखे या कम-से-कम देखने की चेष्टा करे। अज्ञेय की अन्तिम कविताओं में से एक है :

वे (क्षुप) लोग भी हो सकते हैं
वे (चट्टानें) ऊँटो की कतार भी हो सकती है
वह (सिहरती हवा) पानी भी हो सकती है
मैं (मृग) मरीचिका भी हो सकता हूँ।

शायद इधर हमने देखना और अपने देखने पर सन्देह करना कम कर दिया है। हममें से कइयों को ठोस ब्यौरे तो नहीं दिखाई देते, पता नहीं कैसे, सिद्धान्त या कि सिद्धान्त का उदाहरण दिखाई दे जाता है। हम जो है उसकी अवज्ञा कर, जो नहीं है उसका दर्शन कर लेते हैं। जो सामने हैं, अकाट्य और अनिवार्य रूप से, उसे ठीक से देखे बिना जो हमें याद आता है उसका आरोपण कर लेते हैं। हमें अकसर दृश्य का असन्तुलन या बेढबपन या विषमता दिखाई देती है, अपनी दृष्टि का धुँधलापन या अपने आसपास छाया धुँधलका दिखाई नहीं देता। आलोचना का पुनर्वास तभी हो सकता है जब हम देखने की आदत, उस पर सन्देह करने की विनम्रता को फिर से केन्द्रीय जगह दें। देखने का अचरज, देख पाने की ललक, देखे गए रहस्य, आँख की देखने की सरहद—इन सबके पास आए बिना आलोचना व्यर्थ है। हम जब झुककर देखेंगे तभी कविता देख पाएँगे और वह हरी घास भी जिसमें, जैसाकि पास्तरनाक ने कहा था, कविता बिखरी हुई है।

जब हम देखते हैं तो पिछले देखे हुए को याद भी करते हैं। पिछली हरी घास को या उन कोनों-अँतरों को जिनमें भी हमने या किसी और ने पहले कभी कविता देखी थी। आलोचना सिर्फ़ देखती ही नहीं है, याद भी करती है। देखते हुए याद करती है। जो देख रही है उसे स्मृति में अन्तरित नहीं करती है। पर जो सामने है, उसे जो पहले रहा है उससे, जोड़ती है। वह अर्थ प्रत्यक्ष में ही नहीं खोजती-पाती। वह प्रत्यक्ष के अर्थ को, स्मृति में जगह देकर, गहरा और व्यापक करती है। वह रचना को समय देती है—रचना का अपना समय तो होता ही है और वह होने के लिए आलोचना पर क़तई निर्भर नहीं है। पर आलोचना अपनी स्मृति से रचना के लिए एक कविसमय गढ़ती है जिसमें वह रचना है और उसके पहले की रचनाओं का एक अप्रत्याशित सम्बन्ध भी है जिसे हम निरे देखने से शायद न देख सकें। आज की एक प्रेमकविता देव के 'अंगों के ईंगुर' से होती हुई कालिदास की 'प्रफुल्लकाशा वसुधा' तक पहुँच रही है और उसका यह कविसमय आलोचना याद कर ही देख-दिखा सकती है। बिना याद किए, बिना ऐसा कविसमय गढ़े आलोचना का पुनर्वास सम्भव नहीं है। इन दिनों चूँकि हमारे आसपास ऐसा बहुत कुछ है

जो अन्तर्ध्वनिहीन है, हम याद नहीं करते हैं, हम जोड़ नहीं पाते हैं। हम 'नितान्त समसामयिकता' के बाड़े में घिरे हैं। कई बार हम देख रहे हैं लेकिन याद नहीं कर पा रहे हैं। अगर हमारी स्मृति सक्रिय और जाग्रत नहीं होती तो हम, अधिक-से-अधिक देख रहे होंगे, समझ नहीं पा रहे होंगे। आलोचना देखना भर नहीं, समझना भी है। देखे बिना समझना मुमकिन नहीं पर समझे बिना देखने का अर्थ नहीं। स्मृतिहीन रचना अगर टिक नहीं सकती तो स्मृतिहीन आलोचना का भी वही हश्र है।

लेकिन समझने में कई अड़चनें और गुत्थियाँ हैं। आलोचना की समझ अपने आप नहीं बढ़ती। वह देखने और देखने पर अर्थ की तहें जमाने के अभ्यास से ही सयानी होती है। पर समझने का एक अर्थ अभी तक अपने जाने-समझे के अर्थ का, एक सच्ची रचना उसी समझने से, विस्तार होना भी है। जो हम पहले से ही समझते हैं अगर कोई रचना उसी समझ की पुष्टि करती है तो वह आलोचना के किसी काम की न होगी। ऐसी आलोचना, जो किसी रचना को उसकी विशिष्ट और अद्वितीय समझ में पकड़ नहीं पाती, समझने के अपने बुनियादी कर्त्तव्य से मुकर रही है और उतनी ही बेकाम है। अगर हम समझ रहे हैं और अपनी समझ में हुए विस्तार के लिए कृतज्ञ हैं तो यह आलोचना में प्रगट होगा। अगर हम अपनी पहले की ही समझ का सत्यापन खोज रहे हैं और नई रचना में वही पा रहे हैं तो हम आलोचना नहीं, कुछ और कर रहे हैं।

हमारे समय में समझ पर अभिधा का आतंक भी बढ़ाया गया है। एक तरह के दो टूकपन की माँग इन दिनों आम है। जो दो टूक नहीं है उसके लिए मानों जगह ही नहीं बची है। हो सकता जब आडम्बर और अलंकरण बहुत बढ़ जाए तो दो टूक सफ़ाई की ज़रूरत हो ताकि साफ़ दिखाई दे सके। पर यह एक ढंग का देखना ही है—उसे देखने मात्र का पर्याय नहीं बनाया जा सकता। समझ में यह अहसास शामिल है कि देखने के कई, और समान रूप से जायज़, तरीके हैं। हो सकता है जैसे आप देख रहे हों वैसे लेखक या रचना न देख रही हो। यह देख पाना और इसे स्वीकार करना आलोचना के देखने में शामिल है। एक प्रेमकविता को शुद्ध अन्तरंग सम्बन्ध की अभिव्यक्ति के रूप में देखना उसे निरी अभिधा मानकर चलना है। एक सनसनीखेज और निपट सार्वजनिक दुनिया में उसे रखकर देखना, निर्वैयक्तिक सम्प्रेषण के सन्दर्भ में निजी सम्बोधन की असम्भावना के साथ उसे जोड़ना, एक प्रेमहीन समाज में बढ़ते ख़ालीपन के बरक़्स उसे एक प्रोटेस्ट की तरह पढ़ना अभिधा से आगे जाना है। अभिधा से आगे जाए बिना, इबारत के बीच की खाली जगहों में अर्थ भरे बिना, आलोचना का पुनर्वास सम्भव नहीं है। रचना जैसे अपने अर्थ का समय पाने की हक़दार है वैसे ही वह आलोचना से अपने 'समाज' की माँग भी करती है। यह 'समाज' उसे आलोचना अभिधा तजकर, उसकी

ध्वनि समझकर ही उसे दे सकती है।

इकहरा पढ़ना आलोचना की आदत शायद इसलिए भी बन गई है कि उसने सोचना अगर बन्द नहीं कर दिया है तो काफ़ी कम कर दिया है। अपने समय की महान् वैचारिक बहस में हमारी आलोचना एक तरह से शमिल ही नही हैं। यों शुद्ध विचार आलोचना का काम नहीं है क्योंकि उसके लिए दूसरे अनुशासन हैं। पर अरसे से ऐसे अनुशासन हिन्दी में अनुपस्थित हैं। दार्शनिक अवधारणाएँ, मनोवैज्ञानिक विश्लेषण, समाजशास्त्रीय प्रत्यय और विधियाँ आदि जो हमारे देखने-समझने को गहरे प्रभावित और कई बार नियमित भी करते हैं हमें सीधे सुलभ नहीं हैं क्योंकि वे मूलतः हिन्दी में हैं ही नहीं। जो हैं उन पर हम ध्यान नहीं देते। ऐसी हालत में आलोचना को देखने-समझने के अलावा एक अतकारा काम, आपद्धर्म की तरह ही सही, सोचने-विचारने का भी करना चाहिए। पर इसकी हिकमत, इसका कौशल हमारे पास नहीं बचा है। हमारे यहाँ आलोचना विचार की विधा नहीं है। अकसर वह साहित्य-विचार को उसकी विशिष्टता और अनन्यता में विचार मानती ही नहीं है। हमारी आलोचना अपनी वैचारिक विपन्नता के बावजूद, बल्कि शायद उसी विपन्नता के कारण, यह मानने को तैयार ही नहीं है कि एक कविता या कहानी अपने ढंग से मनुष्य या उसके संसार या उसके सम्बन्ध या उसकी नियति के बारे में कुछ ऐसा सोच सकती है जो विचार की पहले से जानी सरणियों और सम्पदा से अलग या उसमें कुछ इज़ाफ़ा हो। विडम्बना यह भी है कि आलोचना ऐसा मोटा-भोंथरा पाठ लगातार करती चलती है और कविता को उसके तथाकथित वैचारिक तत्त्व में घटाकर उस तत्त्व की जाँच-परख करती है मानों कि वही कविता का सारतत्त्व हो। कुल मिलाकर हमारी आलोचना वैचारिक घपले में उलझी हुई है जिसमें सचमुच सोचने-विचारने के कौशल की हानि की तरह से विचाराभास ने ढँक दिया है। किसी ठोस विचार की अनुपस्थिति में हम प्रायः भाषा, उक्ति, भंगिमा आदि को भी उनकी विशिष्टता में देखने के बजाए उनको कोई आसान सामान्यीकरण में बदल लेते हैं। जैसे बिना विचार के आलोचना का पुनर्वास सम्भव नहीं वैसे ही बिना सामान्यीकरणों से मुक्ति पाए सच्चा सोच-विचार सम्भव नहीं। साहित्य जीवन का सामान्यीकरण नहीं है—बेहतर और प्रामाणिक यह सोचना है कि वह सामान्य से लगते जीवन, रोज़मर्रा की भाषा, हमारे अलक्षित आसपास का विशिष्टीकरण है। यह विशिष्टीकरण साहित्य में होता चलता है और उसे देख पाने के लिए हमें निपट समकालीनता, अभिधा, पूर्वानुमेयता, सामान्यीकरणों आदि से मुक्ति चाहिए।

आलोचना रचना का पड़ोस है—कम-से-कम वह रचना के पड़ोस में है। जो कुछ रचना को सहना-झेलना होता है, अकसर आलोचना को भी। फिर ऐसा क्यों है कि अकसर आलोचना ऐसे व्यवहार करती है मानों कि उसके केन्द्र में साहित्य

और जीवन से अनुराग नहीं बल्कि कुछ और है? आलोचना सिर्फ़ देखना-याद करना-समझना-सोचना भर नहीं है, ऐसा सब अनुरक्त होकर करना है। आलोचक हो सकता है कि कुछ लेखकों से ही प्यार करे। पर आलोचना साहित्यानुराग की ही उपज होती है। साहित्यानुराग जीवन प्रेम का ही एक अत्यंत उत्कट और अविस्मरणीय प्रकार है। जो प्रेम से इस संसार को नहीं देखता वह भला क्या और क्यों देखता है?

यह निरी भावुकता की दलील नहीं है। हमारी आलोचना से रसिकता का प्रायः लोप हो चुका है जबकि आलोचना करने का अधिकार रसिकता से ही मिल सकता है, अन्यथा नहीं। हम प्रायः अपनी नफ़रत से अधिक भावोत्तेजित जान पड़ते हैं, अपने प्रेम से नहीं। ऐसा क्यों है कि हम रचनात्मक साहित्य में लेखकों का यहाँ तक कि विधाओं का संघर्ष और आत्मसंघर्ष महसूस कर सकते हैं जबकि हमें ज़्यादातर आलोचनात्मक संघर्ष नज़र नहीं आता? यह ठीक है कि हमारा पड़ोसी अपने संघर्ष को अतिरंजित करता रहता है और हमें संघर्ष की भावुकता की नई दक़ियानूसी में फँसने के बजाये संयमित रहना चाहिए। पर पड़ोसी संघर्ष करता रहे और हम दूर खड़े देखते रहें—यह कहाँ की नैतिकता, "कहाँ की दोस्ती है?" संघर्ष करके ही रचना ने नए अनेक शिल्प, अनेक नई प्रविधियाँ और भंगिमाएँ भाषा के नए तेवर और भावभूमियाँ अर्जित की हैं—ऐसी नई अर्जना आलोचना में क्यों विरल और स्वल्प ही है? हमारी आलोचना अकसर रचना पर एकरस होने का आरोप लगाती है पर क्या यह आरोप उस पर अधिक फ़िट नहीं बैठता है? हमारी आलोचना की भाषा, शिल्प, पद्धति, अवधारणाएँ आदि प्रायः सभी उबाऊ, एकरस और संघर्षहीन हैं। प्रेम और संघर्ष के बिना भी आलोचना का पुनर्वास सम्भव नहीं है। बिना उनके न जीवन में, न भाषा में, न रचना में, न आलोचना में कुछ नया करना मुमकिन हो पाता है।

अगर संघर्ष की इच्छा है तो साहस की ज़रूरत होगी और कल्पना की भी। यह सही हो सकता है कि साहस और कल्पना दोनों ही की हमारी रचना में भी बहुत कमी है। पर लगता है कि आलोचना में न तो हिम्मत बची है और न ही कल्पनाशीलता। अपना कायाकल्प करने, अपनी वैचारिक मान्यताओं और भावभूमि पर पुनर्विचार करने, अपनी भाषा और युक्तियों का पुनराविष्कार करने की हिम्मत और रचना में प्रगट संसार को अपनी कल्पना की उपज से और समृद्ध, अर्थगझिन करने की शक्ति। संघर्षहीन, प्रेमवंचित, कल्पनाशून्य और साहसक्षीण आलोचना आज की रचना की भरोसेमन्द पड़ोसी नहीं हो सकती। उसकी साझेदारी रचनाकारों की सूचीबद्धता या नामजाप से प्रमाणित नहीं होगी। वह संघर्ष और प्रेम की बिरादरी में सक्रियता और जोखिम लेकर शामिल होने से ही प्रगट हो सकती है।

हम कहीं भी हों—अपने घर में, पड़ोस में या शहर की सड़क या चौक-बाजार

में बहुत सारी आवाज़ें हमें घेरे हैं। कभी-कभी हमारा नीरव एकान्त हमें आवाज़ देता है और वह अन्तःकरण भी, जिसके बारे में मुक्तिबोध ने कहा था कि उसका 'आयतन संक्षिप्त' है। कई बार लगता है कि यह एक बड़ी मुश्किल है कि इतनी सारी आवाज़ें हैं शायद हम ठीक से कुछ सुन-गुन नहीं पा रहे हैं। फिर यह भी लगता है कि कितना अच्छा है कि इतनी सारी आवाज़ें हैं—इतना शोरगुल है, इतनी गहमागहमी, इतनी आवाज़ों का अबूझ-सा अपने-आप बन गया सा कोरस। बेशक ऐसी बहुतेरी आवाज़ें हैं जोकि किसी एक आवाज़ का ही संस्करण हैं। हम उन्हें छोड़ दें या कि हिसाब में न लें। पर उन्हें अलग करने के बाद भी जो आवाज़ें बचती हैं उन्हें दो या तीन समूहो में नहीं बाँटा जा सकता। न तो आवाज़ें न ही उनसे प्रगट दुनिया और न ही उनसे चरितार्थ होती नज़र ऐसे समूहों में बाँटी जा सकती है। ऐसा करना बहुत सारी आवाज़ों को अनसुना करने के बराबर होगा। हम दो-तीन टोकनियाँ लिये आवाज़ों के इस चौक में क्यों आते हैं? हम आवाज़ों को इस या उस ढेर में क्यों शामिल करना चाहते हैं? यह हमारी मजबूरी या न छूट सकनेवाली आदत है, न कि आवाज़ों के स्वभाव से उपजनेवाली कोई अनिवार्य पद्धति या कि उनकी माँग। बल्कि हर क़ायदे की आवाज़ तो यही चाहती है कि उसे अलग से उनकी अनन्यता में सुना और समझा जाए। हमारे पास ऐसा करने का समय और धीरज, शक्ति और फुर्सत क्यों नहीं हैं? अगर हर खरी आवाज़ अपने लिए एक ख़ास अंदाज़, ख़ास गति और लय, ख़ास सम्पुंजन चुनती है तो उससे सुनने-गुनने के लिए भी हमें कुछ विशेष चुनना होगा। पहले से बँधा-बँधाया ढंग न तो कारगर होगा न ही न्यायसंगत। अगर हम एक सशक्त आवाज़ को तभी पहचानते हैं जब वह हमें किसी हद तो तोड़ते-ठेलते, कुछ नष्ट करते और कुछ नया गढ़ते जान पड़े तो हम ऐसे होने की जाँच-परख भी ऐसे औज़ारों और तरीकों से ही कर सकते हैं जो अपनी हद से आगे जाने और उस आवाज़ से दो-चार होते हुए अपना कुछ गँवाने और कुछ नया अनहोना पाने की चाहत और हिम्मत रखता हो।

एक मराठी कवि ने कहा है कि सामाजिक-ऐतिहासिक घटनाएँ भुला दी जाती हैं, शेष रहते हैं निसर्ग, सूर्योदय, दोपहर, घास, जाड़ा, स्त्री-पुरुष का प्रेम आदि। आलोचना निर्णय नहीं, प्रक्रिया है। उसका देखना-दिखाना, झुकना-झुकाना, जोड़ना, याद करना, सोचना और हिम्मत करना ही याद रहता है, उसके फ़ैसले नहीं। उसका संघर्ष अगर सामने है तो हमारी स्मृति और समझ में बना रहता है, उसकी हार-जीत नहीं। आलोचना का सच, जैसाकि रचना का भी सच, प्रक्रिया में है, परिणति में नहीं। उसका अध्यात्म होने में है, पहुँचने में नहीं।

साहित्य का पक्ष

मैं अखिल भारतीय मराठी साहित्य सम्मेलन के आयोजकों का बहुत आभारी हूँ कि उन्होंने मुझे इस सम्मेलन के उद्घाटन पर उपस्थित होने और कुछ कहने का निमन्त्रण दिया है। हिन्दी का क्षेत्र मराठी के मुक़ाबले बहुत बड़ा है लेकिन उसमें ऐसे आयोजन नहीं होते। हों भी तो मेरे जैसे लेखक उसमें नहीं बुलाए जाते। बुलाए जाएँ तो उन्हें इतनी लम्बी बात करने की मुहलत नहीं दी जाती। इसलिए अगर मैं कुछ संकोच, कुछ डर और कुछ अचरज में हूँ तो आप इसे अन्यथा न लें। मुझे अपनी अपर्याप्तता के कारण संकोच है, आप जैसे चतुर-सुजान रसिकों की अपेक्षा से भय लग रहा है और साहित्य और भाषा के आपके अनुराग पर अचरज है।

साहित्य को लेकर कुछ बातें बेतरतीब ढंग से आपसे कहने जा रहा हूँ। साहित्य की स्थिति इस समय कुछ ऐसे विपर्यास की है कि उसे लेकर कुछ व्यवस्थित कहना कठिन है। फिर मैं, उन लोगों में से हूँ जो मानते हैं कि कभी-कभी बेतरतीबी से ही कुछ ज़्यादा कारगर हो पाता है। ज़ाहिर है कि आपने मुझे अपनी यह बेतरतीबी अपने ऊपर आजमाने के लिए आमन्त्रित नहीं किया होगा। पर मुझे बुलाकर आपने जो जोखिम उठाया है उसका यह एक अनिवार्य दुष्परिणाम है।

गजानन माधव मुक्तिबोध ने बरसों पहले यह चेतावनी दी थी कि साहित्य से बहुत अधिक उम्मीद लगाना मूर्खता है। जिस समय उन्होंने यह निराश वक्तव्य दिया था उस समय शीत युद्ध ज़ोरों पर था और नए साहित्यिक मूल्यों की स्थिति अनाश्वस्त थी। एक ओर साहित्य को एक औज़ार की तरह इस्तेमाल करने, उसे सामाजिक परिवर्तन का एक उपकरण मानने की अवधारणाएँ और दूसरी ओर साहित्य की स्वतन्त्रता और स्वायत्तता की चिन्ता करनेवाली अवधारणाएँ सक्रिय थीं। यों ऐसा नहीं है कि साहित्य के लिए हमारा समय कुछ विशेष रूप से खराब समय है और पहले कभी कहीं स्वर्ण युग था। हर समय सृजन के लिए उत्सुक लेकिन कठिन समय होता है। ऐसे लोग बहुत सारे होते हैं जिन्हें साहित्य से कोई उम्मीद नहीं होती। ऐसे थोड़े से लोग ही होते हैं जिन्हें साहित्य से कोई उम्मीद होती हैं। ऐसे तो और भी कम होते हैं जिनके लिए साहित्य मनुष्य की उम्मीद का एक सुघर और भरोसेमन्द घर होता है। हमारे समय में शायद यह हुआ है

कि मनुष्य की उम्मीद का सारा स्थापत्य ही बदल गया है—इस स्थापत्य में साहित्य के लिए जगह कम बची है। लेकिन एक दिलचस्प अन्तर्विरोध यह है कि बावजूद इसके, ऐसा लगता है कि अभी भी जीवन, अस्तित्व, नियति, नश्वरता, प्रेम, जिजीविषा आदि को समझने-बूझने के लिए और रोज़मर्रा की ज़िन्दगी में रसे-बसे गहरे आशयों को विन्यस्त करने के लिए हम प्रायः साहित्य के पास ही जाते हैं। सीधे जीवन के अलावा जीवन की असंख्य छवियाँ और प्रतीतियाँ हमें साहित्य और कलाओं में ही मिलती हैं।

मनुष्य के लम्बे इतिहास में शायद ही कोई ऐसा दौर हुआ है जिसमें राजनीति ने ऐसी केन्द्रीयता पाई हो जैसी कि उसे इस बीसवीं शताब्दी में मिली है। ऐसा प्रायः कुछ नहीं बचा है, फिर वह रोज़मर्रा की ज़िन्दगी हो, नैतिकता या धर्म हो, विज्ञान या टैक्नॉलॉजी हो, जिस पर राजनीति ने गहरा प्रभाव न डाला हो। हमारे समय की यह एक ट्रैजिक विडम्बना है कि सब कुछ राजनीति से अपने सम्बन्ध को स्पष्ट और सुपरिभाषित करने को विवश है। इसलिए साहित्य और राजनीति का सम्बन्ध एक केन्द्रीय प्रश्न है। एक छोर तो यह है कि साहित्य का राजनीतिक आशय ही उसका मूलाशय हो सकता है और दूसरा यह कि राजनीति साहित्य को भ्रष्ट ही कर सकती है और उसे राजनीति से दूर रहना चाहिए। स्वयं राजनीति का चरित्र इस शताब्दी में लगातार बदलता रहा है—स्वतन्त्रता और मूल्यों की राजनीति, क्रान्ति और प्रतिक्रान्ति की राजनीति, विचारधारात्मक संघर्ष और शीतयुद्ध की राजनीति, बाज़ार और प्रबन्ध की राजनीति आदि। न तो साहित्य एकीकृत मामला है और न राजनीति ही सुगठित है। जो भी हो इस शताब्दी का एक केन्द्रीय द्वन्द्व दोनों के बीच वर्चस्व को लेकर रहा है। यों तो राजनीति के बरक़्स साहित्य के वर्चस्व का सवाल ही नहीं उठता। लेकिन साहित्य के जनपद पर, उसके समय और अध्यात्म पर राजनीति के बेजा कब्ज़ा करने या साहित्य को अपना पिछलगुआ मानने या बनाने पर राजनीति का प्रबल आग्रह बल्कि दुराग्रह सा रहा है। इसलिए साहित्य की लड़ाई कई मोर्चों पर हो जाती है। पहला यह कि साहित्य निस्संकोच राजनीति को एक बड़ी शक्ति मानने को तैयार रहा है, पर उसका उपनिवेश बनने को न तो वह अपनी नियति मानता है, न ही आकांक्षा। दूसरा यह कि साहित्य अगर कभी-कभार राजनीति या राजनीतिक सच को कठघरे में खड़ा करता है तो इसलिए नहीं वह अपने को किसी ऊँचे नैतिक स्तर पर मानता है। साहित्य की अदालत में अभियोग की इजाज़त नहीं होती—उसमें आत्माभियोग का ही अवसर होता है। साहित्य अपने पर, अपने औचित्य और सच पर लगातार खरा सन्देह करता है और इसी सन्देह से कभी-कभार दूसरों से प्रश्न पूछने का सहज पर नैतिक अधिकार अर्जित करता है। तीसरा मोर्चा यह है कि राजनीति का सच कितना ही बड़ा, शक्तिशाली और अकसर दैत्याकार क्यों न हो, उसे कई छोटे-खरे सचों

को अन्तर्भूत करने या रौंदने से साहित्य रोकता है—साहित्य इस गहरे अर्थ में प्रतिरोध है, भले उसकी मुद्रा शान्त और धीरोदात्त क्यों न नज़र आती हो। चौथा मोर्चा है संवाद का—वह राजनीति से बात-बहस-जिरह करना लगातार जारी रखता है। राजनीति की तरह साहित्य को फ़ैसला देने की हड़बड़ी नहीं होती। उसमें धीरज है—वह चीज़ों के स्थिर होने की प्रतीक्षा कर सकता है। साहित्य मनुष्य की अथक प्रतीक्षा का भी एक नाम है।

संसार की प्रायः सभी सभ्यताएँ एक ऐसे दौर में पहुँच गई या रही हैं जहाँ हमारे आसपास चीज़ों का अम्बार लग रहा है पर शब्द कम हो रहे हैं। कभी सोचिए कि आपके छोटे से, और अकसर किराए के मकान में कितनी चीज़ों का अटाला भरा पड़ा है और दिन-ब-दिन यह अटाला बढ़ता ही जाता है। सादगी से और थोड़ी-सी चीज़ों के साथ रहना लगभग असम्भव हो गया है। पर विडम्बना यह है कि हमारे पास शब्द कम हो रहे हैं। शब्द-भंडार तो है पर उसका उपयोग करने की हमारी आदत कमज़ोर पड़ रही है। हम कम-से-कम शब्दों से अपना काम चला सकते हैं। हमारे आसपास जो असंख्य चीज़ें-घटनाएँ आदि हैं उनमें से अधिकांश को हम सामान्यीकरणों से पहचानते-बुलाते हैं। हर भाषायी अंचल में ऐसे लाखों बच्चे-युवक-युवतियाँ हैं जो अपनी मातृभाषा में पेड़ों, फलों, सब्ज़ियों, पक्षियों, फूलों आदि के नाम तक नहीं जानते। उनके पास कुछ मोटी-मोटी संज्ञाएँ हैं, बहुत कम क्रियापद। उनके द्वारा बरती जानेवाली भाषा का विन्यास अकसर अटपटा और बेढंगा है। भाषा से यह अपसरण, यह बढ़ता शब्द-संकोच, यह अशुद्ध विन्यास हमारे भाषा-मानस के भूगोल बदलने की अभिव्यक्ति है। भाषा मनुष्य का अद्वितीय आविष्कार है। पर हालत यह हो रही है कि हम भाषा-वंचित हो रहे हैं। शब्द-संकोच अन्ततः हमारी मानवीयता का सिकुड़ना है। सदियों से हम संसार को, उसकी सुन्दरता और जटिलता को, उसके अर्थ और आशय को शब्द के माध्यम से ही समझते और सहते-बदलते आए हैं। अब लगने लगा है कि शायद शब्द अपदस्थ हो रहा है। शब्द के अकारथ और अनावश्यक हो जाने का एक अभूतपूर्व संकट हमारे सामने मुँह बाए खड़ा है—और हम अबोध हैं, लगभग निश्शब्द।

यों तो समूचा सच शायद ही कभी मनुष्य की पकड़ में पूरा आता हो। रामायण से कुछ छूट ही गया कि महाभारत रचा गया। महाभारत से भी कुछ छूट गया कि बाद के काव्य रचे गए। कालिदास, भवभूति और जयदेव से भी कुछ छूट गया कि तुकाराम, कबीर और तुलसी ज़रूरी हुए। उनसे भी कुछ छूटा तभी निराला, जीवनानन्द दास, मर्ढेकर, शमशेर, अज्ञेय आदि की सम्भावना हुई। हर महत्त्वपूर्ण कृति मनुष्य की हमारी समझ को कुछ बढ़ाती या गहराती है और सचाई पर हमारी पकड़ कुछ पक्की करती है। पर अगर शब्द अपदस्थ हो रहा तो इसका सीधा आशय यह भी है कि हमारी सचाई पर पकड़ कम हो रही है। शब्द को छोड़कर मानों हमें सच

तक पहुँचने से रोका जा रहा है।

साहित्य के सच को लेकर कुछ स्पष्टता आवश्यक है। मनुष्य का सच अनेकशः विभाजित सच नहीं होता…सारी बहुलता और जटिलता के बावजूद वह अविभाज्य होता है। इस अर्थ में शायद साहित्य का सच, धर्म का सच, राजनीति का सच, विज्ञान का सच, विश्लेषण और समझ के लिए अलग होते हुए भी अन्ततः एक ही सच के पहलू होते हैं। हर पहलू में दूसरा पहलू कुछ हद तक शामिल रहता है। दिक़्कत तब होती है जब एक पहलू दूसरे पहलू को अपनी छाया समझे या अपना ही संस्करण मानने लग जाए।

पारम्परिक रूप से यह माना जाता रहा है कि साहित्य भी अन्य अनुशासनों की तरह सत्य की खोज करता है। हम अकसर यह भूल जाते हैं कि मनुष्य, उसके अस्तित्व और संसार की जो अपार और असामान्य बहुलता है उसे किसी सत्य में एकीकृत करना शायद ही सम्भव हो। हो भी तो ऐसा सत्य बहुत काम का न होगा। साहित्य अपने स्वभाव से ही प्रजातान्त्रिक और बहुलतावादी है—उसके पास एक नहीं अनेक रास्ते हैं। वह दुनिया और आदमी को, उनके संघर्ष और सम्बन्ध को, प्रकृति और मृत्यु को, किसी एक दृष्टि से देखने का आग्रह नहीं करता। इसका आग्रह अगर है तो इस पर कि मनुष्य की कई दृष्टियाँ हैं और उन्हें किसी सत्य के लिए, किसी एकीकृत या एकाग्र सत्य के लिए बलि नहीं दिया जाना चाहिए। साहित्य समाज की स्मृति है—याद भी और समझ भी। बीसवीं शताब्दी के अन्त के निकट साहित्य नहीं भूल सकता कि इस दौरान सत्य के नाम पर, किसी एक सत्य की तानाशाही के लिए हमारे समय में मनुष्य की कितनी अवज्ञा-अपमान, कितना दमन और संहार हुआ है। साहित्य का काम ऐसे दैत्याकार सत्यों की खोज या उनकी सेवाटहल या जीहुज़ूरी करने के बजाए उन पर उँगली उठाना है, उन्हें कठघरे में खड़ा करना है। इसीलिए साहित्य को सत्य की तानाशाही या सर्वसत्तावादिता के बरक़्स सचाई की किंचित् अराजक बहुलता चाहिए। यह अदम्य और अचूक बहुलता ही साहित्य का सच्चा अध्यात्म है। साहित्य मानवीय अस्तित्व की बहुलता का ही अनुष्ठान है। वह एकेश्वेर के मन्दिर में नहीं, असंख्य देवताओं के आँगन में ही अधिक सहज अनुभव कर सकता है। आज जब विश्व के विश्वग्राम बनने की बड़ी चर्चा है और कम-से-कम संचार, मनोरंजन, उद्योग आदि के क्षेत्र में यह सचाई भी हो चली है, साहित्य का एक ज़रूरी कर्त्तव्य इस बहुलता का दबाव विश्व में बनाए रखना है। साहित्य हमें लगातार एक-जैसेपन की बढ़ती विश्वव्यापी तानाशाही की याद दिलाता है और हमें उसका प्रतिरोध कर सकने की शक्ति और उत्साह देता है। वह बार-बार हमसे यही कहता और हमें यही समझाता है कि सब मनुष्य एक हैं क्योंकि अनेक हैं।

नाज़ी अत्याचार के दौरान जो कुछ हुआ था उसका विश्लेषण करते हुए एक अमेरिकी आलोचक ने पते की एक बात यह कही थी कि मनुष्यता के इतिहास

में कभी-कभार संस्कृतियाँ ग़लत रास्ते पर गई हैं और उन्होंने मनुष्यता को धोखा दिया है पर साहित्य ने कभी मनुष्य के साथ विश्वासघात नहीं किया है। पिछले कुछ बरसों में, उदाहरण के लिए, हिन्दी अंचल में व्यापक साम्प्रदायिक संकीर्णता और धार्मिक उन्माद बढ़े हैं लेकिन उन्हें हिन्दी की साहित्यिक परम्परा या उसकी समकालीन सर्जनात्मकता से न केवल कोई समर्थन नहीं मिल पाया है बल्कि वे स्पष्ट और सशक्त रूप से ऐसी संकीर्णता और उन्माद के सख़्त ख़िलाफ़ रहे हैं। ऐसा वक़्त आता है जब हमें संस्कृति के बजाए साहित्य पर भरोसा होता है—मनुष्य का साथ साहित्य ने कभी नहीं छोड़ा है।

साहित्य और समाज के सम्बन्ध को लेकर हमारे यहाँ बहुत हंगामा होता रहा है। साहित्य से बराबर यह उम्मीद की जाती है कि वह समाज के प्रति सजग हो, उसमें सामाजिक चेतना और ज़िम्मेदारी हो। समाज की साहित्य के प्रति ज़िम्मेदारी का कोई ज़िक्र नहीं करता। यह भी प्रायः भुला दिया जाता है कि भाषा भले सामाजिक सम्पदा है उसे जीवन्त-सक्रिय और सर्जनात्मक बनाए रखने का काम साहित्य करता है जो पर्याप्त सामाजिक कर्म है—ज़रूरी और ज़िम्मेदार। इसका प्रमाण देने की आवश्यकता नहीं है कि आमतौर पर समाज साहित्य की परवाह नहीं करता है—सार्वजनिक मंचों से जब-तब साहित्य और साहित्यकारों से राह दिखाने की अपेक्षा समाज द्वारा की जाने की घोषणाएँ होती रहती हैं। पर हम सब जानते हैं कि समाज को राह दिखानेवाली अधिक प्रबल शक्तियाँ दृश्य पर मौजूद हैं और समाज उनसे ही अधिक प्रभावित होता रहता है। साहित्य जो राह या राहें दिखाता है उन पर एक क़दम भी चलने का नाट्य या छद्म समाज ने किया हो ऐसा याद नहीं आता। ज़्यादातर समाज, और भारतीय समाज भी, साहित्य से मुँहफेरे समाज ही हैं। पर इससे यह सचाई अपनी जगह बनी रहती है कि साहित्य को एक भरा-पूरा स्पन्दित समाज चाहिए जैसे कि उसे अपना एकान्त भी चाहिए। जो समाज रचना के लिए एकान्त सुलभ न करा सके उसमें सर्जनात्मकता की सम्भावना निश्शेष होगी।

हमारा युग विशेषीकरण का है। वह इस हद तक जा चुका है कि विभिन्न अनुशासनों के बीच किसी भी तरह की अन्तःक्रिया या कि संवाद सम्भव नहीं रह गए हैं। असंख्य खग-भाषाएँ विकसित हो गई हैं : हरे खग भूरे खगों की भाषा नहीं समझते, न ही समझने की कोई कोशिश करते हैं। हम याद करें कि उन्नीसवीं शताब्दी में डार्विन जैसे वैज्ञानिक के विकासवादी सिद्धान्त का ज्ञान और विज्ञान के अनेक अनुशासनों पर समान और गहरा प्रभाव पड़ा था। पर हमारा समय ऐसा है और इतना विशेषीकृत कि किसी एक खोज या सिद्धान्त या कि आविष्कार का प्रभाव अन्यत्र पड़ने का अवसर ही नहीं रहा। सारा मानवीय ज्ञान और खोजें विशेषीकरण के दुर्गों में क़ैद हैं। मनुष्य खण्ड-खण्ड ही देख-मिल रहा है। साहित्य उन थोड़े

से क्षेत्रों में से एक है जहाँ अभी भी मनुष्य को समग्र रूप से, उसकी पूरी जटिलता और तात्कालिकता में देख पाना सम्भव है। साहित्य में हम अभी भी समूचे मनुष्य से, न कि उसकी खण्डित प्रतिमा से, मिल-बात कर सकते हैं। वह ऐसा क्षेत्र है, अभी भी सौभाग्य से बचा हुआ, जिसमें सुसंगति के लिए अन्तर्विरोधों को नज़रअंदाज़ नहीं किया जाता। साहित्य के लिए संस्कार ज़रूरी है पर यह संस्कार किसी विशेषीकरण या खगभाषा पर अधिकार की अपेक्षा नहीं करता है। साहित्य का एक आकर्षक पक्ष यह है कि वह निपट साधारण में भी विशेष देख-दिखा पाता है।

यों तो इन दिनों पश्चिम में उत्तर-आधुनिकता का दौर चल रहा है और आधुनिकता का समापन हुआ मान लिया गया है। कई बार इस पर हम ध्यान नहीं देते हैं कि भले ही भारतीय आधुनिकता पश्चिमी चुनौतियों से दो-चार होने की कोशिश में विकसित हुई, उसका रूपाकार किसी पश्चिमी आधुनिकता का भारतीय संस्करण न होकर अपनी जातीय विशिष्टता लिये हुए है। यह ठीक है कि हमारी आधुनिकता का एक पक्ष परमुखापेक्षी और किसी हद तक नक़लची भी रहा है। पर उदाहरण के लिए रवीन्द्रनाथ ठाकुर और महात्मा गाँधी ने अपनी आधुनिकता को पश्चिम की बेबाक आलोचना पर आधारित किया है और उन जातीय उत्सों को फिर सक्रिय किया जो भारतीय परम्परा के परिवर्तनकारी और पुनर्नवा रूपों के मूल में रहे हैं। गाँधी जी तो आधुनिक विश्व-व्यवस्था को न केवल भारत के लिए बल्कि समूचे विश्व के लिए ही अहितकर मानते थे। 'हिन्द स्वराज' जैसे दस्तावेज़ों के माध्यम से जो पर्यालोचन सामने आया उसमें अपनी परम्परा, अपनी स्थिति और पश्चिमी सभ्यता के दबावों के प्रति आत्मसजग, स्वाभिमानी और आलोचनात्मक रुख स्पष्ट है।

आज़ादी के बाद के भारत में दो समानान्तर प्रवृत्तियाँ चली हैं। पहली वह जिसने पश्चिम के समक्ष वैचारिक आत्मसमर्पण किया और एक तरह के बौद्धिक भूमण्डलीकरण के अन्तर्गत जिसे वैचारिक उपनिवेश बनने पर कोई गम्भीर आपत्ति नहीं रही। यह बात ग़ौर करने की है कि यह बौद्धिक भूमण्डलीकरण और वैचारिक उपनिवेशवाद हमारे यहाँ राजनीतिक औपनिवेशिकता से मुक्ति पाने के बाद बहुत उदार और मुक्त भाव से फैला। बल्कि आर्थिक भूमण्डलीकरण के बहुत पहले वह व्याप्त हो चुका था। ग़ौर करने की बात यह भी है कि यह भूमण्डलीकरण दरअसल पश्चिमीकरण का ही चतुर पर्याय है। इसकी व्याप्ति ने ज्ञान की अनेक पद्धतियाँ, अभिव्यक्ति के अनेक प्रकार, कई तरह के शास्त्रीय और पारम्परिक संगीत आदि नष्ट कर दिए। भारत में अगर ऐसा नहीं हो पाया तो इसका एक कारण वह दूसरी प्रवृत्ति का भी सक्रिय-सशक्त रहना है जो इधर प्रतिरोधक की भूमिका भी निभाती आई है। यह दूसरी प्रवृत्ति है भारतीय जातीय आधुनिकता की। यह पश्चिम को नज़रअंदाज़ नहीं करती और न ही उसकी ओर पीठ किए है : वह पश्चिम की

उपस्थिति और प्रभाव को स्वीकार करती है पर अपनी शर्तों पर और उसका आग्रह यह बराबर रहा है कि मनुष्य के चरम प्रश्नों पर भारत में अलग ढंग से सोचा-विचारा गया है, कि भारत में सामुदायिकता-बोध के कई अर्थ अभी जीवित हैं, कि भारत में कुछ भी सर्वथा अतीत नहीं है। बल्कि तथाकथित अतीत की अकाट्य वर्तमानता भी है और इस सबके कारण हमारी आधुनिकता का स्वरूप भिन्न और विशिष्ट है। इसी प्रवृत्ति ने आगे चलकर यह पहचान भी हमें दी है कि आज पश्चिम में जो बहुत सारा उत्तर-आधुनिक है वह भारत में प्राक्-आधुनिक है। पाठ, पाठान्तर, भाष्य, कृतिकार की अवधारणा, व्याख्या-टीका आदि के क्षेत्र और पद्धतियाँ, जो उत्तर-आधुनिक चिन्तन में पश्चिम में अब उभर रहे हैं, भारतीय परम्परा का सदियों से अंग रहे हैं।

यह कहा जाता है कि हमारा समय इतना जटिल और विशेषीकृत हो चुका है कि उसे समूचे रूप से समेटना सम्भव ही नहीं रहा। इस सिलसिले में साहित्य चाहे मूल्यों के स्तर पर चाहे या व्याप्ति के स्तर पर महाकाव्यात्मक आकांक्षा करता रहा है। उसकी कोशिश मनुष्य के समूचे जटिल-व्यापक संसार को समेटने की रही है। बावजूद ज़टिलता के बढ़ते आतंक के, साहित्य अपनी इस आकांक्षा से विरत नहीं हुआ है। शायद इसलिए कि मनुष्य की सम्पूर्णता उसका स्थायीभाव है—उससे कम की आकांक्षा करना उसका स्वभाव नहीं। ऐसी आकांक्षा करते हुए और उसके लिए ज़रूरी जतन करते हुए वह अपनी सीमाएँ, उलझनें और कठिनाइयाँ अच्छी तरह जानता-पहचानता है पर वह अपना सपना नहीं तज़ता। हमें कृतज्ञ होना चाहिए कि उसके माध्यम से ऐसी स्वप्नदर्शिता बनी और सक्रिय रहती है। अपनी आँखें सिर्फ़ सच देखने के लिए नहीं, सपना देखने के लिए भी हमें मिली हैं।

नैतिकता के सन्दर्भ में साहित्य का ज़िक्र अकसर व्यक्ति और समाज, स्त्री-पुरुष सम्बन्ध को लेकर होता है। यह सही है कि मानवीय सम्बन्धों की अपार जटिलताओं-सूक्ष्मताओं, तनावों और अन्तर्विरोधों का जो रंगारंगा ताना-बाना है वह साहित्य का मुख्य उपजीव्य है। अकसर साहित्य मानव-सम्बन्ध में आ रही तब्दीलियों को सबसे पहले दर्ज़ करता है। इन सम्बन्धों और उनकी विकलताओं को लेकर जो चालू दृष्टि रहती है साहित्य उससे अलग एक अधिक मानवीय, अधिक संवेदनशील दृष्टि से उन्हें जाँचने-परखने की कोशिश करता है और हमारी नैतिक संवेदना को प्रभावित करता है। सामान्य नैतिकता या संवेदना जिन लोगों या घटनाओं को उपेक्षित या अलक्षित करती या जिन पर चालू मानदण्डों के आधार पर प्रतिकूल फ़ैसला देती है, उन्हें साहित्य अकसर न सिर्फ लक्षित करता है बल्कि अकसर उनके माध्यम से चालू मानदण्डों की वैधता पर ही प्रश्नचिह्न लगा देता है। और भी, वह मनुष्य को मनुष्येतर के प्रति, प्रकृति, वस्तु-जगत आदि के प्रति भी नैतिक बनने की ओर उकसाता है। कई बार वह मनुष्य को मात्र मनुष्य-केन्द्रित बने रहने के अहंकार

से मुक्त करने का नैतिक अवकाश देता है।

संस्कृति पर कुछ बुनियादी क़िस्म की बहस पिछले कुछ वर्षों से चल रही है कि भारतीय संस्कृति आज क्या है? भारतीय से क्या अर्थ है?—क्या निरा उत्तर औपनिवेशिक भूखंड, या वृहत्तर भारतीय उपमहाद्वीप—भाषा, धर्म, संस्कृति-बहुल भारत या कि एकात्म भारत? संस्कृति से क्या आशय? आन्तरिकता, अध्यात्म और सर्जनात्मकता का समुच्चय या कि कुछ मोटे-मोटे लक्षण और विश्वास? उसके सनातन तत्त्वों पर आग्रह या कि उसकी परिवर्तनशीलता पर? या कि सनातन की परिवर्तनशीलता खोजने पर बल? आज से क्या मतलब? पश्चिम को संसार के केन्द्र में रखने और पश्चिमी समय को मनुष्यता का समय माननेवाला 'आज', जिसमें बीसवीं शताब्दी का अन्त हो रहा है या अधिक स्वाधीन आत्मस्थ आज, जो हमारा है—समय की पश्चिमी गणना के बावजूद। दिलचस्प यह है कि यह सारी बहस सार्वजनिक रूप से तो चल रही है लेकिन अधिकतर संस्कृति कर्मी इसमें शामिल नहीं हैं, बहस कर रहे हैं राजनेता, अख़बारनवीस, आध्यात्मिक लोग। संस्कृति अचानक राजनीति का केन्द्रीय मुद्दा बन गई है और इसलिए नहीं कि लेखकों-कलाकारों का कोई नया दबाव दृश्य पर महसूस किया जाने लगा है। बल्कि सच तो यह है कि संस्कृति के बहस के केन्द्र में आने के बाद से पहले से ही समाज के हाशिए पर पहुँचे साहित्य और कलाएँ कुछ और हाशिए की ओर खिसका दिए हैं। यों तो संस्कृति साझेदारी का मामला है और उसे समझने-रचने का दावा सिर्फ़ लेखक-कलाकार और विचारक ही नहीं कर सकते। उसमें रसिक, साधारण लोग आदि भी शामिल होते ही हैं। पर इधर लगता है हम दूसरे ध्रुवान्त पर पहुँच गए हैं जहाँ संस्कृति के मामले में लेखक-कलाकार की आवाज़ की एकदम अनसुनी की जा रही है।

इस अनसुनी के कई कारण होंगे। उनमें एक निश्चय ही यह है कि स्वयं संस्कृतिकर्मियों ने अपनी आवाज़ स्पष्ट और निर्भय, बेलाग और प्रतिहत रखने की लगातार कोशिश नहीं की है। वे कभी मीडिया, कभी राजनेताओं और कभी अपनी निजी नफ़रत और नापसंदगी के हाथों खेलते, खुद को ही छलते रहे हैं। लेखकों या कलाकारों को अपने वैचारिक मतभेद या नापसंदगियाँ भूलकर सन्त तो नहीं बन जाना चाहिए पर दूसरों के उकसाने पर कुछ भी नहीं कह देना चाहिए। इन दिनों सब कुछ सनसनीखेज बनाए जाने का एक व्यापक कुचक्र है। कभी वह कुचक्र मीडिया चलाता है, कभी राजनीति और कभी विचारधारा। कुछ चकाचौंध पैदा करनेवाला कहने या करने का लोभ इन दिनों बहुत प्रबल हो गया है। सृजन या विचार की अपनी, प्रायः शान्त उत्तेजना होती है। लेकिन अब वह बहुतों के लिए काफ़ी नहीं है। कुछ अधिक मुखर, अधिक दृश्य ढंग से उत्तेजक चाहिए। कई बार लगता है कि इन दिनों हम पर दृश्य-संस्कृति का जो बढ़ता आतंक शायद उसी का नतीजा

है कि अब ज़ोर 'करने' पर नहीं 'दिखने' पर है। जो दृश्य नहीं है जैसे उसके होने का औचित्य ही हमारे समाज में ख़त्म होने जा रहा है। व्यापक रूप से अगर सांस्कृतिक अभिव्यक्ति में सूक्ष्मता और जटिलता के गुणों में गिरावट हो रही है, निजता का लोप हो रहा है तो इसके पीछे कहीं-न-कहीं हर चीज के दृश्यमान होने में ही उसकी सार्थकता का नया पूर्वग्रह ज़िम्मेदार है। इस सिलसिले में हमें यह नहीं भूलना चाहिए कि नई दृश्यमानता का एक आशय बहुत-सी ऐसी चीज़ों का दृश्य होना भी है जो अभी तक पर्दे के पीछे या कि हमारे ध्यान से ओझल रहती आई हैं। उनका दृश्य होना जैसे अत्याचार या अतिचार का, जैसे हिंसा आदि का उनके प्रति नई सामाजिक सजगता का विस्तार भी है। यह समाज के अनेक दलित-शोषित तबकों का प्रकारान्तर से अधिकार प्राप्त करने की ओर बढ़ना भी है। पर दूसरी ओर, अत्याचार के लगातार एक खास निर्वैयक्तिक ढंग से दृश्य होने से हिंसा के लिए शायद एक नई 'हृदयहीन' रसिकता भी विकसित हो रही है। हम सब देखते या दिखते हैं, करते कुछ नहीं हैं। रघुवीर सहाय की कुछ पंक्तियों का यही मौजूँ है कि 'कल कहा था कि नहीं करेंगे/आज कह रहे हैं–आप क्या कर लेंगे?'

इन दिनों आप कहीं भी रहते हों शोरोगुल से बच नहीं सकते। हम सब धीरे-धीरे धीमी या मन्द आवाज़ को सुन पाने की सामर्थ्य खोते जा रहे हैं। आज का लोकप्रिय संगीत हो या कि शास्त्रीय वाद्य संगीत, जब तक वह कनफोड़ स्तर पर न बजे तब तक हमें ठीक से सुनाई नहीं देता। आवाज़ें लगातार सार्वजनिक हुई जा रही हैं–निजी और अन्तरंग आवाज़ के लिए हमारे बीच जगह ही नहीं बची–उसके लिए हमारे पास कान नहीं रह गए हैं। आवाज़ें पड़ोस का अतिक्रमण दिनदहाड़े और आधी रात तक भी करने का हमसे खुला लाइसेंस पाती हैं। त्योहार और शादी-ब्याह तो इस अतिक्रमण के सार्वजनिक अवसर हैं, हर सुबह-शाम भी अपने रेडियो पर, टी.वी. सैट से ऐसा करने में हमें कोई संकोच नहीं होता। न हमारे पास कोई प्राइवेसी बची है, न ही अपने आसपास किसी के पास ऐसी प्राइवेसी बची रहने दे सकते हैं। इसका सीधा आशय यह है कि हमारा इन्द्रिय, बोध बदल ही नहीं पुनराविष्कृत हो रहा है। भोंथरा, बड़बोला, मुखर-वाचाल, चीख़-पुकार, अतिक्रमण और हिंसा हम पर हावी हो रहे हैं। महीन-बारीक, शान्त और मौन, धीमापन, एकान्त, सीमा का सम्मान हमारे संस्कारों के परिसर से ग़ायब हो रहे हैं।

कुछ वर्षों पहले भोपाल में हिन्दी लेखकों के एक आयोजन में भारतीयता की पहचान को लेकर लम्बी बहस हुई। उसमें जो एक दिलचस्प तथ्य सामने आया वह यह कि भारतीयता समकालीन हिन्दी साहित्य का कोई केन्द्रीय या महत्त्वपूर्ण प्रश्न नहीं है और दूसरा यह कि भारतीयता की तथाकथित मुख्यधारा का रूपक अपने बुनियाद में ही औपनिवेशिक है और तीसरा यह कि जो आक्रामक भारतीयता इस

मुख्यधारा को अपना मूलाधार बनाती है वह अपने उद्‌गम या चरित्र में भारतीय नहीं है और चौथे यह कि यह अकारण नहीं है कि एकात्म भारतीयता सृजन और विचार के क्षेत्र में सर्वथा बंजर और बाँझ सिद्ध हुई है।

अगर भारतीयता का प्रश्न हमारे समकालीन सृजन और विचार का प्रश्न नहीं है तो ज़ाहिर है कि वहाँ भारतीयता की एक अत्यन्त प्राचीन लेकिन सृजनगर्भी अवधारणा सक्रिय है जो मानती है कि वह मूलतः अनेकान्त और सामाजिक है, वह हमारे इतिहास का सहज उत्तराधिकार है और उसे आयत्त करने के लिए अलग से कोई जतन ग़ैरज़रूरी है। जो लोग कुछ भी ठोस और सच्चा उपजाते हैं, मसलन अन्न या विचार या शब्द, उन्हें अलग से भारतीय होने की चिन्ता नहीं करनी पड़ती। अगर लेखक या संगीतकार को, किसान या मजदूर को भारतीय होने की चिन्ता नहीं करनी पड़ती तो यह चिन्ता, जो आज हमारे सामाजिक जीवन में एक नया एजेण्डा बनाकर पेश की गई है, कहाँ से और क्यों उपजी है?

बुद्धि और भावना दोनों ही आधारों पर यह स्पष्ट है कि शमशेर बहादुर सिंह, विन्दा करन्दीकर, यू. आर. अनन्तमूर्ति, शंख घोष, अख़्तर -उल-ईमान जैसे लेखकों या कि कुमार गन्धर्व, भीमसेन जोशी, विलायत खाँ, बिसमिल्लाह खाँ या हुसैन, स्वामीनाथन, रज़ा, मनजीत बावा जैसे कलाकारों की भारतीयता में किसी तरह का सन्देह नहीं हो सकता। आज संसार के स्तर पर हमारे सृजनकर्मी जो कहते हैं उसी से भारतीयता की पहचान बनती है। ज़ाहिर है कि राजनीति के लोग इस भारतीयता को, उसकी इस अक्षय पहचान को काफी या कम-से-कम अपने काम की नहीं मानते। उनके दुर्भाग्य से, और भारत के सौभाग्य से, यह आत्मसजग लेकिन संघर्षशील भारतीयता तोड़ती नहीं जोड़ती है, वह खाइयाँ बनाती नहीं पाटती है; वह सबको समान नागरिकता, समान मानविकता, समान संवेदनशीलता का अवसर और अधिकार देती है। उसमें किसी एक दृष्टि का सर्वसत्तावादी अधिकार नहीं है, वहाँ दृष्टियों का समुच्चय और सहअस्तित्व है—उनमें तनाव और मुठभेड़ है पर हर हालत में संवाद भी है।

यह भारतीयता निर्भय है और निर्भय करती है। जो राजनीति पिछले चालीस वर्षों से अपने माध्यम से हमें एकता का सपना दिखाती रही है, उसने हमें एक ऐसे कगार पर पहुँचा दिया है कि हम अपने समय के विखंडन और टूट के सबसे भयानक दुःस्वप्न की चपेट में हैं। वही राजनीति अब हमें भारतीयता, सच्ची भारतीयता की ओर ले जाने के सब्ज़बाग दिखाने की हिमाक़त कर रही है। जिससे सारी सत्ता के बावजूद एकता नहीं सँभल पाई, वह अब हमारी भारतीयता की देखभाल करनेवाली है।

यह भारतीयता की मुख्यधारा क्या है? ज़्यादातर एक धर्म, एक भाषा और एकीकृत इतिहासवाले अंग्रेज़ी साम्राज्य की भारतीय बहुलता के सामने परेशानी

स्वाभाविक थी। पर चूँकि वह बलशाली था, उसने अपना प्रतिरूप यहाँ भी रचना चाहा और मुख्यधारा और गौण धाराओं का रूपक गढ़ा। विडम्बना यह है कि उन्नीसवीं सदी के अंग्रेजी इतिहासकारों द्वारा साम्राज्यवादी आवश्यकताओं के लिए रचे गए रूपक को आज हमारे सामने यों पेश किया जा रहा है मानों वह एक प्राचीन अवधारणा हो। आख़िर उससे पहले हमारे शास्त्रों में, तत्त्वचिन्तन और साहित्य में, हमारी कलाओं में भारतीयता का विचार क्यों नहीं मिलता है? क्या इसलिए कि पहले जो भी आक्रान्ता बाहर से यहाँ आए उनमें से अधिकांश यहीं के होकर रह गए, वे भारतीय हो गए।

एक बात और, भारतीयता हमें आखिर चाहिए क्यों? इसीलिए न कि वह हमें अलग पहचान के साथ-साथ नई सृजन-क्षमता, नई विचारशीलता और नए परिवर्तनों की समझने और उनसे निपटने की सामर्थ्य दे। जिस नई आक्रामक भारतीयता का इन दिनों आतंक-सा है उसकी सबसे बड़ी हार इन्हीं क्षेत्रों में है। हिन्दी का ही उदाहरण लें तो क्या ऐसे कोई लेखक, कृतियाँ, दार्शनिक, अर्थशास्त्री, वैज्ञानिक बता सकते हैं जो अपने सृजन और विचार से अपने कृतित्व से इस भारतीयता का समर्थन करते हों। अगर साहित्य और संस्कृति में इस 'भारतीयता' का कोई प्रभाव नहीं है तो इसी कारण कि वह बुनियादी तौर से बंजर और वन्ध्या अवधारणा है, उसमें किसी तरह के सृजन और प्रश्नाकुलता के लिए कोई सम्भावना ही नहीं है।

पता नहीं किसे और क्यों भारतीयता की, उसकी किसी नई परिभाषा की ज़रूरत है। अगर है तो वह उसकी खोज में परम्पराहीन संस्कारच्युत राजनीति के पास क्यों जाता है? वह जाए हमारे साहित्य, हमारे चिन्तन, हमारे संगीत और नृत्य के पास। वहाँ उसे भारतीयता का वह सच मिलेगा जो कालजयी है, वह भारतीयता नहीं जो हफ़्ते-पखवारे बदलती रहती है और जिसे वे गढ़ रहे हैं। (नोट करें परम्परा से पा नहीं रहे हैं) जिनकी नज़र में संकीर्णता, असहिष्णुता और अनुदारता भारतीयता के चारित्रिक गुण हैं। असली भारतीयता अन्ततः जीतेगी क्योंकि जो काल से नहीं हारी वह मनुष्यता—विरोधी उन्माद से हार जाएगी ऐसा मानने का कोई कारण नहीं है।

अपनी बेतरतीबी और आपके धैर्य की इस सर्वथा अनर्जित और शायद अक्षम्य परीक्षा को यहीं विराम देता हूँ।

[जनवरी, 1995 में आयोजित अखिल भारतीय मराठी साहित्य सम्मेलन का उद्‌घाटन भाषण]

सीढ़ियाँ शुरू हो गई हैं

'चुटकले ख़त्म हो गए और सीढ़ियाँ शुरू हो गई हैं।'

—एक पोलिश उक्ति

इन दिनों बड़ी उथल-पुथल है। कहा जा रहा है कि विचारधाराओं का और उनके द्वन्द्व का युगान्त हो चुका। यह भी हवा में है कि भले ही तन्त्र ध्वस्त हो गया हो, विचार अभी भी प्राणवान और जीवन्त है। इस सारे शोरोगुल में कुल मिलाकर यह मान लिया जाता है कि विचार साहित्य में अकसर बाहर से, जैसे कि दर्शन और राजनीति, विज्ञान और धर्म की ओर से, आते हैं और साहित्य उन्हें जज़्बकर अपनी विशिष्ट रासायनिक प्रक्रिया में रूपान्तरित कर देता है। इस बात पर प्रायः अधिक ध्यान नहीं दिया जाता कि कुछ विचार साहित्य में ही उपजते-विकसित होते हैं या कि साहित्य की अपनी वैचारिक सत्ता भी है। यों मानव-संवाद में हम साहित्य की अलग आवाज़ मानते और कभी-कभार सुनते भी हैं। पर वैचारिक संवाद में हम अकसर साहित्य की अपनी अलग हैसियत और आवाज को मान्यता नहीं देते हैं। वहाँ जो व्यापक संघर्ष या संवाद या मुठभेड़ चलते हैं उसमें साहित्य शामिल है पर स्वयं स्वतन्त्र और विशिष्ट इकाई के रूप में मान्य नहीं है। यह नहीं कि हम साहित्य की वैचारिक प्रासंगिकता पर विचार नहीं करते हैं। पर हम यह विचार करते समय प्रकारान्तर से साहित्य को अन्य विचारों का उपनिवेश ही मानकर चलते हैं और साहित्य की प्रासंगिकता की कसौटी भी उसकी चालू वैचारिक द्वन्द्वों से नज़दीकी या दूरी मानी जाती है। साहित्य के अपने आन्तरिक-वैचारिक द्वन्द्व का ज़िक्र होता है पर उसे भी अकसर व्यापक वैचारिक समर की पदावली में देखने-समझने की कोशिश होती है। जीवन, मनुष्य संसार आदि को देखने-समझने की अपनी कोई साहित्य-विचार दृष्टि है यह बात ज़्यादातर भुला ही दी जाती है। हम यह तो मानते हैं कि एक गाँधीदृष्टि थी या कि नेहरूदृष्टि भी थी जिसे गाँधीदृष्टि में समायोजित नहीं किया जा सकता है और जो गाँधीदृष्टि का साहित्यिक संस्करण नहीं थी। होता तो यह भी आया है कि हम साहित्य के नए विकासों या परिवर्तनों को अन्यत्र मसलन राजनीति आदि में हुए विकासों और परिवर्तनों का प्रतिफल

या प्रतिक्रिया मानते रहे हैं—चीन-भारत युद्ध के बाद साहित्य में मोहभंग प्रबल हुआ या कि संसारव्यापी शीतयुद्ध ने हमारे यहाँ जातीय प्रगतिशीलता के बरक्स कलावादी प्रतिक्रियावाद उकसाया और पोसा। कई बार तो ऐसा लगता है कि जो कुछ मूलगामी परिवर्तन होता है वह साहित्य में नहीं उससे बाहर ही होता है और छन्द, लय या रूपाकार के परिवर्तन तक इन्हीं से नियमित होते हैं। साहित्य में आए कई परिवर्तन उसकी आन्तरिक वैचारिकता, और उसके अपने दबावों, तनावों से भी होते हैं यह बात भुला दी जाती है।

हमारी शताब्दी, जिसका किंचित् लोहित अवसान निकट है, वैचारिक ऊहापोह भर की नहीं, विचार के नाम पर संसारव्यापी तन्त्रों के विकास, उनकी तानाशाही और उनके अन्ततः ध्वंस की शताब्दी रही है। हाल ही में हमने साहित्येतर विचारों और उनकी तकनालॉजियों की भयानक और अमानवीय परिणतियाँ देखी हैं। उनके इस हश्र के बाद अब यह मुक़ाम आ गया लगता है कि हम साहित्य की अपनी वैचारिक स्वायत्तता, उसके वैचारिक स्वराज पर ध्यान दें। हिन्दी में स्वायत्तता और स्वराज जैसे पदों का इस्तेमाल करते ही यह पूर्वग्रह जगाने का रिवाज़-सा बन गया है कि उनका जीवन से कोई विरोध है या कि वे कला के लिए कला सिद्धान्त के चतुर विलम्बित संस्करण हैं। हम जिस स्वराज की बात कर रहे हैं वह जीवन से अटूट है और उसकी स्वायत्तता किसी अन्य की स्वायत्तता का अतिक्रमण या दमन कर पाई गई स्वायत्तता नहीं है। कहना तो यह चाहिए कि साहित्य का सच इस संसार में उन थोड़े से सचों में से है जो अपनी सत्ता बनाने या बढ़ाने की चेष्टा नहीं करता है। हमारे समय में प्रायः हरेक तथाकथित स्वतन्त्र विचार ने अपनी तानाशाही स्थापित की है। क्या हम यह पहचान सकते हैं कि साहित्यिक सच की कोई तानाशाही सम्भव नहीं है, न ऐसी तानाशाही रही है? यह सच अपने प्रतिलोम के भी सच होने की सम्भावना को खुले मन से स्वीकार करता है और यह भी कि वह दूसरे सचों की, जिनमें अन्य अनुशासनों में उपलब्ध सच भी शामिल है, आँच या आभा से घबराता नहीं है। हम याद कर सकते हैं कि साहित्य की वैचारिकता जिस तरह के भावावेग और जीवन स्थितियों, भाषा और शब्दों के जिस तरह के संश्लेषण से उपजती और आकार लेती है उस तरह के संयोगों में सहज-उच्छल प्रजातान्त्रिकता लगभग अनिवार्य है। उस प्रजातान्त्रिकता में आत्मालोचन का एक अनिवार्य स्पेस होता है—अपने सच को बार-बार जाँचना और उसे बार-बार सन्देह के घेरे में जितना साहित्य खड़ा करता है उतना शायद अन्य विचार-अनुशासनों में उनकी तार्किकता की जकड़बन्दी के कारण आसानी से नहीं हो पाता। किसी सच को शायद अपने सच होने में इतनी झिझक और संकोच नहीं होता जितना साहित्यिक सच को। उसकी यह झिझक दृढ़ कथन के इस युग में अगर उसे प्रभुत्वशाली सचों के मंडल में प्रवेश करने से रोक देती हो तो इसमें अचरज क्या?

साहित्य का विचार और उसका प्रायः अनाश्वस्त सच किसी सारभूत रूप में प्रकट नहीं होता; उन्हें, हमारे ज़माने के चालू मुहावरे के अनुसार, तश्तरी से पेश नहीं किया जा सकता कि आपको फ़ौरन पसन्द-नापसन्द आ सके। उन्हें पाने की प्रक्रिया भाव-विचार की एक संश्लिष्ट और जटिल प्रकिया है। हमारे समय और समाज की एक बड़ी कठिनाई यह है कि स्वयं इस वैचारिक-भावात्मक उद्यम का अर्थात् आस्वाद और आलोचना का अवमूल्यन हो रहा है। यह अवमूल्यन उस सारे मूल्यपरक व्यापार के लिए लगातार चुनौती है जोकि साहित्य और अन्य अनुशासन हैं और बने रहने की जी-तोड़ कोशिश कर रहे हैं।

जब विचारों से एक ओर इतनी व्यापक हताशा हो और दूसरी ओर नई कट्टरता के साथ इस वैचारिक उदासीनता और उससे पैदा हो रहे शून्य को भरने के लिए नए धर्मान्ध कट्टर कुविचार या कि चतुर-चपल दैत्याकार प्रबन्ध-रूपक या कि विचार मात्र की अप्रासंगिकता की धारणाएँ सामने आ रही हों, यह ज़रूरी नहीं हो गया है कि हम विचार की साहित्य जैसी अपेक्षाकृत अलक्षित संरचना की ओर ध्यान दें? यों भी साहित्य के बाहर के विचार ज़्यादातर किसी-न-किसी तरह से विफल हो चुके हैं—जब कोसल में विचारों की कमी है तो क्या कोसल को उधर नहीं मुड़ना चाहिए जहाँ अभी भी शायद विचार अपनी जीवन्त मानवीयता में सक्रिय हो सकते हैं?

हालाँकि यह पहचान पाना थोड़ा कठिन है कि हमारे यहाँ मानविकी में केन्द्रीय बहस या बहसें क्या हैं, इतना तो साफ़ देखा जा सकता है कि जो भी हो, साहित्य या कि साहित्यदर्शन उस बहस में शामिल नहीं है। या कम-से-कम वह उस बहस में अपने ढंग से हिस्सा ले रहा हो ऐसा माना नहीं जाता, भले कभी-कभार साहित्य का प्रमाण के रूप में इस्तेमाल मानविकी करती रही है। दूसरी ओर साहित्य के राजनीति और सामाजिक संघर्ष से आक्रान्त होने के बावजूद उनमें किसी संवाद या कि द्वन्द्वात्मक रिश्ते की स्थिति काफ़ी अरसे से समाप्त या शिथिल पढ़ चुकी है। हम साहित्य में सुबह-शाम समाज की चिन्ता करते नहीं थकते जबकि समाज के प्रगट और मुखर मंचों पर कभी साहित्य को लेकर कोई चिन्ता या सरोकार व्यक्त नहीं होता। ऐसी हालत में यह शंका भी होती है कि कहीं हम जिस स्वराज की बात कर रहे हैं वह अप्रासंगिकता का या कि उसमें स्थापित स्वराज तो नहीं है? यह नोट करना चाहिए कि स्वयं राजनीति अब अधिकाधिक स्वायत्त होती जा रही है—वह जीवन और समाज के बारे में कम और ज़्यादातर अपने ही बारे में है। यह विडम्बना ही है कि हम राजनीति की इस जीवन-विमुख स्वायत्तता को स्वीकार करते हैं पर साहित्य का जीवनाभिमुख स्वराज हमें स्वीकार्य नहीं लगता।

ज़ाहिर है कि साहित्य और उसकी वैचारिकता हमारी इसी दुनिया में घटित होते हैं जहाँ और भी बहुत कुछ घटित हो रहा है जिसमें अन्य विचारों का घटना

भी शामिल है। इसकी पड़ताल ज़रूरी है कि हम देखें कि साहित्य की वैचारिकता का दूसरी वैचारिकताओं के साथ क्या-कैसा संवाद और सम्बन्ध है। जो उपभोक्ता सभ्यता हम पर लगातार हावी हो रही है उसके चलते भाषा मात्र से सूक्ष्मता और जटिलता का लोप हुआ जा रहा है। क्या हमारे पास इस सभ्यता का सामना करने और भाषा और विचार के कुछ अनिवार्य गुण बचाने की तैयारी है और क्या यह तैयारी साहित्य और अन्य विचार-संरचनाओं के बीच किसी तरह का सहकार सम्भव बना रही या बना सकती है? आज औसत और सरलीकृत को अपने को फैलाने और मनवाने के जितने साधन और अवसर हैं उतने पहले कभी नहीं थे। क्या हममें, याने साहित्य-विचार और शास्त्रविचार में, इसका प्रतिरोध करने और उत्कृष्ट के लिए जगह बचाए-बनाए रखने के लिए आवश्यक बौद्धिक टफ़नैस है? दूसरे शब्दों में हमारे जैसे उत्तर-औपनिवेशिक समाज में, परम्परा ओर आधुनिकता के दुहरे दबावों के चलते, साहित्य और अन्य वैचारिक संरचनाएँ अब तक किसी प्रतिपक्षी संस्कृति का, भले ही अल्पसंख्यक, रूप ले पायीं या निभा पाई हैं? याकि साहित्य और अन्य विचारानुशासन कुल मिलाकर इस सर्वग्रासी सभ्यता के शिकार और ज़्यादातर उसका अपनी उदासीनता और निष्क्रियता से समर्थन ही करते रहे हैं? शास्त्रीय संगीत, नृत्य और फिल्मों ने अपनी रसिकता का आभिजात्य हमारे समाज में स्थापित करने में सफलता पाई है जबकि साहित्य अपनी रसिकता विकसित करने में कुल मिलाकर असफल ही रहा है। इसी सिलसिले में यह जाँचना भी ज़रूरी है कि हमारे 'दूसरे' कौन हैं और हम उनसे किस तरह प्रतिकृत होते हैं—हमारी आत्मछवियों का इन अन्य छवियों से क्या सम्बन्ध है? साहित्य के दूसरे कौन हैं और दूसरे अनुशासनों के दूसरे कौन हैं और उनमें क्या कोई मेल या तनाव है? क्या विचारधाराओं के दूसरों और साहित्य के दूसरों को प्रायः एक ही मानकर हमने कोई भूल की है?

साहित्य के मूल्यांकन में अकसर अन्य अनुशासनों की दृष्टियों, यहाँ तक कि मानदण्डों का उपयोग किया जाता रहा है। यहाँ तक कहा गया है कि साहित्य साहित्य है कि नहीं इसका निश्चय तो शुद्ध साहित्यिक मानदण्डों के आधार पर किया जा सकता है पर साहित्य महान् है या नहीं इसका निश्चय साहित्येतर मानदण्डों पर ही हो सकता है। साहित्य दूसरे अनुशासनों के प्रति खुला और ग्रहणशील रहा है—इस हद तक कि उनसे मूल्यांकित तक होने का प्रस्तुत रहा है। पर क्या दूसरे अनुशासनों की दृष्टि साहित्य के प्रति ऐसी ही खुली और प्रजातान्त्रिक समकक्षता की रही है? क्या साहित्य की तरह ही अन्य अनुशासन साहित्य से, साहित्यिक मानदण्डों से मूल्यांकित होने को तैयार रहे हैं? अगर, मसलन, साहित्य का मूल्यांकन दार्शनिक या धार्मिक या ऐतिहासिक आधारों पर किया जा सकता है तो क्या दर्शन या धर्म या इतिहास का मूल्यांकन साहित्यिक आधारों पर किया जा सकता है? सिद्धान्त में यह मान्य भी हो तो व्यवहार में यह

कितना होता रहा है? वैचारिक दर्शनों के बीच साहित्य-दर्शन की क्या स्थिति है? क्या जीवन और संसार को समझने की जो मान्य दृष्टियाँ हमारे समाज में हैं उनमें साहित्यदृष्टि भी शामिल है और क्या उसे यह हैसियत सचमुच मिली है जिसकी कि वह पात्र है?

शेष शताब्दी को समझने उसके ढलान पर उतरने के इस दौर में यह तो साफ़ पहचाना जा सकता है कि अबोधता से काम नहीं चल सकता क्योंकि **चुटकले ख़त्म हो गए और सीढ़ियाँ शुरू हो गई हैं।** विजयदेव नारायण साही ने बरसों पहले जिस 'बौद्धिक सघनता–विषाद, जागरूकता और सूक्ष्म नैतिक विवेक से परिपूरित सुगन्ध' और 'प्रसंगगत अर्थ में तीव्रता, वैचारिक तरंगाकुलता और भावों के संश्लेष के समायोजन' की बात की थी क्या उसकी विस्तृत होती हुई झंकार हम सुन पाते हैं? सीढ़ियाँ जब शुरू होती हैं तो ऊपर भी ले जा सकती हैं और नीचे भी। मिवोश ने कहा है :

मैं जानता हूँ क्या बचा है मेरे जैसे कमतर आदमियों के लिए
संक्षिप्त आशाओं का भोज, पाखण्डियों की रैली,
कुबड़ों का टूर्नामेंट–साहित्य।

कस्तूरी मृग और घास/कुछ नोट्स

पुराने भले दिनों में ऐसा समय था जब एक लेखक शान्तिपूर्वक एक परम्परा का अंग हो सकता था और उस परम्परा द्वारा दी जानेवाली सुरक्षाओं का उपभोग करते हुए उत्कृष्टता और अन्तर्दृष्टि के माध्यम से अपनी एक विशिष्ट अस्मिता अर्जित कर सकता था। कभी-कभार जब कोई चुनौती पेश आती थी तो परम्परा का विवेक और स्थायित्व उसका सामना करने में सक्षम थे और अन्ततः उसे अपने में ही समा लेते थे। एक रचनात्मक व्यक्ति ऐसी स्थिति में न सिर्फ़ साहित्य या कला की विशिष्ट कृतियाँ रच रहा होता था बल्कि उस परम्परा का निर्वाह, सत्यापन और पुष्टि भी कर रहा होता था। यह बिल्कुल साफ है कि ऐसी स्थिति अब नहीं रही। संसार में लेखक कहीं भी हो, वह एक तरह से कहीं नहीं का वासी बनकर रह गया है। शायद यह कहना लेखक के संकट को अति नाटकीय ढंग से प्रस्तुत करने की एक आधुनिक अतिरंजना-भर है। यह नहीं कि लेखक के पास खड़े होने या अपनी कहने को कोई जगह नहीं बची, वह कई जगहों में एक साथ है। यह भौंचक करनेवाला भूगोल किसी तरह के मूल-ग्रहण को लगभग असम्भव बना देता है। अगर वह जड़हीन है, फिर एक पिटा-पिटाया मुहावरा, तो इसलिए नहीं कि उसकी कोई जड़ें ही नहीं हैं बल्कि इसलिए कि वह उन्हें कहीं भी रोपने में समर्थ नहीं है। मिट्टी बहुत जल्दी-जल्दी बदलती और नीचे खिसकती जाती है। संसार जैसे शब्दशः उस पर भारी हो आया है और वह भी कल का संगठित छोटा-सा संसार नहीं बल्कि आज का विशाल, अव्यवस्थित, दरकता हुआ संसार है। टेक्नोलॉजी और मास-मीडिया के सौजन्य से दुनिया बहुत ज्यादा उसके पास आ गई है और सिर्फ़ धारणात्मक रूप से नहीं बल्कि लगभग भौतिक रूप से मनुष्य का समूचा उत्तराधिकार उसे उपलभ्य है। उसकी अस्मिता के लगातार और गम्भीर रूप से टेक्नोलॉजी के जंगलों, सार्वभौम अव्यवस्था और विकराल उलझाव में गुम हो जाने और धीरे-धीरे समाप्त होने का खतरा है। उसे पसन्द हो या नहीं, वह एक विश्व-संस्कृति का अंग बन गया है। वह ऐतिहासिक प्रक्रिया का शिकार है। इतिहास उसे मुक्त नहीं करता और भूगोल उसे सिर्फ़ बन्दी बनाता है—अनितिहास का एक बे-दीवार क़ैदखाना, जिसमें उसकी चीख न ही सुनाई देती है और न ही

किसी तरह की प्रतिध्वनियाँ पैदा करती हैं। यह सचमुच एक बहुत ही निराशाजनक चित्र है और पहली दृष्टि से लगता है कि यही सचाई है। लेकिन सौभाग्य से मानवीय रचनाशीलता, कुछ-कुछ रहस्यात्मक ढंग से, अपनी भव्य और बहुरंगी विशिष्टता में जीवित रहने का मार्ग खोज ही निकालती है। ठीक है कि हम संसार में इधर-से-उधर फैली विशाल समकालीन महान् लेखकों की बिरादरी से आनन्दित होते हैं। पर उनमें से हरेक अपनी अद्वितीयता आदमी की हालत के बारे में एक विशिष्ट और निजी अन्तर्दृष्टि के कारण ही नहीं बल्कि इस अन्तर्दृष्टि को आकार देने और पोसनेवाले सांस्कृतिक परिवेश से अर्जित करता है। अभिव्यक्त सत्य सार्वभौम है, पर उसमें अन्तर्निहित संघर्ष, यातना और अनुभवों के स्थानीय नाम और उद्‌गम होते हैं। कोई भी लेखक अपनी संस्कृति का अतिक्रमण नहीं कर सकता, न ही ऐसा करने की कोई आवश्यकता है। रचे गए अर्थ संस्कृति के माध्यम से ही पूर्णता पाते हैं। सार्वभौमिकता पाने के पहले किसी भी कृति को अपने सांस्कृतिक सन्दर्भ में प्रासंगिक और सार्थक होना पड़ता है। यह ज़रूरी नहीं कि एक कृति अपनी संस्कृति का गुणगान करे, वह उसका विरोध भी कर सकती है, पर वह उसकी अवलेहना या उसे नज़रअन्दाज़ नहीं कर सकती। संस्कृति अर्थ और मूल्यों को अधिगृहीत, संरक्षित ओर चरितार्थ करने का अदृश्य माध्यम है। ऐसी संस्कृतियाँ हो सकती हैं जिनमें कोई साहित्य न हो, कम-से-कम लिखित साहित्य; पर ऐसा साहित्य सम्भव नहीं है जिसकी कि कोई संस्कृति न हो।

ऐसा समय होता है जब लेखकों को अपनी संस्कृति के विरुद्ध लड़ना पड़ता है, कम-से-कम अपनी संस्कृति के उन तत्त्वों के विरुद्ध जो कुछ समय के लिए उसके परिवेश को आक्रान्त कर रहे होते हैं। बहुत बड़ा निजी खतरा मोल लेते हुए अनेक जर्मन लेखकों ने नाज़ी संस्कृति के विरुद्ध संघर्ष किया था। भारत में, हमें इस बात पर गर्व होना चाहिए, बहुत बड़ी संख्या में लेखक हैं जो साहसपूर्वक मध्यवर्ग की तुच्छ भौतिकवादिता और सत्ता की राजनीति की मूल्यहीनता के विरुद्ध लड़ रहे हैं।

हालाँकि, भारतीय संस्कृति के बारे में आमतौर पर बात ऐसे की जाती है जैसे वह एकीकृत कुछ हो, वस्तुस्थिति यह है कि इस सन्दर्भ में एक विचित्र बहुलता, आश्चर्यजनक और समृद्धिकारी, हमारे यहाँ है। भारत में बीस से अधिक भाषाओं और शैलियों में साहित्य लिखा जाता है। हरेक की अपनी विशिष्ट परम्परा, भौगोलिक अंचल और ऐतिहासिक पृष्ठभूमि है। धर्मों, आस्थाओं, जलवायुओं, जीवन-शैलियों की बहुलता है, हरेक एक-दूसरे से ब्योरों में बहुत अलग और भिन्न हैं। भारतीय लेखक का इस बहुलता से साक्षात् होता है। वह इस बहुलता में ही साँस लेता है। यह सामान्य धारणा है कि भारतीय लेखक को इतिहास-बोध पश्चिम के सम्पर्क में आने के बाद मिला। पर सर्वथा विमोच्य अतीत भारतीय लेखक की सचाई नहीं

है। उसकी सचाई है कि सारा समय सतत वर्तमान है। इतिहास की अनेक शताब्दियाँ उसके लिए यहाँ और अभी हैं, एक साथ अस्तित्व में। आदिम सुन्दर की ऊर्जा और आणविक का विध्वंसक वैभव दोनों का उस सचाई में सह-अस्तित्व है जिसका वह आज सामना करता है। एक अर्थ में यह कहा जा सकता है कि सभी अस्तित्व सह-अस्तित्व है। भारत में सांस्कृतिक अस्मिता का मूल आधार देश और काल की, मनुष्य और उसके संसार की यह बहुलता है। समस्या किसी समन्वित दृष्टि को, जो भारत के लिए विशिष्ट हो, भारतीय अस्मिता बनाए रखने के लिए सुरक्षित करने की नहीं है। समस्या है बहुलता और सह-अस्तित्व की इस निरन्तरता को बनाए रखने की। परिवर्तन और आधुनिकीकरण की शक्तियों ने विशेष ढंग से एकरूपता और पूर्वनिश्चितता का एक पैटर्न थोपने का प्रयत्न किया है। पर विज्ञान और औद्योगिकीकरण की भव्य विजयों के बावजूद यह देखकर थोड़ी राहत मिलती है कि अभिव्यक्ति और प्रयत्न के बहुत बड़े क्षेत्र अछूते और इन शक्तियों के उपनिवेश बनने से बचे रह गए हैं, वे अक्षत रह गए हैं। यह नहीं लगता कि यह निरे द्वीप हैं बीच-बीच में छूटे हुए, पर प्रतीक्षा करते हुए उस भविष्य की, जब विजयी अक्षौहिणियाँ लौटेंगी और इन पर दृष्टि पड़ने पर इन्हें भूमिसात् कर देंगी। जैसे भी हो, विज्ञान की तार्किक संस्कृति और भारतीय परम्परा की गैर-तार्किक संस्कृति दोनों एक-दूसरे को समाप्त कर देने के निर्णायक द्वन्द्व में संलग्न नहीं हैं। उनका सहअस्तित्व है और एक उतनी ही सच है जितनी कि दूसरी। उनमें आपस में अन्तर्क्रिया होती है लेकिन एक से दूसरी को खतरा नहीं है। एक नई खोज, एक ताजा मोड़, भारतीय चरित्र के अनुरूप, बहुलता की महान् परम्परा में समाहित कर लिये जाते हैं। हम याद करें कि कुछ शताब्दियों पहले ब्राह्मण-परम्परा के विरुद्ध बुद्ध के महान् विरोध के बाद ब्राह्मणों द्वारा ही चुपचाप बुद्ध को दशावतरों में सम्मिलित कर दिया गया था।

भारत में सांस्कृतिक अस्मिता पर विचार करते समय जो एक और महत्त्वपूर्ण तत्त्व ध्यान देने योग्य है वह है सह-अस्तित्व की द्वन्द्वात्मकता। इसलिए प्रामाणिक भारतीय स्वर कहीं एक से नहीं बल्कि अनेक स्रोतों से उपजता है और वह किसी विशेष मत का निरूपण नहीं करता सिवाय इसके कि एक की नियति को दूसरे की नियति से असम्बद्ध रखना सम्भव नहीं है।

भारत का कई अर्थों में संहारकारी औपनिवेशिक अतीत रहा है, पर हमें ईमानदारी से यह भी मानना चाहिए कि उपनिवेशवाद के माध्यम से ही हम पश्चिम, आधुनिक विज्ञान और राजनीति, स्वतन्त्रता और राष्ट्रवाद की नई धारणाओं के सम्पर्क में आए। यह भी उतना ही सही है कि शासक-वर्ग ने एक ऐसी संस्कृति थोपी जो अनुकरणात्मक और अमौलिक थी। इस संस्कृति के विरुद्ध उपनिवेशवाद के दिनों में भी सच्चे लेखकों ने सारे प्रभावों को आत्मसात् करते हुए सृजनात्मक

स्तर पर कड़ा संघर्ष किया और भारतीय स्थिति के अनुरूप, जो सच और प्रामाणिक था उसे वाणी दी। स्वतन्त्रता के बाद भी औपनिवेशिक प्रवृत्ति कुछ रूपों में जीवित रही और, चाहे साहित्य हो या कलाएँ, आधुनिकता के विकास को अधिकाधिक पश्चिमीकरण के रूप में ही देखा और ग्रहण किया गया है। पश्चिम के सामने भारतीय मनुष्य का औचित्य-प्रतिपादन एक बड़ी चिन्ता बनी रही। आठवें दशक में इस परिस्थिति में एक बुनियादी परिवर्तन हुआ और यह आज के सन्दर्भ में इस समस्या का सबसे महत्त्वपूर्ण पहलू प्रस्तुत करता है। इस बात का गहरा एहसास व्यापक रूप से हुआ है कि भारत के विशिष्ट सन्दर्भ में आधुनिकता को अलग और पश्चिम से मुक्त होना पड़ेगा। यह पश्चिम की अनदेखी करना नहीं है और न ही अपने को किसी तरह के संकीर्ण पुनरुत्थानवाद या राष्ट्रवाद में महदूद करना है। यह इस निर्विवाद और अकाट्य तथ्य का सामना करना-भर है कि भारत के इतिहास, भूगोल और तत्त्व-चिन्तन की विशिष्टताएँ आधुनिकता का एक ऐसा संस्करण अनिवार्य करती हैं जो भिन्न और अद्वितीय हो। साहित्य में ही नहीं, बल्कि रंगमंच और रूपंकर कलाओं में एक नया आत्मविश्वास विकसित हुआ है। पेरिस, न्यूयार्क या बर्लिन में जो ताज़ा घटता है उसकी जानकारी यहाँ है। लेकिन पहले जैसा उससे मिलता-जुलता कोई आन्दोलन या प्रवृत्ति यहाँ शुरू करने की हड़बड़ी गायब है। तथाकथित इंडो-एंग्लियन लेखकों को छोड़कर, जिनका अंग्रेज़ी में लिखना एक तरह की ट्रैजिक अनिवार्यता है, भारतीय लेखक पश्चिमी मान्यता के पीछे नहीं भाग रहे हैं। इसका अर्थ यह नहीं है कि अनुकरणात्मकता ने दृश्य को आक्रान्त करना बन्द कर दिया है। सच तो यह है कि शासक वर्ग, नवधनाढ्य और मध्यम वर्ग में अनुकर्त्ताओं की संख्या दिन-दूनी रात चौगुनी बढ़ती जाती है। पर महत्त्वपूर्ण साहित्य ने जानबूझकर अपने को इस मामले में विपक्ष में रखा है। भारत में समूची संस्कृति के लिए एक सबसे गम्भीर समस्या यह है कि लोक-व्यापी शिक्षा-व्यवस्था का एक परिणाम लगभग सम्पूर्ण सांस्कृतिक निरक्षरता के विकास में हो रहा है। अन्तर्निहित सांस्कृतिक निरन्तरता को क्षति पहुँच रही है और अजस्र स्रोत सूख रहा है। बहुत बड़ी संख्या में युवक शैक्षणिक रूप से साक्षर, पर सांस्कृतिक रूप से निरक्षर होते जा रहे हैं। लेखक को इस भयावह सांस्कृतिक निरक्षरता का सामना करना पड़ रहा है जो हर हालत में महत्त्वपूर्ण साहित्य के सम्भावित पाठक वर्ग को विकसित होने में रोक रही है। दरअसल जो नुकसान हो रहा है वह इससे अधिक गहरा है। चूँकि निरक्षरों की लिखित शब्द तक, जोकि साहित्यिक अभिव्यक्ति का अब मुख्य माध्यम है, कोई पहुँच नहीं है, लेखक भी उन तक नहीं पहुँच सकता जबकि वे निरक्षर बहुसंख्यक ही हैं जो पारम्परिक विवेक और संस्कृति के उच्चबोध के अक्षय कोष हैं और जो उनके यहाँ जीवन-शैलियों, मिथकों और जातीय स्मृति के माध्यम से सुरक्षित है। अगर सामर्थ्य और अवसर दिया जाय

तो लोग (ज़िन्दा और सच्चे लोग लोगों का कोई धारणात्मक अमूर्तन नहीं है) महत्त्वपूर्ण साहित्य से सहारे और सार्थक ढंग से प्रतिकृत हो सकते हैं। वह उन्हें अर्थपूर्ण लग सकता है, पर दुर्भाग्य से यह दोनों एक-दूसरे से दूर हैं, चूँकि बीच में आनेवाले शिक्षित लोगों ने सम्प्रेषण को अवरुद्ध कर रखा है। लेखक ऊर्जा और शक्ति के एक अक्षय स्रोत से वंचित किया जा रहा है। दरअसल कई अर्थों में भारत के लेखक एक अल्पसंख्यक समुदाय हैं जो कुछ-कुछ ट्रैजिक परिस्थितियों में जन के भावावेग से तदात्म होने का संघर्ष कर रहा है। सौभाग्य से सामाजिक अवरोध ऐसे नहीं हैं कि साहित्यिक प्रयत्न द्वारा उन्हें पास न किया जा सके। पुल पुराने और थके हुए हैं, पर अभी भी काफ़ी वज़न सह सकते हैं।

मुक्ति की खोज में यह सही है कि सृजनात्मक प्रतिभा को परम्परा के नाम पर मूल्यों और रुचि की अनेक दक़ियानूसियों के प्रतिरोध का सामना करना पड़ता है और यह स्वाभाविक ही है कि इस संघर्ष में भाषा में विस्फोट हुआ है। भाषा ने सीधी और निर्भीक अभिव्यक्ति की सामर्थ्य अर्जित की है पर उसकी पूर्वाभिव्यक्तियों की स्मृति क्षीण हो गई है। ऐसा लगने लगा था जैसे समकालीन भाषा अतीतहीन भाषा हो, अन्तहीन वर्तमान की भाषा। इसमें समूचे भारतीय मनुष्य का भी सरलीकरण निहित था। आध्यात्मिक दृष्टियों की सम्पदा और अस्तिमूलक अर्थों की संरचनाएँ जैसे पीछे ढकेल दी गयीं। मनुष्य और उसके संसार के बीच विसंगति की धारणा, जो पश्चिम में प्रमुख है, हमारे यहाँ भी प्रमुख होने लगी। लेकिन जल्दी ही सृजनात्मक कथन के बढ़ते हुए इकहरेपन से उधार ली हुई दृष्टि की अप्रासंगिकता स्पष्ट हो गई। जल्दी ही यह समझ में आ गया कि अपनी आत्मा के भूगोल या उसके इतिहास को भुलाया या नजरअंदाज़ नहीं किया जा सकता। एक सच्चे आधुनिक भारतीय लेखक की मानसिकता में विसंगति की आधुनिक पश्चिमी धारणा और संगति की पारम्परिक भारतीय धारणाओं के बीच एक भीषण अन्तर्द्वन्द्व अनिवार्य हो गया। दोनों ही धारणाएँ मानवीय अस्तित्व की दो मिथकें हैं। कालचक्र, पुनरावर्तन और घट-घट में ब्रह्म की व्याप्ति की धारणाओं का ऐतिहासिक-एकरैखिक काल, अनिवार्य प्रगति और दिव्य की परम अनन्यता की धारणाओं से साक्षात्कार ज़रूरी है। पश्चिम में संसार मनुष्य के मौलिक पाप का प्रतिफल है। भारत में संसार ब्रह्म की लीला से उत्पन्न हुआ है। संक्षेप में, पश्चिम और भारत के बीच बुनियादी भिन्नता है जिसका कोई सीधा समाधान सम्भव नहीं है। आज के लेखक को इन अन्तर्विरोधों का सामना करना पड़ता है। उसकी प्रामाणिकता और बहुत हद तक उसकी अस्मिता इस पर निर्भर करती है कि वह इन चुनौतियों का कितनी गहराई और गम्भीरता से सामना करता है। इसके लिए कोई सीधा और सरल 'यह या वह' का विकल्प नहीं है। चूँकि वह न तो दार्शनिक है और न ही तर्कशास्त्री, उसका काम इस तरह के मामलों का तर्कसंगत हल खोजना नहीं है। पर उसे वह

सच तो खोजना और व्यक्त करना होता है जो उसका है, और जो दूसरों तक पहुँचाया जाना है—और यह सच इस द्वन्द्व में ही है, बहुलता और सह-अस्तित्व में। भारत एक घायल सभ्यता सही, पर उसके पास प्रतिरोध की अपार शक्ति है। उसके सृजनधर्मी अल्पसंख्यकों ने सिर्फ़ बचे रहने या कि सुन्दरता की छवि ही नहीं बनाई बल्कि आत्मोपलब्धि की भी तस्वीरें उकेरी हैं।

अकेलेपन की अन्धी गलियों में भटकने के बाद लगता है कि बहुत सारे भारतीय लेखक परस्परता के एक अधिक निजी बोध पर वापस आ गए हैं। न केवल मनुष्य और मनुष्य साथ-साथ, बल्कि मनुष्य और ईश्वर (अगर कोई है), मनुष्य और प्रकृति भी। सृजनात्मकता जो भी उपलब्ध करती है, मनुष्य उसे कभी गँवाता नहीं है। परम्परता की, जो भारतीय परम्परा में प्राचीन वेदों से हमेशा उपस्थित रही है, फिर उपस्थिति दृश्य पर महसूस की जा रही है। उसका असन्तुलन किसी पर्यावरण के कारण नहीं, बल्कि इसलिए है कि हमारे जातीय मानस में अन्तर्निहित जो हमारी अस्तिमूलक चिन्ताएँ हैं, उनका समाधान अन्ततः इसी परस्परता में है। साहित्य और कलाओं के क्षेत्र में इस नई स्वतन्त्रता ने एक नई निर्भीकता भी विकसित की है। लेखक साहस और विवेक के साथ अपनी नियति, चुनौतियों और सृजन-विरोधी शक्तियों का सामना करता है। हजारी प्रसाद द्विवेदी के स्मरणीय शब्दों में 'सत्य के लिए किसी से भी न डरना, गुरु से भी नहीं, मन्त्र से भी नहीं, लोक से भी नहीं, वेद से भी नहीं!' और लेखक मानो अपनी हड्डियों में यह महसूस करता है कि उसका सच उसकी अस्मिता और उसकी संस्कृति में ही अन्तर्भूत है।

भारतीय सन्दर्भ में इस समस्या के दो और पहलू विचारणीय हैं। पहला समकालीनता की वह नई धारणा है जो बहुत प्रभावकारी ढंग से इधर दृश्य पर उभरी है। रूपंकर कलाओं के क्षेत्र में, उदाहरण के लिए, ग्रामीण लोक और आदिवासी कलाओं को समकालीन सृजन का जायज और सशक्त संस्करण माना जा रहा है। लोक या आदिवासी कलाकार अब निरा कारीगर नहीं माना जाता। उसे नागरिक और तथाकथित कलाकारों की श्रेणी में सहज प्रवेश मिल रहा है। इसी तरह रंगमंच में लोक-शैलियों को नई शक्ति प्राप्त करने के उद्गम और नए प्रयोगों के आधार के रूप में अधिकाधिक उपयोग में लिया जा रहा है। शैलीगत नवाचार और कल्पना की उड़ान सिर्फ नागरिक कलाकार का विशेषाधिकार नहीं है। ऊपरी ढाँचा अपराध-बोध से ग्रस्त है और मूल आधार की ओर किसी सौजन्य या उदारतावश नहीं, बल्कि इसलिए देख रहा है कि वहीं से उसे शक्ति और समर्थन मिल सकता है। दूसरे, शास्त्रीय कलाएँ, जैसे संगीत और नृत्य, दृश्य पर एक ऐसी भूमिका निभा रही हैं, जो असाधारण है। यों भी एक विशिष्ट भारतीय परम्परा और उसके कुछ शाश्वत मूल्यों को संरक्षित और चरितार्थ करने का वे प्रयत्न करती रहती हैं।

लोकप्रिय, सतही और भौंड़े रूपाकारों के भंयानक आक्रमण के बावजूद शास्त्रीय कलाओं के रसिकों की संख्या बराबर बढ़ती रही है। लेखकों पर इस बात का गहरा प्रभाव पड़ता दिख रहा है कि हमारी शास्त्रीय कलाओं ने बहुत लचीलापन प्रदर्शित किया है। बहुत सारे भौंड़ेपन, चीख-पुकार को उन्होंने जैसे सोख लिया है लेकिन उनका मूल मर्म अक्षत बना रहा है। इन कलाओं ने अपने व्यापक प्रभाव से शक्ति का एक नया स्रोत, अस्मिता का एक नया आदर्श प्रस्तुत किया है। जन का भावावेश, भारतीय सृजनात्मकता की व्यापकता और प्रयोगशीलता, भावनाओं और दृष्टियों की गहराइयाँ जिन्हें साधारण जन अपनी शैलियों में संस्कारों आदि के माध्यम से जीवित रखते हैं और जिनसे लेखक कट गया है, उन्हें एक तरह से लेखक, संगीत और नृत्य के माध्यम से, पुनरुपलब्ध कर रहे हैं। एक गँवाया हुआ संसार कलाओं के माध्यम से पुनरर्जित हो रहा है और साहित्यिक मानसिकता इससे गहरे प्रभावित हो रही हैं। ये कलाएँ उच्चकोटि का मनोरंजन नहीं हैं, वे उच्चकोटि की ज़िम्मेदारी हैं।

सांस्कृतिक अस्मिता बनाए रखना या उसकी सुरक्षा एक लेखक का सचेत सरोकार नहीं हो सकता, लेकिन वह जो भी करता है, और अगर उसमें कोई सच्चाई और प्रासंगिकता है तो, वह निश्चय ही इस अस्मिता को बनाने या बिगाड़ने की प्रक्रिया में लगा हुआ है। मध्यकालीन कबीर ने कहा, 'कस्तरूी कुण्डल बसै, मृग ढूँढ़त बन माहि।'

यह उम्मीद करना चाहिए कि आज के लेखक में कस्तूरी है, भले ही वह घास के पीछे भाग रहा है। कई बार यह भय होता है कि साहित्य मात्र की अस्मिता खतरे में है। उन प्राचीन दिनों की याद की जा सकती है। जब कम-से-कम हमारे देश में गणित और आयुर्वेद के ग्रन्थ भी काव्य के रूप में लिखे जाते थे और अब हालत यह है कि सामाजशास्त्रीय दस्तावेज़, अखबारी स्तम्भ को साहित्य माना जा रहा है। यह चाहना वाजिब है कि थोड़ी-सी घास हमारे लिये भी छोड़ दी जाएँ। अगर सृजनात्मक साहित्य को पीछे ढकेला जाता है तो मनुष्य की सांस्कृतिक अस्मिता दरिद्र और विपन्न अस्मिता होगी। अगर साहित्य की सचाई समझने, पकड़ने और बदलने की एक स्पष्ट, तात्कालिक और ऐन्द्रिक पद्धति के रूप में पहचान धुँधली पड़ती है तो समूची संस्कृति को अपार क्षति होगी।

1983

यूनेस्को द्वारा टोक्यो—क्योटो में 'सांस्कृतिक अस्मिता' पर आयोजित एशियायी लेखकों के सम्मेलन में मूल अंग्रेज़ी में प्रस्तुत आलेख का हिन्दी अनुवाद।

विचारों से विदाई

शायद इस बात से कोई असहमत न हो कि बीसवीं सदी में सारी दुनिया में विचारों का भीषण टकराव हुआ है। कुछ इस तरह का कि इस सदी में यह वैचारिक टकराव किसी भी रचनात्मक या बौद्धिक कर्म का एक स्थाई सन्दर्भ बन गया है। इसके सिर्फ़ बौद्धिक या रचनात्मक ही नहीं बल्कि मानवीय नतीजे निकले हैं, क्योंकि इस टकराव ने संगठित राजनीति के माध्यम से रोज़मर्रा का और साधारण लोगों का जीवन भी प्रभावित और नियमित किया है, भले ही उन्हें अक्सर विचारों का सीधा या सार्थक अहसास न रहा हो। अलग-अलग अनुशासनों में विचारों की अलग-अलग भाषाएँ भी विकसत हुई हैं और ऐसी स्थिति आ गई है कि इन भाषाओं में कोई आपसी संवाद लगभग असम्भव हो गया है। लेकिन भाषाओं की बहुलता और उनके बीच संवादहीनता का असर रचनात्मक भाषा पर पश्चिम में बहुत स्पष्ट और गहरा पड़ा है। इस हद तक कि रचनात्मक भाषा के लिए सतह पर आ जाना एक ट्रैजिक-सी बाध्यता हो गई है। शायद यह कहना अनुचित न होगा कि पश्चिम के समूह-समाजों में रचनात्मक भाषा में अभिव्यक्ति की कोशिश करना उस पर बढ़ते दबावों के रहते एक खतरनाक और ट्रैजिक निर्णय लेना है। शब्द का सतह पर अपनी जीवंतता के लिए जैसे चिपट जाना पश्चिम की भाषाओं के लिए जिस तरह की अनिवार्यता हो गई है, उस तरह की अनिवार्यता या परिस्थिति हिन्दी में, बल्कि भारत में, पैदा हो गई है ऐसा मानने का कोई कारण नहीं है।

हमारा सोच-विचार, जो थोड़ा-बहुत होता है, हमारी भाषाओं में नहीं है, और इसलिए चिन्तन की विशिष्ट शब्दावलियों का रचनात्मक भाषा पर कोई उल्लेखनीय प्रभाव नहीं है। फिर इस सोच-विचार का हमारी रचनात्मक मानसिकता या संस्कारों पर भी कोई सीधा प्रभाव नहीं है। अगर पश्चिम में मनुष्य की हालत को ठीक-ठीक पहचोनने और समझने की कोशिश करने का मतलब परिभाषाओं की बहुलता से जूझना है, तो हमारे देश में ऐसी कोशिश करना वैचारिक अस्पष्टताओं और अपरिभाषित प्रसंगों का सामना करना है। इस स्थिति का एक नतीजा साफ़ है, और वह है भारतीय जीवन में प्रायः हर स्तर पर विचार और कर्म के बीच कटाव और असम्बद्धता। सबसे खुले ढंग से यह संगठित राजनीति के क्षेत्र में है जहाँ

विचारों को कर्म में बदलने की रसायन-भाषा अभी तक विकसित नहीं हो पाई है। एक हवाई और धुँधले ढंग से विचार को पकड़ने का एक हश्र हर पार्टी का समाजवाद का पल्लू पकड़ना और उसकी चीख-पुकार करना है। अगर लोकजीवन में विचार और कर्म कटे हैं यानी या तो विचारहीन कर्म है या फिर कर्मच्युत विचार, तो साहित्य में विचार और कर्म के असम्बद्ध होते जाने पर अचरज न होना चाहिए।

पर अचरज न सही दुख तो होता ही है। क्योंकि विचार और कविकर्म की असम्बद्धता में रचनात्मक भाषा और भारतीय मनुष्य की हालत दोनों का एक भयावह सरलीकरण छुपा हुआ है। अगर यह मान लिया जाए कि साहित्य समकालीन मनुष्य की हालत की गहरी पहचान और समझ को चरितार्थ करता है, तो यह स्पष्ट है कि इस असम्बद्धता के कारण यह पहचान कितनी धुँधली और यह समझ कितनी उथली हो सकती है।

यहाँ शायद यह स्पष्ट कर देना प्रासंगिक होगा कि वह बिल्कुल ज़रूरी नहीं है कि महान विचार से महान कविता पैदा ही हो। शायद बिना विचारों और विचारशीलता के कोई कविता महान नहीं हो सकती। यह कहना ज़रूरी न होना चाहिए कि विचार को किसी विचार-प्रणाली से जोड़ना अनिवार्य नहीं है और यह बिल्कुल ज़रूरी नहीं है कि किन्हीं विचारों का अपने सन्दर्भ को समझने के लिए इस्तेमाल करने वाला कवि किसी विचार प्रणाली से प्रतिबद्ध हो ही। टी.एस. ईलियट की दिलचस्पी पश्चिमी मनुष्य की आध्यात्मिक सचाई की खोज में थी और इसलिए उन्होंने रोमन कैथोलिक ईसाइयत, उसकी आस्थाओं और प्रतीक-रूपकों का इस्तेमाल किया। लेकिन इसलिए उसे रोमन कैथोलिक कवि कहकर उसकी कविता का कलात्मक और मानवीय सन्दर्भ सीमित करना उस कविता की महानता और परिणतियों को अधूरा देखना होगा। ठीक इसी तरह मुक्तिबोध ने समकालीन सचाई की भयानकता को पकड़ने के लिए ऐसे औज़ारों का, जो अस्तित्ववादी जान पड़ते हैं, और सचाई को समझने के लिए मार्क्सवादी विश्लेषण और धारणाओं का इस्तेमाल किया। लेकिन इसलिए उनके कृतित्व को मार्क्सवादी या अस्तित्ववादी या दोनों क़रार देना उचित नहीं है। कविता में विचारों का आत्यंतिक महत्त्व नहीं है। सवाल यह है कि क्या वे विचार कुछ प्रासंगिक उजाकर करते हैं। अगर नहीं, तो वे हस्तक्षेप होकर रह जा सकते हैं। लेकिन यह भी सच है कि बिना विचारों के, यानी बिना किन्हीं विचारों में जड़ जमाए, कविता निरी ऐन्द्रिक फुरफुरी या तुच्छ खिलवाड़-भर रह सकती है। विचारहीन कविता कभी भी मनुष्य की हालत की कोई सार्थक पहचान या कोई समझ उत्तेजित नहीं कर सकती। यह इसलिए भी कि शुद्ध संवेदनात्मक स्तर पर, फिर संवेदना कितनी भी पैनी और धारदार क्यों न हो, आज के मनुष्य और उसकी ज़िन्दगी की जटिलताओं, तनावों और अन्तर्विरोधों को समझ पाना,

बल्कि ठीक से पहचान भी पाना, असम्भव है। अगर समकालीन दुनिया और सचाई का उनकी पूरी जटिलताओं, तनावों और अन्तर्विरोधों को समझ पाना, बल्कि ठीक से पहचान भी पाना, असम्भव है। अगर समकालीन दुनिया और सचाई का उनकी पूरी जटिलताओं के साथ साक्षात्कार साहित्य की मूल प्रतिज्ञा है, तो यह साक्षात्कार, बिना विचारों से उलझे और उन्हें जज़्ब किए, न तो पूरा हो सकता है और न ही गहरा और प्रासंगिक। संवेदना की यों भी सीमाएँ हैं हर समय में, लेकिन आज की जटिल और अबूझ होती जाती सभ्यता में तो वे एकदम स्पष्ट और प्रखर है। दूसरे, कवि-संवेदना के बौद्धिक ही नहीं मानवीय सन्दर्भ का एक महत्त्वपूर्ण भाग विचार और उनका टकराव है। उनसे कोई सरोकार न रखना या इस टकराव को नज़रंदाज़ करना इस सन्दर्भ से कटना है, लगभग सन्दर्भहीन हो जाना है।

यह है वह व्यापक ढाँचा जिसमें आज के साहित्य के बारे में कुछ कहना उचित होगा। अगर थोड़ी अतिरंजना का सहारा लेने को मुआफ़ किया जाए, तो कहा जा सकता है कि युवा-लेखन का एक बहुत बड़ा अंश ऐसा है जिसे विचारहीन लेखन कहा जा सकता है। निश्चय ही एक ऐसा भाग भी है जो विचारहीनता की इस नई दक़ियानूसी से अलग है, और ऐसे भी कई लेखक हैं जिनमें किसी हद तक दोनों प्रवृत्तियाँ देखी जा सकती हैं। लेकिन पूरे दृश्य पर अधिक आतंक विचारहीन लेखन का है और वह सबसे मुखर है। इस विचारहीनता के पहलू कई हैं। कुछेक में यह इसलिए है कि अन्य लेखकों की भाँति, युवा-लेखक भी बौद्धिक काहिली के शिकार हैं। और उनमें न तो इतनी कवि प्रतिभा और न ही इतना धीरज है कि वे अपनी स्थिति की बौद्धिक और नैतिक परिणतियों की पड़ताल कर सकें या उनका सामना करने का साहस कर सकें। तथाकथित अकवियों में से ज़्यादातर इसी कोटि के लेखक हैं। अन्यथा उसकी बेहद रूमानियत इतने किशोर-सुलभ बड़बोलेपन से व्यक्त न होती और न ही स्त्री को एक चीज़-भर मानने की मध्यकालीन हरकत आधुनिकता की एक परम विद्रोहमूलक मुद्रा के रूप में प्रस्तुत होती।

अकवियों ने असंगति को भी अपने साहित्यिक दर्शन का एक मुद्दा बनाया है। इस मुद्दों की निपट दरिद्रता और अप्रासंगिकता बताने के लिए इतना ही कहना काफ़ी होगा कि इसके पीछे भारतीय मनुष्य की हालत का कोई बखान नहीं है और सारी बात एक समुन्नत समाज और समूह-संस्कृति के सन्दर्भ में ही समझ में आ सकती है। यह भले बड़ा खेदजनक हो लेकिन सही है कि हमारा तात्कालिक सन्दर्भ न तो समृद्धि का है और न ही समूह-संस्कृति का। अकविता इसीलिए एक स्तर पर हमारे मध्यवर्गीय उठाईगीरपन की एक अभिव्यक्ति है, जैसे कि पब्लिक स्कूलों में पढ़ रहे बच्चों का रहन-सहन, सोचने का ढंग, उनके खेल-तमाशे। एक-दूसरे

स्तर पर वह अकवियों के सामाजिक पिछड़ेपन की कुंठा को दुरुस्त करने का एक ज़रिया है, क्योंकि उससे एक ऐसे आभिजात्य में शामिल हुआ जा सकता है जिसमें समृद्धि के सभी नए और उठाईगीर प्रतीक जमा हैं, और जहाँ एक अतृप्त 'टीनएज', स्त्रियों के अभाव, और ऐसी ही दूसरी ललकों को पूरा करने का कम-से-कम एक शाब्दिक छद्म बन सकता है। भारतीय जीवन की सबसे क्रूर विसंगतियाँ उस दुनिया की नहीं हैं जहाँ बड़े शहर और उनके रेस्तराँ, क्लब-डिस्कोथिक हैं, बल्कि उस दुनिया की है जहाँ हर स्तर पर जाति-प्रथा का कड़ा होता शिकंजा है, साधारण मनुष्य को अपनी भाषा की दुनिया से काटने की अमानवीयता है, आदि-आदि। इन सचाइयों को अगर अकविता नज़रंदाज़ करती है तो इसलिए कि इन्हें रचनात्मक स्तर पर खोजने के लिए जिस वैचारिक निष्ठा और बौद्धिक पड़ताल की ज़रूरत है, उसके लिए, आसानी से उपलब्ध समृद्धिमूलक विसंगतियों के आकर्षण के रहते, न तो फुरसत है और न ही उसके लेखे ज़रूरत ही। स्थापित व्यवस्था को इस बौद्धिक काहिली से मदद भी मिलती है और अन्यथा करने से उसे चोट पहुँच सकती है, जो करना अकवि नहीं चाहते। स्त्री-पुरुष की एक अमूर्त दुनिया को ही अपना केन्द्र बनाने में एक स्पष्ट रणनीति है—उससे मध्यवर्गीय कुत्सा और सनसनीखेज़ी तुष्ट होती है और स्थापित व्यवस्था भी कोई आघात या आपत्ति महसूस नहीं करती। वैचारिक दलिद्दर और गड्डमड्ड आधुनिकता स्थापित व्यवस्था के बहुत अनुकूल हैं और वैचारिक स्पष्टता के जो नैतिक और भौतिक निष्कर्ष निकलने हैं उनसे इस तरह साफ़ और सुरक्षित ढंग से बचा जा सकता है।

बौद्धिक काहिली के अलावा और अकवितावादियों से अलग भी, युवा कवियों की एक बड़ी जमात ऐसी है जिसने अबुद्धिवाद या 'इर्रेशनल' को अपनी रचना का मूल आधार बनाया है और एक नई आदिमता प्रतिष्ठित करने की कोशिश की है। अगर कुछ समुन्नत-समृद्ध-समाजों में बुद्धिवाद के विरुद्ध ऊब या अरुचि हुई है तो इसलिए कि उस पर आधारित चिन्तन-भाषाओं ने उसे उसकी अन्तिम परिणतियों तक, यानी एक अन्धे अन्त तक, पहुँचा दिया है। दूसरे, यूरोप में दूसरे महायुद्ध के रूप में बुद्धिवाद की एक भयानक परिणति, ख़ासकर नाज़ियों द्वारा उसके कुछ प्रमुख औज़ारों, जैसे सूक्ष्मता और सक्षमता, के इस्तेमाल के रूप में हुई और इसलिए बुद्धिवाद के विरुद्ध प्रतिक्रिया स्वाभाविक थी। लेकिन यह अबुद्धिवाद सभ्यता और समाज की जटिलताओं से कतराने का तरीक़ा नहीं, बल्कि, उन जटिलताओं के लिए बुद्धिवादी औज़ार और धारणाएँ अपर्याप्त हो जाने के कारण, बुद्धिवाद की सीमाओं से आगे जाने की कोशिश है। वह बुद्धि का नकार उतना नहीं जितना कि उसका अतिक्रमण है। लेकिन युवा कवियों का अबुद्धिवाद अकसर इस क़िस्म का नहीं है—वह बुद्धिवाद का, उसकी सीमाओं का, नाकाफ़ीपन के कारण नहीं, बुद्धि-विरोध है। बुद्धि से अबुद्धि की ओर जाना कोई नई या आधुनिक प्रक्रिया

ही है ऐसा नहीं है। बल्कि एक माने में तो सारी महान् कला अबुद्धि में अपनी जड़ें फेंकती हैं। लेकिन हाल ही के एक कवि मुक्तिबोध में इस प्रक्रिया को ज्यादा सीधे देखा जा सकता है। मुक्तिबोध के काव्य-संसार में बौद्धिकता के साथ-साथ अबुद्धि, अर्थात् बुद्धि से परे, का दबाव बहुत गहरा है। मुक्तिबोध का चारित्रिक फ़ार्म फैंटेसी बुद्धि से अबुद्धि की ओर जाने का, दोनों के बीच अन्तर्क्रिया का ही माध्यम है। लेकिन इस अत्यन्त समृद्ध मानवीय कविता में कहीं भी बुद्धि से अवसरण या बुद्धिविरोध नहीं है। और यह भी एक कारण है कि इस कविता में सारे समकालीन तनाव जीवन्त और तात्कालिक होकर उसे जटिल बनाते हैं और बुद्धि-विरोधी कविता का आयासहीन सरल दिमागीपन उसमें असम्भव है। लेकिन युवा कवियों का बुद्धि-विरोध सीधा, सपाट और सरल दिमागी है। सौमित्र मोहन की लम्बी कविता **लुकमान अली** और मणि मधुकर की खंड-खड **पाखंड पर्व** इसी बुद्धि-विरोध और उससे निकलने वाले सरल दिमाग़ीपन के दिलचस्प उदाहरण हैं। उनके पीछे किसी तरह की वयस्क समझ नहीं है, भले ही छिट-पुट सौन्दर्यमूलक आस्वाद के लिए कुछ विचारों को किशोर उत्साह में इधर-उधर फेंक दिया गया हो। बल्कि लगता है कल्पनाशीलता को अविवेक का पर्याय मान लेने का ये कविताएँ सीधा नतीजा हैं। विचारों के प्रति ऐसे कवियों की दृष्टि का बखान कैलाश वाजपेयी के इन शब्दों में किया जा सकता है :

> पर जब सभी कुछ
> ऊल कि जलूल है
> सोचना फ़िज़ूल है...

यह एक दिलचस्प संयोग है कि स्थापित व्यवस्था के प्रायः सभी पक्षों में सोचने का फ़िज़ूलपन एक तरह से मूल प्रतिज्ञा है। जातिप्रथा, नौकरशाही, गोहत्या-विरोध, साम्प्रदायिक दंगे—इन सबकी पकड़ हिन्दुस्तानी नागरिक पर इसलिए है कि उसने सोचा फ़िज़ूल मान लिया है। विवेक की ओर हलकी-सी कोशिश भी इन पर, यानी स्थापित व्यवस्था पर, चोट करती है। उस समाज में जिसमें अधिकांश लोगों को सिर्फ़ अविवेक और अबुद्धि के कारण अमानवीय ज़िन्दगी बिताने, 'मनुष्य से एक दर्ज़ा नीचे' रहने को बाध्य होना पड़ता है, सोचने को फ़िज़ूल मानना (भले ही इस धारणा में कितना ही विद्रोही लटका हो) इस अमानवीयता का समर्थन करता है, स्थापित व्यवस्था को मुँहमाँगा सहयोग देना है, उस सबके प्रति सहानुभूति रखना है जो हमारे जीवन में मनुष्य-विरोधी है।

इसी सिलसिले में यह बात भी उल्लेखनीय है कि पश्चिम की तरह भारतीय भाषाएँ चिन्तन और विचार का माध्यम नहीं बन पाई हैं। जो कुछ थोड़ा बहुत सोच-विचार है वह अंग्रेज़ी में ही है। भारतीय भाषाओं में जो शुरुआत इधर हुई

है उसे पकने और इस्तेमाल के योग्य बनने में अभी देर है। इसलिए एक भारतीय लेखक को ऐसे विचारों को पाने-खोजने के लिए स्वयं कोशिश करनी पड़ती है जो भारतीय मनुष्य की आज की हालत को समझने में सहायक हो सकें। भले ही इसके छद्म दार्शनिकता का ख़तरा काफ़ी वास्तविक बना रहा हो, भारतीय लेखक एक स्तर पर अपनी बौद्धिक समझ और पकड़ को प्रासंगिक और पैनी करने के लिए विचारक बनने को बाध्य है। युवा लेखक अगर सोचने को फ़िज़ूल मानते हैं तो रचनात्मक भाषा के इस आपद्कर्त्तव्य को तो बालाएताक रखते ही हैं, भारतीय मनुष्य की सच्ची स्थिति से अपना किसी भी तरह का सरोकार समझ के स्तर पर काट लेते हैं।

विचारों से कटाव, बुद्धि-विरोध और समझ के अभाव का ही एक नतीजा बहुत सारे युवा-लेखन का छिछोरापन और तुच्छता है। हिन्दी के रचनात्मक मुहावरे के साथ जुड़ी जो यादें, प्रतीक-ध्वनियाँ, चित्रमालाएँ, विन्यास हैं, उनका तो युवा संवेदना से कोई सम्बन्ध बाक़ी रहा नहीं है, और विचारों से विदाई ले लेने के बाद तो इस लेखन का उस पूरे जातीय संसार से, हिन्दी के मातृलोक से, कोई सरोकार ही नहीं रहा है। कहीं न कहीं सपाटबयानी इसकी ही एक अभिव्यक्ति है—विचारों और अपने मातृलोक से कटी भाषा में जानबूझकर या किसी ट्रैजिक विडम्बना के स्तर पर नहीं, अपनी असमर्थताओं के कारण सपाटता और सतहीपन है। यही नहीं कि वह एक विपन्न भाषा है, वह एक चरम अर्थ में अनुत्तरदायी भी है। अगर फिर अतिरंजना करने दिया जाए तो, इस सिलसिले में यह कहना गलत न होगा कि यह मातृभाषा का या मातृभाषा में लेखन नहीं है।

भाषा को उसके मातृलोक से और उसकी जड़ों से काटने का मतलब अन्ततः उसे 'डिह्यूमेनाइज़' करना है। इसका सिर्फ़ एक पहलू उन कविताओं में उभरता है जो लीलाधर जगूड़ी, चन्द्रकान्त देवताले, सौमित्र मोहन आदि से लेकर मंगलेश डबराल और त्रिनेत्र जोशी जैसे कवियों ने जनतन्त्र, संविधान, संसद, देश आदि शब्दों का इस्तेमाल करते हुए लिखी हैं। धूमिल, कमलेश, श्रीराम वर्मा और विनोद कुमार शुक्ल जैसे कवि भी, जिन्होंने उत्तरदायी कवि-कर्म की सम्भावना को अपने दूसरे कृतित्व द्वारा जीवन्त रखा है, इसके शिकार हुए हैं। इन कविताओं में समझ और नैतिक विवेक दोनों का दिवालियापन ज़ाहिर होता है। इन शब्दों का इस्तेमाल इन्हें चीज़ों के रूप में, उनमें व्यंजित विचार-पद्धति या जीवन-पद्धति या मूल्य को बिलकुल नज़रंदाज़ करके, 'रिड्यूस' करके किया जा रहा है।

> इक्कीसवीं शताब्दी को—
> इस बेरौनक़ गोचर लोकतन्त्र में जब जीना है तो
> वेश्या की सार्वजनिक योनि से सम्भव करना है

न्याय की सड़ी हुई गलियों में
वह सम्भोग और संविधान के बीच
चीज़ों के चेहरे मिटा देगा *(मंगलेश डबराल)*

जिस पर कोई नहीं खाना चाहता
आज़ादी एक जूठी थाली है।
(लीलाधर जगूड़ी)

गोया मैंने ही हत्या कर दी है
राह चलते हुए उस एक निरपराध व्यक्ति की
यह राष्ट्रीयता भी हो सकती है
और गणतन्त्र भी
(देवेन्द्र कुमार)

इन सब कविताओं में गणतन्त्र या संविधान या आज़ादी जैसे शब्दों का उपयोग सिर्फ़ 'चित्र' के रूप में किया गया है और युवा छिछोरेपन का एक और नमूना है। विचार के प्रति घोर ऊब किस तरह नैतिक असंवेदना की ओर ले जाती है—यह भी इन कविताओं में साफ़ दीख पड़ता है। दूसरे, प्रजातन्त्र या संविधान या देश पर कुछ भी कहने का, लफ़्फ़ाज़ी करने या अपनी चुस्तबयानी आज़माने का, अधिकार, बिना किसी तरह के वैचारिक टकराव के, सिर्फ भाषाई धौंस के दम पर पा लिया मान लेना, न सिर्फ़ अतर्कित है बल्कि कवि के निपट अनुत्तरदायी होने या बाक़ी सबको बेवकूफ मानने का ही नतीजा हो सकता है। यह कविता हिस्सेदारी की कविता नहीं है : मेरा गणतन्त्र, मेरा देश, मेरी आज़ादी में 'मेरा/'मेरी' शोभापरक विशेषण-भर हैं, अन्यथा ज्यादातर कविताओं में गणतन्त्र या देश कवि से बिल्कुल अलग-थलग 'वहाँ रखी हुई चीज़ें हैं', जिन पर उसे किसी भी तरह का फ़ैसला देने की फ़ुरसत और हक़ किसी नैतिक विवेक के अनुपस्थित होने के कारण सहज प्राप्त है।

यह आकस्मिक नहीं है कि ऐसी अधिकांश रचनाओं का स्वर या तो पैगम्बराना है या शहीदाना। दोनों ही स्थितियों में ऐसा लगता है कि कवि लोकतन्त्र या देश से नैतिक दृष्टि से बेहतर है। सारे देश और प्रजातन्त्र को, राजनीति, संविधान और संसद को शूद्र और अधम करार देते हुए ये कवि-लेखक नए ब्राह्मण हैं जिन्हें शास्त्र से शूद्रों का भाग्यनिर्णय करने का असीम अधिकार मिल गया है। अगर अकवियों की कविताएँ तथाकथित पिछड़ेपन के सन्दर्भ में अपने सामाजिक उन्नयन का इज़हार हैं, तो कहीं न कहीं श्रीकान्त वर्मा जैसे कवियों की कविताएँ अपनी नैतिक श्रेष्ठता का वक्तव्य बन जाती हैं।

कुछ लोग मूर्तियाँ बनाकर
फिर
बेचेंगे क्रान्ति की (अथवा षड्यन्त्र की)
कुछ और लोग
सारा समय
क़समें खाएँगे
लोकतन्त्र की
मुझसे नहीं होगा।

इस पैगम्बराना अंदाज़ में 'मैं सब कुछ जानता हूँ' की मुद्रा भी छिपी हुई हैं। मणि मधुकर की **खंड-खंड पाखंड पर्व** और धूमिल की **पटकथा** जैसी कविताओं में यह मुद्रा बहुत स्पष्ट है। चूँकि इस मुद्रा का कोई वैचारिक आधार कविताओं में उपलब्ध नहीं, उन्हें भीषण नैतिक अनुत्तरदायित्व के अलावा कुछ और कहना सम्भव ही नहीं है। यह नैतिक अनुत्तरदायित्व सिर्फ़ सामाजिक सचाइयों तक सीमित नहीं है। जिस तरह की क्रम-परम्परा संविधान-गणतन्त्र को लेकर है, कुछ उसी तरह की परम्परा स्त्री को लेकर भी है। गणतन्त्र की तरह स्त्री को भी एक अधम चीज़ के स्तर पर रिड्यूस किया गया है और यहाँ भी अपने कल्पित-अकल्पित पुरुषत्व की इमेज में गिरफ़्तार युवा लेखकों ने स्त्री पर कुछ भी कहने और उसके साथ कुछ भी करने का अधिकार हथिया लिया है। यहाँ भी पुरुष को स्त्री से श्रेष्ठ मानने-दिखाने का जतन किया गया है।

शहीदाना अंदाज़ के कवि वे हैं जो अपने को 'लोकतन्त्र के शहीद' दिखाने की कोशिश करते हैं, जैसे लीलाधर जगूड़ी :

लोकसभा से संयुक्त राष्ट्र-संघ तक
हमारी कोई उपयोगिता नहीं
विश्वयोनि में बहुत दिन तक
हम चरित्र की तरह खुजला नहीं सकते

ऐसे कवियों में भी हिस्सेदारी का भाव नहीं हैं, जैसा, मसलन, मुक्तिबोध में था। जो कुछ हो रहा है उसका दोष प्रजातन्त्र या दूसरों पर डालकर अपने को शहीद बताना न केवल नाबालिग़ समझ है बल्कि भयानक नैतिक संवेदनहीनता है।

इस नैतिक संवेदनहीनता का भी कुछ खुलासा ज़रूरी है। नैतिक से मुराद भद्राचार से नहीं, अच्छे-बुरे के भेद से है। अपने को छोड़कर बाक़ी सबको एक षड्यन्त्र में भागीदार समझना, जो हुआ है उसके लिए दूसरों को (फिर दूसरे गणतन्त्र हो, भीड़ हो, स्त्री बल्कि स्त्रियाँ हों) दोषी ठहराना और कभी-कभार सौजन्यवश अपने

को भी कुछ उत्तरदायी मान लेना नैतिक विवेक का प्रत्याख्यान है। बल्कि यह अपने और दूसरों के बीच के रिश्ते को नीतिहीन अर्थात् अमानवीय बना देना है। इस तरह की 'अमानवीयता' से एक खास तरह का दम्भ और हीरोइज़्म टपकता है। यह आकस्मिक नहीं है कि ऐसे कवियों का मूल स्वर हीरोइक है। कैलाश वाजपेयी जैसे कवियों में तो यह हीरोइक्स उपलक्षित ढंग से किसी हीरो की प्रतीक्षा ही बन जाती है :

कोई भी नहीं बताता तुम्हें
इस सुअर सभ्यता का
मल ढोते हुए
तुम्हें कहाँ जाना है।

या, दूसरी ओर ईसा की तरह का हीरोइज़्म है :

दुनियाभर के आधे पागलों
लफंगों, धूर्तों, सत्तांधों को लेकर
शर्मिंदा हूँ।

मुख्तसर यह कि पैग़म्बराना और शहीदाना दोनों ही स्वर एक-दूसरे से घुलमिलकर एक तरह का हीरोइक रिटौरिक बनाते हैं। हालाँकि कभी-कभार 'संशय की भाषा में बड़बड़ाने, की बात भी एकाध कवियों ने की है, लेकिन ज़्यादातर यह रिटौरिक अत्यन्त आश्वस्त रिटौरिक है, और इन कवियों में अपने ग़लत होने की सम्भावना का कोई क्रियात्मक अहसास नहीं है, जोकि बौद्धिकता और विचारशीलता का मूलाधार होता है।

भारतीय मनुष्य की पीड़ा से इस रिटौरिक का क्या रिश्ता है? लेकिन उसके पहले यह पहचानना ज़रूरी है कि साहित्य से अलग जानकारी के सूबों से पता चली यह पीड़ा और अंतर्संघर्ष है क्या। जाति-प्रथा और नौकरशाही में समाई अमानवीयता, अहमदाबाद के दंगे, आंध्र प्रदेश में हरिजन बालक को जलाने की घटना, नरबलियाँ आदि, लोकजीवन में उनकी कुछ अभिव्यक्तियाँ हैं। यह रिटौरिक अधिक से अधिक इनका अपने काव्य-संसार को विचित्र या रंगारंग बनाने के लिए दृश्यपट के रूप में तो इस्तेमाल करता है, लेकिन रचनात्मक स्तर पर इनकी कोई गहरी या अधिक पड़ताल नहीं करता। हमारे प्रजातन्त्र की सही विसंगतियाँ सम्भोग और संविधान के चतुर द्वन्द्व में नहीं, शायद ऐसी घटनाओं में हैं। यह रिटौरिक इन विसंगतियों को चरितार्थ नहीं करता—शुद्ध वक्तव्य के स्तर पर ही उनका महत्त्व युवा कवि के लिए तिरोहित हो जाता है। दरअसल, यह रिटौरिक और उसके पीछे सक्रिय काव्य-संवेदना में मानवीय पीड़ा के वास्तविक प्रसंगों से प्रतिकृत होने की कोई क्षमता और उत्सुकता

नहीं है। जैसाकि जार्ज स्टाइनर ने कहा कि जो हमें उदासीन छोड़ता है हम उसमें भागीदार हैं। सच्ची अमानवीयता और पीड़ा के सम्मुख उदासीन युवा कविताएँ अपने फलितार्थों में इस अमानवीयता की भागीदार बन जाती है।

यह एक दिलचस्प संगति है कि इस लेखन की कुछ विशेषताएँ हमारी राजनीतिक-सामाजिक ज़िन्दगी में व्याप्त वैचारिक गड्डमड्ड, नाबालिगपन और दृष्टिहीनता से सीधा मेल खाती हैं। शायद इस मेल में यह विडम्बना भी छुपी हुई हैं और जो लेखन राजनीति, विचार और संगठन का विरोधी है वह उसी गड्डमड्ड और उठाईगीरपन का इज़हार हो या शिकार हो जिनसे हमारे यहाँ बहुत सारी राजनीति और संगठन ग्रस्त हैं। शायद इसकी और पड़ताल अलग से ज़रूरी होगी कि किस हद तक यह संगति आकस्मिक है और किस हद तक इन दोनों की जड़ें हमारे सामाजिक जीवन के मूल से कहीं पोषण पाती हैं।

लेकिन यह दृश्यालेख अधूरा रहेगा अगर युवालेखन के उस पक्ष की चर्चा न की जाए जिसने विचार-विरोध की इस दक़ियानूसी से अपने को अलग रखा है। यह पहले ही कहा जा चुका है कि कुछ ऐसे भी कवि हैं जिन पर इस दक़ियानूसी का खिंचाव कभी-कभी पड़ा है और वे उसका शिकार भी हुए हैं लेकिन कुल मिलाकर उन्होंने वयस्क और विवेकपूर्ण जिम्मेदारी से लिखना जारी रखा है। दरअसल इस दक़ियानूसी का इतना आतंक है कि यह ज़रूरी था कि विस्तार से उसके कुछ पहलुओं का विश्लेषण किया जाए।

धूमिल, कमलेश, रघुवीर सहाय, विनोद कुमार शुक्ल, ऋतुराज और श्रीराम वर्मा के नाम लिये जा सकते हैं। धूमिल और रघुवीर सहाय की कविताओं में, फिर वे **मोची राम या उस औरत की बगल में लेटकर** हों या **आत्महत्या के विरुद्ध** और **गिरीश की मृत्यु** हों, वयस्क विचारशीलता है। और भले ही इन दोनों कवियों से ही जनतन्त्र, संसदवाले चालू मुहावरों का सूत्रपात हुआ हो, उन्होंने स्वयं ज़्यादातर उनका शब्दीकरण या उन्हें निरी चीज़ों के रूप में रिड्यूस कर उनकी मानवीयता और मूल्यवत्ता को अवमूल्यित नहीं किया है। धूमिल, कमलेश और विनोदकुमार शुक्ल की ज़्यादातर कविताओं में किसी तरह की 'हीरोइक्स' नहीं है और उनकी भाषा अपने मातृलोक से कटी नहीं है, बल्कि मसलन कमलेश में, अपनी जड़ों की ओर उत्कटता से जाती है। इन कवियों में आत्मस्फूर्ति और बड़बोलेपन का लटका भी प्रायः नहीं है। धूमिल की **मोचीराम** कमलेश की **जरत्कारु**, विनोदकुमार शुक्ल की **उदरस्थ** या **राजनीतिक बहस में** ऐसी कविताएँ हैं जिनमें एक सूक्ष्म पर स्पष्ट नैतिक चेतना है, और वे कैलाश वाजपेयी के रुख 'हर दिमाग़ एक चकला है' में व्याप्त सरलीकरण और चुस्तबयानी से साफ़ बचकर खोज और तलाश, टटोल के मुहावरे की कविताएँ हैं। रघुवीर सहाय, कमलेश या धूमिल की कविताओं में भी 'भीड़ें' है, लेकिन वे इस बहाने सामाजिक संघर्ष और समाज को सरलीकृत नहीं

करते। सरलीकरण से मुक्त रहने का ही एक नतीजा है कि जहाँ पहले किस्म के कवियों की बड़बोल विद्रोही रचनाएँ ज़्यादा से ज़्यादा चौंकाती हैं, विनोद कुमार शुक्ल की अबोध, मासूम लगती कविताएँ बेहद शान्त होते हुए भी विचलित करती हैं। धूमिल ने कहा है, "मुझे अपनी कविताओं के लिए दूसरे प्रजातन्त्र की तलाश है।" यह हमारी प्रजातान्त्रिक व्यवस्था की अपर्याप्तता को पहचान कर, प्रजातन्त्र को शब्दछद्म न मानकर, एक सचाई के रूप में स्वीकार करना है और भारतीय मनुष्य की समकालीन तलाश का, उसकी नई आक्रामकता का, सीधा और नाटकीय वक्तव्य भी। अगर एक सामान्यीकरण करने की इज़ाज़त हो (सामान्यीकरण की सीमाओं को ध्यान में रखते हुए) तो इन दूसरे कवियों को दूसरे प्रजातन्त्र की तलाश के कवि कहा जा सकता है। विकल्प की खोज हमेशा मानवीय है और वयस्क कर्म भी। उसमें न पैग़म्बर होने का भाव है और न शहीद होने की आत्मदया। यह खोज सोचने को व्यर्थ नहीं मानती, बल्कि सच्चाई को समझने-बूझने और बदलने के लिए सोचना अनिवार्य समझती है, वह सोचने का संकल्प करती है। यही खोज साक्षात्कार की खोज है।

अन्त में विचारहीनतावाले लेखन की ओर फिर लौटा जाए। जैसे रचनात्मक स्तर पर बुद्धि और विवेक की आवश्यकता और मूल्य में विश्वास समाप्त हो रहा है, वैसे ही आलोचना के क्षेत्र में वह भरोसा धीरे-धीरे खत्म हुआ जा रहा है कि किसी भी धारणा या स्थापना का प्रतिकार बौद्धिक या तर्क के स्तर पर किया जा सकता है। दूसरों से नैतिक श्रेष्ठता की मुद्रा ही कुछ लेखकों को दूसरों की नीयत पर शक करते रहने की ओर ले जाती हैं इन दिनों ज़्यादातर आलोचना नीयत पर शक करने का व्यायाम भर रह गई है और विचारों की वहाँ भी बेइज्ज़ती होने लगी है। चरित्र-हत्या, छिछोरेपन और रिटौरिक ने आलोचना-कर्म की जगह ले ली है। पूरा वातावरण ऐसा हो गया है कि बौद्धिक चुनौतियों की कोई गुंजाइश ही नहीं रह गई लगती। बहुत कुछ अजब बिरादरीपने के भाव से, तर्क के बल पर नहीं, उग्र रिटौरिक की धौंस पर, चलने लगा है। कुछ लोग तो विचारों का विरोध या सवालों का निपटारा बौद्धिक धरातल और मात्रा से दूर सड़क पर करने की बात भी करने लगे हैं।

बुद्धि-विरोध, युवा उग्रता, बिरादरी-भाव और आदिमता—इन सबका मेल भयंकर ऐतिहासिक परिणतियों तक पहुँच सकता है। नैतिक श्रेष्ठता का भाव, हीरोइक रिटौरिक, वास्तविक मानवीय पीड़ा के प्रति उदासीनता, विरोधी के प्रति अनादर अगर हमारे युवा लेखन के एक बड़े और सुखद भाग की विशेषताएँ हैं, तो इस साहित्य की राजनीतिक-सामाजिक परिणतियों को नज़रंदाज़ नहीं किया जा सकता। चूँकि ऐसा साहित्य स्पष्ट रूप से राजनीतिक सामाजिक तथ्यों और कुछेक सचाइयों का (भले ही शुद्ध ऐच्छिक धरातल पर) उल्लेख करता है, वह स्वयं ऐसी परिणतियों की बात उठाने की ओर उकसाता है। अगर हमारे देश में अधिनायकवाद या किसी तरह

की तानाशाही सिर उठाती है और प्रजातान्त्रिक व्यवस्था नष्ट होती है, तो शायद ऐसी तानाशाही को, भले ही वह स्वतन्त्रता और रचनात्मकता की घोर शत्रु है, ऐसे साहित्य में अपना समर्थन प्राप्त होगा। केदारनाथ सिंह ने कहा है कि 'बहस किस बात पर हो रही है, यह जानना व्यर्थ है'। यह एक खतरनाक बात है। ऐन इस समय यह जानना बिल्कुल सार्थक है, जैसे कि यह पूछना भी दो टूक कि विचारों को विदाई देने के लिए खुले दरवाज़े से कौन आ रहा है।

बुज़ुर्गों के लिए जगह

"आज सबसे परेशान करनेवाली बात यह है कि सँकरे दिमागवाले लोग अपने बाद में पैदा होने का फायदा उठाते हुए उनकी आलोचना करते हैं जिन्होंने सबसे पहले वे राहें खोलीं जिन पर कि हम आज चल रहे हैं।"

—'आर्किटेक्चर, यू एंड मी' में सिगफ्रीद जीदियें

हर समाज में बुजुर्ग, ज़ाहिर है, होते हैं और हर समाज उनसे व्यवहार और उनके सम्मान का कोई-न-कोई तरीका ज़रूर निर्धारित कर लेता है। हालाँकि समाज की केन्द्रीय सक्रियता युवाओं के हाथ रहती है, बुजुर्गों के लिए भी एक जगह होती है जहाँ से वे अपना यत्किंचित् योगदान कर सकें और समाज में अपने होने की सार्थकता महसूस कर सकें। बरसों पहले एक युवा यशःप्रार्थी की ऑटोग्राफ बुक में कवि नागार्जुन ने लिखा था : "बुजुर्गों को छाती पर नहीं, सामने की आराम-कुर्सी पर बिठाओ।" जहाँ बुजुर्ग युवा-पहल और निर्भीकता के आड़े आते हों वहाँ उनसे मुक्ति ज़रूरी है और हो सकता है कई बार यह मुक्ति तकलीफ़देह भी हो।

लेकिन कम-से-कम हिन्दी में जो हालत बन गई है उसमें लगता है लेखक-समुदाय में बुजुर्गों के लिए कोई जगह जैसे बची ही नहीं है। किसी हद तक तो यह उस लाभ-लूट की संस्कृति का अनिवार्य दुष्परिणाम माना जा सकता है जिसमें बुजुर्गों ने पद, पुरस्कार, अलंकरण, सुविधाएँ, अवसर सभी हथियाने की साज़िशें कीं। लेकिन उससे भी अधिक यह युवा लेखक के अतर्कित अहंकार का फूहड़ और दयनीय इजहार-भर है...उपलब्धि या अर्जन के अभाव को अहंकार से ढाँकने-छिपाने की एक करुण कोशिश। कवि भवानीप्रसाद मिश्र ने 'उत्सव-'73' में अपने राजकीय सम्मान का उत्तर देते हुए उल्लेख किया था कि आजकल कहीं जाते डर लगता है क्योंकि क्या मालूम आपको बुलाएँ और भरी सभा में उठाकर जूता मार दें। हार्दिकता और आत्मीयता की परम्परा में लिखनेवाला मित्रकवि जब यह घबराहट व्यक्त करता है तो यह किसी निजी कुकर्म का फल भुगतने से इनकार नहीं बल्कि एक पूरी बुज़ुर्ग पीढ़ी की सच्ची व्यथा की बेलाग अभिव्यक्ति है। पहले

भी नई-पुरानी पीढ़ियों के बीच नोंक-झोंक और स्पर्धा चलती थी और अस्वाभाविक नहीं थी। लेकिन पिछले कुछ वर्षों से युवा पीढ़ी के अधिक मुखर अंग ने भंडाफोड़ करने को अपना आवश्यक और ऐतिहासिक कर्त्तव्य मान लिया है और इस रुख ने पूरे सम्बन्ध और माहौल को अस्वाभाविक और विषाक्त बना डाला है। वैचारिक चुनौतियों का स्थान शाब्दिक और कभी-कभार शारीरिक आक्रामकता ने ले लिया है। इस रुख का खोखलापन इसी से प्रकट है कि पिछली पीढ़ी में जो प्रतिभाहीन हैं उनके भंडाभोड़ से कुछ बनता-बिगड़ता नहीं है और जो प्रतिभाशाली है उन्हें इस तरह के आक्रमण से कोई क्षति नहीं पहुँचाई जा सकती। क्योंकि साहित्य में सच्ची प्रतिभा द्वारा अर्जित किसी उपलब्धि को नकारा या मिटाया नहीं जा सकता। लेकिन तभी लिखे एक अच्छे उपन्यास की अच्छाई से आज भी इनकार करना मुमकिन नहीं है। यह इसलिए कि भाषा में जो एक बार रचनात्मक हो जाता है उसे मेटा नहीं जा सकता। आखिर अज्ञेय, भवानीप्रसाद मिश्र, शमशेर, अमृतलाल नागर, पन्त, यशपाल, हजारी प्रसाद द्विवेदी आदि का भंडाफोड़ करके हम क्या हासिल कर सकते हैं? क्या उनके अवदान को किसी तरह कम या संदिग्ध बना सकते हैं?

इस मसले का एक और पहलू भी है। और समाजों में हो सकता है कि स्थिति अलग या बेहतर हो, पर कम-से-कम भारतीय समाज में लेखक की कोई सामाजिक पहचान नहीं है। समाज रस्मी तौर से, और अक्सर मन मारकर, थोड़ा-बहुत कुछ करने के अलावा लेखक को कोई खास महत्त्व या जगह नहीं देता। सामाजिक प्रोत्साहन और सम्मान के बिना भी जो सृजनधर्मी व्यक्ति हमारे यहाँ साहित्य-रचना का मार्ग अपनाते हैं वे कठिन, सुविधाहीन और 'थैंकलैस' काम चुनते हैं। अपने जीवट को बनाए रखने का जो थोड़ा-बहुत उत्साह उन्हें मिल सकता है वह प्रायः लेखक-समुदाय से ही। अपनी सर्वथा विशेष स्थिति के कारण भारतीय लेखक अपनी सीमित धन्धई बिरादरी के बहुसंख्यक सदस्य भी किसी समय युवा लोग ही होंगे, उनके रुख और बर्ताव से ही ज्यादातर इस बिरादरी का रुख और बर्ताव तय होता है। और कम-से-कम आज यह रुख बुजुर्गों के लिए संवेदनशील और सहायक नहीं है बल्कि जैसाकि ऊपर कहा गया, वह काफ़ी हद तक आक्रामक और कभी-कभी अपमानजनक तक है। यह अजब विडम्बना है कि व्यापक समाज को तो छोड़िए, इस सीमित और कम-से-कम सिद्धान्त में अधिक संवेदनशील और मानवीय भावनाओं की अधिक समझ रखने और क़द्र करनेवाले समुदाय में भी उसके अपने बुज़ुर्गों के लिए जगह नहीं रह गई है।

हर पीढ़ी को लगभग जैविक रूप से यह भ्रम होता है कि उसकी तकलीफ़, उसका संघर्ष और उसकी उपलब्धियाँ सभी अभूतपूर्व हैं। लेकिन हर पीढ़ी यह भी बखूबी जानती है कि हर तकलीफ़, संघर्ष और उपलब्धि की एक परम्परा है, इतिहास है। अगर हम आज भाषा में कुछ सच्चा और खरा कर पाते हैं तो यह हमारी प्रतिभा

पर तो निर्भर होगा ही, इस पर भी होगा कि हमसे पहलेवालों ने कौन-से रास्ते खोले या बन्द किए। अगर आज कविता में नई निर्भीकता, कहानी में नई सम्बन्ध-सम्वेदना है या हमारे माध्यम मानवीय नियति का अधिक सीधा साक्षात्कार कर पा रहे हैं तो इसलिए भी कि हमारे बुजुर्ग इन माध्यमों में पहले सच्ची और ईमानदार कोशिशें कर गये हैं। क्या प्रेमचन्द, निराला और मुक्तिबोध के बिना नया प्रगतिशील कुछ विश्वसनीय कर पाता? इसलिए होना तो उलटा चाहिए : कि अपने लेखकजनोचित और आवश्यक अहंकार को बरक़रार रखते हुए भी हम जो युवा हैं, शुद्ध संयोगवश, अपने बुजुर्गों के प्रति आभारी अनुभव करें और अपने आभार को मुक्त और कुंठाहीन मन से उन तक पहुँचाएँ भी। यह कहना अनावश्यक है कि ऐसा आभार बुजुर्गों के कृतित्व की निर्मम आलोचना करने के आड़े नहीं आता।

यों सब प्रतिभावान विनयी नहीं होते, न ही सभी अहंकारी। फिर भी यह उल्लेखनीय है कि शमशेर, केदारनाथ अग्रवाल, त्रिलोचन, अमृतलाल नागर, नागार्जुन आदि की पीढ़ी में असाधारण रूप से सहानुभूति, हार्दिकता, गरमजोशी, दूसरों के लिए सच्ची चिन्ता जैसे दुर्लभ गुण रहे हैं। अगर उनकी साहित्यिक उपलब्धियों का ज़िक्र छोड़ भी दें तो उनके सहज मानवीय गुण उन्हें आदरणीय बनाते हैं और हमारी पीढ़ी में ऐसे लोग मिलने असम्भव नहीं तो कठिन जरूर हैं जो इन गुणों में उनकी बराबरी कर सकें। वैसे आगे की पीढ़ियों को इन गुणों का उत्तराधिकार क्यों नहीं मिला और क्यों आज युवा पीढ़ी तुलना में असंवेदनशील और क्रूर लगती है, इसका कुछ-न-कुछ कारण बुजुर्गों की किसी असमर्थता में ढूँढ़ना आवश्यक लगता है। लेकिन स्थिति ऐसी है, इसमें शक की गुंजाइश नहीं है।

वैचारिक मतभेद के क्षेत्र में भी बुजुर्ग हमसे भिन्न रहे हैं : असहमति के प्रति वे प्रायः अधिक सहिष्णु रहे हैं और वैचारिक मतभेदों को उन्होंने व्यक्तिगत सम्बन्धों के आड़े नहीं आने दिया। इसके बरक्स अगर आप आज के साहित्य-दृश्य को देखें तो पाएँगे कि दूसरों के विचारों के प्रति हम अधिकतर असहिष्णु हैं और यह दुर्भाग्य है कि निरे व्यक्तिगत मतभेदों को वैचारिक मतभेदों के रूप में पेश करते रहते हैं। नतीजा यह है कि आज वास्तविक वैचारिक द्वन्द्व कम और व्यक्तिगत झगड़े और टुच्ची ईर्ष्या कहीं ज़्यादा छाई हुई है।

इसमें कोई शक नहीं है कि किसी समय का सबसे उत्तेजक साहित्य युवा पीढ़ी द्वारा ही लिखा जाता है। यह भी सही है, जैसाकि युवा रूसी आलोचक ब्लादिमीर सोलोविओव ने कहा, कि अपने समय को लिखना युवा पीढ़ी का एकाधिकार नहीं है। अगर हम आज की गतिविधि पर नज़र डालें तो इससे इनकार नहीं कर सकते कि अनेक युवाओं के अलावा शमशेर, हजारी प्रसाद द्विवेदी, केदारनाथ अग्रवाल या भवानीप्रसाद मिश्र आज जो लिख रहे हैं वह इसलिए विचारणीय नहीं है कि वह इन लब्ध-प्रतिष्ठों का लिखा है बल्कि इसलिए कि वह तात्विक रूप से प्रासंगिक

है। बिना उनके कोई भी आकलन अधूरा ही रहेगा।

हैज़लिट ने कहा था : युवा सोचते हैं कि वे अमर हैं। अमर न भी हों, बुजुर्ग तो कभी होंगे ही। तब तक हमारी वजह से आज के बुजुर्गों को जो तकलीफ़ हो रही है उसका एहसास करने के लिए ठहरना ज़रूरी नहीं है। भंडाफोड़, अविश्वास और पारस्परिक सद्भाव की कमी किसी समुदाय के नियामक तत्त्व बहुत दिनों तक न हो सकते हैं और न हमें रहने देने चाहिए। लेखक-समुदाय के तो और भी नहीं। यह स्वास्थ्य के लिए ज़रूरी है और हम फ़िलहाल बीमार ही हों—जिसका प्रमाण अन्यथा नहीं हैं—तो स्वास्थ्य की इच्छा और भी आवश्यक और तात्कालिक हो जाती है। अपने युवा दिनों में लिखी टी.एस. इलियट की ये पंक्तियाँ शायद आज हमारे लिए कोई राह खोज सकती हैं :

बुजुर्गों ने सबसे ज़्यादा देखा है
और हम जो इतने युवा हैं
न तो इतना देखेंगे
और न इतनी देर जीवित रह पाएँगे।

कविता का गल्प

ज्ञान, जहाँ का रहा
रहे समझ है मुझमें पूरी, तुम
कथा यदि कहो। —निराला

सत्य पर दावा करने और फिर उसे दूसरों पर थोपनेवाले इतने हो गए हैं कि कई बार लगता है कि अगर वह बेचारा अकेला छोड़ दिया जाए तो शायद बच भी जाए अन्यथा अब इस शताब्दी के अवसान के निकट यह कह पाना कठिन है कि सत्य क्या है, फिर वह आत्मा के झिलमिल से निकला निजी सत्य हो या क्रूरता, दमन और नरसंहार से लहूलुहान सामाजिक सत्य। शायद समय आ गया कि हम इस बात पर गम्भीरता से विचार करें कि विज्ञान द्वारा किए जा रहे सूक्ष्मातिसूक्ष्म विशेषीकरण, उपभोक्ता संस्कृति द्वारा किए जा रहे एकरूप समग्रीकरण, आध्यात्मिक उलझनों और दृष्टियों और विचारों की अपार बहुलता के चलते साहित्य के लिए भी सत्य का एक दावेदार बना रहना न तो व्यावहारिक है और न ही शायद उसके जीवत्व और महत्त्व के लिए आवश्यक ही।

आइन्स्टीन ने आज से लगभग साठ बरस पहले कहा था, "जहाँ तक गणित के नियम वास्तविकता का निर्देश करते हैं, वे निश्चित नहीं हैं और जहाँ तक वे निश्चित हैं, वे वास्तविकता का निर्देश नहीं करते हैं।" सत्य के दो प्रधान गुणों, उसके निपट निरपेक्ष होने और सर्वथा सुनिश्चित होने का, मानो इस शताब्दी के आरम्भ में ही ध्वंस हो गया था। दरअसल यह शताब्दी इस अर्थ में विलक्षण है कि उसने सत्य की सारी धारणाओं को विचार और व्यवहार दोनों स्तरों पर इतनी आत्यंतिक चुनौती दी है कि सत्य नाम की कोई चीज़ है भी या होनी चाहिए यह बात भी संदिग्धता और विवाद के घेरे में आ गई है। जब विज्ञान का सत्य, दर्शन और चिन्तन का सत्य, राजनीति और धर्म का सत्य इस शताब्दी के उजले-अँधेरे गलियारों में छायाभासों की तरह भटक रहे हैं तब साहित्य या कविता का सत्य अक्षत और अस्पृष्ट बना रहा आएगा यह न तो तर्कसंगत है, न ही सम्भव।

शायद यह कहना साहित्य का मानव व्यापार में अवमूल्यन लगे। हम, जो

लेखक हैं या साहित्य प्रेमी हैं, इस रूढ़ि से बँधे रहे हैं कि साहित्य सत्य के अनुसंधान और उसकी अन्ततः चरितार्थता का एक केन्द्रीय माध्यम है। हम यह आसानी से कैसे मान लें कि वह ऐसा कुछ नहीं है, कि यह हमसे सच नहीं कहता बल्कि सचाई के बारे में गप्प लगाता है?

यह दुहराने की ज़रूरत नहीं है कि कविता भाषिक संरचना है, वह स्वर्ग या अन्तरिक्ष या देवताओं के श्रीमुख से अवतरित नहीं होती है बल्कि किसी व्यक्ति द्वारा एक समाजप्रदत्त भाषा में लिखी जाती है। भाषा का आशय ही जीवन और वस्तुसंसार की उपस्थिति और सक्रियता है। पर क्या भाषा मात्र जीवन और वस्तुसंसार का समग्रीकरण है? स्पष्ट ही नहीं। वह सचाई पर हमारी पकड़ है, उसमें हिस्सा लेने और उसे बदलने का अवसर भी वह हमें देती है और सचाई के नए बीहड़ों और भूभागों को वह अपनी सीमा में लाने के लिए अपना विस्तार भी करती है, अक्सर साहित्य के माध्यम से ही। उसी में हमारी स्मृति है, उसी में हमारे स्वप्न और उसी में हमारा साहस और कल्पना समाहित हैं। पर एक परम अर्थ में क्या वह हमारा गल्पसंग्रह नहीं है? दरअसल हर शब्दकोष एक तरह से गल्पकोष ही है : हम जो छवियाँ या वस्तुएँ बनाते या पाते हैं उनका एक अक्षय संग्रहालय। यह मान लेने से भाषा हवाई या अवास्तविक नहीं हो जाती बल्कि एक अधिक समावेशी सचाई की ओर बढ़ती है : सत्य और असत्य, सचाई और सपने के बीच तर्क में जो विरोध है या अनुल्लंध्य द्वैत है हम उसकी कैद या गिरफ़्त से मुक्त हो जाते हैं।

सत्य का दावा करना अन्ततः संसार के परम रहस्य का अस्वीकार है जबकि साहित्य तो सदियों से उस रहस्य से ही अपना जीवत्व पाता रहा है। उस रहस्य का जैसा सहज और निश्छल स्वीकार साहित्य में सम्भव है अन्यत्र नहीं। एक निरन्तर रहस्यहीन होते जा रहे संसार में रहस्य का स्वीकार, उसकी उद्‌भावना एक रैडिकल काम है।

अगर आधुनिकता के उत्कर्ष में अतीत से अपनी विच्छिन्नता, तनाव और अलगाव आदि तत्त्वों की प्रधानता थी तो उत्तर-आधुनिकता में, भले ही विडम्बनापूर्ण ढंग से, अपनी निरंतरता, क्लैसिकल से अपनी अटूटता के तत्त्व उभर रहे हैं। भाषा फिर याद कर रही है, सपना देख रही है, तोड़ने-फोड़ने के बजाय गढ़ रही है। कविता अपने को फिर से जान रही है और अपने पर अविश्वास कर रही है—आपको याद होगा कि इतालो कालविनो ने राजनीति को भी ऐसा ही करने की सलाह दी है। बल्कि पिछले दो बरसों से संसार की राजनीति में यही हो रहा है : राजनीति इतनी तेज़ी से इसलिए बदल रही है कि वह अपने को जानकर अपने पर अविश्वास कर रही है।

आधुनिकता हमेशा विवादप्रिय रही है और, जैसाकि हैरोल्ड रोज़ेनबर्ग ने कहा

है, हमेशा ही वर्तमान की अधिवक्ता जबकि उत्तर-आधुनिकता में वर्तमान अतीत में पैठ जाता है।

कविता एक अशुद्ध कला है क्योंकि भाषा एक अशुद्ध व्यापार है। आगे जाकर यह भी कहा जा सकता है कि स्वयं मनुष्य अशुद्ध है भले ही वह शुद्धता की कल्पना और कभी-कभार उसकी खोज भी करता हो। इस अशुद्धता का, उसकी पूरी स्पंदित जटिलता में, साहित्य वरण करता है : उसे किसी विराट् सामान्यीकरण में परिशुद्ध कर या सत्य में पर्यवसित करना कविता का या साहित्य का काम न है, न ही यह उसकी चिन्ता हो सकती है। कविता की चिन्ता अधिक से अधिक सचाई है, सत्य नहीं। सचाई जो अपने असंख्य ब्यौरों में सजीव और सक्रिय है और जिसे किसी सामान्यीकरण में एकत्र या संग्रथित नहीं किया जा सकता। बल्कि कविता की नैतिकता ही यह है कि यह जो ब्यौरे अपनी सचाई गढ़ने के लिए चुनती है, उसके साथ-साथ अपने में यह अहसास बनाए रखती है कि उसके अलावा असंख्य ब्यौरे हैं। जैसे कि उसके समय के अलावा और भी समय है : पहले भी था और बाद में भी होगा। हम कविता के पास सत्य पाने या खोजने नहीं जाते बल्कि सचाई का अहसास पाने, उसमें शामिल होने जाते हैं। कविता सत्यकथन या संशोधन नहीं करती : वह सचाई से अपने गल्प गढ़ती है। तभी उसमें, जैसाकि बोर्खेज़ ने कहा, हमारी स्मृति, हमारी कल्पना और हमारे स्वप्न होते हैं। यह आकस्मिक नहीं है कि कविता का सच (जोकि उसकी अपनी खोजी-पायी बनाई सचाई है और उसके विशिष्ट भाषारूप से स्वतन्त्र कहीं नहीं है) दूसरे किसी सच में अन्तर्भूत होने का लगातार प्रतिरोध करता है। हम चाहें तो इस बात को नोट करते हुए कुछ सन्तोष का अनुभव कर सकते हैं कि साहित्य की सचाई ही एक मात्र ऐसी सचाई है जो अपने उपनिवेश नहीं बनाती। वह दूसरी सचाइयों को कमतर या अपनी सम्पूर्णता में लीन होने के लिए भाग्यनियत खण्ड सचाइयाँ भर मानने से बचती है। इस बारे में विस्तार में जाना आवश्यक नहीं है क्योंकि कम-से-कम इस शताब्दी में रहने के कारण हम सभी अच्छी तरह जानते हैं कि कैसे राजनीतिक, वैज्ञानिक या धार्मिक सचाई अपने को सम्पूर्ण मानकर अन्य सचाइयों को अपना उपनिवेश बनाने की चेष्टा लगातार करती रही है। यह कहना ग़लत नहीं होगा कि सचाई की बहुलता का जितना निस्संकोच स्वीकार साहित्य में है उतना अन्यत्र कहीं नहीं है : साहित्य इस अर्थ में मनुष्य का स्थायी प्रजातन्त्र है कि उसमें सब सचाइयों के लिए जगह है और किसी एक सचाई के साम्राज्यवाद या तानाशाही के लिए निरन्तर प्रतिरोध।

एक तरह से विचार करें तो धर्म, विज्ञान, इतिहास, राजनीति आदि सभी सचाई को समझने, उसे नियन्त्रित करने और उसमें हिस्सा लेने और उसे भरसक

बदलने के गल्प ही हैं जो अपनी गल्पता को आत्मचेतस् ढंग से जानता और मानता है। यह एक कवि ही कह सकता है कि 'मैं सच लिखता हूँ, लिख-लिखकर सब झूठा करता जाता हूँ।'' सरलीकरण और सामान्यीकरण से साहित्य की शत्रुता, इसलिए, निरे दार्शनिक आधार पर या रणनीति की भिन्नता भर के कारण नहीं है उसका गहरा नैतिक आशय भी है। यह सामान्यीकरण की संकुचित व्यापकता या सरलीकरण की असमावेशिता का प्रतिकार करने को अभिशप्त है क्योंकि वह अपने को या भाषा को सचाई का सारांश नहीं मानता—वह किसी तरह का उपसंहार नहीं है और न होना चाहता है। वह संसार की बहुलता का आनन्द मनाता है : वह सामान्यीकरण की साधना में लगा सत्य नहीं, विशिष्टताओं और ब्यौरों को खोजता-बीनता भटकता गल्प है। अगर इधर हिन्दी में, और संसार में अन्यत्र भी, गद्य और कविता के बीच अन्तर कम हुआ है और कविता की भाषा और कथा की भाषा के बीच भी आत्मीयता और समीपता आई है तो यह अकारण नहीं है : कविता ने भी यह समझना शुरू कर दिया है कि यह गल्प है।

सचाई कविता में एक-दूसरे तरह का अभय भी पाती है। उसमें अन्तर्विरोधों, प्रतितर्कों, अनिश्चय और सन्देहों को मिटाने या हटाने की ज़रूरत नहीं पड़ती। साहित्य उनसे किनारा नहीं काटता। वे बने रहते हैं और उनसे साहित्य की सचाई अप्रतिहत रहती है बल्कि एक अर्थ में अपनी सही विश्वसनीयता अर्जित करती है। कहा जा सकता है कि साहित्य का प्रजातन्त्र अपने विरोधियों या प्रतिलोम का दमन या बहिष्कार करके नहीं चलता है : इसीलिए सर्वसत्तावादी व्यवस्थाएँ सबसे अधिक साहित्य से घबराती हैं। क्योंकि अन्तःसलिल या भूमिगत रहकर भी साहित्य मनुष्य के प्रजातान्त्रिक अस्तित्व और सबके समानाधिकार की धारणाएँ और सपने जीवित रखता है। हम याद करें कि इधर यूरोप में जो हो रहा है और जिसे यूरोप का प्रजातान्त्रिकीकरण कहा जा रहा है उसके नेतृत्व की अगली पंक्ति में लेखक और कलाकार है।

कविता इधर प्रायः प्रतिपक्ष में मानी जाती रही है। वह सत्ता का एक तरह से स्थायी प्रतिपक्ष है भी। यह सत्ता पर निरन्तर सन्देह करती है क्योंकि वह उतनी ही उत्कटता से अपने पर भी सन्देह करती है। सत्य तो सन्देहग्रस्त नहीं हो सकता सिर्फ़ सचाई के गल्प में यह नैतिक साहस हो सकता है कि वह जितना दूसरों पर उतना ही अपने पर सन्देह करें। बीसवीं शताब्दी के साहित्य की एक वैध व्याख्या तो यह हो ही सकती है कि वह शब्द, उसकी सत्ता और शक्ति, उसकी सार्थकता और केन्द्रीयता पर निरन्तर सन्देह का आख्यान है। शायद ही किसी और अनुशासन के बारे में ऐसा कहा जा सके। यह उसे उनसे बेहतर नहीं सिर्फ़ अलग बनाता है।

इस अवसर पर यह याद कर लेना भी ज़रूरी है कि इस शताब्दी ने क्रान्ति,

राष्ट्रवाद, समाजवाद, स्वतन्त्रता आदि जैसे सामान्यीकरणों के नाम पर भयानक दमन और अत्याचार, युद्ध और नरसंहार होते देखा है : ये सब अपने को असंदिग्ध और निर्विवाद सत्य मानते थे। पर क्या आज हम इन तथाकथित सत्यों के झूठे और थोथो पड़ जाने का अप्रत्याशित नज़ारा नहीं देख रहे हैं? क्या इसी शताब्दी में कई बार सत्याभास या आधा-अधूरा सत्य सत्ता और समर्थन पाकर परम सत्य नहीं बन बैठा है और उसने औरों को निर्ममता से अपदस्य किया है और, उसके दुर्भाग्य से पर हमारे सौभाग्य से, वह स्वयं अन्ततः अपदस्थ और धूलिधूसरित हुआ है? संसार का दो टूक विभाजन करनेवाले और उनके बीच शीतयुद्ध को आधुनिक विचार और व्यवहार का केन्द्र बनानेवाले आज कितने हास्यास्पद और दयनीय लग रहे हैं?

संसार की बहुकेन्द्रिता को साहित्य अपना आधार बनाता है : वह केन्द्रियता की तानाशाही के विरुद्ध बहुलता का जनतन्त्र पोसता है। मौरिस ब्लैन्शो ने कहा है कि, "अगर तुम अपने समय को सुनोगे तो पाओगे कि वे चाहते हैं कि तुम उनके नाम पर बोलो नहीं बल्कि उनके नाम पर चुप रहो" चुप रहने से इनकार कर साहित्य अपना औचित्य सिद्ध करता है। चूँकि सीधे-सीधे कहने का अक्सर दीर्घकालीन प्रभाव नहीं होता वह उलटे या टेढ़े ढंग से कहता है। वह वक्रता या परोक्षता ही गल्प होना है। वह सचाई को सह्य बनाना भी है। ईलियट ने कहा था कि मनुष्य बहुत अधिक सचाई सहन नहीं कर सकता।

एक पहलू सीमा के अतिक्रमण का भी है। साहित्य भाषा का आत्मविस्तार भी है और वह उन सीमाओं का, जो उसने स्वयं बाँधी हों या उस पर किसी परिस्थिति या शक्ति ने लगाई हों बराबर अतिक्रमण करता है। इसमें देश और काल का अतिक्रमण भी है, सामान्य नैतिक व्यवहार का भी—विन्यास का भी, फिर वह वाक्यों का हो या जीवन-दृष्टि का। शायद इस शताब्दी के साहित्य का एक चारित्रिक गुण यह रहा है कि उसकी सुन्दरता अतिक्रमण से उपजनेवाली सुन्दरता है। अगर सचाई सत्य के सुनिश्चित-सुगुम्फित सामान्यीकरण का, उसकी एकाधिकारी प्रवृत्ति का, उसके सुसंगत होने का अतिक्रमण है तो अनिश्चय, सन्देह, अव्यवस्था, अन्तर्विरोध आदि से पटी पड़ी सचाई के अधिग्रहण के लिए कविता का गल्प होना अनिवार्य ही है। ससीम और असीम दोनों को एक साथ सत्य नहीं, गल्प साधता है।

फ्रेंच कवि-आलोचक ईव बोनफुआ ने कहा है कि "सृजनात्मक कर्म लिखने में नहीं है, वह हर चीज़ को नाम देने में और होने के रहस्य को सुनने में है जो उसमें अनियत रूप से स्पंदित हो रहा है।" आगे उन्होंने कहा है कि, "शब्द हमारी नगण्यता प्रमाणित करते हैं, हमारे पैरों के नीचे एक रसातल खोलते हुए, पर शब्द हमें घर का उपहार भी दे सकते हैं।" नगण्यता का शून्य और घर का भरापूरापन दोनों को कविता साधती है क्योंकि उसमें निरी स्थिति

का बयान नहीं है बल्कि वह एक उपस्थिति जगाती है। यही उपस्थिति वह अवकाश है जहाँ जब-तब शब्द आवेग या भावावेश में संकेत नहीं रह जाते बल्कि स्वयं वस्तु बन जाते हैं। बोनफुआ के अनुसार हर कविता अपने मन में एक कथा पोसती है। हम चाहें तो कह सकते हैं कि कम-से-कम इस शताब्दी में कविता ने पूरी गम्भीरता के साथ अपने विकल्प होने को पहचाना है : सत्य का विकल्प होने को, गल्प होने को। शायद इसीलिए जूलिएवा क्रिस्तेवा ने कहा है 'प्रयोगधर्मी कृतियाँ सामाजिक व्यवस्था के विस्थरीकरण को उकसाती हैं।'' यहीं याद आता है ब्रॉक का कथन : "विज्ञान राहत देता है, कला विचलित करती है।"

एक ऐसे समय में जब शब्द पर हर ओर से हमला है शब्द की रक्षा और उसकी पवित्रता और गरिमा की रक्षा करना कविता का बुनियादी धर्म है। आज हमारे चारों ओर शब्द का घोर अपव्यय और शोषण हो रहा है। चाहे हमारे यहाँ सुरसा की तरह बढ़ता उपभोक्तावाद हो, संसार में वैचारिक विकास और उथल-पुथल से उदासीन और प्रभावित विचारधाराएँ हों, उत्तेजना फैलाने में अहर्निशरत अख़बार हों, दृश्य पर कनफोड़ घमासान मचाए धार्मिक और राजनीतिक प्रवचन हों, सभी शब्द को उसके अर्थ से, उसके रहस्य से, उसकी वाचकता, उसकी अन्तर्ध्वनियों से, उसमें गुँथी स्मृतियों से विछिन्न कर रहे हैं और उसे इकहरे दोटूक सम्प्रेषण का माध्यम बनने पर मजबूर कर रहे हैं। शब्द के प्रति अवज्ञा, उसकी सूक्ष्मता से ऊब और उसके व्यवहार में लापरवाही हमारे सार्वजनिक जीवन का स्थायी भाव ही बन गए हैं। हालत तो यह हो गई है कि अगर आप सार्वजनिक मंच से, फिर वह अख़बार का हो या धर्मसभा या जनसभा का, कुछ कहें तो कोई भरोसा ही नहीं करता कि आपका आशय सचमुच वही है जो आप कह रहे हैं। शब्द लगभग अनैतिक इकाइयाँ बन गए हैं : कर्म के पाखंड पर उनसे आवरण डालने का काम लिया जा रहा है। अपने समय के विराट् सरलीकरणों के बोझ के नीचे कराहते पर अभी भी अपराजेय शब्द अपनी बुनियादी नैतिक ऊर्जा फिर अर्जित कर सकते हैं तो गल्प की गोधूलि में, अप्रत्याशित और अनिर्धारित के गलियारों में ही। शब्द को बचाना, उसे कल्पना और सच के बीच अपनी आभा और जीवनाभा से द्योतित रखना कलावादी होनी नहीं है बल्कि मनुष्य के एक कालजयी आविष्कार को बचाना है : उसकी जिजीविषा और मौलिकता को सँजोना है। शब्द नहीं बचेगा तो मनुष्य और उसका जीवन नहीं बचेगा, भले विराट् सत्य और उनके दैत्याकार उपकरण एक निश्शब्द भाषा-निर्जन मरुस्थल में बचे रह जाएँ। शब्द की अतिजीविता मनुष्य और मनुष्येतर संसार के असंख्य सम्बन्धों और संयोजनों की अतिजीविता है। आज सिर्फ़ मनुष्य के पर्यावरण भर को नहीं, उसके शब्द को ख़तरा है। जो इस ख़तरे

से अनभिज्ञ है वह या तो मनुष्य और शब्द-विरोधी शक्तियों के सामने आत्मसमर्पण कर चुका है या उसमें इस शताब्दी के अन्त के निकट के उपयुक्त लेखक होने के साहस का अभाव है।

पर शब्द इस भयानक समय में फिर भी, हाशिये पर सही, बचे कैसे रह जाते हैं? उनकी अपराजेयता का उत्स कहात है? ध्यान से देखें तो हम पाएँगे कि वे शब्द साधारण लोगों की जीवनधारा में भी रसे-बसे हैं और कम-से-कम वहाँ अभी भी वे अर्थवाही हैं, उनकी अर्थ और आशय में फाँक या पाखंड नहीं है। लोग अपने रोज़मर्रा के जीवनव्यापार और संघर्ष में जिन शब्दों का प्रयोग करते हैं उसमें किसी तरह की बेईमानी या दुष्टता नहीं होती। शब्द वहाँ परदा नहीं डालते बल्कि अर्थ और अभिप्राय सहज भाव से खोलते हैं। फिर यही शब्द हमारे पुराने लेखन और क्लैसिक्स में भी संग्रहीत हैं, अपनी समूची रचनात्मक बहुलता और समृद्धि के साथ। एक तरह से शब्दों को परम्परा और सामान्य जीवनधारा सम्पूर्ण पराभव और निरर्थकता से बचाती है और उनके फिर बहुवाची उपस्थिति बनने की सम्भावना को दृश्य पर जीवित रखती है। शब्द दुहरे अर्थों में सम्भावना हैं : वे उत्पादन हैं और विचार भी।

इधर एक-डेढ़ सदी से हम भारत में साहित्य को सामाजिक यथार्थ, आज के समय के प्रति उसकी सजगता और कुल मिलाकर मनुष्य की नियति से जोड़कर देखने लगे हैं। कहना यह चाहिए कि उसकी 'नितान्त समसामयिकता' को प्रमुखता दी जाने लगी है। बल्कि सत्य का साहित्य के सन्दर्भ में अर्थ ही यथार्थ, समय और मनुष्य की स्थिति और नियति हो गया है। अब अगर साहित्य गल्प मात्र रह जाए तो यह आपत्ति की जाएगी कि उसे इन उदात्त लक्ष्यों से पथभ्रष्ट कर वाग्विलास में रिड्यूज किया जा रहा है। सृजनात्मक कल्पना ने समूचे संसार में बँधे-बँधाए ढर्रे छोड़कर, विपथगा होकर, जो उपलब्ध किया है वह सुविदित है। हिन्दी में ही मुक्तिबोध की फैंटेसी की धारणा और प्रयोग के बाद यह सन्देह नहीं होना चाहिए कि गल्प का यथार्थ और समय उतने ही वास्तविक नहीं हैं जितने सत्य के दावेदार माध्यमों के। मनुष्य की नियति को समझने और उसके लिए जूझने का जीवट शब्द मात्र फलितार्थ है और बिना कल्पना के वह सम्भव नहीं है। गल्प अपने को सुनिश्चित से बचाकर विश्वसनीय बनाता है : वह मिलान कुंदेरा के शब्दों को उधार लेकर कहें तो पूर्वनिर्धारित सच की सेवाटहल में होने से इनकार है। उसका मूल तथ्यों के साथ अनुरूपता नहीं बल्कि कल्पनाशक्ति में बद्धमूल होकर विवेक का साहसिक निर्भय प्रयोग है। नई परिस्थिति में आचार्य रामचन्द्र शुक्ल की अवधारणा को याद करें तो यह 'अपनी पृथक् सत्ता की धारणा से छूटकर' हृदय की मुक्तावस्था है।

कविता के सिलसिले में मानवमूल्यों का ज़िक्र भी अनिवार्यतः होता है और

यह व्यापक मान्यता है कि कविता उन मूल्यों को विवक्षित और चरितार्थ करती है, उनका सत्यापन और संकट की घड़ी में उनकी रक्षा भी। यहाँ इसमें विस्तार से जाने का अवकाश नहीं है सिवाय यह कहने के कि भाषा को उसकी समूची बहुलता, वाचकता और अन्तर्ध्वनियों के साथ रक्षा और उसमें अन्तनिर्हित दृष्टियों को बचाए रखना भी अपने आप में एक मूल्य है। यह नहीं भूलना चाहिए कि हमारी मानवीयता का और मूल्यानिर्मात्री प्रतिभा का सबसे अक्षय प्रतीक और उद्गम भाषा ही है। उसकी अक्षरता ही मनुष्य का नश्वरता के विरुद्ध एकमात्र आश्वासन है।

साहित्य के मंच से धर्म या राजनीति आदि दूसरे अनुशासनों पर कोई फ़ैसला देना ठीक नहीं है। हालाँकि स्वयं उस पर ये सब कोई न कोई फ़ैसला देने में कभी संकोच नहीं करते। साहित्य फ़ैसला देने के अधिकार को, उसकी नैतिकता को ही चुनौती देता है। फिर भी, यह पहचान सकना चाहिए कि सिर्फ़ कविता की गल्प नहीं है, अन्य अनुशासन, भले ही वे कितने ही सर्वग्राही या सर्वग्रासी क्यों न हों, गल्प के ही संस्करण हैं : विज्ञान ज्ञान का गल्प है, राजनीति व्यवस्था का और धर्म अध्यात्म का। वे अपनी गल्पता स्वीकार करें या न करें—वे इस सन्दर्भ में हमारी चिन्ता का विषय भी नहीं है। हम तो अपनी स्थिति और अपनी उपस्थिति का लेखा-जोखा कर रहे हैं। कविता का गल्पता ज़रूरी नहीं कि सिर्फ़ ध्वनिसाम्य के तर्क से उसकी अल्पता का स्वीकार हो। लेकिन यह निश्चय ही अपने को केन्द्र में रखने की महत्त्वाकांक्षा या केन्द्र में न होने के अनावश्यक अवसाद से मुक्त होना है : आप यह भी कह सकते हैं कि भाषा के द्वारा यह चरम विकेन्द्रीकरण है। वह ऐसी जगह खोजना है जो उसकी अपनी है और जो किसी का भी, सत्य का भी, उपनिवेश बनने से इनकार करती जगह है। उसका एक ध्वस्तकारी उपपाठ भी है : वह सत्य के वंचनादुर्ग में सेंध लगाना भी है, अगर आप अपनी अदम्य युयुत्सा के लिए रूपक ही खोज रहे हों।

सत्य का अपना दावा छोड़कर कविता अपनी खरी और अद्वितीय सचाई को स्वायत्त कर रही है।

तुलसीदास ने सदियों पहले नाम को अगुण और सगुण के बीच सुसाक्षी, इन दोनों का प्रबोधन करनेवाला और उनके बीच चतुर दुभाषिया बताया था :

अगुन सगुन बिच नाम सुसाखी
उभय प्रबोधक चतुर दुभाषी।

शायद कविता के गल्प की इससे बेहतर व्याख्या असम्भव है। हमारी स्थापना का पूर्वानुमान है और उसकी एक कालयजी सम्पुष्टि भी।

अन्ततः हम सामान्य और सरलीकृत की तानाशाही या सर्वसत्तवादिता के

बरक्स एक बहुलतावादी दृष्टि की वकालत करते हुए आज की कविता में खरी और जीवनधर्मी जटिलता, वैचारिक स्वायत्तता और बौद्धिक दृढ़ता, सृजनात्मक शब्द की और उसके माध्यम से जीवन की प्राथमिकता, भाषिक पर्यावरण की रक्षा, सचाई से अपने वास्तविक जटिल सम्बन्ध की पहचान का आग्रह कर रहे हैं। अगर ज्ञान और सचाई की कोई संसद है तो हम उसमें कविता के लिए स्वाभिमानी और समकक्ष जगह की माँग कर रहे हैं। जीवन और कला के बीच जो ध्रुवीकरण हम पर लाद दिया गया है हम उसके अतिक्रमण का आह्वान कर रहे हैं।

कविता का गल्प एक कठिन जीवनधर्मी प्रत्यय है—यह सत्य की निर्गुणता के बजाय सचाई की सगुणता का वरण है।

कविता में क्या होता है!

कविता में क्या होता है? विनोद के भाव से यह कहा जा सकता है कि अक्सर वह नहीं जो आप सोचते हैं। बहुत सारे लोगों की कविता से अलग-अलग किस्म की उम्मीदें होती हैं और जिसकी जो उम्मीद होती हैं उसके लिए कविता में या तो वह होता है या अगर वह नाउम्मीद हुआ तो नहीं होता है। अक्सर हम जो उम्मीद करते हैं कविता से, वह जरूरी नहीं है, कविता का चरितार्थ हो ही। यह अच्छी बात है कि धीरे-धीरे इस बात को हम पहचान रहे हैं कि जैसे और धन्धे हैं, और काम हैं, जिनके लिए कौशल आवश्यक है, वैसे कविता भी निरा भावोच्छ्वास नहीं है, जिसके लिए जैसे-तैसे काम चल सकता है। हिन्दी में कुछ ऐतिहासिक कारणों से, कुछ परिस्थितिवश ऐसे दौर आये हैं जब शायद किसी को भी यह मानने का हक दे दिया गया कि वह कवि दिखे। कम-से-कम मूलतः वह कवि है, कविता करता है या नहीं करता, यह जरूरी नहीं। ऐसे भी अवसर आए जब कविता और जिन्दगी को लगभग एक मान लिया गया। यानी जैसे जिन्दगी में दुर्घटनाएँ होती हैं, सौभाग्य होता है, संयोग होता है, उसी तरह से कविता में भी दुर्घटनाएँ होती हैं, संयोग और सौभाग्य होता है, इत्यादि। लेकिन जिन्दगी एक तरह से आपको दी गई है—मैंने जिन्दगी स्वयं अर्जित नहीं की, मुझे मिल गई। मैं एक जीवित इकाई के रूप में किसी तरह से अवतरित हो गया। जिन्दगी तो मुझे दी हुई है, कविता ऐसी दी हुई नहीं है। कविता एक चीज है जो आप बनाते हैं, अपनी जिन्दगी से बनाते हैं, विचार से बनाते हैं, अनुभव से बनाते हैं, जाने कहो-काहे से, अपनी मूर्खता और अपने विवेक से बनाते हैं, जिससे आप बनाना चाहें, लेकिन कविता अन्ततः आप बनाते हैं। यानी कविता एक रचना है जो आप करते हैं। और इसीलिए इसमें और जिन्दगी में एक बुनियादी फर्क भी है। पिछले दिनों एक बहस हुई उज्जैन में और किसी प्राचीन बौद्ध का उल्लेख करते हुए कहा गया कि उन्होंने यह अवधारणा की कि शब्द अर्थ का स्पर्श नहीं करते हैं। यानी शब्दों और अर्थ के बीच एक अन्तराल है, एक खाई है। कविता में जो अर्थ है वह पहले से कवि का जाना हुआ नहीं होता है। अगर मुझे यह पहले से मालूम होता कि मुझे यह करना है तो मैं और बहुत सारे काम करूँगा पर शायद कविता नहीं लिख पाऊँगा।

पाल वेलरी ने कविता और गद्य के बीच बल्कि पद्य और गद्य के बीच भेद बताते हुए कहा कि गद्य चलने की तरह है, जिसमें आप एक जगह से दूसरी जगह जाते हैं, लेकिन कविता नृत्य की तरह है, इसमें आप वहीं रहते हैं, कहीं नहीं जाते हैं। सारी परिभाषाएँ अधूरी होती हैं, और जैसे सारी परिभाषाओं में कुछ-न-कुछ खोट आप निकाल सकते हैं, वैसे इसमें भी निश्चय ही निकाल लेंगे। लेकिन विश्लेषण के लिए यह उपयोगी परिभाषा है।

बहुत-से लोग किसी भी चीज का अर्थ जानना चाहते हैं, तो अर्थ की उनकी जो धारणा है उसके बारे में भी कुछ सवाल करना जरूरी होता है कि आखिर अर्थ में अर्थ क्या है? और उस अर्थ तक पहुँचने की कवि की जो प्रकिया है वह जरूरी नहीं है कि पाठक की प्रक्रिया हो। क्योंकि पाठक को तो पूरी कविता एक साथ सुलभ है। कवि को, जब तक वह लिख नहीं ली गई थी तब तक सुलभ नहीं थी और इसलिए कविता निरे अनुभव का न तो बखान है, न ही निरे अनुभव की अभिव्यक्ति। क्योंकि इन धारणाओं में यह मान लिया गया है कि कविता से स्वतन्त्र एक अनुभव है, भाषा से स्वतन्त्र एक अनुभव है, जिसे हम सिर्फ भाषा में जैसे-तैसे ढाल लेंगे। और खास तरह से अगर ढाल लेंगे, तो कविता बनेगी और अगर किसी और तरह से ढाल लेंगे तो कुछ और बनेगा। इस धारणा में यह अन्तर्निहित है कि कविता का अनुभव भाषा से स्वतन्त्र एक अनुभव है और उस तक पहुँचना कविता का उद्देश्य या अभीष्ट है। जो लोग कविता लिखते हैं वह जानते हैं कि उनमें से अधिकांश को, और हम जैसे बेचारों को तो ज्यादा पर बड़े-बड़े रस-सिद्धों को भी, पता नहीं होता है कि दरअसल वह अनुभव क्या है, जिसे वह कविता द्वारा व्यक्त करने जा रहे हैं। इसलिए कविता सिर्फ एक तरह के विचलन से, एक तरह की विकलता से, जो भी आप कहना चाहें, शुरू तो हो सकती है, उसका एक कोई प्रस्थान-बिन्दु तो है, लेकिन वह कहाँ पहुँचेगी, यह जरूरी नहीं कि उस कवि को पहले से मालूम हो। अक्सर कविता समाप्त होने के बाद कवि भी पहली बार जान पाता है कि उसका अनुभव, या जो भी उसे आप कहें, क्या था। एक दूसरी बात यह ध्यान रखने की है कि कविता, सौभाग्य से और दुर्भाग्य से (इसमें उसका सौभाग्य भी निहित है और दुर्भाग्य भी) भाषा में लिखी जाती है। सौभाग्य यह है कि भाषा एक शेयर्ड सम्पदा है, जिसमें आप और हम शिरकत कर सकते हैं मनुष्य होने के नाते। क्षिति, जल, पावक, गगन, समीन, इत्यादि में तो अन्य प्राणियों को भी शिरकत करने का अवसर है लेकिन भाषा ऐसी सम्पदा है, इसमें हम ही शिरकत करते हैं। संगीतकार की कम मुश्किल है, वह जिस भाषा का इस्तेमाल करता है, जरूरी नहीं है कि सब उसमें शिरकत करते हों। रंगों का अपने आपमें कोई अर्थ नहीं है, वही अर्थ है जो एक चित्रकार देता है, लेकिन भाषा आपके अर्थ देने का उद्यम करने के पहले ही अर्थवान् है। वह कवि की प्रतीक्षा नहीं कर

रही है कि आइए, हमें अर्थ दीजिए। शब्दों के पहले से ही अर्थ हैं, एक वस्तुसंसार है—जो कविता से पहले, कवि के कविता लिखने के पहले से ही है। इसमें उसका सौभाग्य है और इसी में उसका दुर्भाग्य भी है। उसे ऐसी स्वतन्त्रता नहीं है जो, मसलन, चित्रकार को है। आप चाहें तो अनेक संयोजन ऐसे कर सकते हैं रंगों के, जो बिल्कुल अप्रत्याशित हों, जिनका किसी ज्ञात वस्तु-सत्ता से कोई सम्बन्ध न हो। इसलिए चित्रकार अहंकार से नहीं, उपलब्धि के भाव से यह कह सकता है कि मैंने एक नई कलाकृति बनाई और यह कलाकृति इस मायने में बिल्कुल अप्रत्याशित है कि इसके पहले ऐसा कुछ नहीं था और उसमें जितने तत्त्व शामिल हैं, उनका जो संयोजन मैंने किया है, वे कहीं और नहीं है। उसका मुझसे स्वतन्त्र कोई अर्थ नहीं है, वही अर्थ है जो मैंने दिया है। लेकिन कवि ऐसा नहीं कह सकता। वह चाहे-न-चाहे, शब्दों के अर्थ हैं और अक्सर उसकी बड़ी मुश्किल यह है कि जिस शब्द से वह काम लेना चाहता है उस शब्द से काम लेने के पहले उसे चौकन्ना होना पड़ेगा कि उस शब्द के कितने और अर्थ हैं और इस शब्द के उपयोग से क्या-क्या अन्तर्ध्वनियाँ पैदा होती हैं। उदाहरण देना अनावश्यक है, पर ऐसे अनेक शब्द हैं जो बहुत साधारण शब्द हैं लेकिन जिनकी इस साधारणता के पीछे बहुत सारी अन्तर्ध्वनियाँ हैं—इतिहास की, परम्परा की, उपयोग की। एक दूसरी मुश्किल यह है कि कविता जिस भाषा में लिखी जाती है, उसमें और भी बहुत सारी चीजें होती हैं, सिर्फ कविता ही नहीं लिखी जाती। अगर हम-आप हिन्दी में कविता लिखते हैं, तो हिन्दी में अखबार भी छपते हैं, हिन्दी में नेता भी भाषण देता है, हिन्दी में चिट्ठियाँ लिखी जाती हैं, हिन्दी में दरख्वास्तें दी जाती हैं, हिन्दी में टाइमटेबिल छपता है, हिन्दी में रेलवे स्टेशन पर न सुनी या न समझी जा सकनेवाली घोषणाएँ होती हैं। यह सब हिन्दी में होता है। इसलिए किसी भाषा में लिखना सिर्फ एक भाषा में लिखना ही नहीं है, उस भाषा में अन्तर्निहित जो पूरा जीवन-दर्शन है उसको भी अपने लिए चुनना है। एक बहुत सामान्य उदाहरण है—हमारे यहाँ हिन्दी में 'मैं' शब्द का प्रयोग आम बातचीत में बहुत कम होता है। हम बोलते हैं कि हमको यह करना है, हमको भूख लगी है। जो व्यक्ति कह रहा है, एक व्यक्ति है। उसे व्याकरण की दृष्टि से 'मैं' कहना चाहिए—कि मुझे भूख लगी है, मुझे वहाँ जाना है, लेकिन हम सब लोगों के बोलने की जो पद्धति है उसमें एक तरह का अनिवार्य समुदाय-बोध है। एक समुदाय का अंग होने का बोध इतना प्रबल है कि हम 'मैं' शब्द का बहुत कम आम बातचीत में इस्तेमाल करते हैं। इसी तरह से पश्चिम में जो दर्शन विकसित हुआ उसमें मनुष्य और ईश्वर या मनुष्य और प्रकृति के बीच लगभग अनुल्लंध्य अलगाव शुरू में ही मान लिया। यह मान लिया गया कि आपाततः वह दोनों अलग हैं। हमारे यहाँ दूसरी परम्परा विकसित हुई थी। हमारे यहाँ ब्रह्म हरेक कण-कण में व्याप्त था, हमारे यहाँ प्रकृति और पुरुष या ईश्वर

और मनुष्य का अन्तर होते हुए भी उनमें तादात्म्य है या उसकी सतत सम्भावना है। उनका अलगाव लगभग अलक्षित रहा। हमारी भाषाओं की जो बनावट है, उसका जो विन्यास है, उसकी जो क्रियाएँ हैं, उन सबमें यह जीवन-दृष्टि अपने आप अन्तर्भूत है। इसलिए जब हम भाषा चुनते हैं तो यह अन्तर्भूत जीवन-दृष्टि भी चुनते हैं। मेरी मातृभाषा हिन्दी है। तो यह विवशता जरूर है कि मैं कोई और भाषा नहीं चुन सकता। लेकिन मुझे फिर भी विकल्प सुलभ है कि मैं न लिखूँ। इसमें से बहुत सारे लोग इस बहुत ही विवेकपूर्ण विकल्प का उपयोग नहीं करते हैं। न लिखना भी एक बहुत ही अच्छी और सामाजिक रूप से बहुत उपयोगी बात है, इस बात को वे नहीं पहचान पाते। यह हममें से ज्यादातर लोग, कम-से-कम जो यहाँ बैठे हैं उनमें से बहुत सारे लोग, तो ऐसे जरूर होंगे जिन्होंने इस विवेक का इस्तेमाल करके न लिखने का सुविकल्प चुना होगा। लेकिन दुर्भागय से जिन्होंने लिखने का ही विकल्प चुना है उनके लिए यह कहा जा सकता है कि उन्होंने (अनजाने से ही या हो सकता है उनमें से कुछ लोग ऐसे चतुर-सुजान होंगे, जिन्होंने जानबूझकर ऐसा किया होगा) हिन्दी में लिखने का और एक भारतीय भाषा में लिखने का अर्थ एक समूची मूल्य-परम्परा, एक समूची जीवन-सम्पदा का इस्तेमाल करने का विकल्प भी चुना है और अगर हम इसको याद नहीं रखते तो फिर हर कवि को लगता है कि इतिहास का पहला कवि वही है। वाल्मीकि को, यद्यपि ऐसा उल्लेख तो नहीं है, स्वयं ऐसा लगा था कि नहीं लगा था पता नहीं, लेकिन एक छोटा-सा और बहुत बाद का ही सही, कवि होने के नाते मेरा यह परम विश्वास है कि हर कवि को यह लगता है कि वह इतिहास का पहला कवि है। उसके पहले जो कुछ हुआ उसको वह सब ठीक कर देगा और अब सही कविता रची जानेवाली है। जब मैथिलीशरण गुप्त लिखते थे, तब उनको लगता था। जब निराला, पन्त ओर महादेवी लिखते थे तो उनको लगता होगा या लगता था और अज्ञेय और मुक्तिबोध को यह लगता रहा। कुछ लोग विनम्रतावश, सामाजिक विनयवश इसे भले स्वीकार न करते हों, न कहते हों। यह सिर्फ अपरिपक्व अहंकार की ही अभिव्यक्ति नहीं है, इसके पीछे कुछ थोड़ी गहरी बात भी है। यों तो आप कहें कि साहब, हर कवि अपने को पहला कवि मानता है, तो यह बहुत हास्यास्पद है, जो कि है, साधारण अर्थ में, कि वह सचमुच पहला कवि नहीं है। लेकिन उसका संघर्ष जो है वह पहला कवि होने का है, क्योंकि वह जो पूरा इतिहास का कबाड़, जो उस पर लदता है, उससे वह मुक्त होकर सबसे पहली कविता लिखना चाहता है जिसमें इस सारे इतिहास से मुक्ति पाई जा सके। सारे कवि तरह-तरह की युक्तियाँ, हिकमतें, रणनीतियाँ आदि का इस्तेमाल करते हैं कि इतिहास से मुक्त हुआ जा सके और मुश्किल यह है कि इतिहास से मुक्ति असम्भव है। यह कशमकश है, अपने इतिहास से निपटने की, हमारा इतिहास है, हम उसे पसन्द

करें, न करें। यह हो सकता है कि हम इतिहास में से कुछ चुनें। हम चयनधर्मी हो सकते हैं, हम किसी खास परम्परा को चुनें—बौद्ध परम्परा को चुनें, हिन्दुओं में चार्वाक् की परम्परा चुनें, हम जैनों की परम्परा से स्यातवाद को चुनें। इतिहास से मुक्त होना, अपने समय से आगे जा सकना या अपने समय का अतिक्रमण, यह बहुत ही स्वाभाविक आकांक्षा है, लेकिन वही अपने समय का अतिक्रमण कर सकता है जो अपने को इस समय में रोपे। वही इतिहास से मुक्त हो सकता है, जिसने अपने को इतिहास में फँसाया-उलझाया हो। किसी इतवारी टौरी के मन्दिर में बैठकर (इतवारी टौरी सागर में है इसलिए मुझे याद आई) आप सोच लें कि हम अब इतिहास से मुक्त हो गए, तो ऐसे इतिहास से मुक्त नहीं हो सकते। क्योंकि भाषा इतिहास से मुक्त नहीं है। भाषा में हमारा इतिहास अन्तर्निहित है। इतिहास-मुक्त नहीं है। इतिहास-मुक्त आप तब तक नहीं हो सकते जब तक आप यह तय न करें कि मैं भाषा से भी मुक्त होना चाहता हूं। ऐसे कवि हैं जो भाषा से भी मुक्त होना चाहते हैं। एक डेनमार्क के कवि का कविता-संग्रह छपा था जिसमें कोई भी शब्द नहीं था। जाहिर है कि उसने अपने को भाषा से, इतिहास से, अर्थ से, सबसे मुक्त कर लिया।

दूसरी ओर कवियों के मन में, और थोड़े-बहुत जो कविता के समर्थक हम जैसे हैं उनके मन में, कविता को लेकर एक भयानक रूमानियत आई और वे कविता से वे सारे काम लेना चाहते हैं जो दरअसल कविता के वश की बात नहीं है। एक जमाना था जब समाज ने अभिव्यक्ति के बहुत ही गिने-चुने साधन अपने लिये रखे थे, तब तो आयुर्वेद के ग्रन्थ भी कविता में लिखे जाते थे। लेकिन धीरे-धीरे सभ्य होते जाते हैं समाज या विकसित होते जाते हैं (पता नहीं विकसित होते जाते हैं कि नहीं, पर जो भी होते जाते हैं), तो धीरे-धीरे विशेषीकरण बढ़ता जाता है और कविता से जो सारे काम लिये जाते थे उनमें से धीरे-धीरे कुछ कामों का बँटवारा होने लगा। अब कविता से काम लेने में दो-चार कठिनाइयाँ नई भी आ गई हैं। वह इसलिए कि शब्द के और अनेक रूप इस बीच विकसित हो गए। पहले हमें समाज की हालत की खबर भी कविता से मिलती थी, क्योंकि खबर का कोई और तरीका नहीं था। अब अखबार हैं। कविता की मुश्किल यह है यानी सृजनात्मक शब्द मात्र की यह मुकिश्ल है कि वे जो दूसरे शब्द हैं वे सूचनात्मक शब्द हैं, उनकी गति कविता के शब्द से अधिक तेज है। पहले कहा जाता था कि जहाँ न पहुँचे रवि, वहाँ पहुँचे कवि। अब रवि के पहुँचने के पहले अखबार पहुँच जाता है और रवि के अस्त हो जाने के बाद दृश्य-श्रव्य प्रगट हो जाता है। एक अर्थ में अब शब्द अस्त होता ही नहीं है।

इस सबने शब्द के अर्थ के लिए जो दिक्कतें पैदा की हैं, कई बार हम ठीक से समझ नहीं पाते। अगर आप हमारे समाज की ओर ध्यान दें तो यह बहुत ही

विचित्र स्थिति हिन्दी समाज की है कि हिन्दी में साक्षरता बढ़ती जाती है, लेकिन पढ़नेवाले लोग कम होते जाते हैं, ऐसे लोग जो साहित्य पढ़ सकते हैं, उनकी संख्या आनुपातिक रूप से बढ़ गई है, लेकिन ऐसे लोग जो सचमुच साहित्य पढ़ते हैं, उनकी संख्या कम हो गई है। बहरहाल आपको तथ्यों की जानकारी देने का काम कवि के रूप में मेरा नहीं रह गया है और मेरा काम अब ज्यादा मुश्किल हो गया कि मैं सच कहूँ और ऐसा सच कहूँ, जिसमें दरअसल आपकी दिलचस्पी नहीं रह गई हो, क्योंकि आप तथ्यों की जानकारी से सन्तुष्ट हैं, आपकी बौद्धिक जिज्ञासा का उससे शमन हो चुका है। ठीक इसी तरह से आजकल राजनेताओं के जीवन के विवरण, उनके संस्मरण अधिक छप रहे हैं, कविता-कहानी कम। एक पुस्तक निकली है—नानी पालकीवाला की। बहुत चर्चा है उसकी—'वी द पीपुल'। इस पुस्तक की बहुत चर्चा हो रही है। कहा यह जा रहा है कि हम भारतीय जन की ओर से यह सत्य वचन करने एक वकील साहब आए हैं। उन्होंने सत्य वचन किया है और देखिए, सारा हिन्दुस्तान उस पर बहस कर रहा है। मेरी तुच्छ बुद्धि से हिन्दी की इतिहास-दरिद्र कविता में भी, जो पिछले पच्चीस साल से सत्य वचन हो रहा है वह भारतीय जन का अधिक विश्वसनीय और अधिक प्रामाणिक सत्य वचन है। यह दुर्भाग्य है कि पालकीवाला का सत्य वचन सुनने के लिए तो हम तैयार हैं और, मसलन मुक्तिबोध का सच या शमशेर का सच या अज्ञेय का सच सुनने के लिए या विनोदकुमार शुक्ल का सच सुनने के लिए हमारे पास फुर्सत नहीं है।

असल में एक और बात भी है। हम जिस समाज में और जिस संसार में आज रह रहे हैं उसमें सबसे बड़ी तानाशाही है एक-से-पन की तानाशाही। हम सबके पहनावे एक हैं, हम सबका खाना एक है, उसका स्वाद भी लगभग एक हो गया है। हर चीज स्टैण्डरडाइज्ड है। हम आठ बजे खबर सुनते हैं, दस बजे दफ्तर जाते हैं, साढ़े पाँच बजे लौटते हैं, छह बजे खाना खाते हैं—वगैरह-वगैरह। वही सिनेमा देखते हैं, वही भाषण सुनते हैं। सारी जिन्दगी में अगर आप गौर से देखें तो जो चीजें एक जैसी हैं, वे लगभग सत्तर-अस्सी प्रतिशत हैं और ज्यादातर लोग, जाहिर है, इससे खुश हैं। तभी उन्होंने इस एक-से-पन की संस्कृति को स्वीकार किया। जानबूझकर भी न स्वीकार किया हो तो जैसा ब्रेख़्त ने कहा कि जिस गुनाह के बारे में आप चुप हैं, उस गुनाह में आप शामिल हैं। यह जो एक-से-पन की अप-संस्कृति है जो हरेक को एक-दूसरे जैसा बना देती है, उसके विरुद्ध कविता की संस्कृति है। उसकी सारी लड़ाई इतिहास में मनुष्य को एक-सा होने देनेवाली शक्तियों के विरुद्ध लड़ाई है। इसलिए कविता मेरी नजर से मनुष्य का एकमात्र स्थायी प्रजातन्त्र है, क्योंकि वह मनुष्य के अस्तित्व की बहुलता को अपना मूल आधार मानती है और उसे किसी कीमत पर तजने को तैयार नहीं है, आप उसे

सुनने और पढ़ने को तैयार हों, न हों। और यह लड़ाई, सारी कविता, मनुष्य को एक-सा बना देनेवाली शक्तियों के विरुद्ध एक तरह की छापामार लड़ाई है। वह जगह अभी बचाए रखने की लड़ाई है जहाँ मनुष्य की बहुलता, उसके अस्तित्व की बहुलता का स्वीकार बुनियादी बात है।

इस बहुलता का एक उदाहरण पर्याप्त होगा। केदारनाथ अग्रवाल की एक कविता है—'नीली चिड़िया'। पाठ्यपुस्तकों में भी है। अगर आप ध्यान से देखें तो इस कविता में जो होता है वह, और जो कविता के बाहर है वह, बहुत दिलचस्प है। एक तो हम यह पहचानते हैं कि नीली चिड़ियाँ ऐसी हैं जो नीली नहीं हैं। एक वह चिड़िया जो नीली है वह कविता में और एक वह नीली चिड़िया जो शायद मैंने बचपन में, या कभी स्कूल में या कभी प्रेम करते हुए या कभी रोते हुए या कभी रेलगाड़ी से सफर करते हुए देखी है। तो वह एक नीली चिड़िया है जो कविता से बाहर है और वह एक नीली चिड़िया, जो कविता बनाती हैं और वे सारी चिड़ियाँ जो नीली नहीं हैं पर हमारे आसपास हैं। हममें से कितने लोग अब चिड़ियों को देखते हैं या कम-से-कम इस बात को याद रखते हैं कि हम एक ऐसी दुनिया में रह रहे हैं जिसमें चिड़ियाँ हैं। हम सब इतने ज्यादा एक-दूसरे से, आदमियों की दुनिया से इतना ज्यादा बावस्ता हो गए हैं कि इसकी फुरसत ही नहीं रह गई है। हमें हलवाई के यहाँ जाना है, यह खरीदना है और एडमीशन फीस देना है और बस के कण्डेक्टर से बात करना है, अफसर को गाली देनी है, राजनेता को पटाना है। सब लोग एक-दूसरे से लड़ रहे हैं। लोगों के अलावा भी संसार है। लोगों के बाहर भी संसार है, दुनिया में खेत, पहाड़, पत्ती, फूल, चिड़िया भी हैं और ये हमारे मनुष्य होने को अधिक सार्थक करते हैं, यह बात धूमिल पड़ रही है। फिर मनुष्य को ही यह सौभाग्य प्राप्त है कि वह इस बात को पहचान पाता है कि वह जिस दुनिया में है, उसमें और सब भी हैं और सदियों से रहते आए हैं। मनुष्य को ही यह सौभाग्य मिला है कि उसे यह याद रहता है कि वही सिर्फ मनुष्य नहीं है, उससे पहले, मसलन सत्रहवीं सदी में भी मनुष्य हुआ है। हम यह याद कर सकते हैं कि हमसे पहले भी कोई था, कि हम एक निरन्तर परम्परा की कड़ी हैं और इससे कविता का बहुत गहरा सम्बन्ध है। जो कुछ चीजें इस याद को इस समाज में सक्रिय रख सकें, कविता उनमें से है। एक ऐसे समाज में जो निरन्तर शार्टकट की संस्कृति से ग्रस्त है, बिना इतिहास के संकट में फँसे अगर भवबाधा पार होती हो, जोकि हो ही जाती है, तो काहे को इतिहास में जूझो। होगा इतिहास, होंगे महात्मा गांधी, होंगे भवभूति, हुए होंगे कबीर, हुआ होगा कोई नानक, इससे हमें क्या लेना-देना है। हमारा तो अभी का समय है—थोड़ा-बहुत जैसा है, अच्छा-बुरा जैसा है, नौकरी मिल जाय, फलाना हो जाए, ढिकाना हो जाए। इस जकड़बन्दी से, इस नितान्त समकालीनता के सूअरबाड़े से मुक्ति किसे चाहिए। इलियट की एक पंक्ति

है–'दोज़ हू सिट इन द स्टाई आव् कन्टेण्टमेण्ट मीनिंग डैथ'''वे लोग जो सन्तुष्टि के सूअरबाड़े में बैठे हैं अर्थात् मृत्यु।' जो लोग इस सूअरबाड़े में नहीं बैठे हैं, उनके लिए ही कविता का कोई अर्थ होना चाहिए।

एक और बात यह है कि इन दिनों प्रायः हर कवि प्राचीन ब्राह्मण की तरह है, अपने को सबसे ऊपर मानता है और मानता है कि कविता दुनिया में सबसे बड़ी बात है और बाकी सब मानवीय व्यापार तुच्छ कोटि के व्यापार हैं। जो कवि है वही बस स्वयं ब्रह्म है और प्रजापति है। जैसा पहले कहा गया, कविता मनुष्य का स्थायी प्रजातन्त्र है और उसी की एक यह तार्किक परिणति है कि कविता मनुष्य का एकमात्र या सबसे महत्त्वपूर्ण व्यापार नहीं है। और बहुत सारी चीजें जिन्दगी में हैं जिन्दगी को समझने के लिए और बहुत सारे साधन हैं और वे सब साधन अपनी जगह ठीक हैं। उनमें आपस में ऊँच-नीच करने की जरूरत नहीं है। जिसको जूता बनाना आए, जूता बनाए; जिसको कविता बनाना आता हो वह कविता बनाए। अच्छा जूता बनाना और अच्छी कविता बनाना दोनों अच्छे काम हैं। खराब कविता और खराब जूता दोनों कष्ट देते हैं और इसलिए इससे बचने का कोई उपाय नहीं है कि आप जो बनाना चाहते हैं वह आपको बनाना आना चाहिए। इससे कोई मुक्ति नहीं है और इससे भी कोई मुक्ति नहीं है कि यह गलत है कि आप बैठकर दूसरों पर फैसला देते रहें कि हम तो फैसला देंगे। हम कवि हैं इसलिए हमको हक है कि हम समाज पर, इस पर, उस पर फैसला देंगे। कविता में भी एक तरह का सामन्तवाद फैल रहा है कि हम ऊपर हैं और दूसरे नीचे हैं। हमारे कुछ मित्रों ने एक ज़माने में यह भी बहस फैलाने की कोशिश की थी कि कविता केन्द्रीय विधा है। कोई विधा केन्द्रीय है, यह अवान्तर प्रसंग है। इसमें कोई ऐसी बात नहीं है जो कविता के स्थायी महत्त्व को ठीक-ठीक बताती या कम करती हो। ऐसी बहुत सारी कविताएँ हैं जो कहानी कहती हैं। कविता में नाटक भी होता है। ठीक है, वैसा नहीं जैस नाटक में होता है, लेकिन कविता का अर्थ वह नहीं है जो अक्सर अध्यापक आपको बताते हैं। कविता का अर्थ चरितार्थ है और अगर कविता का अर्थ मुख्यतः चरितार्थ है तो कविता नाटक है। वह उस आदमी की जिन्दगी का नाटक है जो लिखता है, उस आदमी की कथा है जो उसे लिखता है और उसकी भी कथा हो सकती है जो उसे सुनता है। लेकिन यह बहुत जरूरी हो गया है कि हम इस बात को स्वीकार करें कि कविता दूसरी मानव-विद्याओं से, मानव-व्यापारों से इस मायने में भिन्न है कि वह किसी चीज का अक्सर दो-टूक जवाब नहीं दे सकती। वह 'हाँ' और 'न' दोनों कहती है और दोनों एक साथ सच हैं। विज्ञान में या राजनीति में एक तरह का दो-टूकपन मूल आधार है। या तो हाँ होगा या न होगा, या तो यह सही है या गलत है, या तो यह सच है या झूठ है, या तो आप मेरे साथ हैं या मेरे खिलाफ हैं–दोनों नहीं हो सकते। लेकिन कविता में यह सम्भव है कि वह हाँ

भी कहे और न भी कहे और दोनों एक साथ सच हैं। आस्कर वाइल्ड ने एक बहुत दिलचस्प बात कही कि कलात्मक सत्य वह है जिसका विलोम भी सच है। हम फिर याद करें कि कविता मनुष्य का स्थायी प्रजातन्त्र है और प्रजातन्त्र में हाँ और न का दो-टूकपन या कि यही सच है और बाकी झूठ है, यह सम्भव नहीं। यह उसी प्रजातन्त्र का तर्क है जहाँ दोनों चीजें सही हो सकती हैं। हमको यह नहीं भूलना चाहिए कि बीसवीं सदी का अब अन्त हो रहा है और हरेक को अपनी सदी सबसे भीषण सदी लगती है। हरेक को लगता है बीसवीं सदी में हम पैदा हुए, उन्नीस में हुए होते तो कितना अच्छा होता। गालिब की चिट्ठियाँ पढ़िए तो उन्नीसवीं सदी भी बहुत ही नाकाबिले-बर्दाश्त थी और अठारहवीं सदी में भी यही हुआ होगा। लेकिन फिर भी बीसवीं सदी के बारे में दो-तीन बातें, क्योंकि हम लोग यहाँ हैं ही, कही जा सकती हैं कि विचारों का जितना बड़ा संघर्ष बीसवीं सदी में हुआ उतना किसी और सदी में नहीं। विचारों के नाम पर नरसंहार भी जितना बड़ा इस सदी में हुआ उतना पहले कभी नहीं हुआ है। और इतने अधिक स्वतन्त्र जनसमुदाय या राष्ट्र जितने बीसवीं सदी में हुए, उतने कभी नहीं हुए। उसी राजनीति ने जिसने इतनी क्रान्तियाँ कराईं, इतने राष्ट्रों को स्वतन्त्र कराया, लोकजीवन को इतना भ्रष्ट भी पहले कभी नहीं किया, जितना इस सदी में किया। इस सबसे अबोध रहकर कविता नहीं लिखी जा सकती। एक नीला आसमान है, खुली स्लेट है और बीसवीं सदी जैसे हुई नहीं, ऐसा मानकर कुछ करना सम्भव नहीं। बीसवीं सदी को जानकर आप उसका अतिक्रमण कर सकते हैं, उसकी स्लेट पर जो अनगिनत इबारतें हैं, उनको पढ़कर, समझकर, सुनकर फिर आप एक नई इबारत लिख सकते हैं। लेकिन जो कविता इस वैचारिक संघर्ष से अबोध रहकर किसी रहस्य सा स्वप्नलोक में जाने का प्रयत्न करेगी, वह बहुत देर हमारा साथ नहीं दे सकती, वह बीसवीं सदी की कविता नहीं हो सकती है। यह नहीं कि विश्व का रहस्रू हम पर खुल गया है। दरअसल मुश्किल यह है कि अगर सारे सत्य पहले मिल चुके होते तो हम सब बार-बार उसके भेद में क्यों पड़ते, बार-बार हम झगड़े क्यों करते, बार-बार हम वह सब उद्यम क्यों करते, जो करते हैं। अगर हम यह करते हैं तो इसका अर्थ ही यह है कि जो हमारा सच है, इस बीसवीं सदी के अवसान के अवसर पर वह बहुत विशिष्ट सच होना होगा। इस बीसवीं सदी के पूरे संघर्ष, अन्तःसंघर्ष, अन्तर्विरोध से अबोध सच नहीं हो सकता। अकेली ईमानदारी काफी नहीं। आप बहुत ही भावविह्वल हैं, यही काफी नहीं है कविता के लिए। एक जमाने में होता रहा होगा, यद्यपि कभी नहीं हुआ। बहुत आरोप लगाया जाता है तथाकथित नई कविता पर कि बड़ी बौद्धिक कविता है। निराला, प्रसाद की कविता कुछ कम बौद्धिक है? उनके निबन्ध पढ़िए, उन्होंने छायावाद का जो बचाव किया था, वह पढ़िए। कविता से बुद्धि का देश-निकाला एक काल

विशेष की घटना है—बच्चन, अंचल, सुमन इत्यादि की जो दीवानी-मस्तानी चौकड़ी थी उसने एक जमाने में यह भूमिका अदा की। बुद्धि की कारा से मुक्त किया। लेकिन यह मानना कि सारी भारतीय कविता की परम्परा बुद्धि-विरोधी या बुद्धि से अस्पृश्य है, बिल्कुल निराधार और गलत है। भारतीय कविता की बौद्धिक परम्परा है। भारतीय कविता निरे भावोच्छ्वास की कविता नहीं है। न तो रामायण को एक भाव-विह्वल व्यक्ति लिख सकता था, न महाभारत कोई अबोध व्यक्ति की रचना है, न ही वेद या पुराण। और कालिदास, भवभूति इत्यादि की बौद्धिकता का तो उल्लेख अनावश्यक है, वह स्वयंसिद्ध है। लेकिन यह भ्रम फैलाया गया है और यह भ्रम इतना ज्यादा फैल गया है कि हिन्दी में अब वही स्थिति है कवियों के सिलसिले में, जो संगीत में है। एक तरह का ध्रुवीकरण। करोड़ों लोग फिल्मी संगीत सुनते हैं। लेकिन जब हम संगीत की चर्चा करते हैं तो शास्त्रीय संगीत को महत्त्वपूर्ण मानते हैं, यद्यपि इसके सुननेवाले बहुत कम हैं। ठीक इसी तरह करोड़ों लोग दो कौड़ी की भावुक घटिया कविता सुनते हैं, उससे बड़े प्रसन्न होते हैं, पर इस कविता को साहित्य में महत्त्वपूर्ण नहीं माना जाता, यह हम सब जानते हैं। ऐसे अनेक कवि मच्छरों की तरह आते-जाते रहते हैं जो बड़े लोकप्रिय होते हैं पर साहित्य में उनका कोई नाम भी नहीं लेता; और जो महत्त्वपूर्ण कवि हैं उनको सुनने ज्यादा लोग जमा नहीं होते। जो ध्रुवीकरण संगीत में हुआ, ठीक वही दुर्भाग्य से हिन्दी-कविता में हुआ और इसने बहुत सारी विसंगतियाँ पैदा की हैं। उनके विस्तार में जाना फिलहाल जरूरी नहीं है, लेकिन यह समझना जरूरी है कि यह सब जोखिम उठाकर भी जो कविता लिखना चाहता है, उसके साहस को ठीक-ठीक पहचाना जाना चाहिए। पच्चीस बरस तक तो हर एक आदमी कविता लिखना चाहता है। कुछ दुनिया बहुत ही रूमानी-रूमानी और बढ़िया नजर आती है। लगता है कि बस अब क्रान्ति होने को है। झूठ बोलना कहीं भी पाप है, कविता में तो अक्षम्य पाप है। हमें ध्यान रखना चाहिए कि हम कोई ऐसी बात तो कविता में नहीं कहे दे रहे हैं कि जो दरअसल होने की नहीं है। मसलन क्रान्ति होनी चाहिए और उसकी शक्तियाँ बहुत जोरों से लगी होंगी और हो सकता है कि कुछ देर में हो ही जाए। लेकिन हमारी बहुत सारी कविता ऐसे लिखी जा रही है जैसे क्रान्ति जानकीरमण विद्यालय के मोड़ पर ही खड़ी है। ऐसा करके भी आप वही कर रहे हैं जो भावुक गीत करता है, यानी सच से काटकर एक शब्दलोक में ले जाने की कोशिश। क्रान्ति या स्वप्नलोक उतना ही अवास्तविक है जितना भवमुक्ति का स्वप्न। इसे हमें नहीं भूलना चाहिए और यह भी नहीं भूलना चाहिए कि बहुत सारी चीजों से बहुत सारे काम नहीं हो सकते। मसलन, कविता से अखबार का काम लेना जरूरी नहीं, अखबारों से अखबारों का काम लीजिए और कविता से पोस्टर का काम लेना भी जरूरी नहीं है, पोस्टर से लीजिए। हो सकता है ऐसे अवसर

हों जब कविता को आपद्धर्म के रूप में यह काम करना पड़े, क्योंकि अखबारों में वह खबर नहीं आ रही है जोकि सच है। तब जाहिर है आपको इस्तेमाल कविता का इस तरह का करना होगा। लेकिन यह जो धारणा बन गई है पूरे समाज में कि कविता हमें ऐसे समझ में आनी चाहिए जैसे खबर समझ में आती है, यह घातक है। खबर अपना सारांश शुरू में ही बयान करती है और फिर चलती है इसका खुलासा करती हुई। अगर आप ध्यान दें तो फिल्मी गीत ठीक यही पद्धति अपनाता है। हमारे ऊपर लगातार दबाव है खबर का और फिल्मी गीत का, वह कविता के प्रति आपकी उम्मीद को भी गलत रास्ते ले जाता है। आप कविता से भी चाहते हैं कि वह शुरू में अपना सच आपको बता दे। लोकप्रिय गीतकार यही करते हैं, यह न भूलें। उनके बाकी अन्तरे जो होते हैं वे मुख्य पंक्ति का खुलासा ही होते हैं। यह जो एण्टी-क्लाईमेक्टिक लॉजिक है, यह कविता की लॉजिक नहीं है। कविता अपना सच आपको इतनी आसानी से न बताने की जरूरत समझती है और न ऐसा करना उसकी मजबूरी है। कविता के सच को अगर आप समझना चाहते हैं तो उसकी शर्तों को समझने के लिए जाइए, वर्ना आपको जहाँ जाना है, वहाँ जाइए : भाड़ में जाए या किसी बेहतर जगह चले जाइए। पर खुदा के लिए कविता के पास ऐसी उम्मीद लेकर मत आइए। कविता, सच्ची कविता के बारे में यह सही है। बहुत-सी कविता झूठी भी होती है, उसे छोड़ दीजिए। सच्ची कविता सच कहेगी तो अपनी शर्तों पर कहेगी, अपना सच कहेगी; वह आपकी लुभानेवाला और आपको पसन्द आनेवाला सच कहे, यह जरूरी नहीं है। आज की कविता का काव्यशास्त्र इसलिए आनन्द का काव्यशास्त्र नहीं हो सकता कि आप कविता पढ़ें और आपको बहुत आनन्द आए। आनन्द के बहुत सार स्रोत अब आपको मिल ही गए हैं, उनसे आनन्द लीजिए। कविता के पास यदि आप आएँगे तो वह आपको विचलित करेगी, झकझोरेगी, आपके सामने सवाल फेंकेगी। अगर इसकी हिम्मत आप में है तो, इसकी ज़रूरत आपको है तो, कृपया कविता के पास आइए, वर्ना रहने दीजिए। ये दईमारे कवि जो कर रहे हैं, करने दीजिए। आपको इससे क्या फर्क पड़ता है! उनको जो होता हो, सो हो। यही एक यथार्थवादी दृष्टिकोण अगर आप रखें, जो लिखनेवाले हैं वे और जो कभी-कभी इसको सुनने-पढ़नेवाले हैं वे भी, तो शायद कविता अपना काम कर गुजरेगी, आपको पता चले, न चले।

1984

फिर तार सप्तक

'तार सप्तक' पर प्रकाशन-वर्ष 1943 छपा है पर श्री नेमिचन्द्र जैन बताते हैं कि दरअसल वह छपकर सचमुच प्रकाशित हुआ 1944 की शुरुआत में। नेमिजी को कलकत्ते से बम्बई जाना था लेकिन वे इसलिए रुके रहे थे कि जब प्रतियाँ छप जाएँ तो लेखकों को भेजें। बल्कि पहली प्रतियाँ वात्स्यायनजी को, मुक्तिबोधजी और प्रभाकर माचवे को नेमिजी ने ही कलकत्ते से जनवरी या फरवरी, 1944 में भेजी थीं। 'तार सप्तक' पिछले पचास वर्षों में शायद सबसे अधिक विवादास्पद कविता-पुस्तक साबित हुई। एक तरह से पिछले पचास वर्ष की कविता के सारे विवाद 'तार सप्तक' से ही पैदा होते हैं। कविता सम्बन्धी जो धारणाएँ, चिन्तन और विवाद पिछले पचास वर्षों में हुए , उनका उद्गम-ग्रन्थ वही है। मैंने जब 'तार सप्तक' पढ़ा था तो मैं युवा था और मुझे बहुत ही निराशा हुई। 1955-56 में मुझे वह बेहद बासी और विचित्र-सा लगा—उसमें कविताएँ भी बहुत अच्छी नहीं थीं। वक्तव्यों को लेकर बहुत विवाद अलबत्ता हुए थे लेकिन यह तब कुछ पुराना-पुराना-सा लगता था। बमुश्किल एक प्रति कहीं से मिली थी। ये वे दिन थे जब एक विचित्र क़िस्म के नयेपन या ताज़गी के लिए युवकोचित आकर्षण मन में बहुत था और 'दूसरा सप्तक' छप चुका था। बल्कि 'दूसरा सप्तक' का ही ज़माना था। 'दूसरा सप्तक' ने 'तार सप्तक' को काफ़ी हद तक प्रासंगिक-सा बना दिया था—कम-से-कम उन दिनों। ये वे दिन भी थे जब मुझे, मसलन रवीन्द्रनाथ ठाकुर की 'गीतांजलि' ने भी बहुत निराश किया। मुझे उसमें कोई विशेष शक्ति और तत्त्व समझ में नहीं आता था। ज़ाहिर है कि यह एक अपरिपक्व और कुछ उद्दंड तरुण की प्रतिक्रियाएँ थीं।

बरसों तक 'तार सप्तक' को लेकर बहस हुई। ज़्यादा बहस 'प्रयोग' शब्द को, जिसका इस्तेमाल अज्ञेय ने अपनी भूमिका में किया था, लेकर हुई। 'प्रयोगवाद' का हल्ला चला। हालाँकि अज्ञेय ने बराबर इस बात का प्रत्याख्यान किया कि प्रयोग का कोई वाद है या हो सकता है। न इन सात कवियों ने इस तरह के वाद को स्थापित या घोषित करने की कोई चेष्टा की। पर जैसाकि

होता है—'असर उसको ज़रा नहीं होता'—तो कुछ भी कहते रहें कवि—लोगों ने इस बात को नहीं माना और अकादेमिकों ने इस काल को प्रयोगवाद का काल मानकर ही छोड़ा। फिर उसके बाद 'नई कविता' नया नामकरण हुआ और माना जाता गया कि प्रयोगवाद से वह कुछ आगे की चीज़ है। उस ज़माने में यह भी माना जाता था कि प्रयोगवाद और प्रगतिवाद दोनों जिस एक प्रवृत्ति में समाहित हो जाते हैं वह नई कविता है। फिर बाद में जब और बारीकियाँ आईं तो आधुनिकतावादी नई कविता हो गई और उससे अलग जनवादी नई कविता हो गई। बहरहाल, शुरू-शुरू में, और यह बहुत दिलचस्प है, शमशेरजी ने, जोकि 'दूसरा सप्तक' के कवि हैं, हालाँकि 'तार सप्तक' के अधिकांश कवियों से वरिष्ठ हैं, 'नया साहित्य' में 'तार सप्तक' पर जो समीक्षा लिखी थी, उसमें उसे दो कारणों से किंचित् असफल पाया था। एक तो यह कि जिन प्रयोगों का उल्लेख उसमें है वे प्रयोग निराला और पन्त और नरेन्द्र शर्मा के यहाँ भी देखे जा सकते थे। याने प्रयोग की कोई विशेष अद्वितीयता इन कवियों में नहीं थी। और दूसरा यह कि प्रयोग भी उन्होंने कोई ख़ास सफल नहीं पाए—सिवाय दो कवियों के, अज्ञेय और रामविलास शर्मा के। यह अलग बात है कि बाद में, हिन्दी में रामविलास शर्मा को कोई सार्थक कवि नहीं माना गया। बहरहाल, उस समय शमशेर की यह टिप्पणी महत्त्वपूर्ण है।

होता यह है कि बहुत सारी पुरानी चीज़ें जब आप थोड़े समझदार ओर सयाने होने पर पढ़ें तो उनका पुरानापन आपको उतना बुरा नहीं लगता जितना शुरू-शुरू में लगता है। पुरानी चीज़ों के लिए थोड़ा आकर्षण मन में बढ़ ही जाता है। शायद थोड़ी-सी सहिष्णुता भी। आज अगर 'तार सप्तक' पढ़ें तो वह उतना बासी या पुराना नहीं लगता जितना पहले लगा था। आज से बीस बरसों पहले लगता था, अब नहीं लगता। ऐसा क्या हुआ है? कुछ तो हम बदल गए हैं और कुछ यह पुस्तक भी : उसके कुछ फलितार्थ और उनकी महिमा आज कुछ अधिक समझ में आती है। 'तार सप्तक' ने जब परिदृश्य में प्रवेश किया तब हिन्दी कविता का वह क्षण क्या-कैसा था? छायावाद का सुगठित स्वर्णलोक दरकने लगा था : स्वयं निराला और पन्त जैसे छायावादियों द्वारा वह सबवर्ट किया जा रहा था। बच्चन, भगवतीचरण वर्मा आदि ने एक लगभग अबौद्धिक रूमानियत, दीवानगी और मस्ती को कविता का मुख्य स्वर बना दिया था। तीसरे, प्रगतिवाद अपने उग्र सामाजिक रूप में सक्रिय हो रहा था। यह दिलचस्प है कि 'तार सप्तक' के सात में से छह कवियों ने अपने कम्यूनिस्ट होने की घोषणा कर रखी थी। पर यह भी स्पष्ट है कि इसके बावजूद वे शील, साहिबसिंह मेहरा आदि की तरह प्रगतिवादी नहीं थे। छायावादोत्तर कविता के साथ 'तार सप्तक' का द्वन्द्व देखना और याद रखना बहुत ज़रूरी है : इसलिए

भी कि हिन्दी की सारी अकादेमिक काव्यरुचि छायावादोत्तर कविता से गढ़ी-रची गई और आज तक उसी पर रूढ़ है। हिन्दी कविता में बौद्धिकता या बुद्धितत्त्व को हिकारत और शक की नज़र से देखने और उन्हें कविता के लिए अनावश्यक मानने की दक़ियानूसी की शुरुआत भी तभी से हुई। उत्तर-छायावादियों ने बुद्धिविरोध को लगभग एक काव्यमूल्य की तरह सीमित करने की चेष्टा की। 'तार सप्तक' के कवियों ने अपनी-अपनी तरह से इन तीनों प्रवृत्तियों से अलग अपनी राह बल्कि राहें खोजने का जोखिम उठाया। उन्होंने छायावादी वायवीयता को छोड़ा, उत्तरछायावादी अबौद्धिकता से अपने को मुक्त किया और वे प्रतिवादी एकांगिता से अलग हटे। दरअसल 'तार सप्तक' अपने समय की इन तीनों प्रवृत्तियों से अलग राह खोजने की कोशिश का नाम है। जब आप एक अलग राह खोजते हैं तो जिन राहों को आप छोड़ते हैं उन्हें बिल्कुल नहीं छोड़ देते। उनकी कुछ छापें, कुछ पदचिन्ह, कुछ दिशासंकेत इस नई राह में भी होते हैं। शायद ,कोई नई राह नहीं होती : ऐसी राहें होती हैं जिन पर लोग नहीं चलते और जो पगडंडियाँ बन जाती हैं। फिर उन पर घास पनप जाती है। कोई आता है और उसको लगता है कि अरे, इधर तो एक नया रास्ता नज़र आता है। वह एक रास्ता खोजता है। कुछ दिनों तक उसको लगता है कि उसने एक नई राह या कम-से-कम पगडंडी खोजी। बाद में जाकर यह पहचानता है कि इसी पगडंडी पर पहले और भी चले हैं। कविता का, बल्कि साहित्य का एक सुख यह है कि वह ऐसा पहली बार खोजने का अवसर देता है जो पहले दूसरे भी खोज चुके हैं और जिसके लिए वह आपके उत्साह को मन्द नहीं करता।

बहरहाल, 'तार सप्तक' ने छायावाद की बौद्धिक परम्परा को पुनर्प्रतिष्ठित किया। छायावाद को निरे भावोच्छ्‌वास का काव्य मानकर न तो आप उसे समझ सकते हैं और न ही आधुनिकता के सन्दर्भ में दरकिनार कर सकते हैं। 'काव्यकला और अन्य निबन्ध' जैसी पुस्तक और 'कामायनी' जैसे महाकवि के रचयिता प्रसाद के एक प्रखर बुद्धिजीवी होने का स्पष्ट साक्ष्य है। 'पल्लव' की भूमिका के लेखक पन्त और पन्त से मुठभेड़ करते निराला उत्कट रूप से बुद्धिजीवी कवि हैं। बौद्धिक कवि होने का अर्थ संवेदना या भावोच्छ्‌वास से कुछ लेना-देना नहीं है ऐसा नहीं है। अगर हम छायावाद पर ही अपना ध्यान केन्द्रित करें तो यह देखा जा सकता है कि हिन्दी कविता में अपनी विचारशीलता से जो भटकाव छायावादोत्तर कविता के माध्यम से हो रहा था उसे दुरुस्त करने की कुछ चेष्टा 'तार सप्तक' ने की। उसने कविता में बुद्धि के पुनर्वास का यत्न किया।

यों तो हिन्दी में आधुनिकता की शुरुआत भारतेन्दु और मैथिलीशरण गुप्त से मानी जाती है। जो भी हो, उसका एक नया चरण 'तार सप्तक' से शुरू होता है। 1936 में प्रगतिशील लेखक संघ की स्थापना हुई। प्रगतिवाद के प्रति हिन्दी

कविता नें इतनी जल्दी एक आलोचनात्मक रुख़ विकसित करने का श्रेय भी 'तार सप्तक' को जाता है। उसमें संकलित एक कवि ने अपने वक्तव्य में 'व्यक्तित्वहीन सामाजिकता' से छुटकारा पाने का ज़िक्र किया है।

जिस बहुलता का ग़लत समझे जाने की हद तक पिछले कई बरसों से आग्रह एक आलोचक के रूप में मैं करता रहा हूँ उसका भी 'तार सप्तक' एक महत्त्वपूर्ण दस्तावेज़ है। हम याद करें कि अपनी भूमिका में अज्ञेय ने कहा है कि इन कवियों का कोई एक स्कूल नहीं है, सात स्कूल हैं। हर एक का अलग-अलग बल्कि साढ़े सात स्कूल। कवि के साथ संकलनकर्त्ता होने के कारण उसका डेढ़ स्कूल। अज्ञेय ने यह भी कहा है कि वे एक-दूसरे के कुत्तों पर भी हँसते हैं। याने उनके मतभेद इतने विकट और स्पष्ट हैं। इसके बावजूद वे साथ हैं। अपने मतभेदों को दरी के नीचे दबाकर फ़िलहाल वे ऐसे किसी अभियान में शामिल नहीं हैं जिसमें इन मतभेदों को नज़रअंदाज़ किया या सुपरसीड कर दिया जाएगा। बल्कि वे उन सारे मतभेदों के बावजूद साथ हैं एक तरह से यह हिन्दी में अनहोनी बात है—या शायद छायावाद की ही एक अविवक्षित परम्परा का पुनर्न्यास है। छायावाद के चार शिखर कवियों में जो समानताएँ हैं वे उतनी महत्त्वपूर्ण नहीं हैं जितने कि उनके अन्तर। उनकी कविता के मिजाज़ के अन्तर, उनकी भाषा, संवेदना, ऐन्द्रियता और बौद्धिक दृष्टि के अन्तर। छायावाद एक सामान्यीकरण है : किसी प्रवृत्ति को आलोचनात्मक स्तर पर समझने-बखानने के लिए इस तरह का सामान्यीकरण शायद ज़रूरी है। पर यह याद रहना चाहिए कि वह सामान्यीकरण किसी हद तक सरलीकरण भी है। स्वयं 'तार सप्तक' के सम्पादक ने उसका ज़िक्र किया है कि उसमें कुछ और कवि होने वाले थे लेकिन कुछ समय पर सामग्री नहीं भेज पाए, एकाध की पांडुलिपि रेलगाड़ी में खो गई, कुछ शायद पैसा नहीं दे पाए (क्योंकि सबको पैसा भी देना था), छपाई और कागज़ के लिए। लेकिन उन सातों को एक साथ ही नहीं एक जैसा भी मान लिया गया। 'तार सप्तक' पर जो आक्रमण हुए वे इन सब कवियों को एक जैसा, उनकी दृष्टि को समान, और सम्पादक द्वारा प्रयुक्त 'प्रयोग' की अवधारणा को उनके सौन्दर्यशास्त्र का मूलतत्त्व मानकर किए जाते रहे। ज़्यादातर लोगों ने 'तार सप्तक' को शायद पढ़े बिना उसके बारे में पढ़ा। उसकी दस-बारह कविताएँ, जिनमें 'रिरियाता कुत्ता', 'धैर्यधन गदहा' आदि पद और 'चूड़ी का टुकड़ा' जैसी कविताएँ शामिल थीं, हर जगज उद्धृत की जाती थीं और उन्हें प्रयोगवाद नामक प्रवृत्ति का उदाहरण या साक्ष्य समझ लिया जाता था। भले सम्पादक ने उन्हें 'राहों के अन्वेषी' कहा था पर उन पर एक राह थोप दी गई और आज तक उसी सन्दर्भ में 'तार सप्तक' देखा-समझा जाता है। यह सही है कि अज्ञेय एक प्रखर लेखक और प्रवक्ता थे और उन पर या उनके कहे

पर ध्यान केन्द्रित हो तो यह अस्वभाविक नहीं था। उन्होंने 'दूसरा सप्तक' की भूमिका में प्रयोग की अवधारणा की आलोचना का उत्तर दिया—उसे स्पष्ट किया और साधारणीकरण आदि की बात की। नतीजा यह हुआ कि 'तार सप्तक' के अन्य कवियों के वक्तव्य और कविताएँ ध्यान से पढ़े ही नहीं गए। एक अर्द्धशती बीत जाने के बाद यह अवसर है कि हम 'तार सप्तक' की सच्ची और अन्तर्भूत बहुलता को पहचानें—कि वे कवि एक-दूसरे से बहुत सहमत नहीं बल्कि बहुत सारे मायनों में बहुत असहमत कवि थे जो एक साथ थे। हिन्दी साहित्य में पिछले पचीस बरसों से सहमति का बड़ा सार्वजनिक अनुकीर्तन होता है। अकसर ऐसे मंच हैं जिन पर असहमति की गुंजाइश नहीं। जो आपसे असहमत हैं उसके लिए जगह नहीं। 'तार सप्तक' ने जो बहुलता—असहमति के बावजूद एकजुटता-प्रस्तावित की थी एक तरह से हिन्दी साहित्य का काव्य और बौद्धिक आचरण इस दौरान उस मूल प्रस्ताव का विरोध ही करता रहा है।

'तार सप्तक' की एक विशेषता है। हिन्दी में पहली बार उसने कविता और जीवन में सरलीकरण के विरुद्ध सत्याग्रह घोषित किया। यों तो यह ज़रूरी नहीं है कि वह सत्याग्रह घोषित किया जाए : किसी भी बड़े कवि के काव्य-व्यवहार में वह अन्तर्निहित होता है। पर 'तार सप्तक' ने उसे आलोचनात्मक रूप से विवक्षित किया : उसने यह जताने की कोशिश की है कि जीवन सरल नहीं है और न ही कविता। उनमें बहुत जटिलताएँ, वर्जनाएँ, कुंठाएँ, रूढ़ियाँ, परिवर्तन के कारण बहुत सारे टकराव हैं जिन्हें नज़रअंदाज़ नहीं किया जा सकता।

इधर हम दो तरह की आधुनिकता की बात करते रहे हैं : एक जो पश्चिम के हस्तक्षेप से निपटने की कोशिश से निकली और दूसरी वह जो पश्चिम की ओर पीठ किए हुए हैं। पश्चिमाभिमुख आधुनिकता पर बहस की शुरुआत व्यापक तौर पर 'तार सप्तक' से शुरू हुई : 'तार सप्तक' के अधिकांश कवियों ने अपने वक्तव्यों में मार्क्स, फ्रायड, गांधी आदि का ज़िक्र किया है और इन सबसे अपनी सहमति या मतभेद को संक्षेप में व्यक्त या विकसित करने की चेष्टा भो की है। यों तो पश्चिम से भारतीय मुठभेड़ की जयशंकर प्रसाद में प्रखर चेतना और उसका एक दूसरा रूप प्रेमचन्द में है : दोनों दृष्टियों के बीच इतिहास को लेकर जो द्वन्द्व हुआ उसमें दुर्भाग्य से प्रसाद-दृष्टि की हारी होड़ ही चल रही है। लेकिन इस द्वन्द्व को नए सन्दर्भ में पुनर्प्रस्तुत करने का काम 'तार सप्तक' ने किया। इस बात को दुहराया कि ऐसा द्वन्द्व है, इस द्वन्द्व का हमारे काव्य-व्यवहार ओर, जीवन-शैली के लिए भी, गहरा अर्थ है।

यह दिलचस्प है कि 'तार सप्तक' में भारतीय स्वतन्त्रता-संग्राम को लेकर कुछ भी नहीं है। वह निकला सन् '42 के शुरू में, जिसके कुछ ही महीने बाद, स्वतन्त्रता के लिए सबसे निर्णायक 'भारत छोड़ो' आन्दोलन होने को था और उसके

सारे चिह्न और पूर्वाभास दृश्य पर प्रगट हो चुके थे। पर उसका कोई सीधा अहसास 'तार सप्तक' से नहीं होता। अलबत्ता अगर आप इबारतों के बीच की जगहें पढ़ने की कोशिश करें तो पाएँगे कि भारतीय आधुनिकता को अपने ढंग से परिभाषित करने की कोशिश, अटपटी और अनाश्वस्त सही, स्वतन्त्रता की बढ़ती चेतना का ही रूप है।

संशय को एक मूल्य के रूप में हमने अपने काव्य-व्यवहार में पहले स्वीकार नहीं किया था। 'तार सप्तक' का एक बड़ा प्रस्ताव संशय की मूल्यवत्ता को लेकर है। अपने को, व्यक्ति और समाज के सम्बन्ध को, व्यक्ति को, समाज को सन्देह की दृष्टि से देखना, इतनी खरी और बेबाक ईमानदारी से, 'तार सप्तक' ने ही शुरू किया। समूचे संसार के स्तर पर हमारी शताब्दी के चारित्रिक गुणों में संशय है : इस अर्थ में यह शताब्दी अपने संशयग्रस्त पहलू में 'तार सप्तक' के माध्यम से हिन्दी में कविता-प्रवेश करती है।

कविता के जनपद का एक पक्ष अगर स्थानीयता है तो दूसरा पदार्थमयता। तीसरा आवश्यक अंग है मानव-सम्बन्धों की विविधता। इन तीनों की पक्षों में 'तार सप्तक' की कविता विस्तार करती है : वह नई जगहें, नए पदार्थ और नए सम्बन्ध कविता के अहाते में शामिल करती है।

'तार सप्तक' के कवियों की उमर पचीस और तीस वर्षों के आसपास थी। खड़ी बोली को हिन्दी कविता का मुख्य माध्यम बने भी अभी पचास वर्ष पूरे नहीं हुए थे। इस सिलसिले में 'तार सप्तक' नये साहस का दस्तावेज़ है। उसमें संकलित कविताएँ सफल न भी हों कई मामलों में सार्थक हैं। इन लगभग सौ कविताओं में कविता का एक बिल्कुल नया जनपद प्रकट हो रहा था—कविता का, हिन्दी कविता का एक नया भूगोल। ऐसी अनेक जगहें, जहाँ पहले कविता न तो कभी गई थी, न जहाँ जाने की उसे ज़रूरत या हिम्मत लगती थी। वह नई साहसिकता थी जिसमें हिन्दी अपना भूगोल, अपना जनपद, उसकी सरहदें कुछ फैलाने और आगे ढकेलने को हिम्मत कर रहा था।

माध्यम और सम्प्रेषण की कठिनाइयों पर छायावादियों ने भी विचार किया था। पर सम्प्रेषण को लेकर हमारे समय में कुछ मौलिक संकट उपस्थित है और माध्यम की कुछ बुनियादी कठिनाइयाँ हमारे समय में हैं यह बात सबसे प्रखर रूप में 'तार सप्तक' ने ही पेश की। प्रयोग की अवधारणा, साधरणीकरण का प्रश्न, स्थानांतरगामी प्रवृत्ति आदि सभी इस प्रस्तुति का ही हिस्सा हैं। माध्यम, भाषा, शिल्प, तकनीक के प्रति नई आत्मसजगता यहाँ स्पष्ट है।

यह नहीं कह सकते कि छायावादियों में विडम्बना-बोध कम या शिथिल था। प्रसाद और निराला में यह अचूक है, भले ही वे उसे अलग-अलग ढंग से खोजते और अभिव्यक्त करते हैं। पर विडम्बना का बहुत गहरा और तीखा बोध 'तार

सप्तक' की विशेषता है और वह अनेक स्तरों पर व्यक्त या प्रतिफलित हुआ है। स्वयं कवियों का एक-दूसरे से जो मतभेद है वह भी इसी विडम्बना का पर्याय है कि जो लोग एक से संकट से घिरे हैं उनमें भी आपस में समरसता नहीं है। समरसता का एक महास्वप्न 'कामायनी' में जिस स्तर पर पहुँचा था या सर्वथा निरापद नहीं था। पर 'तार सप्तक' में उसमें और गहरी दरारें नज़र आती हैं और यह अहसास भी कि समरसता स्वप्न ही है, सचाई तो बहुत विडम्बनओं से भरी-अँटी है।

कविता को लेकर हिन्दी में पिछली अर्धसदी में जो बुनियादी बहसें हुई हैं वे रही हैं : कवि और कविता की जवाबदेही, जिम्मेदारी और प्रतिबद्धता की बहस, कवि की आस्था का प्रश्न। कथ्य और शिल्प के द्वैत की बात। जनधर्म और कलाधर्म, जीवनदृष्टि और कलादृष्टि, जनवादिता और कलावादिता के बीच द्वन्द्व। इन सब बहसों को अगर ट्रेस करना शुरू करें तो पाएँगे कि कहीं-न-कहीं 'तार सप्तक' में उनका सूत्र है : वह बीजरूप में, कभी कविता के स्तर पर, कभी वक्तव्य के स्तर पर, ये सभी बहसें उठाता है। कहा जा सकता है कि वह हमारी बुनियादी बहसों का उद्‌गम-ग्रन्थ है। यह आकस्मिक नहीं है कि हिन्दी कविता और आलोचना की अधिकांश बहसों में 'तार सप्तक' के अधिकांश कवि जैसे अज्ञेय, मुक्तिबोध, रामविलास शर्मा, नेमिचन्द्र जैन, प्रभाकर माचवे प्रमुखता से हिस्सेदार रहे हैं।

फिर भी, यह सच है कि आज की कविता 'तार सप्तक' से पचास से अधिक बरस दूर की कविता लगती है। शायद 'तार सप्तक' हिन्दी कविता में वह आख़िरी सार्वजनिक मुकाम था जब 'राहों को अन्वेषी' होकर भी वे सातों कवि एक ही कविसमय में लिख रहे थे : उनके लिए परम्परा और रूढ़ियाँ लगभग समान थीं जिनमें वे अलग होने के लिए जूझ रहे थे। पर लिख वे कविता की परम्परा में ही रहे थे। आज की कविता का, जोकि ज़्यादातर स्मृतिवंचित कविता है, सन्दर्भ न तो परम्परा है और न ही एक कविसमय।

हो सकता है कि कुछ लोगों को यह 'तार सप्तक' का अतिपाठ लगे। यों तो सारी आलोचना कुछ न कुछ अतिपाठ होती ही है—वह सिर्फ़ अर्थ खोजती ही नहीं अर्थ की कुछ अपनी तहें भी जमाती है। जैसाकि हिन्दी में रिवाज़ है कि अकसर पुरानी पुस्तकों पर धूल जमती रहती है, भले आलोचना की ही धूल। एक अर्द्धशती पूरी करने पर 'तार सप्तक' पर धूल जमी रहने देने के बजाय उस पर अगर कुछ नया अर्थ चढ़ सकता है तो उसमें उजर क्यों होना चाहिए?

यह सवाल उठता है कि अगर हम 'तार सप्तक' को वैसे पढ़ें जैसाकि ऊपर कोशिश की गई है तो इसका असर 'दूसरा सप्तक' पर क्या होगा। अभी तक जो विश्लेषण होता रहा है वह इन दो सप्तकों के बीच द्वन्द्व मानकर हुआ है। उनके बीच की निरन्तरता, समानताएँ और अन्तर अधिक स्पष्ट देखे जा सकते हैं और

यह पहचान भी की जा सकती है कि 'दूसरा सप्तक' में एकत्र सात कवियों में भी गम्भीर अन्तर और मतभेद हैं। 'तार सप्तक' को पता नहीं था कि 'दूसरा सप्तक' होगा या कि उसका क्या भविष्य है। पर 'दूसरा सप्तक' को पूरी ख़बर थी कि 'तार सप्तक' हो चुका। इतने बरसों बाद हम एक-दूसरे को स्वतन्त्र, एक सिलसिले में और अतीत-भविष्य के रिश्ते में देख सकते हैं। बहुलता और परस्परता का, मतभेद और पड़ोस का, साहस और जिज्ञासा का जो राग इस तरह बनता है उसे आज के बेसुरे शोरगुल में सुन पाना कठिन भले हो, तोषदायी ज़रूर है।

(1994)

हारी होड़

जयशंकर प्रसाद

आज प्रसाद की स्थिति या उनके महत्त्व का आकलन पिछले पचास वर्षों में हिन्दी साहित्य में जो हुआ है उसे ध्यान में रखे बिना नहीं हो सकता यों तो सामान्यीकरण करना हमेशा ख़तरनाक होता है, यह बात कही जा सकती है कि हम ऐसे समय में पहुँच चुके हैं, जहाँ यथार्थ और आधुनिकता की जिन धारणाओं का आज परिदृश्य पर वर्चस्व है, जिस तरह से सरलता, सहजता, दोटूकपन के नए प्रतिमान गढ़े जा रहे हैं उनके चलते प्रसाद ख़ासे बेमेल, लगभग अप्रासंगिक मालूम देते हैं। यह अप्रासंगिकता ही उन्हें आज एक विलोम बनाती है और दूसरे तरह की प्रासंगिकता प्रदान करती है। हमें यह याद रखना चाहिए कि हम आज प्रसाद पर विचार कर रहे हैं : आज जिसमें हमारा राष्ट्र-राज्य व्यापक उथल-पुथल से गुज़र रहा है और दुनिया में सभी स्तरों पर युगान्तरकारी परिवर्तन हो रहे हैं, जबकि यह शताब्दी मानो अपने पर ही पलट रही है।

विचित्र है कि छायावाद और प्रसाद लगातार कुपाठों का शिकार होते रहे हैं और अब लगभग अपाठ की स्थिति आ गई है। यह सब जबकि पिछले तीस वर्षों का ही लेखा-जोखा किया जाए तो यह दिलचस्प तथ्य सामने आएगा कि प्रसाद एक ऐसे छायावादी कवि हैं जिनसे मुठभेड़ मुक्तिबोध, विजयदेवनारायण साही, रामस्वरूप चतुर्वेदी और रमेशचन्द्र शाह जैसे कई पीढ़ियों के आलोचकों को ज़रूरी लगी है। मुक्तिबोध ने प्रसाद के महाकाव्य को 'सभ्यता-समीक्षा' कहा है और यह भी कि 'मानव समाज और आधुनिक सभ्यता सम्बन्धी गहन प्रश्नों की तीव्रता उनमें है।' पर मुक्तिबोध के अनुसार, 'भविष्य के आलोक-स्वप्न का अभाव उनके लिए बड़ी ट्रैजेडी था'। यह और बात है कि स्वयं मुक्तिबोध का आलोक-स्वप्न आज दुःस्वप्न में बदल चुका है या खंड-खंड होकर बिखर रहा है। मुक्तिबोध ने कामायनी में 'अपने युग का अवैज्ञानिक, असंस्कृत, अपरिष्कृत प्रतिबिम्ब' पाया और कहा कि 'प्रसाद वास्तविकताओं से अधिक अपने अमूर्त रहस्यवादी भावधारा के दर्शन में बिंधे रहे।' इसके विपरीत रमेशचन्द्र शाह की स्थापना है कि 'प्रसाद रहस्यवादी कवि नहीं हैं। वे प्रथम अन्तिम रूप से बौद्धिक कवि हैं—अनुभूति की बौद्धिक

प्रतीत व्यवस्था के, अनुभूति और बुद्धि के रासायनिक संश्लेष के कवि हैं।' शाह के अनुसार 'प्रसाद का संसार पावनता, सरलता और गरिमा के अद्भुत रासायनिक यौगिक से रचा हुआ संसार है।' अगर प्रसाद का प्रोजेक्ट 'सभ्यता-समीक्षा' का था और एक स्मरणीय पद में उन्होंने अपनी एक आरम्भिक कविता में अपने को 'विश्व गृहस्थ' कहा था तो इस बात की कुछ गहरी पड़ताल आवश्यक है कि स्वयं प्रसाद अपनी दृष्टि को किस तरह पहचानते और परिभाषित करते हैं।

काव्यकला तथा अन्य निबन्ध में उन्होंने कहा है कि 'भारतीय विचारधारा ज्ञानात्मक होने के कारण मूर्त और अमूर्त का भेद हटाते हुए बाह्य और आभ्यन्तर का एकीकरण करने का प्रयत्न करती है।' अन्यत्र प्रसाद कहते हैं कि 'जब हम समझ लेते हैं कि कला को प्रगतिशील बनाए रखने के लिए हमको वर्तमान सभ्यता का–जो सर्वोत्तम है, अनुसरण करना चाहिए तो हमारा दृष्टिकोण भ्रमपूर्ण हो जाता है। अतीत और वर्तमान को देखकर भविष्य का निर्माण होता है, इसलिए हमको साहित्य में एकांगी लक्ष्य नहीं रखना चाहिए।'

चेतना को एक उज्ज्वल वरदान माननेवाले प्रसाद का मत था कि 'यथार्थवाद क्षुद्रों का ही नहीं अपितु महानों का भी है। वस्तुतः यथार्थवाद का मूल भाव है वेदना। जब सामूहिक चेतना छिन्न-भिन्न होकर पीड़ित होने लगती है, तब वेदना की विवृत्ति आवश्यक हो जाती है।' उनके उपन्यास **तितली** का एक चरित्र कहता है : 'भारतीय आत्मवाद के मूल में व्यक्तिवाद है : किन्तु उसका रहस्य है समाजवाद की रूढ़ियों से व्यक्ति की स्वतन्त्रता की रक्षा करना और व्यक्ति की स्वतन्त्रता का अर्थ है व्यक्ति की समता की प्रतिष्ठा, जिसमें समझौता अनिवार्य है। युद्ध का परिणाम मृत्यु है। जीवन से युद्ध का क्या सम्बन्ध है, युद्ध तो विच्छेद है और जीवन में शुद्ध सहयोग है।' प्रासंगिकता के खोजियों को इन शब्दों में, विशेषतः 'समाजवाद की रूढ़ियों की स्वतन्त्रता की रक्षा', 'व्यक्ति की समता की प्रतिष्ठा', 'समझौता' और 'युद्ध का परिणाम मृत्यु' में उस परिवर्तन और पुनर्गठन की सीधी प्रतिध्वनि मिल सकती है जो समाजवादी समाजों में घटित हो रहा है। यह पूर्वाभास 'स्वप्न के अभाव' से नहीं उस गहरी और उत्तरदायी 'सभ्यता-समीक्षा' से निकला था जो प्रसाद का, भले ही अविवक्षित पर असंदिग्ध, उद्देश्य था। साही ने प्रसाद की सूक्ष्म दृष्टि का हवाला देते हुए यथार्थ और आदर्श को समन्वित दृष्टि से देखने की कोशिश का ज़िक्र किया है और कहा है कि 'प्रसाद ही क्यों, सारे छायावाद युग की कोशिश इन दोनों के भेद को मिटाने की ही रही है।' साही ने आगे कहा है कि 'जिस तरह छायावाद युग की चरम आस्था यह है कि अन्तर्जगत का सत्य बहिर्जगत का सत्य ही है और दोनों में कभी व्यवधान पैदा नहीं हो सकता उसी तरह उसकी मान्यता की दूसरी आधारशिला यह है कि नैतिक विज़न और कल्पनाशील विज़न दोनों वस्तुतः एक हैं और इन दोनों में कभी भी दरार नहीं पड़ सकती।' रामस्वरूप

चतुर्वेदी की धारणा है कि 'प्रसाद ने मध्यकालीन संन्यास प्रधान आदर्श के विरोध में एक समृद्ध और समग्र दृष्टि की प्रस्तावना की जहाँ भारतीय पुनर्जागरण के आधार ग्रन्थ गीता का निष्काम कर्म नहीं है वरन् जहाँ कर्म भोग को प्रेरित करता है और भोग कर्म को।' 'रामकृष्ण, विवेकानन्द और तिलक के युग में गीता की विराट् दृष्टि में भी कुछ जोड़ने का उपक्रम' प्रसाद की 'उपलब्धि को अधिक स्पृहणीय बनाता है।' साही ने छायावाद को सत्याग्रह युग का ही एक संस्करण बताते हुए कहा है कि 'गांधीजी का मनुष्य इतिहास के भीतर भी है इतिहास के बाहर भी—कालबद्ध भी है—कालातीत भी।' प्रसाद का काव्य अपेक्षया देशातीत है जबकि उनके गद्य का बहुत बड़ा हिस्सा बनारस पर एकाग्र है। कालातीत और काल के बीच, देशातीत और देश के बीच सन्तुलन या तनाव प्रसाद की सृजनात्मकता का मूल आधार है। छायावादी काव्य को शक्ति-काव्य मानते हुए रामस्वरूप चतुर्वेदी ने कहा है कि 'छायावाद की राष्ट्रीयता में आधार राजनीति की अपेक्षया संस्कृति है।' यहाँ यह याद करना भी अनुपयुक्त न होगा कि जैसा कि शाह ने कहा है 'हिन्दी कहानी में यथार्थवाद की नींव प्रसाद ने ही डाली थी।' लेकिन 'प्रसाद की व्यक्तिगत मनीषा पर भारतीय मनीषा का बोझ था। बीसवीं सदी के किसी भी भारतीय कवि ने इस बोझ को इतना और इस तरह वहन नहीं किया होगा जितना कि प्रसाद ने।' इस बोझ के रहते ही प्रसाद ग्रीक और भारतीयों के अस्त्रों के युद्ध को दो बुद्धियों की लड़ाई के रूप में, अरस्तू और चाणक्य के दृष्टि-द्वन्द्व के रूप में देख सकते थे। पिछले पचास वर्षों में सृजनात्मक प्रयत्न का प्रभावशाली आधार संस्कृति के बजाय राजनीति होता गया है और इसलिए यह आश्चर्य नहीं कि यथार्थ के इस अधिक जटिल और जातीय स्मृति में अवस्थित बोध का धीरे-धीरे हमारे यहाँ अवमूल्यन होता गया है।

एक ऐसे समय में जब दो पीढ़ी पहले के किसी कवि को आज के कवि अपना पूर्वज या समानधर्मा कहने या पहचानने में हिचकिचाते हैं क्या प्रसाद मात्र एक शोभा-पुरुष हैं जिनकी दृष्टि या युक्तियों, जिनके संघर्ष और सफलताओं-असफलताओं से हमारा कोई सम्बन्ध नहीं रह गया है? उनका नामोल्लेख जब-तब सिर्फ़ वैधता की तलाश में मददगार है? मनुष्य की नियति, काल, मृत्यु जैसे चरम प्रश्नों से, गहरे और सजग अध्यात्म में विरत और विमुख समकालीन साहित्य के लिए प्रसाद एक पुराने और कठिन कवि-भर हैं। जो यथार्थ हिन्दी में प्रभावशील हुआ वह अपेक्षया सीधा-सपाट, इकहरा और दोटूक यथार्थ है, प्रसाद का जटिल और बहुस्तरीय यथार्थ नहीं।

जिसे हिन्दी में हम आधुनिक आलोचना कहते हैं उसकी शुरुआत छायावाद के युग से ही हुई। लगभग उसी समय से आलोचना का एक प्रमुख सरोकार समकालीन साहित्य होना शुरू हुआ। क्या छायावाद के कवियों की अपनी धारणाओं और आपसी विभिन्नताओं के साक्ष्य को, उनके वक्तव्यों और कविताओं के बीच

के अन्तरालों को ध्यान में रखकर उस समय या बाद में छायावाद की प्रामाणिक व्याख्या या अवधारणा सम्भव हुई? अगर नहीं तो क्या आधुनिक आलोचना के आरम्भ में ही एक नैतिक खोट, बौद्धिक समावेशिता का अभाव घर गए? क्या सृजनात्मक अवधारणाओं और रचना के साक्ष्य से उदासीन रहकर कठिन बौद्धिक उद्यम और नैतिक ज़िम्मेदारी से बचकर मनचाहे सामान्यीकरण और सिद्धान्त थोपने की हमारी आधुनिक आलोचना की जो अच्छी-खासी आदत बन गई है उसका उद्‌गम छायावाद के साथ आलोचना ने जो सुलूक किया उसी में निहित है?

बीसवीं शताब्दी के पूर्वार्द्ध में पश्चिम से हमारी मुठभेड़ अधिक व्यापक और तेज़ हो रही थी और उसकी विश्व-दृष्टियों का आतंक भी भारतीय समाज पर बढ़ रहा था। औपनिवेशिक राजव्यवस्था में प्रसाद की सृजनात्मक चेतना और संकल्प ने इन नई चुनौतियों का, आँख खोलकर, नैतिक और बौद्धिक स्तर पर समकक्षता के भाव से सीधा सामना किया : अन्ततः प्रसाद का प्रतिरोध, उनकी गहरी संग्राम-चेतना अपने विचार और दृष्टि को दूसरों का उपनिवेश बनने देने के विरुद्ध थी। इस संघर्षबोध का मूलाधार थी भारतीय मनीषा के पुनराविष्कार में उनकी आस्था लेकिन साथ ही एक नई संस्कृति के पहले आघातों से बदलते समाज और उसकी नियति पर ट्रैजिक बोध भी। महाकाव्य की देवपरम्परा से हटकर उसमें मनुष्य के नायकत्व की प्रतिष्ठा करनेवाले प्रसाद को उनके ही एक मूर्धन्य समकालीन प्रेमचन्द ने जब यह सलाह दी थी कि उन्हें अपनी शक्ति का उपयोग वर्तमान सामाजिक और राजनीतिक समस्याओं के हल में लगाना चाहिए और कहा कि, 'इन गड़े मुर्दों को उखाड़ने से आज कोई फ़ायदा नहीं' तो एक तरह से उन्होंने प्रसाद को न समझने की लम्बी परम्परा का श्रीगणेश भी कर दिया था और हमारी साहित्यिक संस्कृति के मनुष्य के चरम प्रश्नों, उसकी कालातीत चिन्ताओं से विरत होने के उस आधुनिक प्रोजेक्ट की प्रस्तावना भी कर दी थी जो पिछले पचास वर्षों से चलता रहा है।

यह प्रश्न उठाना अप्रासंगिक नहीं है कि हमारी आज की मुखर संघर्षचेतना का स्वरूप अन्ततः है क्या? उसमें सामाजिक-आर्थिक शक्तियों के संघर्ष का अहसास है पर क्या उसमें हमारी संस्कृति के बुनियादी द्वन्द्व और चुनौतियों का भी अहसास शामिल है? यह इतिहास-चेतना दरअसल सारे इतिहास को सामाजिक-आर्थिक रूपों में ही देखकर उसमें अन्तर्निहित चरम प्रश्नों को या तो अनदेखा करती है और या सरलीकृत। यह विचित्र है कि इस तथाकथित इतिहास-बोध का मूल हमारा अपना ठोस इतिहास नहीं है बल्कि उसकी नज़र में उस इतिहास को विचार में लेना तो दूर उसका ज़िक्र मात्र भी पिछड़ेपन की निशानी है। अपनी अनैतिहासिकता को इतिहासबोध कहना इन दिनों चीज़ों को उनके सही नाम से पुकारना है! इस बोध में अभी पचास वर्षों पहले प्रसाद द्वारा लड़े गए वैचारिक और सृजनात्मक संग्राम की कोई स्मृति शेष नहीं है : संस्कृति को भूलकर, प्रसाद

और उनके महासमर को भूलकर बनाई हमारी संग्रामचेतना एक व्यापक और संगठित रूप से फैलाया जा रहा प्रवाद है। यह इतिहास चेतना विस्मृति और जातीय दायवंचन से भरी है और वैचारिक संग्राम को झगड़ों में अवमूल्यित कर आत्मसन्तुष्ट है। यह नहीं कि इस सबका कोई प्रतिरोध नहीं रहा—वह न केवल रहा है बल्कि निरन्तर सक्रिय और सजग है और अपनी परम्परा और समकालीनता दोनों को इन ग़ैर-मुद्दों, अनैतिहासिकता और आत्महीनता के दुष्चक्र से उबारने की कोशिश भी करता रहा है। उत्तर-आधुनिकता, आधुनिकतावाद और इतिहासवाद दोनों के अन्ततः आख्यान बनकर रह जाने पर, असहाय अरण्यरोदन नहीं है : वह भाषा, दृष्टि, संवाद, स्थिति और नियति सभी के बारे में पूरी शताब्दी के अनुभवों की रौशनी में नई प्रश्नाकुलता का दूसरा नाम है। वह 'सार्वभौम शाश्वत बुद्धि वैभव' का स्वाधीन और जनतान्त्रिक पुनराग्रह है।

पूर्व और पश्चिम के द्वन्द्व के बारे में जैसी सजगता प्रसाद में थी वैसी उस समय किसी और में नहीं थी और दुर्भाग्य से अब जब स्वतन्त्रता के बाद हम पश्चिम के सामने लगभग पूरी तरह से बौद्धिक आत्मसमर्पण और लगभग जानबूझकर अपना जाति-निर्वासन का एक आसान और इकहरे सामाजिक यथार्थ को एकमात्र यथार्थ मानकर पुलकित हैं, ज़ाहिर है प्रसाद हमारे लिए या तो शोभा-पुरुष हैं या एक अविचारणीय अप्रासंगिकता। प्रसाद का सच्चा और प्रामाणिक पाठ तब तक सम्भव ही नहीं है जब तक हम अपने को एक पराधीन औपनिवेशिक पाठ-पद्धति से मुक्त नहीं करते। जब तक हम यह नहीं पहचानते कि साहित्य का धर्म अपने समय में सभ्यता-समीक्षा करना ही है, कि मूर्त और अमूर्त, बाह्य और आभ्यन्तर के एकीकरण का प्रयत्न कल्पना, मनीषा और सृजन का अत्यन्त साहसिक यत्न है, कि हमारा यथार्थ निरी सामाजिकता और आर्थिक-राजनीतिक शक्तियों से नियमित अन्तर्ध्वनि और आन्तरिकता से हीन यथार्थ नहीं बल्कि उनके साथ ही अनेक आध्यात्मिक चिन्ताओं, दार्शनिक प्रश्नों और जातीय स्मृति में उलझा, उनसे जूझता यथार्थ है और इसका अस्वीकार एक तरह से भारतीय जातीय उत्तराधिकार का दायवंचन है, कि यह कोई गोलमोल रहस्यवादिता या आध्यात्मिकता की शरण में जाना नहीं बल्कि अपने समय उसके संघर्ष, उसमें साहित्य की स्थिति को अधिक गहरे समझने की कोशिश है तब तक हम अपनी परम्परा के इस अत्यन्त मूल्यवान् प्रसाद-तत्त्व का न तो साक्षात् ही कर सकते हैं और न अपने लिए कोई पुनराविष्कार भी।

प्रसाद ने जानबूझकर हारी होड़ लगाई थी—पर क्या भारतीय प्रतिमा की जिजीविषा और अस्मिता ने सचमुच हार मान ली है? क्या हम इस दुर्घटना के साक्षी और कमोबेश उसमें भागीदार हैं? क्या प्रसाद-तत्त्व आज भी, प्रलयपथ पर चलते हुए, होड़ लगाने से हारा थका नहीं है? आज हमें इन प्रश्नों से जूझना और यथासम्भव उनके उत्तर खोजना चाहिए। *[1989]*

अकेलेपन का वैभव

कुछ बरसों पहले अज्ञेय ने हिन्दी में समकालीन साहित्यिक प्रयास को व्यक्तित्व की खोज कहा था। समूचे नए साहित्य के बारे में भले ही वह एक अधूरा सामान्यीकरण जान पड़े, जहाँ तक अज्ञेय की कविता का सम्बन्ध है, व्यक्तित्व की खोज की धारणा उसके बुनियादी सरोकार का सही नाम है। अज्ञेय की खोज व्यक्तित्व की खोज ही नहीं, आत्मसाक्षात्कार की भी कोशिश रही है। दूसरे, अज्ञेय की कविता, अपनी श्रेष्ठ उपलब्धियों में, व्यक्ति की उसके पूरे अकेलेपन में गहन खोज है। शायद गहन अकेलेपन की यह लगातार स्थिति, लगभग स्थाई भाव, अज्ञेय की कविता को उसका ख़ास चरित्र और मुहावरा देता है—यही स्थाई भाव उन्हें अपने दूसरे समकालीनों से अलग भी करता है जिनसे यों उनके कई सरोकार मिलते-जुलते हैं। यह अकेलापन उस अकेलेपन या कटाव तक सीमित नहीं है जो आधुनिक समाजों में प्रायः सभी जगह व्यक्ति महसूस करता है, और हमारे नए साहित्य की एक प्रमुख थीम है। वह उससे विशिष्ट इस अर्थ में है कि वह चीज़ों और मनुष्य दोनों की दुनियाओं में अकेलापन है। वह सब कुछ को नामहीन करती, लीलती सामाजिकता और व्यक्तित्व के तनाव से उत्पन्न अकेलापन मात्र नहीं है—वह एक तरह का आध्यात्मिक अकेलापन है। इस सिलसिले में यह महत्त्वपूर्ण है कि अज्ञेय की कविता में एक बुनियादी तनाव व्यक्ति की आत्यन्तिकता, गरिमा और अद्वितीयता को प्रतिष्ठित और सुरक्षित करने की कोशिश और व्यक्ति को वृहत्तर से, जो कभी समाज और, ख़ासकर बाद की कविता में, समूचे मनुष्य का और मनुष्येतर संसार है, जोड़ने, समंजस करने की इच्छा, उम्मीद और ज़रूरत के बीच है। यह तनाव कभी-कभी लगभग अस्तिमूलक परिताप में प्रतिफलित होता है, हालाँकि अज्ञेय की कविता के ठण्डे मिजाज के अनुरूप उसे कभी कोई उद्‌दाम या उत्तेजित अभिव्यक्ति नहीं मिलती।

जब अज्ञेय और उनके तारसप्तकीय सहयोगियों ने जीवन और कला में व्यक्ति की नई प्रतिमा गढ़ने और प्रतिष्ठित करने की कोशिश कर हिन्दी की आधुनिकता में, इतिहास में, एक नया मोड़ प्रस्तुत किया, तब एक ओर तो कविता छायावा़दियों के आधिभौतिक और घिसे-पिटे मिथकों में उलझी थी, और दूसरी ओर

प्रगतिवादियों की बड़बोली सार्वजनिकता और सामाजिकता से आक्रान्त थी। दोनों ही ढंग अपने समय की सचाई की जटिलता और उलझाव को पकड़ सकने और चरितार्थ करने के लिए अपर्याप्त थे। अपने दूसरे समकालीनों के साथ अज्ञेय ने जीवन्त और जटिल व्यक्तित्व के बदले किसी तरह के सामाजिक सरलीकरणों को जगह देने से इनकार किया। अपनी आलोचना में, जिसे वे हमेशा आपद्धर्म मानते रहे, अज्ञेय ने अद्वितीयता और वैयक्तिकता की धारणाएँ और, उनका तार्किक प्रतिफलन, अनुभव की प्रामाणिकता और ईमानदारी-जैसी धारणाएँ विकसित कीं। कविता में अज्ञेय एक ऐसे व्यक्ति के रूप में ज़ाहिर हुए जो संघर्ष के जीवन्त क्षणों में अपनी अद्वितीयता और गरिमा प्रगट करता है। जहाँ उनकी कविता इस संघर्ष को काव्यानुभव के रूप में चरितार्थ करने की कोशिश है, वहाँ उनकी आलोचना कविता को सैद्धान्तिक आधार और दिशा देने की चेष्टा है। दरअसल, अज्ञेय की कविता और काव्यशास्त्र में सरोकारों की एकता है और यह बात अज्ञेय के लेखकीय दिमाग़ की सम्पूर्णता का साक्ष्य है। अज्ञेय की कविता का वैभव, गरिमापूर्ण परिष्कार और एक तरह की छांदिकता उनके व्यक्ति और उनकी गरिमा के सरोकार के बिलकुल अनुकूल ही जान पड़ती है। अज्ञेय अकेलेपन के ही नहीं वैभव के भी कवि हैं : बल्कि उनका अकेलापन, जैसा कि वह कविता में उजागर होता है, वैभवपूर्ण है। इस सिलसिले में **यह दीप अकेला** कविता की कुछ पंक्तियों पर नज़र डालना काफ़ी होगा :

यह दीप अकेला स्नेहभरा
है गर्वभरा मदमाता, पर
इसको भी पंक्ति को दे दो।

यह अद्वितीय : यह मेरा : यह मैं स्वयं विसर्जित :
यह मधु है : स्वयं काल की मौना का युग-संचय,
यह गोरस : जीवन-कामधेनु का अमृत-पूत पय,

यह प्रकृत, स्वयंभू, ब्रह्म, अयुत।

यह सदा-द्रवित, चिर-जागरूक, अनुरक्त-नेत्र
उल्लंब-बाहु, यह चिर-अखंड अपनापा।

आत्मा की तलाश ने अज्ञेय को अनथक नैतिक व्याख्याकार और सामान्यीकरणों का सहारा लेनेवाला भी बनाया है। किसी अनुभव या भाव को सिर्फ़ व्यक्त करने में वे सन्तुष्ट नहीं होते। वे अनुभव को समझने और उसका नैतिक

मूल्यांकन करने का भी आग्रह करते हैं। कविताओं में इसका सीधा नतीजा होता है सूक्तियों के रूप में। बल्कि यह देखकर थोड़ा अचरज होता है कि अज्ञेय के पहले महत्त्वपूर्ण कविता-संग्रह **हरी घास पर क्षण भर** से उनके अभी तक अन्तिम संग्रह **कितनी नावों में कितनी बार** तक सूक्ति और सुभाषितों की एक अटूट परम्परा है जो उन्हें नई कविता का शायद एकमात्र सूक्तिकार कवि बनाती हैं:

दुख सबको माँजता है
और—
चाहे स्वयं सबको मुक्ति देना वह न जाने, किन्तु
जिनको माँजता है
उन्हें यह सीख देता है कि सबको मुक्त रखें।
(हरी घास पर क्षण भर)

शब्द, यह सही है, सब व्यर्थ है
पर इसीलिए कि शब्दातीत कुछ अर्थ है।
(बावरा अहेरी)

क्योंकि तपस्या
चमक नहीं है,
वह है गलना :

गलकर मिट जाना—मिल जाना—
पाना।
(इन्द्रधनु रौंदे हुए ये)

अच्छी कुंठा-रहित इकाई
साँचे-ढले समाज से,
अच्छा
अपना ठाठ फकीरी
मँगनी के सुख-साज से।

शतियों से मैंने बस एक सीख पाई है
जो मरण-धर्मा हैं वे ही जीवनदाई हैं।
(अरी ओ करुणा प्रभामय)

मौन का ही सूत्र
किसी अर्थ को मिटाए बिना
सारे शब्द क्रमागत
सुमिरनी में पिरोता है।

कहीं बड़े गहरे में
सभी स्वर हैं नियम,
सभी सर्जन केवल
आँचल पसार कर लेना।
(आँगन के पार द्वार)

वह मिट्टी ही है मूल्य
प्यार की मिट्टी
जिससे सरजन होता है
मूल्यों का
पीढ़ी-पर-पीढ़ी।

ज़िन्दगी के रेस्तराँ में यही आपसदारी है
रिश्ता-नाता है—
कि कौन किसको खाता है।
(कितनी नावों में कितनी बार)

यह और बात है कि कभी-कभी **नदी के द्वीप, जो कहा नहीं गया, लौटे यात्री का वक्तव्य** जैसी कविताओं में 'आवेग और सचाई, गीतात्मकता और दार्शनिक स्थापनाएँ, और अनुभव और महत्त्व' एक-दूसरे से बिल्कुल मिल-धुलकर एक साथ अभिव्यक्ति पाते हैं। लेकिन जब यह संयोजन नहीं हो पाता—और ऐसे अनेक अवसर आते हैं जब नहीं हो पाता—तो अभिव्यक्ति ख़ासी उपदेश-जैसी हो जाती है और अक्सर यह महसूस होता है कि कवि सचेत ढंग से श्रमपूर्वक अनुभव में महत्त्व का आयात और उसे पाठक को दिखाने की कोशिश कर रहा है। अज्ञेय की बहुत-सी कविताओं का संयोजन तर्क-जैसा है और उनमें किसी तरह के आर्गेनिक फ़ार्म का अभाव है। लेकन तर्क के ढाँचे का इस्तेमाल अज्ञेय कई बार अच्छी चिन्तनशील कविता लिखने के लिए कर पाते हैं। **यह दीप अकेला, पश्चिम के समूह-जन, नदी के द्वीप** कविताओं का ढाँचा मूलतः तार्किक है, लेकिन उनमें ऐसी कविता भी है जो चरितार्थ है और नीतिवादी सपाटता से बच सकी है।

अगर अज्ञेय की बिम्ब-व्यवस्था की पड़ताल की जाए, तो पता चलेगा कि उन्होंने वास्तविक दुनिया का लाक्षणिक इबारत की तरह इस्तेमाल किया है, यानी कि वे वास्तविक दुनिया के ब्यौरों का उनके अपने लिए नहीं, बल्कि किन्हीं दूसरे अभिप्रायों और अर्थों को उजागर करने के लिए इस्तेमाल करते हैं। हालाँकि यह भी सच है कि प्राकृतिक दुनिया के बहुत तीक्ष्ण और स्पष्ट चित्र उनकी कविता में मिलते हैं। अज्ञेय के यहाँ लैंडस्केप एक प्रतीक के रूप में या प्रतीकात्मक पृष्ठपट्ट के रूप में प्रगट होता है और वे उसके माध्यम से ऐसे भावों और अमूर्त थीमों को स्पष्ट करने की कोशिश करते हैं जिन्हें सीधे-सीधे काव्यात्मक ढंग से या दूसरी किसी हिकमत से स्पष्ट करना सम्भव नहीं है। जैसे **दूर्वाचल** और **तुम फिर आ गए क्वाँर?** कविताओं में स्पष्ट और सूक्ष्म-प्रकृति-चित्र हैं। लेकिन उनकी बिम्ब-व्यवस्थाओं से कवि अपनी सूक्ष्म दृष्टि में आए प्रकृति के अवलोकनों को गूँथने-सजाने की कोशिश नहीं, बल्कि क्रमशः छायावादी अस्थिरता और उदास प्रतीक्षारत अकेलेपन की थीमें चरितार्थ करता है।

लौटे यात्री का वक्तव्य जैसी कविताओं में अज्ञेय की सूक्ष्म दृष्टि सीधे अनुभव की एक सघनता दे देती है जिससे कोई सामान्यीकरण स्वाभाविक रूप से विकसित हो पाता है। लेकिन कई बार जब ऐसी सूक्ष्म दृष्टि और उससे प्राप्त सघनता सम्भव नहीं होती, तो कविताओं के विभिन्न घटकों में असंगति पैदा हो जाती है, और फिर उनकी असंगति का सिवाए कवि की गहरी अन्तर्मुखता के और कोई बचाव या कारण नहीं रह पाता। बल्कि यह कहना निराधार नहीं होगा कि अज्ञेय में दूसरे के, उनके अपने मुहावरे में कहें तो 'ममेतर' के, बोध का अभाव जान पड़ता है। अज्ञेय को संसार की अन्यता जैसे उपलब्ध ही नहीं है। एक बिम्ब पर दूसरे का ढेर लगाने की चतुराई, जबकि अक्सर उन्हें काव्यात्मक महत्त्व के स्तर पर थामने के लिए कोई आर्गेनिक सम्बन्ध न हो, या अकेले लम्बे बिम्बों को फैलाने की हिकमत, दोनों ही इस बात का प्रमाण हैं कि अज्ञेय को बुनियादी रूप से अपने नितान्त अकेले होने का अहसास है और वे उससे कविता के माध्यम से परे जाने की कोशिश करते हैं।

अज्ञेय की चारित्रिक मुद्राएँ ज़्यादातर यात्री या यायावर और दाता की हैं। ये मुद्राएँ अज्ञेय के अलगाव और मानवीय उलझाव की अपेक्षाकृत कमी की नाटकीय गवाही-सी देती हैं। यह आकस्मिक नहीं है कि उनका काव्यसंसार ज़्यादातर प्राकृतिक उपादानों और अमूर्तनों से गढ़ा गया है। उसमें मानवीय उपस्थिति अपेक्षाकृत बिरली ही है, हालाँकि वहाँ यह जोड़ना ज़रूरी है कि, बावजूद इसके अज्ञेय का काव्यसंसार एक स्वायत्त संसार है, उसकी स्वायत्तता कविता की उस स्वायत्तता का ही एक संस्करण है जिसकी वकालत अज्ञेय ज़ोर-शोर से बराबर करते रहे हैं। वे 'आदमियों से बातचीत करता एक आदमी' उतना नहीं हैं, जितना

कि एक ऐसे कवि जिसका सम्बोधन उन सबके प्रति है जो उसे सुनना पसन्द करें। अज्ञेय को अपने कलाकार होने का हमेशा अहसास है और इसलिए वे हमेशा एक खास आवाज़ और शैली में अपनी कविताओं में बोलते हैं और एक तरह की शालीनता का पालन करते हैं। शायद उनके पहले या बाद के किसी कवि ने उनकी तरह स्वयं कविता को ही इतने नियमित ढंग से अपनी कविता की थीम नहीं बनाया हो। शायद उनके अकेलेपन के वैभवपूर्ण होने की एक वजह उनका रचनात्मक कर्म में अटल विश्वास है। शुरुआत के काव्य में अज्ञेय के यहाँ रचनात्मक कर्म के प्रति गर्व का भाव है और उसके बारे में आक्रामक लगते दावे हैं। पर धीरे-धीरे इन दावों और गर्व की जैसे अग्नि-परीक्षा होती है और अज्ञेय की बाद की कविता में आरम्भिक गर्व बिल्कुल ही गायब-सा हो जाता है और उसका स्थान उल्लेखनीय विनयशीलता ले लेती है : जैसा कि उन्होंने बाद की एक कविता में कहा भी है 'सभी सर्जन केवल आँचल पसारकर लेना'।

अज्ञेय को भाषा और सचाई के बीच की खाई या अलगाव का बराबर अहसास रहा है। अपनी कविता और आलोचना में, जो सही मायने में वर्कशाप की आलोचना ही है, अज्ञेय बार-बार भाषा की प्रामाणिकता और अनुभूति और अन्तर्दृष्टि को चरितार्थ करने के लिए उसकी अपर्याप्तता की परख करते हैं :

यह नहीं कि मैंने सत्य नहीं पाया था
यह नहीं कि मुझको शब्द अचानक कभी-कभी मिलता है :
दोनों जब-तब सम्मुख आते ही रहते हैं।
प्रश्न यही रहता है :
दोनों जो अपने बीच एक दीवार बनाए रहते हैं
मैं कब, कैसे, उनके अनदेखे
उसमें सेंध लगा दूँ
या भरकर विस्फोटक
उसे उड़ा दूँ।

और

मैं सच लिखता हूँ :
लिख-लिखकर सब
झूठा करता जाता हूँ।

अज्ञेय की प्रेम-कविता में उनके बुनियादी सरोकारों का एक और पहलू सामने आता है। एक ओर तो उनका अद्वितीयता का सामान्य आग्रह और आत्मा के एकान्त

की रक्षा का प्रयत्न बना रहता है, पर दूसरी ओर आत्मदान और इससे मुक्ति पाने की इच्छा भी प्रगट होती है। आरम्भिक प्रेम-कविताओं में, जो **इत्यलम** और **हरी घास पर क्षण भर** में संग्रहीत हैं, ऐसे प्रसंग हैं जो बिलकुल स्पष्ट, निजी इसलिए ठोस और उद्दाम हैं। फिर धीरे-धीरे उम्मीद और कामना की सादगी और स्पष्टता को प्रेम की एक रहस्यात्मकता नियमित, या कम-से-कम प्रभावित, करने लगती है और अनुभव जटिल होता जाता है। होता यह है कि अनुभवों में जटिलता तो आती है, लेकिन उनकी मानवीय तात्कालिकता कम या क्षीण हो जाती है। बल्कि बाद में याने **अरी ओ करुणा प्रभामय** के समय से अज्ञेय ने सामान्य अर्थ में प्रेम-कविताएँ लगभग लिखी ही नहीं हैं। मानवीय उपस्थिति बाद में एकदम अमूर्त हो गई है और प्रेम निर्वैयक्तिक होकर सार्वभौम प्रेम और पारमिता करुणा हो गया है। एक दिलचस्प बात अज्ञेय की प्रेम-कविताओं में यह भी है कि स्त्री के प्रति अज्ञेय की दृष्टि संरक्षक और दाता की है। स्त्री, भले ही वह प्रेमिका ही क्यों न हो, पुरुष से हमेशा कुछ नीचे है, कभी समान स्तर पर नहीं। (शमशेर बहादुर सिंह के यहाँ, यह याद रखने की बात है, स्त्री हमेशा पुरुष से ऊपर है)। **पराजय है याद** से लेकर **भीतर जागा दाता** की ये पंक्तियाँ इस सिलसिले में देखी जा सकती हैं।

मैं डूबा नहीं, उमड़ा-उतराया,
फिर भीतर
दाता खिल आया।
हँसा, हँसकर तुम्हें बुलाया।
लो यह स्मृति, यह श्रद्धा, यह हँसी,
यह आहत, स्पर्श-पूत भाव
यह मैं, यह तुम, यह खिलना,
यह ज्वार, यह प्लवन,
यह प्यार, यह अडूब उमड़ना–
सब तुम्हें दिया।

प्रेमी के रूप में भी अज्ञेय की मुख्य मुद्रा दाता की है, और अक्सर लगता है प्रेम कृपा है जो वे 'दूसरे' पर कर रहे हैं–उन्हीं के शब्दों में कहें तो, उनके यहाँ प्रेम एक 'उदार उद्यम' है। शायद इसीलिए अपने सबसे नए कविता संग्रह में जब वे प्रेम को परिभाषित करते हैं तो बिम्बों की किसी स्फूर्त व्यवस्था के माध्यम से नहीं, बल्कि रुखे भाववाचक शब्दों द्वारा :

हाँ,
क्योंकि ये ही सब चीज़ें तो प्यार हैं–

यह अकेलापन, यह अकुलाहट,
यह असमंजस, अचकचाहट,
आर्त अनुभव,
यह खोज, यह द्वैत, यह असहाय
विरह-व्यथा,
यह अन्धकार में जागकर सहसा पहचानना कि
जो मेरा है वही ममेतर है।

अज्ञेय ने अपनी कविता में हरी घास, इन्द्रधनु, सेतु, सागर, मछली, चक्रान्त शिला आदि बीसियों प्रतीक विकसित किए हैं जो बार-बार दुहराए जाकर स्पष्टता और महत्त्व प्राप्त करते हैं। लेकिन वे प्रतीकों का सहारा लिये बिना भी अपनी बात कह सकने में समर्थ हैं। पश्चिम की समूह-सभ्यता पर एक तीक्ष्ण निर्णय **पश्चिम के समूहजन** कविता में बिना किसी बिम्ब के सीधी कहन द्वारा दिया गया है और कविता के रूप में निरा वक्तव्य न रहकर विश्वसनीय लगता है। **चक्रान्त शिला** की कुछ कविताओं में अज्ञेय की संवेदना की वह एमिली डिकिंसन-जैसी विशिष्टता ज़ाहिर होती है जिसके रहते वे अमूर्त को इतना पास ले आते हैं कि वह मूर्त हो उठता है :

मैंने उठकर खोल दिया वातायन—
और दुबारा चौंका :
वह सन्नाटा नहीं
झरोखे के बाहर
ईश्वर गाता था।

और दूसरी कविताएँ हैं जिनमें वे मूर्त को इस तरह पीछे ले जाते हैं कि वह अमूर्त जान पड़े :

दीप पत्थर का
लजीली किरण की
पद-चाप नीरव :
अरी ओ करुणा प्रभामय!
कब? कब?

नई कविता में मुख्य प्रयत्न समकालीन सचाई का सीधा साक्षात्कार करने और इस साक्षात्कार को जीवन्त और व्यवस्थित भाषा में चरितार्थ करने का रहा है। अज्ञेय का मुहावरा ज़्यादातर आत्म-साक्षात्कार का रहा है, लेकिन शहरी सभ्यता,

बड़े शहर और पश्चिमी संस्कृति आदि, पर लिखी गई **बावरा अहेरी, हरी घास पर क्षण भर, हवाई यात्रा : ऊँची उड़ान, पश्चिम के समूहजन, हिरोशिमा, महानगर : रात**, इत्यादि कविताएँ सभ्यता से उलझने का साक्ष्य हैं। प्राकृतिक दुनिया और शहरी दुनिया को विकल्पों के रूप में देखना शायद आसान भोलापन जान पड़े, लेकिन इन कविताओं में अज्ञेय सशक्त ढंग से समकालीन संस्कृति के सतही छिछलेपन, यान्त्रिकता, अकरुणा और दूसरे अन्तर्विरोधों की काव्यात्मक खोज कर सके हैं। इन सभी कविताओं में अज्ञेय की मुद्रा तटस्थ दर्शक, यात्री या अधिक से अधिक गवाह की है—मुक्तिबोध-जैसी हिस्सेदारी और सघनता, या पूरे षड्यन्त्र के केन्द्र में कहीं खुद को पाने की भयानकता, इनमें नहीं है और इसलिए एक तरह की आत्मतुष्टि और कुछ सरलीकरण भी उनमें हैं।

अज्ञेय के यहाँ परम्परा साक्षात्कृत सचाई का ही एक हिस्सा है। परम्परा-बोध, जो उनमें काफ़ी प्रबल है, सीधे सन्दर्भों या उद्धरणों द्वारा उजागर न होकर, कविता में भाषाई मुहावरों में अतीत की प्रतिध्वनियों द्वारा होता है। बल्कि अज्ञेय की कविता में परम्परा-बोध बिना शोरगुल मचाए चुपके से उनकी भाषा को एक तरह का फैलाव देता है, और इस प्रक्रिया में उनके आधुनिक मुहावरों में वक्तव्य का पारम्परिक ठोसपन आ जाता है। इस तरह वर्तमान अनुभव अपनी काव्यात्मक चरितार्थता के माध्यम से परम्परा का हिस्सा बन जाता है।

अज्ञेय की कविता में मनुष्य की हालत को प्रभावित करने वाली प्राकृतिक, सामाजिक, नैतिक और आध्यात्मिक शक्तियों का अहसास है। इन शक्तियों से जूझते या संयुक्त होते आत्मा अपना अन्तर्चित्र, हापकिंस के एक शब्द में कहें तो 'इनस्केप', प्रकट करती है। ये शक्तियाँ कविता में अपने को जिन रूपों में व्यक्त करती हैं, उनसे एक दिलचस्प खोज यह होती है कि कहीं-कहीं अज्ञेय की कविता में कृतज्ञता-बोध भी है—

> अपने को मिट्टी कर उसका अंकुर पनपाता हूँ
> पुष्प-सा, सलिल-सा, प्रसाद-सा
> कंचन-सा, शल्य-सा, पुण्य-सा
> अनिर्वच आल्हाद-सा लुटाता हूँ
> क्योंकि तुम हो।

या

> मैं भी आँचल
> तब पसार दूँगा जब गूँजेगी उसकी पद-पायल,
> मैं भी लूँगा बीन-छीन

कण-दो कण जो भी हाथ लगेंगे
उस रसवन्ती की पुष्कल करुणा के।

यह कृतज्ञता और विनयशीलता अज्ञेय के अकेलेपन को 'डिह्यूमैनाइज़्ड' होने से बचाती है और उनकी कविता में मानवीय गरमाई का एक प्रमुख उपकरण है।

अज्ञेय की बाद की कविता खासी विवादास्पद कविता है। यहाँ संक्षेप में ही उसके बारे में कुछ कहा जा सकता है। सबसे पहले तो यह कि उसका संसार पारम्परिक बिम्बों और पारम्परिक भाषा में शास्त्रीय मुद्राओं से बना मिथिकल संसार है जिसकी समकालीन संसार से संगति स्पष्ट या परिभाषित नहीं हो पाती है, भले ही वह एक स्वायत्त संसार है। दृश्यालेख भी मूलतः सामान्यीकृत है, और धीरे-धीरे अमूर्त होता गया है। कविता का मुख्य स्वर स्वीकार और विनयशीलता का है। वे एक तरह की रहस्यात्मक मिथ के रहते उभरते हैं। इस रहस्यात्मकता में वृहत्तर सचाई से सम्पूर्ण तादात्म्य और आत्म-समर्पण के अनुष्ठानों के माध्यम से आत्मा एक लोकोत्तर निरन्तरता हमेशा पा सकती है। यह महत्त्वपूर्ण है कि कविता में मानवीय उपस्थिति और भी पीछे फिसल गई है और हम एक ऐसे संसार में हैं जो एक तरह का 'कहीं नहीं' का संसार है—बल्कि एक तरह का संसार जिसका कोई विशेष देश या काल नहीं है। वस्तुएँ जैसे एक तरह की कालहीनता की पृष्ठभूमि में दीख पड़ती हैं। कविता मौन और गतिहीनता की तरफ़ बढ़ती जान पड़ती है। **चक्रान्त शिला** क्रम की कविताओं में किसी तर्कसंगत विचार-व्यवस्था के सक्रिय होने का अहसास उतना नहीं होता, जितना कि एक स्वर के उभरने और स्पष्ट होने का, जो कभी संगीत और कभी मौन के माध्यम से अपने को प्रकाशित करता है। अज्ञेय रिल्के की इस शिक्षा का पालन करते दीखते हैं कि कवि को चुप बैठना चाहिए और जो कुछ है उसे अभिमन्त्रित कर सकने के योग्य हो सकना चाहिए।

कविता के आरम्भिक तनावों का कोई तर्कसंगत समाधान नहीं किया गया है। बल्कि उन्हें एक मिथिकल संसार में स्थानांतरित किया गया है और एक सौन्दर्यपरक अनुष्ठान द्वारा उनसे परे हो लिया गया है। ऐसा बहुत-कुछ को छोड़कर ऐकांतिकता द्वारा उपलब्ध किया गया है और इसलिए कविता में एक तरह की चरमता का आभास होते हुए भी वह समावेशी नहीं है। वह एक स्वायत्त संसार है जिसमें दूसरे संसार की सम्भावना या अस्तित्व का कोई अहसास शामिल नहीं है और जो इसलिए एक विपन्न संसार है। कविता का कथ्य सन्देह या प्रश्नात्मकता के भावों से अछूता और अप्रमाणित होने के कारण आश्वस्त नहीं करता। वह उत्सवधर्मी कविता है और अज्ञेय चिन्तन की पद्धति से प्रार्थना की पद्धति की ओर जाते दीखते हैं। अंग्रेजी कवि ऑडेन ने कहा है कि हालाँकि सारी महत्त्वपूर्ण कला में तत्त्व-चिन्तन छुपा हुआ होता है, लेखक का उस पर खुल्लमखुल्ला आग्रह करना समझदारी का

काम नहीं कहा जा सकता है। **आँगन के पार द्वार** में अज्ञेय ऐसा ग़ैर-समझदारी का काम एकदम न भी कर रहे हों, लेकिन वे ख़तरनाक ढंग से स्पष्ट वक्तव्य करने के नज़दीक जान पड़ते हैं। उनकी आरम्भिक कविता में जो श्रेष्ठ है वह ऐसा कुछ महत्त्वपूर्ण खोजता और उजागर करता है जो हमारे समय में व्यक्ति की ट्रैजिक हालत में अन्तर्निहित है। दुर्भाग्य से अज्ञेय की बाद की कविता उस हालत से एक क्षीण सम्बन्ध-भर रख पाई है।

भयानक ख़बर की कविता

गजानन माधव मुक्तिबोध की कविता उपलक्षित रूप में कविता के लिए विचार-प्रणाली की प्रासंगिकता का सवाल एक बार फिर सार्थक ढंग से उठाती है। उनकी कविता का कोई भी पाठक यह आसानी से समझ लेता है कि उनकी मार्क्सवाद में गहरी और रचनात्मक आस्था थी। उनका विश्वास था कि अपने रचनात्मक प्रयत्न को आकार और महत्त्व देने के लिए ज़रूरी है कि कवि के पास कोई विचार-प्रणाली या वैचारिक व्यवस्था हो। उनके स्वयं के लिए यह व्यवस्था मार्क्सवाद थी। ऐसे बहुत-से कवि हैं जो मार्क्सवाद में आस्था रखते हैं लेकन यह अजीब बात है कि उनकी आस्था उनकी कविता में सक्रिय नहीं होती, यानी उनकी आस्था और कविता के बीच एक स्पष्ट और सम्भवतः सुविधापूर्ण अलगाव बना रहता है। मुक्तिबोध एक ऐसे कवि हैं जिनका मूल्यबोध, अर्थात् मार्क्सवाद में जिनकी आस्था, निर्विवाद और उत्कट रूप से उनकी कविता में सक्रिय है और कविता में रचनात्मक आवेश को निरन्तर संयमित करती है।

हिन्दी में सन् 1930 के बाद से लगभग सन् 1950 तक लेखकों की ऐसी बड़ी संख्या रही है जिनकी मार्क्सवाद में बड़ी उद्दाम आस्था थी। उन्होंने लेखक के उत्तरदायित्व और उसकी सामाजिक अवगति पर जो ज़ोर दिया वह हमारे साहित्य को उनका उल्लेखनीय अवदान है। निश्चय ही इस लेखन ने भारतीय साहित्य में मानवीय सहानुभूति के क्षेत्र का विस्तार किया और, ख़ासकर कविता में, मानवीय प्रतिभा को छायावादियों के आधिभौतिक मिथकों में उलझकर पूरी तरह अमूर्त हो जाने से बचाया। लेकिन वे अपने समय की प्रामाणिक प्रतिमा गढ़ सकने में इसलिए कामयाब नहीं हो सके कि उनकी दृष्टि अनन्य रूप से भविष्य पर, आने वाले स्वर्णयुग पर केन्द्रित रही। दरअसल, उनमें से ज़्यादातर ने बहुत कम ऐसा लिखा जो अनुभव की किसी निजी बाध्यता से उकसाया हुआ हो। बल्कि सचाई और उसकी जटिलता की जगह उन्होंने कट्टर राजनीतिक सिद्धान्तों को दे दी। अन्ततः उन्होंने सार्वजनिक विषयों और भावनाओं के बारे में सार्वजनिक शब्दों में आलंकारिक रूप से इस तरह लिखा कि व्यक्तिगत अनुभव और व्यक्तिगत मूल्यबोध की स्थिति रचनात्मक कृतित्व में अवमूल्यित हो गई। नतीजा यह हुआ कि उनके और उनके जैसे

राजनीतिक आशयवाले लेखन के विरुद्ध प्रतिक्रिया हुई। इस प्रतिक्रिया का सबसे दुर्भाग्यपूर्ण पक्ष यह है कि लम्बे समय तक, दरअसल आज तक, राजनीतिक और राजनीतिक तथ्य, हमारे ज़माने की राजनीतिक जलवायु की समझ, कविता के लिए लगभग एकदम अप्रासंगिक बना दिए गए।

यह दुर्भाग्यपूर्ण इसलिए है कि उसकी वज़ह से नया कवि समकालीन दुनिया को समझने के एक मूल्यवान औज़ार से वंचित रह गया। हमारी दुनिया, जैसा कि टॉमस मान ने कहा, एक ऐसी दुनिया है जिसमें मनुष्य की नियति अपने को राजनीतिक शब्दावली में व्यक्त करती है। ज़्यादातर नए कवि या तो अपने को कूटधर्मी प्रतीकों के निजी घरों में सहेजकर रखते हैं, और इस तरह सार्वजनिक दुनिया के शोर-शराबे से अलग रहते हैं, या उनके राजनीतिक मूल्यबोध और उनकी कविता में कोई रचनात्मक सम्बन्ध नहीं रह जाता। यह बोध उनकी कविता में दुनिया के उनके चरितार्थ अनुभव को शायद ही प्रभावित करता हो। हो सकता है कि राजनीतिक कर्म से अलग रहना ज़रूरी हो, पर मानव नियति को जो शक्तियाँ नियन्त्रित कर रही हैं, उनकी गहरी समझ पाने के लिए यह उतना ही ज़रूरी है कि कवि राजनीतिक विचारों और उथल-पुथल की जानकारी और समझ रखे और कवि-कर्म में इस जानकारी और समझ को इस्तेमाल करे। अगर कवि ने अपने को विचारों से, ख़ासकर राजनीतिक विचारों से, जो आज की दुनिया में इतने प्रभावशील हैं, अपने को काट लिया या अलग रखा तो फिर नए कवि का यह दावा, कि वह समकालीन सच्चाई का साक्षात्कार करने की कोशिश कर रहा है, व्यर्थ हो जाएगा। राजनीति को दरकिनार रखकर समकालीन सच्चाई का कोई साक्षात्कार सार्थक और प्रासंगिक नहीं हो सकता।

इस सन्दर्भ में मुक्तिबोध की कविता एक आश्चर्यकारी संयोग है। उन्होंने हमारी कविता में सार्वजनिक दुनिया और राजनीतिक विचारों का पुनर्वास किया है। उनके शब्दों की शक्ति इन विचारों को कविता में जीवन्त बनाती है। वे इन विचारों के बारे में कभी-कभार सीधे भले लिखें, लेकिन उनकी शैली ज़्यादातर अप्रत्यक्ष ही है। हालाँकि वे ज़रूरत होने पर रिटैरिक का इस्तेमाल करते हैं, उनकी भाषा सूक्ष्म, समृद्ध और निजी भाषा है। उनकी कविता का सामाजिक दृश्य सिर्फ़ एक पीड़ा-भरा 'बाह्य' नहीं है, बल्कि वैसी ही पीड़ावाला एक अन्तस् भी है, और इसलिए अत्यन्त सामाजिक होते हुए भी अत्यन्त निजी है। मुक्तिबोध एक ऐसे कवि हैं जो अपने समय में अपने पूरे दिल और दिमाग़ के साथ, अपनी पूरी मनुष्यता के साथ रहते हैं। वे अपनी एक ऐसी निजी प्रतीक-व्यवस्था विकसित करते हैं कि जिसके माध्यम से सार्वजनिक घटनाओं की दुनिया और कवि की निजी दुनिया एक सार्थक और अटूट संयोग में प्रकट हो सके। राजनीतिक दृश्य से गहरा लगाव और मार्क्सवादी विचारधारा से प्रतिबद्ध होने के बावजूद, मुक्तिबोध कभी भी

प्रचारवादी नहीं बनते। एक तो वे राजनीतिक दुनिया से अपने लगाव को मानवीय आस्था और अन्तर्जगत में उतने ही गहरे लगाव के साथ जोड़ते चलते हैं, और दूसरे, एक सच्चे कवि की तरह वे सरलीकरणों से इनकार करते हैं। वे विचार या अनुभव से आतंकित नहीं होते। वे यथार्थ को जैसा पाते हैं वैसा उसे समझने और उसका विश्लेषण करने की कोशिश करते हैं और उनकी कविता का एक बड़ा हिस्सा अनुभव की अनथक व्याख्या और पड़ताल का उत्तेजक साक्ष्य है।

मुक्तिबोध में रचयिता और टीकाकार में कोई अलगाव नहीं है। विश्लेषण की इस प्रक्रिया में मार्क्सवाद ने उनकी सहायता की। उन्होंने संघर्ष को बहुत महत्त्व दिया। मनुष्य की उनकी चारित्रिक प्रतिमा संघर्षरत मनुष्य की है और वे एक नई समाज-व्यवस्था की कल्पना करते हैं। यह भी महत्त्वपूर्ण है, क्योंकि युवा पीढ़ी की बहुत-सी कविता इस भावना से आक्रान्त है कि या तो कोई भविष्य है ही नहीं, या जो है भी, वह बहुत निराशाजनक है। मुक्तिबोध निराशा की इस नई दक़ियानूसी में शामिल नहीं हुए। समकालीन दुःस्वप्न को उन्होंने पूरे साहस के साथ देखा और उसकी भयानकता को न तो कभी कम किया और न ही सरलीकृत। लेकिन उन्होंने उम्मीद और विवेक त्यागकर सनकीपन या शून्यता की ओर जाने से बराबर इनकार किया। जहाँ मुक्तिबोध की दृष्टि आधुनिक जीवन की भयावहता का अहसास प्रामाणिक और विशिष्ट बनाती है, वहाँ उनकी उम्मीद उनके भय को अधिक मानवीय और विश्वसनीय कर देती है। **अँधेरे में** के अन्त में संसार में मनचाहे परिवर्तन का स्वप्न देखते हुए मुक्तिबोध जीवन की ठोस और कठोर सचाई में वापस आ जाते हैं, इस पहचान के साथ कि वह स्वप्न था :

> एकाएक फिर स्वप्नभंग
> बिखर गए चित्र कि मैं फिर अकेला।
> मस्तिष्क हृदय में छेद पड़ गए हैं।
> पर, उन दुखते हुए रंध्रों में गहरा
> प्रदीप्त ज्योति का रस बस गया है।
> मैं उन सपनों का खोजता हूँ आशय,
> अर्थों की वेदना घिरती है मन में।
> अजीब झमेला।

पर उनका विश्वास कि स्वप्न सचाई बन सकता है, फिर प्रबल हो उठता है, और कविता एक अद्वितीय मानवीय दस्तावेज़ हो जाती है जिसकी मानवीयता सहज जितनी है उतनी ही जटिल और अ-सरलीकृत।

जेम्स ज्वायस के शब्द उधार लिए जाएँ तो, कहा जा सकता है कि मुक्तिबोध अपनी आत्मा के लुहारखाने में अपने समाज का अनबना अन्तःकरण गढ़ने गए।

उन्होंने हमारे समय को एक ऐसे युग में ज़ाहिर किया है जिसमें मानवीय अन्तःकरण को लकवा मार गया है। ऐसा कहना शायद आम-सी बात लगे क्योंकि किसी भी आधुनिक लेखक को, दुनिया में फिर वह कहीं हो, इस क्षति, इस असफलता, मानवीय अन्तःकरण के इस पक्षाघात का सामना करना पड़ता है। मुक्तिबोध का इससे सरोकार इसलिए मूल्यवान है कि वे बार-बार इसकी ओर लौटते हैं और इसे इसकी पूरी जटिल गहराई में व्यक्त करने की कोशिश करते हैं। मुक्तिबोध अपने को उन शक्तियों से अलग-अलग दिखाने की कोशिश नहीं करते जिनकी वज़ह से यह भयानक दुर्घटना सम्भव हुई है। बल्कि वे खुद कहीं-न-कहीं अपने को उनमें शामिल बताते हैं, जैसाकि असल में शायद हम सभी हैं। यह हमें मुक्तिबोध की कविता की शक्ति के एक-दूसरे सूत्र की ओर ले जाता है। अज्ञेय की तरह मुक्तिबोध तटस्थ या यायावर नहीं हैं। दरअसल, एक अन्तर्कथा में माँ, जो मुक्तिबोध द्वारा प्रस्तुत ज्वलंत प्रतीकात्मक चरित्रों में से एक है, काव्य-नायक की जिप्सी-दृष्टि अपनाने पर भर्त्सना करती है :

> डाँटती हुई कहती है वह
> तब देव बना अब जिप्सी भी,
> केवल जीवन-कर्त्तव्यों का
> पालन न हो सके इसीलिए
> निज को बहकाया करता है।

मुक्तिबोध असीमित मानवीय प्रतिबद्धता के कृतिकार हैं। तभी उनका दुःस्वप्न जैसा काव्य-संसार बावजूद अपनी ऐन्द्रजालिकता के सच्चा, मानवीय और ठोस जान पड़ता है। उनकी मानवीय प्रतिमा कितनी भी विकृत क्यों न हो, उसमें हमेशा मार्मिक तात्कालिकता होती है। वह मनुष्यों की मूल चारित्रिक गति को व्यक्त करती है :

> भयानक सिपाही जाने किस थकी हुई झींक में
> अँधेरे में सुलगाता सिगरेट अचानक
> ताँबे-से चेहरे की ऐंठ झलकती।
> पथरीली सलवट
> दियासलाई की पल-भर लौ में
> साँप-सी लगती।
> **(अँधेरे में)**

और,

गिरस्तिन मौन माँ-बहनें
सड़क पर देखती हैं
भाव-मन्थर, काल-पीड़ित ठठरियों की श्याम गो-यात्रा
उदासी से रंगे गम्भीर मुरझाए हुए प्यारे
गऊ चेहरे...
(मेरे लोग)

स्पष्ट है कि मुक्तिबोध की मानवीय प्रतिमा कभी वैसी अमूर्त नहीं होती जैसी अज्ञेय के बाद की कविता के मिथिकल संसार में होती है। वह मार्मिक और प्रासंगिक लगती है क्योंकि वह एक ऐसी दुनिया के सन्दर्भ में उजागर होती है जिसमें, अगर मुक्तिबोध द्वारा इस्तेमाल किए हुए शब्दों को ही दुहराएँ तो, कर्फ्यू, गोलीबारी, षड्यन्त्र, क़त्ल, जुर्म, जासूसी, सज़ा, हिंसा, यन्त्रणा इत्यादि हैं।

मुक्तिबोध ने अपनी कई कविताओं में जासूसी कहानी के ढाँचे का इस्तेमाल किया है। यह ढाँचा इस **चौड़े ऊँचे टीले पर** कविता में सबसे स्पष्ट है। उसमें 'एका झाँक रही कत्थई रुखाई जोकि वह बँगला है, लाल भवन है' जिसमें दाख़िल होने पर कविता का नायक पाता है कि वहाँ एक व्यक्ति उसका इन्तज़ार कर रहा है। वह कहता है :

बिल्लियों के नाखून
और भी ज्यादा धारदार हो गए...
अजीब तरह से हुआ खून
मूर्च्छित कर वश में किया गया।
तुम भागो तिरुवांकुर या डिब्रूगढ़ या देहरादून
कहीं भी जाओ
बेरोक-टोक उसकी शिकार...

फिर दोनों एक खाली कमरे में पहुँचते हैं जहाँ एक स्त्री मरी हुई लेटी है, आदि-आदि। **अँधेरे में** कविया में भी इसी ढाँचे का सहारा लिया गया है : उसमें रात को चलता एक 'विचित्र प्रोसेशन' है जिसके बैंड-दल में कई प्रतिष्ठित पत्रकार हैं और जिसमें कर्नल, ब्रिगेडियर, जनरल, मार्शल, प्रकांड आलोचक, विचारक, कविगण, मन्त्री, उद्योगपति, विद्वान् और 'यहाँ तक कि शहर का हत्यारा कुख्यात/डोमाजी उस्ताद' शामिल है; सिरफिरा कतई पागल आत्मोद्बोधमय पद या गान गा रहा है; 'तिलक की पाषाण-मूर्ति है निःसंग' जिसकी 'भव्य ललाट की नासिका में से बह रहा ख़ून न जाने कब से'; 'सर्दी में बोरे को ओढ़कर' आधी रात को एक बच्चा छुपाए एक बूढ़ा है जो महात्मा गांधी हैं; एक कलाकार की हत्या होती है; एक तरह का स्काटलैंड

यार्ड है जहाँ कविता के नायक को यन्त्रणा दी जा रही है—'स्क्रीनिंग करो मिस्टर गुप्ता/क्रॉस एक्ज़ामिन हिम थौरोली!!' गलियों के अँधेरे में कोई चुपचाप गुप्त परचे बाँट रहा है, आदि-आदि। पूरी कविता में आकस्मिक और अप्रत्याशित को गूँथकर एक विलक्षण तर्क-संगति बनाई गई है। मुक्तिबोध के काव्य-संसार के भूगोल को रेखांकित करना बेहद मुश्किल काम है। वह एक 'अंडरग्राउंड' संसार है, एक अधोलोक जिसमें वे अँधेरी शक्तियाँ उजागर होती हैं जो हमारे समय में मनुष्य को घेरे हैं और जिनसे उसे गहरा ख़तरा है।

फैंटेसी के ढाँचे में मुक्तिबोध ने प्रमुख समकालीन राजनीतिक घटनाएँ चरितार्थ की हैं, जैसे मार्शल क़ानून, तानाशाही, विराट और अमानवीय नौकरशाही, फ़ासिस्ट आतंक और भय, भोले-भाले और ईमानदार लोगों की हत्या, विशाल भ्रष्टाचार आदि। उनकी कविता के हर पल पर संकट और हिंसा की छाया है और बार-बार नष्ट और व्यर्थ होती और अधूरी ज़िन्दगियों का गहरा तीख़ा अहसास है। हम जिस नरक में रह रहे हैं और जो दिन-ब-दिन पास आता जा रहा है, उसका बखान मुक्तिबोध उल्लेखनीय तात्कालिकता से करते हैं। वह उन शक्तियों को पहचानने की कोशिश करते हैं जिन्होंने मानवीय अन्तःकरण या हृदय को क्षतिग्रस्त किया है। वह एक ऐसा संसार कविता में मूर्त करते हैं जिसमें उन्हीं के शब्दों में, 'आदमी सिर्फ़ अफ़वाह' है। वह अगर इतना ही होता तो उसकी कविता इतनी मानवीय, प्रासंगिक और मार्मिक न होती। सम्पूर्ण भय की कगार पर खड़ी उनकी कविता तब अमानवीयकृत कविता होती, क्योंकि उसने दूसरे पक्ष, दूसरी सम्भावना को नज़रंदाज़ किया होता। पर सौभाग्य से ऐसा नहीं हुआ। सौभाग्य से मुक्तिबोध मनुष्य की सम्पूर्ण हालत के कवि थे। उन्होंने मानवीय अन्तःकरण को पक्षाघात-ग्रस्त देखा, पर यह नहीं माना कि वह मर चुका है। बल्कि पूरी गहराई के साथ उन्होंने उम्मीद की और विश्वास किया कि वह होश में लाया जा सकता है और उसका पुनर्वास किया जा सकता है। अपनी कविता में उन्होंने, जहाँ तक बन पड़ा, इस पुनरुज्जीवन और पुनर्वास की चेष्टा की है। मुक्तिबोध ने समकालीन मनुष्य के अन्तःकरण की धारणा की, किसी भावुकता के अर्थ में नहीं बल्कि नैतिक विवेक और करुणा के अर्थ में, पुनर्रचना करने और उसे काव्यात्मक ढंग से परिभाषित करने का प्रयत्न किया, और यहीं वे मार्क्सवाद या नितान्त समसामयिकता की सीमाओं से मुक्त होकर आगे बढ़ गए। ऊपर से भले ऐसा कहने में अन्तर्विरोध जान पड़े, लेकिन यह सच है कि जहाँ मुक्तिबोध की कविता में घोर भय और हिंसा है, वहाँ साथ ही साथ उसमें उम्मीद, सहानुभूति और करुणा भी मानवीय बिरादरीपन के दृढ़ कथन के साथ व्याप्त है। इनके बीच तनाव, जो किसी सहज अनुष्ठान द्वारा लाँघा नहीं जाता, बल्कि असम्भाव्यता और सम्भाव्यता के उलझे हुए गणित से बार-बार जुड़ता है,

मुक्तिबोध की कविता का सम्भवतः केन्द्रीय तनाव है।

मुक्तिबोध मनुष्य के विरुद्ध हो रहे विराट षड्यन्त्र के शिकार के रूप में ही नहीं लिखते, बल्कि वे उस षड्यन्त्र में अपनी हिस्सेदारी की भी खोज करते और उसे बेझिझक ज़ाहिर करते हैं। इसीलिए उनकी कविता निरा तटस्थ बखान नहीं, बल्कि निजी प्रामाणिकता और 'इन्वॉल्वमेंट' की कविता है। उनकी आवाज़ एक दोस्ताना आवाज़ है और उनके शब्द मित्रता में भीगे और करुणा भरे शब्द हैं। कविता के केन्द्र में एक दृढ़ व्यक्तित्व है, लेकिन वह अपने को मानवीय सम्पर्क से बचाता, अपनी अद्वितीयता और परमता को सुरक्षित करने में आत्म-तुष्ट, व्यक्तित्व नहीं है। वह एक ऐसा व्यक्तित्व है जो ललककर उत्साह से दूसरों से तदात्म होता है, बल्कि वह अपनी परिभाषा के लिए मनुष्य के नितान्त अकेलेपन को नहीं, उसके साहचर्य और बिरादरीपन को आधार बनाता है। मुक्तिबोध के यहाँ व्यक्ति अपनी सिद्धि दूसरों के साथ और उनकी सहायता से ही प्राप्त कर सकता है। संसार में कोई निजी सुलह सम्भव नहीं है, और अगर हो भी तो मुक्तिबोध के अनुसार यह मानवीयता-रहित और मूल्यच्युत होगी :

> याद रखो,
> कभी अकेले में मुक्ति नहीं मिलती,
> यदि वह है तो सबके ही साथ है।
> **(चम्बल की घाटी में)**

मुक्तिबोध कभी अपने को माफ़ नहीं करते। जब वे दोषारोपण करने पर आते हैं तब वे अपने को भी दोषी पाते हैं—पर अपने पर दोषारोपण करने में कोई भावुकता या आत्मदया का भाव उनमें नहीं होता। सीधे-सीधे आन्तरिक एकालाप के रूप में ही या किसी अप्रत्यक्ष ढंग से, मुक्तिबोध हमेशा उस अपराध में शामिल हैं जिसे उनकी कविता ऐसे सशक्त ढंग से खोजती और ज़ोर से पकड़ती है :

> अँधेरे कोने में एकान्त
> न जाने किस मास्टर की डाँट पड़ रही है—
> 'जितना भी किया गया
> उससे ज्यादा कर सकते थे,
> ज्यादा मर सकते थे!'
> **(इस चौड़े-ऊँचे टीले पर)**

अपने अन्दर के जानवर को भी छिपाते नहीं बल्कि उसका साक्षात्कार करते हैं :

स्वयं की ग्रीवा पर
फेरता हूँ हाथ कि
करता हूँ महसूस
एकाएक गरदन पर उगी हुई
सघन अयाल और
शब्दों पर उगे हुए बाल तथा
वाक्यों में औराँग…उटाँग के
बढ़े हुए नाखून!!
(दिमाग़ी गुहाँधकार का औराँग उटाँग)

अगर ऊपर के विश्लेषण से यह धारणा बन गई हो कि मुक्तिबोध की कविता में भय, आतंक, हिंसा-भर है तो उसे ठीक करना ज़रूरी है। उसमें हर्ष और सुख के गीतात्मक क्षण भी हैं, भले ही अपेक्षाकृत कम हैं। **मेरे सहचर, मेरे पिता** में गीतकल्पी ऐसा ही एक पल है :

उस नीले-नीले आसमान की सरहद पर
परिचिता एक कोमल चिड़िया,
जो नित्य तुम्हारे घर-आँगन
घर की आत्मा…
रोशनदानों में उड़ती थी

मुक्तिबोध में कभी-कभी मज़ाक़ का भाव भी उठता है। दरअसल, अपने पर हँस सकने की विरली आदत उनमें है। अपने पर, और अपने चारों ओर जो हो रहा है उस पर, उन्हें हँसी आती है, और उसकी हँसी अक्सर ट्रेजिक-सी हो जाती है :

बेवकूफ़ बनने के ख़ातिर ही
सब तरफ़ अपने को लिए-लिए फिरता हूँ;
और यह देख-देख बड़ा मज़ा आता है
कि मैं ठगा जाता हूँ…
हृदय में मेरे ही,
प्रसन्न-चित्त एक मूर्ख बैठा है
हँस-हँसकर अश्रुपूर्ण, मत्त हुआ जाता है,
कि जगत…स्वायत्त हुआ जाता है।
(**मुझे कदम-कदम पर**)

मुक्तिबोध मनुष्य की समूची हालत के बारे में लिखना चाहते थे। इसके

लिए जो फ़ार्म उन्हें सबसे अनुकूल जान पड़ा वह था फैंटेसी। उनके जटिल अनुभव को कोई अकेली मिथ चरितार्थ करने में शायद समर्थ नहीं हो सकती थी, इसलिए उन्होंने कई मिथों के टुकड़ों को फैंटेसी में संयोजित किया। यह पहले ही कहा जा चुका है कि अनुभव और यथार्थ का अनथक विश्लेषण मुक्तिबोध की कविता का एक बुनियादी सरोकार है। विश्लेषण, विचार और उनके सीधे बयान को भावों और मानवीय उपस्थिति से फैंटेसी में संग्रथित किया जा सकता है।

अपने प्रतीक मुक्तिबोध ने या तो अपने मिथिकल अतीत से या हाल के इतिहास से लिये। विशाल वटवृक्ष, ब्रह्मराक्षस, ओराँगउटाँग, पागल मनुष्य, शक्ति-पुरुष आदि और महात्मा गांधी, तिलक, तालस्ताय आदि, इसका प्रमाण हैं। माँ और शिशु दूसरे उल्लेखनीय प्रतीक हैं। इन सब प्रतीकों में एक तरह की प्रखर आदिमता है। यह ग़ौर करने की बात है कि प्रायः हर कविता में नायक के अलावा एक प्रतीकात्मक और आप्तवाची चरित्र है। इस चरित्र के माध्यम से ही कवि अन्तःकरण को अपील करता है। लेकिन यह अपील सिर्फ़ भावात्मक नहीं, बल्कि इसे उस विश्लेषण द्वारा समर्थन मिलता है जो यह चरित्र अक्सर प्रस्तुत करता है। महात्मा गांधी, तालस्ताय, तिलक, आदि, के अलावा ऊपर जिन मिथिकल चरित्रों का ज़िक्र आया है वे मुक्तिबोधीय फैंटेसी में आप्तवक्ता का काम करते हैं। **अँधेरे में** में 'जागरित बुद्धि', 'प्रज्वलत् घी, 'सिरफिरा पागल' गाता है—

ओ मेरे आदर्शवादी मन,
ओ मेरे सिद्धान्तवादी मन,
अब तक क्या किया?
जीवन क्या जिया!!

उदरम्भरि बन अनात्म बन गए,
भूतों की शादी में क़नात-से तन गए,
किसी व्यभिचारी के बन गए बिस्तर,

दुःखों के दाग़ों को तमगों-सा पहना,
अपने ही ख्यालों में दिन-रात रहना,
असंग बुद्धि व अकेले में रहना,
ज़िन्दगी निष्क्रिय बन गई तलघर,
....

अब तक क्या किया,
जीवन क्या जिया,

ज्यादा लिया और दिया बहुत-बहुत कम
मर गया देश, अरे, जीवित रह गए तुम...

इस चौड़े ऊँचे टीले में नायक की प्रतीक्षा करता व्यक्ति कहता है :

मत बनो दार्शनिक बनावटी
तुम क्या हो, कैसे हो, क्यों हो
इसका उत्तर
टीन के कनस्तर ही देंगे
जिनकी उपमा, उधार लेकर,
तुम अक्सर देते रहते हो
उन लोगों को
जो सदा तुम्हारी तरह बेजा ही करते हैं
....
वे अटके हुए,
शिश्नोदर-लक्ष्य-पूर्ति में गहरे भटके हुए
क्षुब्ध आवेग-रूप चूहे!!
उनकी गड़बड़
गूँजती-काँपती है पवित्र से पवित्र
सुन्दर पल क्षण में।

ये चरित्र काव्य-नायक के लिए रहस्यपूर्ण सचाई की गहरी तहें प्रकाशित करते हैं और उसे दिशा-बोध देते हैं। दूसरे शब्दों में, वे नायक के मन और अन्तःकरण को उसी के लिए सुसस्पष्ट करते हैं। कविता के दृश्यालेख में इन चरित्रों का आना हमेशा अचानक होता है बल्कि लगभग चमत्कारी ढंग से लेकिन हमेशा निर्णायक क्षणों में।

चमत्कार, ज़्यादातर वक्त भयानक चमत्कार, मुक्तिबोध के काव्य-संसार की एक और आम घटना है। कविताओं की संरचना के अन्दर वह मुक्तिबोध के मानवीय सम्भावना और रहस्य के बोध को नाटकीय ढंग से व्यक्त करती है। सारी बौद्धिक व्याख्या और नैतिक अन्वेषण के बावजूद, मनुष्य और संसार के रहस्य के सामने मुक्तिबोध के मन में विस्मय, भयमिश्रित और कुछ पवित्र-सा विस्मय, बना रहा। उनकी कविता की आदिम दृढ़ता और लगभग जादुई शक्ति का एक सूत्र शायद इस विस्मय में है।

मुक्तिबोध ने एक ऐसी दुनिया को अपनी कविता में उजागर किया जिसमें 'कहीं आग लग गई, कहीं गोली चल गई'। वह हमारी समकालीन दुनिया होते

हुए भी ऐसी है जिसके बारे में :

सब चुप, साहित्यिक चुप और कविजन निर्वाक्
चिन्तक, शिल्पकार, नर्तक चुप हैं
उनके खयाल से यह सब गप है
मात्र किंवदन्ती।
(अँधेरे में)

एक छद्‌म आभिजात्य, मध्यवर्गीय सुरक्षा-भाव और साहस के अभाव के मिले-जुले दबावों के रहते नई कविता में किसी और कवि ने समकालीनता को उसकी भयानक गहराई और पूरे विस्तार में देखने की ऐसी मार्मिक और सच्ची कोशिश नहीं की जैसी मुक्तिबोध ने। उनकी दुनिया चरित्रों, प्रतीकों, बिम्बों का एक बड़ा परिवार जैसी है, और यह उसके समावेशी होने का ही प्रमाण है कि जहाँ उसमें—

मकानों के छत से
गाडर कूद पड़े धम से।
धूम रहे खम्भे
भयानक वेग से चल पड़े हवा में।

वहाँ इन पंक्तियों के तुरन्त बाद एक ही सिलसिले में—

दादा का सोंटा भी करता है दाँव-पेंच
नाचता है हवा में।
गगन में नाव रही कक्का की लाठी।
यहाँ तक कि बच्चे की पेपें भी उड़तीं,
तेजी से लहराती घूमती है हवा में
सलेट-पट्टी।
(अँधेरे में)

या एक अन्तर्कथा में—

मैं एकाकार हो गया-सा देवाकृति।
नभ मेरे हाथों पर आता
मैं उल्का-फूल फेंकता मधुर चन्द्रमुख पर
मेरी छाया गिरती है दूर नेब्यूला में।

इसके तुरन्त बाद यह—

बस, तभी तलब लगती है बीड़ी पीने की
मैं पूर्वाकृति में आ जाता,
बस, चाय एक कप मुझे गरम कोई दे दे
ऐसी-तैसी उस गौरव की
जो छीन चले मेरी सुविधा!
मित्रों से गप करने का मज़ा और ही है।

मुक्तिबोध का मुहावरा ज़्यादातर ऊबड़-खाबड़ लगता है, और इसलिए यह नतीजा निकालना कइयों के लिए बड़ा आसान हुआ है कि उनमें कलात्मक सौष्ठव की कमी है और उनका शिल्प सशक्त नहीं है। यह सारी धारणा नई कविता के दौरान लिखी गई ज़्यादातर छोटी कविताओं से उपलब्ध परिपाटी का नतीजा है। नई कविता अन्ततः छोटी जटिल रचना की कविता ही रही है, लेकिन मुक्तिबोध लम्बी कविता के कवि हैं—वे एक ऐसे कवि भी हैं जिन्होंने हमारे समय को उसकी भयावह व्यापकता और गहराई में परिभाषित करने की कोशिश की है। उनके मुहावरे में बिम्बधर्मिता, सपाटबयानी, उत्सवधर्मिता, विश्लेषण, बातचीत, रिटौरिक, विनोदप्रियता आदि अनेक तत्त्वों का एक अद्‌भुत और जटिल संयोजन सम्भव हुआ है। इसलिए मुक्तिबोध का मुहावरा बहुत-कुछ को छोड़कर विकसित किया हुआ मुहावरा नहीं है, बल्कि समावेशी है। वह ऊपर से ऊबड़-खाबड़ लगता है तो इसीलिए कि वह किसी स्वायत्त संसार को नहीं, एक-दूसरे से टकराते, उलझते-लिपटते समकालीन मनुष्य के कई संसारों को चरितार्थ करने में संलग्न मुहावरा है। यह आकस्मिक नहीं है कि आज के महत्त्वपूर्ण युवा कवि, रघुवीर सहाय और श्रीकान्त वर्मा दोनों ने अपने-अपने ढंग से तुकों, व्यक्तिवाची नामों, चमत्कारी संयोगों आदि, का जो इस्तेमाल किया है, उनका उद्‌गम कहीं-न-कहीं मुक्तिबोध में है। आज की महत्त्वपूर्ण युवा कविता मुक्तिबोध की कविता की तरह खुरदरी, विचलित करनेवाली कविता है, चमकीली और प्रीतिकर कविता नहीं, और मुक्तिबोध की कविता युवा कविता के लिए लगभग उद्‌गम काव्य हो गई है।

मुक्तिबोध की कविता निर्विकल्प ढंग से विचलित करती है, और उसका केन्द्रीय मूल्य साहस का है। जहाँ अज्ञेय, मसलन, एक पुरानी धारणा को ही भावुक ढंग से पीसते नज़र आते हैं, वहाँ मुक्तिबोध उस धारणा के प्रति प्रखर आलोचनात्मक रुख अपनाते हैं : धारणा है 'आत्मा' की ओर ये हैं प्रासंगिक कवितांश :

अरी ओ आत्मा री,
कन्या भोली क्वाँरी
महाशून्य के साथ भाँवरें तेरी रची गईं।
(चक्रान्त शिला : अज्ञेय)

पर तुम भी खूब हो,
देखो तो—
प्रतिपल तुम्हारा ही नाम जपती हुई
लार टपकाती हुई आत्मा की कुतिया...
राह का हर कोई कुत्ता जिसे छेड़ता है, छेंकता
(एक अरूप शून्य के प्रति : मुक्तिबोध)

अन्तर सिर्फ़ अलग दृष्टियों का नहीं है। अज्ञेय की दृष्टि जाने हुए को एक परिचित बिम्ब की सहायता से 'सेलीब्रेट' भर करती है, जबकि मुक्तिबोध एक परिचित बिम्ब के सहारे आत्मा की तथाकथित गरिमा को ध्वस्त कर उसके बारे में कुछ विचलित करनेवाला ज़ाहिर करते हैं। अज्ञेय के बिम्ब में कोई तनाव नहीं है, बल्कि एक तरह की शालीनता है, जबकि मुक्तिबोध के बिम्ब में आत्मा की शाश्वत धारणा और उसके समकालीन संस्करण के बीच एक तनाव है जो उनकी कविता को अधिक सम्पन्न, अधिक काव्यात्मक और अधिक प्रखर बनाता है।

मुक्तिबोध एकीकृत संवेदना के कवि है। वे बाज़ार जाते हैं और अपने हृदय की फटी-चिथड़ी दुकान में उतराते हैं, और दोनों को एक अनिवार्य सम्बन्ध में जोड़ देते हैं। ब्रेष्ट की तरह उन्हें मालूम है कि 'जो हँसता है उसे भयानक ख़बर बताई नहीं गई है।' वे भयानक ख़बर के कवि हैं—हिन्दी में शायद अकेले। उन्होंने हमारे समय में आदमी की हालत की पूरी परिभाषा अलभ्य साहस और शक्ति से करने की अद्वितीय कोशिश की है।

अब अभिव्यक्ति के सारे ख़तरे
उठाने ही होंगे।
तोड़ने होंगे ही वह और गढ़ सब।

मुक्तिबोध ने अभिव्यक्ति के सारे ख़तरे उठाए और उनकी कविता समकालीन भारतीय मनुष्य की पीड़ा की 'खंडित रामायण' है।

शब्दों के बीच की नीरवता का कवि

शमशेर बहादुर सिंह

मैं सिर्फ़ अपने बारे में किसी क़दर इतना कह सकता हूँ कि···मैं तो धुँधला गया मिट-सा गया, बीते हुए दिनों में कुछ खो-सा गया हूँ।···ज़ाहिर है, मैं कहीं बहुत पीछे हुए छूटे हुए चौराहे पर खड़ा हूँ।
डायरी : 6 मार्च, 1967
शमशेर बहादुर सिंह की कुछ गद्य रचनाएँ

मुझे किसी से कुछ नहीं कहना चाहिए। यह भी नहीं चाहता कि मुझसे कोई कुछ न चाहे। कोई रोक नहीं। पर मुझे किसी से कुछ नहीं चाहिए।
डायरी : 12 सितम्बर, 1962
शमशेर बहादुर सिंह की कुछ गद्य रचनाएँ

एक कवच मैं और ओढ़ना चाहता हूँ,
एक अदृश्य कवच···निरहंकार, तटस्थतम
निर्मलता का।
डायरी : 6 मार्च, 1963
शमशेर बहादुर सिंह की कुछ गद्य रचनाएँ

होना था···समझना न था कुछ भी, शमशेर,
होना भी कहाँ था वह जो हम समझे थे।
रुबाई

शब्द का परिष्कार
स्वयं दिशा है
वही मेरी आत्मा हो
आधी दूर तक
(सारनाथ की एक शाम)

आसमान में गंगा की रेत आईने की तरह हिल रही है।
मैं उसी में कीचड़ की तरह सो रहा हूँ।
और चमक रहा हूँ कहीं...
न जाने कहाँ।
(टूटी हुई बिखरी हुई)

मैं तो ख़ैर...
मेरी ज़मीन भी क्या
एक दिन
एक दिन...?
ख़ैर।

अज्ञेय ने 'पूर्व की एक परम्परा के उत्तराधिकारी ने नाते' कहा था कि 'कविता भाषा में नहीं होती, वह शब्दों में भी नहीं होती; कविता शब्दों के बीच की नीरवताओं में होती है।' बाद में अज्ञेय ने इधर की कविता के बहुत बोलने की शिकायत भी की थी। स्वयं अज्ञेय की कविता अपनी स्पष्ट और अथक विवक्षा के लिए उल्लेखनीय है, शब्दों के बीच की नीरवता के लिए नहीं। अपनी कविता में, अपने अचूक कौशल और सामर्थ्य के कारण भी अज्ञेय अनकहा बहुत कम छोड़ते हैं, भले उन्हें यह अहसास है कि 'है अभी कुछ और जो कहा नहीं गया।' इसके बरक़्स शमशेर बहादुर सिंह की कविता कहे और अनकहे के बीच ठिठकी हुई कविता है। उसमें अकसर और अधिकतर अनकहा ही छूट जाता हैं यह नहीं कि अनकहे को कहे के दायरे में लाने की अनिवार्य कविचेष्टा वे नहीं करते हैं। पर शायद किसी और कवि के मुक़ाबले शमशेर के लिए यह अधिक सच है कि वे कहे गए से अधिक अनकहा छोड़ते हैं...अर्थ, कहे से नहीं, अनकहे से अधिक चरितार्थ होता है। यह अनकहा, ज़रूरी नहीं है कि वह हो जो कि कहने में किसी तरह का नैतिक या सामाजिक संकोच शमशेर करते हों। उनकी अधिकतर तथाकथित राजनीतिक कविताएँ उनकी चारित्रिक कविताएँ इसलिए भी नहीं हैं कि वे बहुत कम प्रायः कुछ भी, अकथित नहीं छोड़ती। कहना ख़ूब जाननेवाले शमशेर अपने ढब का अद्वितीय तभी कुछ कर पाते हैं जब वे अनकहा कुछ न कुछ छोड़ देते हैं। अगर अज्ञेय शब्द के कवि हैं, उसकी मुखरता के, तो शमशेर नीरवता के कवि हैं, उसके मौन के कवि।

हिन्दी की इधर की कविता अपनी सामाजिक चेतना के चलते अनकहा और मौन, हिचक और नीरवता निरी काव्य-युक्तियाँ मानकर जब-तब उनका व्यवहार भले करती हो, उसे कविता में सबकुछ न केवल कथनीय और सम्भव लगता है,

बल्कि वहाँ पूर्व की उस परम्परा का रत्ती-भर भी अहसास बाक़ी नहीं है जिसका ज़िक्र अज्ञेय ने किया था। एक ऐसी सार्वजनिक दुनिया, जिसमें बेहद शोरोगुल है और रोज़-ब-रोज़ बढ़ता ही जाता है, नीरवता की मानो जगह ही नहीं बची है। न ही उस कविता में जो, भले अलंकरण या युक्ति के रूप में निजी अनुभवों और छवियों का इस्तेमाल करती है, है कुल मिलाकर सार्वजनिक कविता, जिसमें न तो नीरवता का कोई स्थान है और न ही अनकहे की कोई ज़रूरत। यह भी साफ़ है कि थोड़ा-सा धुँधलापन या मुबहमी गहरे शक की नज़र से देखे जाते हैं। जो कहा, रौशन और सामने नहीं है, उसे मानो होने तक की इज़ाज़त नहीं दी जा सकती। शमशेर के यहाँ, बावजूद उनकी राजनीतिक निष्ठा की स्पष्टता के, गहरी हिचकिचाहट है...एक तरह का खरा संकोच, अपने सच को सन्देह की नज़र से देखने वाले का नैतिक विनय।

उनकी 'दुनिया सहज ही इनसे दूर-पार कहीं गुम हो गई है' जिसमें 'हम सबका एक धुँधला इन्द्रधनुष बनाते' कवि अनगिनत आईनों को देखता है। शमशेर के यहाँ जो है, वह जो नहीं है या नहीं हो सकता उसके आसपास है : भले वे 'जो नहीं है' 'उसका ग़म' नहीं करते, पर उसे न खुद भूलते हैं और न आपको भूलने देते हैं। उनकी यह 'असम्भव सरलता' ही उन्हें कठिन बनाती है। यह कठिनाई किसी ऊर्जा या सामर्थ्य के अभाव से नहीं उपजी है और इसे किसी राजनीतिक या विचारधारात्मक स्पष्टता से पार नहीं किया जा सकता इसके भी शमशेर बहुत ग़ौरतलब उदाहरण हैं। इसका सम्बन्ध शमशेर के अध्यात्म से है, कुछ इस संशय से कि हम न सब कर सकते हैं, न सब कह सकते हैं। यही नहीं अस्तित्व मात्र की एक पवित्रता है : उस पवित्रता का, सबकुछ जानने और कहने की इच्छा से, लगता है कि दूषण होता है। शमशेर की कविता में प्रायः अधूरे वाक्य, रूपक या बिम्ब, पंक्तियाँ आदि होते हैं जिन्हें शिथिलता या युक्तियाँ मानकर समझाया नहीं जा सकता। कहे-अनकहे के बीच की ठिठकन, शमशेर की हिचकिचाहट के वे कविता के अन्दर ठोस प्रमाण हैं बल्कि उसकी छापें और चिह्न हैं। 'बात बोलेगी, हम नहीं' की प्रसिद्ध उक्ति के लिए विख्यात शमशेर के यहाँ बात अधिक नहीं बोलती है, क्योंकि बात को अधिक बोलने का नैतिक अधिकार अन्ततः नहीं है।

शमशेर के यहाँ अतिकथन बहुत कम है और वे मुख्यतः अल्पकथन के ही कवि हैं। हिन्दी में इस शताब्दी में कहे और अनकहे के बीच कोई और कवि उतना नहीं ठिठका है जितने शमशेर। इतनी अर्थगर्भी नीरवता भी शायद ही किसी और कवि के शब्दों के बीच हो जितनी उनके यहाँ। इस नीरवता या कई बार अधूरे कथन या अर्द्धकथन का शमशेर की ऐन्द्रियता अधिग्रहण उसके बुनियादी रहस्य को भेदकर नहीं बल्कि उसे चरितार्थ कर करती है। वे उद्घाटन के नहीं अर्द्धउन्मीलन के कवि हैं। कविता में, जैसे कि जीवन में भी, ऐन्द्रिकता समूची स्पष्टता से सम्भव

ही नहीं है—उसे अनिवार्यतः स्पष्ट और अस्पष्ट का झिलमिल-सा स्पेस चाहिए। शमशेर की कविता यह स्पेस अन्त तक बनाए और बचाए रख सकी।

एक बड़बोले समय में नीरवता की कविता लिखना कठिन कविकर्म है। यह चालू मुहावरे को दरकिनार कर कुछ रैडिकल करने का जोखिम उठाना है। संघर्ष की जो गिनी-चुनी छवियाँ आजकल लोकप्रिय हैं उनमें ऐसी छवि शामिल नहीं है। इसलिए शमशेर को संघर्ष का कवि नहीं कहा जाता। अगर कभी कुछ रियायती सुलूक उनके साथ हो भी जाए तो उसमें उनकी तथाकथित सामाजिक कविताओं के संघर्ष का आधार लिया जाता है जिसका मेल चालू छवियों से बैठ जाता है। यों तो ईलियट ने 'अव्यक्त पर प्रहार' की बात की है और ऐसा प्रहार सच्ची कविता का अनिवार्य गुण रहा है। शमशेर अपनी आरम्भिक कविताओं से—'सींग और नाखून' जैसी कविता एक अच्छा उदाहरण है—अव्यक्त से जूझने का जोख़िम उठाते रहे हैं। अव्यक्त को अभिव्यक्ति के दायरे में लाने का संघर्ष न तो कविता, न ही मनुष्यता के लिए छोटा या कम महत्त्वपूर्ण संघर्ष है। यह बात लगातार नज़रंदाज़ होती रही है। किसी भी भाषा-समाज में शब्द को वहाँ जाने की कोशिश ज़रूर करना चाहिए जहाँ यह पहले न गया हो पर कुछ जगहें ख़ाली भी छोड़ दी जानी चाहिए—शब्द से दूर और पार। शब्द सबकुछ स्वायत्त नहीं कर सकता, न ही उसे ऐसा करना चाहिए। शमशेर का काव्यशास्त्र इसी हिचकिचाहट का काव्यशास्त्र है।

2

यह नहीं कि शमशेर के पास कहने को कम है—उनका 'रेंज' बहुत बड़ा है। प्रेम, चाहत, प्रकृति, कविता, भाषा, आसपास के लोग, अन्य कलाकार, लेखक, मित्र, अन्य कलाएँ, विभिन्न जीवन-स्थितियाँ, घटनाएँ, लिपियाँ आदि उनकी कविता के विषय रहे हैं। हमारे समय में कविता को ज़रूरत से ज़्यादा बोलने का लालच शायद इसलिए होता है कि चारों ओर के शोरगुल में बिना ऊँचे और ज़्यादा बोले उसकी बात कौन सुनेगा। पर शमशेर को सुने जाने का मोह नहीं था—उन्हें पता था कि कहना सिर्फ़ शब्दों से ही नहीं उनके बीच के मौन से भी सम्भव है। शमशेर की कविता विलक्षण रूप से शब्द और मौन, कथन और यतियों की कविता है। शमशेर की आवाज़ को सुनना इस मौन को, उन ख़ाली पर विन्यस्त जगहों को ध्यान में लेना भी है जो वे पूरी सुघरता से छोड़ते-गढ़ते थे। शमशेर शब्द पर अडिग आस्था के कवि थे : उनके यहाँ 'शब्द की दिशा स्वयं परिष्कार है।' उनकी दृष्टि को उनकी कला से अलग 'रिड्यूज' करना या प्रगतिशीलता या कलावाद के जड़ हो चुके मुहावरों में समझना या सामन्यीकृत करना शमशेर की कविता को ठीक से पढ़ने-समझने के उद्यम से बचना है। शमशेर की दृष्टि उनकी भाषा है। वह अपनी

अद्वितीय शमशेरियत के अलावा किसी और ढंग से ग्रहण की या समझी नहीं जा सकती। आत्मकेन्द्रण, आत्मरति और आत्मदया से सर्वथा मुक्त रहते हुए भी, शमशेर ने शमशेर को लिखा : कुछ-कुछ वैसे ही जैसे संगीत संगीत को गाता है। समय, समाज, सचाई आदि सबकी इस शमशेरियत में जगह और भूमिका है—लोग और जीवन-छवियाँ हैं, चीज़ों की धड़कती हुई दुनिया है। पर इन सबको जतन और सावधानी से विन्यस्त करती है यही शमशेरियत—अनेक अन्तर्विरोधों में से एक यह भी है कि एक स्तर पर बिल्कुल आत्मविलोपित, न होने की हद तक जानेवाले शमशेर एक काव्यसंसार में अचूक उपस्थिति हैं। उनका न होना इस होने से ही मुमकिन हो पाता है। वे हैं क्योंकि वे नहीं हैं : अपने को ओझल करना, अपने शब्द को मौन करना शमशेर को आता है। जो जीवन में नहीं मिला या मिल पाया उसे कविता में पाने की, कविता से जीवन की क्षतिपूर्ति करने की चेष्टा शमशेर ने नहीं की। इन दिनों अपने जीवन-संघर्ष को बहुत दिखा-दिखाकर गाने, उसका भावात्मक शोषण करने का जो सफल लटका है उसे शमशेर की काव्य-नैतिकता कभी उचित मान ही नहीं सकती थी। यह नहीं कि उनके जीवन-संघर्ष के अक्स या नक़्श उनकी कविता में नहीं हैं या कि उन्हें ढाँकने-दबाने की कोई कोशिश कवि ने की है। वे सब हैं, अपने सहज क्रम में, बिना किसी भावुकता के, किसी तरह की कविता से इतर करुणा जगाने के लिए जतन करते हुए नहीं। शमशेर के यहाँ कोई होशियारी नहीं है—लेकिन उनकी सारी रूमानियत के बावजूद एक तरह का क्लैसिकल अनुशासन हर समय मौजूद है। सर्वथा निजी को भी किसी भावस्फीति या वाग्स्फीति के सहारे कविता में हस्तक्षेप करने की इजाज़त शमशेर नहीं देते। शमशेर के यहाँ अज्ञेय या मुक्तिबोध जैसी बौद्धिक सख़्ती भले न हो, वे भावात्मक सख़्ती के कवि हैं। उनकी रूमानी संवेदना जब-तब के अतिरेक और तथाकथित टूटे-बिखरेपन के बावजूद, बुनियादी तौर से अल्पकथन और मितव्ययिता के माध्यम से चरितार्थ होती है।

छायावाद की रूमानियत से मुक्ति के संघर्ष में शमशेर अपने समवयस्कों में सबसे पहले हैं पर छायावाद की ऐन्द्रिकता का उत्तराधिकार सबसे अधिक शमशेर को ही मिला। शमशेर से अधिक ऐन्द्रिक कविता, पिछले पचास वर्ष में किसी ने नहीं लिखी है और अज्ञेय के साथ वे इस दौर के ही नहीं, हिन्दी कविता के सबसे बड़े प्रेमकवियों में हैं। हर रोज़ कुछ और भोंथरे होते जाते समय में शमशेर की कविता चीज़ों की दुनिया, उसकी ऐन्द्रिय मौजदूगी, उनका धड़कता अहसास करानेवाली कविता भी है। शमशेर का न होना, या कम-से-कम होना इस अनेक तरह के होने के विराट्-विपुल अनुभव से अपना सत्यापन पाता है। शमशेर के यहाँ चीज़ें दिखती हैं, बोलती हैं, चुप रहती हैं, घेरती हैं : शायद ही किसी और हिन्दी कवि में दूसरे कलामाध्यम इतने घुले-मिले हों। उनकी कविता को निरे

काव्यसंस्कार से पूरी तरह पकड़ पाना मुश्किल है। वह इतनी बार चित्रलिखित है, उनमें इतनी बार स्पेस का विभाजन-सन्तुलन है, आकारों का खेल है, गूँजों-अनुगूँजों का सम्पुंजन है कि शमशेरियत की सघनता, उसका संश्लेष और भी दुस्साध्य हो जाते हैं।

खुश हूँ कि अकेला हूँ,
कोई पास नहीं है...
बजुज़ एक सुराही के,
बजुज़ एक चटाई के,
बजुज़ एक ज़रा से आकाश के,
जो मेरा पड़ोसी है मेरी छत पर...

मुक्तिबोध को शमशेर की दुनिया की पवित्रता में दाख़िल होते डर लगता था। यह पवित्रता, यह निष्कलुषता शमशेर में सहज भाव से पूरी ज़िन्दगी बनी रही। मिलावट, समझौते, ख़रीद-फ़रोख़्त, घुसपैठ की समकालीन दुनिया शमशेर के लिए अनजान नहीं थी। नफ़रत, बैर और षड्यन्त्र के माहौल से वे नावाकिफ़ नहीं थे। पर उन्होंने सुन्दरता और प्रेम का अपना काव्यसंसार इन सबके बरक्स बनाया, एक प्रति-संसार की तरह। उनकी कविता अब भी बची रह गई सम्भावना की, अजेय इन्नासेंस की कविता है। शमशेर सिर्फ़ एक सुराही, एक चटाई और ज़रा से आकाश के साथ अकेले और खुश हो सकते थे : घरों-मुहल्लों और दिलों-दिमाग़ों को चीज़ों के अटालों से भरनेवाली मानसिकता के चलते यह सादगी हास्यास्पद लग सकती है। शमशेर को यों भी अपने कुछ भी न होने का बहुत गहरा और मार्मिक अहसास था : पर वह सादगी उस अटालेपन, गोदामियत का प्रतिरोध है। वह प्रतिसमय है।

कविता शमशेर के जीवन का अध्यात्म थी। यों तो सभी अपनी-अपनी नज़र से जीवन और कविता को देखते-समझते-रचते हैं। शमशेर ने कविता की नज़र से जीवन देखा और रचा। उनके यहाँ जीवन की, औरों की अपार शबीहें हैं—अपनी रचना में, बल्कि रचना-प्रक्रिया में दूसरों को शमशेर ने जितना स्थान और जितनी आत्मीयता से दिया है वह अन्यत्र दुर्लभ है। किसी सतही या नाराई अर्थ में नहीं बल्कि गहरे और समृद्धिकर अर्थ में शमशेर मेलजोल के कवि भी थे—उनका अध्यात्म उन्हें दूसरों से काटता या आसपास की दुनिया को छोड़कर अकेला नहीं करता था। वे बीचोंबीच रहकर भी, औरों के साथ चलते हुए भी अकेले थे। यह अकेलापन इनकार था पर दूसरों का निषेध नहीं :

मगर सदैव
के लिए अकेली हमारी ज़मीन

जिस पर मैं हूँ : हम दोनों कितने
अकेले इस विश्व में।

इस अकेलेपन में एक क़िस्म की क्लैसिकल सघनता थी :

तूने देखा?
तेरे स्वर का स्वर है
कितने पास अपने।

अकेले होने से इन दिनों बड़ी घबराहट है। मनोरंजन, विचारधाराओं और चीज़ों के दैत्याकार उपक्रम हरचन्द इस कोशिश में लगे हैं कि हम अकेले न हों। शमशेर में अकेले रह जाने की हिम्मत थी। मनुष्य का बुनियादी अकेलापन, जैसा कि उसका संग-साथ, मूलतः एक आध्यात्मिक स्थिति है। भारतीय कविता में जब कभी अकेलेपन के काव्याध्यात्म पर विचार होगा, शमशेर एक मूर्धन्य की हैसियत में उस परम्परा में होंगे।

शमशेर सूक्ष्मता और सौन्दर्य-बोध के साथ-साथ साधारण के प्रति उत्सुकता के भी लेखक हैं। उन्होंने कहा था कि 'मेरी कविता के निर्माण में आसपास की साधारण-सी वस्तु भी या कोई ऐसा व्यक्ति जो एकाएक मेरी कविता के पथ में खड़ा हो जाता है, मैं उसको भी अपने रंग में लपेटकर अपनी कविता में शामिल कर लेता हूँ।' शमशेर का यह आसपास इतना उदार है कि उसमें ग्वालियर के मजूर, कम्युनिस्ट माई से लेकर मदर टेरेसा, अज्ञेय, मुक्तिबोध, नेरुदा, नागार्जुन, रघुवीर सहाय आदि सब शामिल हैं।

यह समय जटिलता से मुँह चुराने का है, बौद्धिक सख़्ती से बचकर कुछ लोकप्रिय सामान्यीकरणों से अपने समय को समझने की हिमाक़त का। शमशेर की कविता इस जड़ीभूत विचारहीनता का प्रतिलोम है। यह बात याद करने की है कि अस्तित्व और अनुभव की, प्रेम और वस्तुजगत् की जटिलताओं से निपटने, उनसे दो-चार होने के जो सबसे भरोसेमन्द तरीक़े हिन्दी में हैं, उनमें शमशेर एक हैं। उन्हें 'कवियों की कवि' कहकर हाशिए पर नहीं रखा गया था। वे निश्चय ही ऐसे कवि रहे हैं जिनसे जटिलता से निपटने के कितने ही ढंग और तरीक़े सीखे जा सकते हैं। शमशेर में सादगी है पर सरलीकरण नहीं। उनकी कविता अन्त तक 'अखिल की हठ सी' अपनी ज़मीन पर खड़ी रही। ऐसा हठ वही कर सकता था जो जानता था कि अखिल अव्यक्त है और और व्यक्त के घेरे में लाने की असमाप्य चेष्टा ही सच्चा और टिकाऊ कविकर्म है।

बीसवीं शताब्दी के अधिकांश में जीते और अन्ततः निश्शेष होकर शमशेर ने जो छाप छोड़ी है वह हिन्दी के जातीय चित्त पर, उसकी काव्यस्मृति पर बहुत

गहरी और अमिट है। जब तक हिन्दी कविता के लिए समाज में जगह रहेगी, शमशेर उसमें रौशन शिखर रहेंगे जिन्होंने कविता और इसलिए उसमें प्रगट जीवन को बदला, सुन्दरतर और चित्रमय किया। भारतीय कविता की आधुनिकता के वे एक प्रमुख स्थपति की तरह हमेशा स्मरणीय रहेंगे। जब-जब तुमुल कोलाहल थमेगा तब-तब एक काँपती हुई आवाज़ शमशेर की अलग से साफ़ सुनाई देगी : उसमें हम अपनी 'आत्मा का कल्पतरु' देख पाएँगे। न होकर भी शमशेर होंगे…'बोली हुई अनहोनी और होनी की उदास रंगीनियों में' पर अद्वितीय, काल से होड़ लेते, 'सच्ची सुख-शान्ति का बहुत आदिम, बहुत अभिनव राग' गाते हुए।

[1994]

तीसरे संसार की ज़रूरत

'अपनी काव्यकृतियाँ मुझे दरअसल सामाजिक दृष्टि से कुछ बहुत मूल्यवान् नहीं लगतीं। उनकी वास्तविक सामाजिक उपयोगिता मेरे लिए एक प्रश्नचिह्न-सा ही रही है, कितना ही धुँधला सही।'

हाल ही में प्रकाशित अपने तीसरे चयन 'चुका भी हूँ नहीं मैं' आभार ज्ञापन करते हुए शमशेर बहादुर सिंह का अपनी कविता की सामाजिक उपयोगिता को लेकर बहुत संशय व्यक्त करना किसी हद तक तो स्वाभाविक संकोच के कारण होगा, लेकिन हद तक उस पूर्वग्रह के कारण भी है जिसके रहते पिछले कुछ वर्षों में हिन्दी में कविता के सामाजिक मूल्य की ऐसी धारणा विकसित हुई है जो सामाजिक संघर्ष में कविता की हिस्सेदारी की बहुत सीमित और स्थूल परिभाषा करती है और अगर किसी कविता में तथाकथित सामाजिकता का सीधे-सीधे दीखने और समझ में आनेवाला साक्ष्य न हो तो उसकी सामाजिक उपयोगिता मानने से इनकार करती है। ज़ाहिर है ऐसी धारणा में कठिन लय, भाषा के परिष्कार, अस्तित्व और भावना के जटिल और एकान्त पक्षों और वस्तु-संसार के ऐन्द्रिय अधिग्रहण की रचना के लिए गुंजाइश नहीं हो सकती और शमशेर का संशय ऐसे माहौल में अपनी विशिष्ट मुहावरे, दृष्टि और संवेदना की कविता के लिए कोई जगह न देख पानेवाले बुजुर्ग कवि का ईमानदार और लगभग अनिवार्य संशय है।

कविता से उम्मीद करना कि वह आदमी को अपने जीवन-संघर्ष में मदद करे, कोई बेजा बात नहीं है। लेकिन यह मदद कैसी होगी और किन स्तरों पर, इसका विश्लेषण कुछ विस्तार में करना ज़रूरी हैं। आदमी के सामाजिक जीवन के उत्कर्ष के लिए जो संघर्ष हो रहा है, उसके रूप अनेक हैं और सीधी राजनीतिक कार्रवाई उनमें से एक है शायद सबसे केन्द्रीय और ठोस भी। क्या हम अपेक्षा करते हैं कि कविता को इस कार्रवाई का ही एक हथियार साबित हो सकना चाहिए, तभी वह उपयोगी कविता होगी? ऐसी कविता होती होगी और सम्भवतः आज भी है जो ऐसी कारगर हथियार हो सके। लेकिन क्या हम यह बात नज़रंदाज़ कर सकते हैं कि राजनीतिक कर्म का अपना जो तर्क होता है, अकसर उसमें बुनियादी मूल्यदृष्टि पृष्ठभूमि में चली जाती है और कुछ और लक्ष्य प्राथमिकता पा जाते हैं,

और ऐसे में इस बुनियादी दृष्टि को जीवित और सक्रिय रखने और उसे बार-बार सबको, और संघर्षशील राजनीतिककर्मी को भी, याद दिलाने का काम कविता को करना चाहिए? उस 'विजन' को उसकी प्रामाणिक मानवीयता में जीवन्त रखना और उसके माध्यम से लक्ष्यों और कार्रवाइयों को जाँचने-परखने का एक विश्वसनीय अवसर बनाए रखना क्या कविता के लिए एक अधिक कारगर, सामाजिक दृष्टि से अधिक उपयोगी धर्म नहीं है? जीवन-व्यापार और संघर्ष में लगे नागरिक के लिए कविता पलायन नहीं है और न जीवन के सीधे-तीखे हमलों से बचने की पनाहगाह ही। बल्कि वह एक ऐसी जगह है जहाँ यह संसार अपनी पूरी रंगारंग विविधता और सुख-दुख की रचनात्मक समृद्धि में उसकी संवेदना की ऐन्द्रिय पकड़ में आता और उसे निरे दार्शनिक प्रत्ययों या राजनीतिक नीतियों से अलग एक ऐसा विवेक और समझ मिलते हैं, जो उसकी जिजीविषा को उत्तेजित करते हैं और इस तरह उसकी बुनियादी संघर्षशीलता को बढ़ाते और एकाग्र करते हैं। सच्ची कविता अपने समय में हमेशा तीसरा संसार रचती और पोसती है—उन दो संसारों से अलग, जो चीज़ों और हरकतों के रोज़मर्रा संसार और आम कविता के प्रत्याशित संसार हैं और, हालाँकि वह दोनों संसारों से गहरे प्रतिकृत होती है, वह इनका अतिक्रमण करती है—यह अतिक्रमण जिस तीसरे संसार में होता है वह अलग है, पर अद्वितीय और स्वायत्त नहीं। वह एक जूझता-लड़ता संसार है, पर अधिक विशद, उत्सुक गरमाहट और समझ-भरा, जो व्यक्ति की समग्रता को किसी ऐकान्तिकता में क़ैद नहीं करता बल्कि ऐसी मुक्ति देता है कि वह अपनी ऐकान्तिकता के साथ-साथ अपनी सामाजिक ज़िम्मेदारी भी समझे और अपनी संघर्षशीलता उद्दीप्त और जागरूक रखे, मनुष्य को पूरी ज़िन्दगी, उसकी विविध जटिलता और कशमकशों को समेटते हुए बेहतर ज़िन्दगी और आदमी का सपना देखे और सचाई से अपने उलझाव को अधिक गहरा करे। भाषा, लय, जीवनच्छवियों और प्रतीकव्यवस्था से कविता इसी तीसरे संसार को चरितार्थ करती है और जिस हद तक वह ऐसा कर पाती है उस हद तक वह मानवीय ज़रूरत है, नागरिक के लिए सामाजिक रूप से उपयोगी है और सामाजिक संघर्ष में उसकी सार्थक हिस्सेदारी के लिए मददगार है।

शमशेर ने बड़े स्मरणीय ढंग से कहा है :

शब्द का परिष्कार
स्वयं दिशा है

भले ही शमशेर को लगता है कि वे 'ठिठक-से गए हैं' और अपनी कविता की सामाजिक उपयोगिता के बारे में उन्हें सन्देह भी होता है, लेकिन उनके इस तीसरे चयन को पढ़नेवाला आश्वस्त होगा कि उनकी काव्य-शक्ति अब भी सक्रिय और

सार्थक है। यही नहीं बल्कि हिन्दी-कविता की संवेदनशील सम्भावना आगे बढ़ाने का और उसके माध्यम से चरितार्थ हो रही ज़िन्दगी की तस्वीर को पूरा करने का महत्त्वपूर्ण और ज़रूरी काम यह कविता बिना शोरगुल मचाए चुपचाप लेकिन असन्दिग्ध रूप से कर रही है।

ऊपर जिस तीसरे संसार की बात है उसके लिए ज़रूरी है कि कविता में चीज़ों और हरकतों के रोज़मर्रा संसार का गहरा ऐन्द्रिय अहसास हो। ऐसी ऐन्द्रियता शमशेर की लगभग चारित्रिक विशेषता ही है। लगभग अमूर्त लगते दृश्यालेख को अपनी संवेदना के सहज ताप से मूर्त करना—अनोखे संयम और मितव्ययिता के साथ—शमशेर का मिजाज-जैसा रहा है, और उनके नए संग्रह में उनकी यह क्षमता पूरी तरह बरकरार है।

> सूर्य मेरी अस्थियों के मौन में डूबा
> गुट्ठल जड़ें
> प्रस्तरों के सघन पंजर में
> मुड़ गईं।
> विगत सन्ध्या की
> रह गई है एक खिड़की खुली
> झाँकता है विगत किसका भाव।

अपने आसपास के प्रति संवेदनशीलता और जो दीखता या महसूस होता है उसे भाषा में सहेज और दिखा पाना कठिन काम है, हालाँकि यह कविता का एक बुनियादी काम ही है। ऐसी कविताओं की इन दिनों भरमार है जो बिम्बों और रूपकों के ढेर के बावजूद हमें कुछ साफ़-साफ़ दिखा नहीं पातीं। ऐसे में शमशेर की कविताएँ पढ़ना कई मानों में दृष्टिवती रचनाएँ पढ़ना है—वह कविता को जैसे उसकी स्वाभाविक दृष्टि वापस देना है। भाषा शमशेर के यहाँ 'बोलती' उतना नहीं है जितना 'देखती' है और उसके काव्य-प्रभाव में हम भी अपने देखने की शक्ति को अधिक एकाग्र और सक्रिय कर पाते हैं। एक सच्चे भारतीय कवि की तरह शमशेर के यहाँ चीज़ों का जो धड़कता संसार है वह किसी तरह का अस्तिमूलक आतंक नहीं पैदा करता बल्कि वह मनुष्य की रोज़मर्रा की ज़िन्दगी और उसके गहनतम अनुभवों में शरीक संसार है और कई बार चीज़ों के साथ रिश्ता उतना ही सहज और आत्मीय है जितना दूसरे लोगों के साथ सम्भव है। चीज़ों से अलगाव, उनका बेगानापन और उनका आतंक जब लगभग नई रूढ़ियाँ बन चुके हैं, चीज़ों के साथ सहज आत्मीयता की सम्भावना की पहचान जीवित रखकर शमशेर की कविता न केवल कविता में एक भिन्न क़िस्म का स्वाद पैदा करती है बल्कि किन्हीं अर्थों में एक ऐसे महत्त्वपूर्ण तत्त्व को हमारी कला में सारी आधुनिकता के बावजूद बरकरार रखती

है जो हमारी पारम्परिक कलादृष्टि का मूल्यवान् तत्त्व रहा है और जो हमारा रचनात्मक उत्तराधिकार है। कवि त्रिलोचन के लिए लिखी गई कविता 'सारनाथ की एक शाम' में जब शमशेर कहते हैं :

तू किस
गहरे सागर के नीचे
के गहरे सागर
के नीचे का
गहरा सागर होकर
भिंच गया है
अथाह शिला से केवल
अनिन्द्य अवर्ण्य मछलियों के विद्युत
तुझे खनते हैं
अपने सुख के लिए।

तो दो क़वि, सागर, शिला, मछलियाँ और सुख भाषा की लयात्मक गरमाहट और आत्मीता में एक-दूसरे से भिंच जाते हैं और काव्यानुभव एक तरह की क्लैसिकल गरिमा पा लेता है : कविता पढ़ना स्वयं एक तरह का प्रीतिकर उत्खनन हो जाता है।

यह सही है कि शमशेर की कविता में उनके व्यक्तित्व के पोर-पोर रेशे-रेशे खुले-उधड़े नहीं हैं और येट्स की कविता की तरह उनकी कविता पढ़ना उनकी 'दिल की गन्दी हड्डियों-चिथड़ों-भरी दुकान में उतरना' नहीं है। शमशेर की कविता में उनका व्यक्तित्व सीधे-सीधे अपने को एसर्ट नहीं करता, लेकिन आत्मविलोपन द्वारा भी वे अपने व्यक्तित्व की अचूक छाप छोड़ते हैं, अपने स्वाभाविक संकोच के कारण जिसकी काव्याभिव्यक्ति अकसर शब्दों की मितव्ययिता द्वारा होती है। शमशेर जो कुछ खोलने-बताने से रह जाते हैं वह किसी ग्रन्थि या कुण्ठा के कारण नहीं है। व्यक्त के अलावा जो बचता है वह शमशेर की नज़र में अप्रासंगिक है और बताने-दिखाने के मानों काबिल नहीं है। उनकी कविता अपनी हार्दिकता और गरमाहट के लिए आज भी बेजोड़ है। इसमें खुलेपन का और अपनी सीमाओं के सहज स्वीकार का कभी अभाव नहीं है। अपने से बाद वाले समय या संवेदना के साथ हिन्दी के ज़्यादातर बुज़ुर्गों का सम्बन्ध असहज और कुण्ठाग्रस्त रहा है। लेकिन शमशेर सहज साहस के साथ कह सकते हैं :

नए हो तुम
और आज के

फिर भी
तुम लिये हुए मेरा शबाब आए

या उसी कविता में :

ओ युग,
आ, मुझे और लिये चल जरा और
शक्ति औ' प्रेम की गर्वभरी बाँहों में
सादगी के हाँ उस सीने पे जो
साधारण छोटी-छोटी दैनिक बातों में होती है...

शमशेर की सजग संवेदनशीलता का एक दुर्लभ पक्ष उन कविताओं में मिलता है जो उन्होंने दूसरे कवियों-कलाकारों के लिए लिखी हैं। रचनात्मकता के प्रति उनकी गहरी ललक और सम्मान का ही यह प्रमाण है कि हिन्दी में शायद उन्होंने सबसे अधिक कविताएँ दूसरे कवियों, चित्रकारों, कलाओं आदि के बारे में लिखी हैं। जिस तरह से चीज़ों और मनुष्य की एक बिरादरी उनकी कविता खोजती और हमारे लिये उजागर करती है, मुक्तिबोध, त्रिलोचन, मोहन राकेश, गुलाम रसूल सन्तोष, गिन्सबर्ग आदि के लिए लिखी गई उनकी कविताएँ सृजनधर्माओं की एक आत्मीय बिरादरी से हमारा घनिष्ठ और आत्मीय सम्पर्क कराती है। दूसरों से (और इसमें दूसरी कलाएँ भी शामिल हैं) शमशेर ने बहुत सावधानी, पर पूरे उत्साह, के साथ सीखा है और अपनी कविता को समृद्ध किया है : उनकी कविता में जगह-जगह उनके द्वारा सुने गए संगीत या देखे गए चित्रों की यादें हैं जो उनके निजी मुहावरे में आर्गेनिक ढंग से घुली-मिली हैं और उसकी संवेदना और सघनता को बढ़ाती हैं : अपने माध्यम के अलावा दूसरे माध्यम के प्रति उत्सुकता और उनकी रचनात्मक समझ शमशेर की कविता के संसार को अद्भुत ढंग से मानवीय और रंगारंग बनाती है और इस मायने में वे आमतौर पर फैली हुई सांस्कृतिक निरक्षरता से मुक्त एक सांस्कृतिक कवि हैं जिनके लिए सृजनात्मक संस्कृति निरा सन्दर्भ-भर नहीं है बल्कि उनकी रचनाप्रक्रिया और काव्य-संसार में अनवरत और जीवित उपस्थिति है।

नये का हिन्दी में कुछ ऐसा आतंक रहा है कि अक्सर बुजुर्ग कवि अपने को दृश्य में बनाए रखने के लिए चालू मुहावरों और काव्ययुक्तियों की गिरफ़्त में आ जाते हैं और उनके इस्तेमाल द्वारा अपने को नए-से-नया दिखाने की दयनीय कोशिश करते नज़र आते हैं। नतीजा यह होता है कि एक ओर तो हमारे बुजुर्ग कवि ऐसी कविता लिखते हैं जो उनकी प्रामाणिक और ईमानदार अभिव्यक्ति नहीं है और दूसरी ओर उनके ऐसा करने से समकालीन काव्य-दृश्य एकरस बनता है। अपने समय को लिखना युवा कवि का एकाधिकार नहीं है। नए और युवा के

प्रति खुले और आश्वस्त रहते हुए भी शमशेर ने अपनी ज़मीन और अपने अर्जित मुहावरे को कभी छोड़ा नहीं है। विशाल-से-विशाल सहानुभूतिवाली कविता भी 'कहीं' की होती है, 'सब कहीं' या 'कहीं की भी' नहीं। शमशेर की कविता का 'कहीं' हमेशा स्पष्ट रहता है। वह किसी और का 'कहीं' नहीं है, वह उनका है—बिलकुल विशिष्ट और अलग से पहचाना जा सकनेवाला; वह हमारे परिचित संसारों से अलग है लेकिन ऐसा कि हमारा परिचित संसार उसे जानने के बाद कुछ बदल जाता है, बेहतर समझ में आने लगता है और किसी हद तक अधिक सहने के काबिल हो जाता है। यह कविता निश्चय ही समकालीन काव्यचेष्टा के दृश्य को पूर्णतर और विविध बनाती है और मन में सहज ही शमशेर के प्रति आभार जागता है कि बुजुर्ग होने के बावजूद वे रचनारत हैं और उनकी कविताएँ आज भी पूरे उत्साह और सफलता के साथ हमें ऐसा कुछ दिखाती-बताती हैं जो अद्वितीय हैं : कविता लिखना-पढ़ना और अपने रोज़मर्रा के काम में लगे रहकर भाषा के नए विन्यास खोजना सार्थक लगता है, क्योंकि शमशेर की कविताएँ हमारे पास-साथ हैं। सामाजिक परिवर्तन में अपनी मनचाही भूमिका निबाहने की इच्छा भी ये कविताएँ तीव्र करती हैं और संघर्ष की कशमकश में सामाजिक ज़िम्मेदारी के अपने एहसास को सक्रिय रखते हुए भी यह याद दिलाती हैं कि मनुष्य का संसार अर्थपूर्ण है और भाषा उसकी जटिल सुन्दरता को सुरक्षित रख सकती है।

[1976]

बीच बहस में कविता

विजयदेव नारायण साही

पिछले लगभग बीस बरसों में हिन्दी आलोचना और विचार के क्षेत्र में **विजयदेव नारायण साही** की उपस्थिति और सक्रियता महत्त्वपूर्ण रही है। उन्होंने कम लिखा, उससे भी कम छपवाया लेकिन वे बीच बहस में बने रहे। उन्हें अक्सर 'एक बहस करता हुआ आदमी' कहकर याद किया जाता है। मरणोत्तर प्रकाशित उनके दूसरे कविता संग्रह **साखी** से स्पष्ट है कि अपने समय की इस लम्बी बहस में उनकी कविता भी पूरी तरह शामिल है। वह एक बहस करते आदमी की कविता-भर नहीं है, वह बहस करती कविता है। यह बहस सिर्फ़ दृष्टियों, अनुभवों और विचारों के बीच या कुछ व्यक्तियों के बीच या अपनी ही संशयग्रस्त आत्मा के दो पक्षों के बीच-भर नहीं है। अपने लिये बहस का रास्ता चुनकर यह कविता अपनी समकालीन कविता से भी बहस कर रही कविता है। उसके घोषित-अघोषित पुरुषार्थों को प्रश्नाकुलता और संवाद के घेरे में खड़ी करती कविता। हमें यह नहीं भूलना चाहिए कि जब युवतर कवि को कविता 'घेराव में/किसी बौखलाए हुए आदमी का संक्षिप्त एकालाप' लग रही थी तब साही को वह संवाद-सुलभ जान पड़ रही थी। **मछलीघर** की भूमिका में उन्होंने 'आन्तरिक एकालाप' पकड़ने की कोशिश को अपना लक्ष्य ज़रूर माना था, लेकिन **साखी** तक आते-आते यह एकालाप संवाद में रूपान्तरित हो चुका था। नए संग्रह की भूमिका के रूप में उनका **पूर्वग्रह** में कुछ कविताओं साथ छपा वक्तव्य दिया गया है जिसमें कविता से कई तरह के पुरुषार्थों की उम्मीदें की जाने की बात है। निश्चय ही संवाद ऐसा एक पुरुषार्थ है : एक ऐसे समय में जब संवाद की सम्भावनाएँ सिकुड़ती जाती हैं, कविता को मानो संवाद के लिए ललकारना, उसे उसका लगभग सहज धर्म बना देना और संवाद की सम्भावना को बनाए रखने पर इस प्रकार आग्रह करना पुरुषार्थ ही है। हमारा समय कविता में तो दूर अब तो विचार और आलोचना तक में एकालाप, संवाद-विमुखता और संवाद के अकारथ माने जाने का अभागा समय हुआ जा रहा है। ऐसे में कविता को संवाद बनाना न केवल सृजनात्मकता को एक अन्धी गली

में अवरुद्ध होने से बचाने का यत्न करना है बल्कि हमारी बुनियादी मानवीयता पर हो रहे अनेक आक्रमणों के लिए एक सशक्त प्रतिरोध विकसित करना भी है। चाहे अनुभव का सच हो या विचार का, उसकी जाँच होना ज़रूरी है : कविता में उसके 'सत की परीक्षा' होती है। यह जाँच एकान्त साधना नहीं है, उसमें दूसरे शामिल हैं। ऐसे ही 'सत' की 'साखी' है साही की कविता।

आज ऐसी बहुत-सी कविता है जो दूसरों से बात करने से कतराती है, दूसरों का सामना करने से घबराती है या आत्मसन्तुष्टि के स्वर्ग में क़ैद है। कबीर की तरह साही कभी-कभार अगर रामझरोखे से दुनिया और उसमें अपनी हालत को देखते हैं तो दूसरे ही पल वे बाज़ार में आ जाते हैं सबके साथ और अपने को उसी परीक्षा के लिए प्रस्तुत कर देते हैं जो दूसरों की ली जा रही है। सत्य, जो भी हो, पूर्वनिर्धारित या सुनिश्चित नहीं है। वह इसी आत्मपरीक्षण और संवाद की दुहरी और कठिन प्रक्रिया से आकार ग्रहण करता है। भले ही 'मेरे सयाने युग में' 'बेनाम तकलीफ़ों' के लिए 'सटीक और सन्तोषप्रद नाम दिए जा चुके हैं', कविता इस सयानेपन पर प्रश्नचिह्न लगाती है और इस सटीक सन्तोष की अपर्याप्तता को पहचान पाती है। ऐसी कविता 'औरेबी हमसफ़र' है जिसका 'होना ही' 'निरन्तर आलोचना की तरह' लगता है। बहुत सारी कविता में आजकल कवि अपनी आस्था का हलफ़ उठा रहे हैं, भले ही कविता की अपनी संरचना और भावसम्पदा उस आस्था को सत्यापित करने में समर्थ नहीं है। शायद मान्यता प्राप्त करने की हड़बड़ी या उतावली या मोह ऐसा करवा रहा है। या सचमुच कुछ की आस्था इतनी जड़ हो गई है कि संशयातीत होकर उससे कुछ 'किया' नहीं जा सकता, उसे बार-बार 'कहा' भर जा सकता है। एक तरह का अस्वाभाविक चौकन्नापन कविमन को ग्रसे है कि वह जो भी कहे उसकी वफ़ादारी का प्रमाण हो, कम-से-कम उसकी वफ़ादारी पर शक़ किए जाने से उसे बचाए रहे। यह कविता का वफ़ादारी के लिए शोषण है, उसकी बुनियादी शर्तों से कवि का अनैतिक अपसरण। ऐसे में साही की कविता वफ़ादारी के बरक्स, उसके 'दहाड़ते आतंक के बीच' 'फटकारकर सच बोल' सकने की हिम्मत की कविता है। उसके 'सच का इस्तेमाल कौन अपने पक्ष में करेगा' इसकी चिन्ता उसे नहीं है। यह ख़तरनाक खुलापन है और उस सारी कविता की बेचारगी और चतुराई पर टिप्पणी, जो तय करके पक्षधर है और अपनी ईमानदारी के बजाय अपनी वफ़ादारी के लिए चिन्तित है। आजकल की कविता की गिरती हुई साख के विरुद्ध साही की कविता ईमान की साखी है।

2

यह कुछ अप्रत्याशित है कि बहस करनेवाली कविता अपने लिए चित्रांकन की

प्रणाली चुने जो कि साही ने अपनी कुछ कविताओं के लिए चुनी है और उन्हें नाम दिया है **शबीहें** याने तस्वीरें या छविचित्र। ये छवियाँ व्यक्तियों, घटनाओं और परिस्थितियों की हैं। यह विभाजन स्वयं कवि का किया हुआ है। जीवन-जगत् की ऐसी अनेक छवियाँ हैं जो हम अलक्षित करते हैं या जो हमारे ध्यान में नहीं आतीं। कुछ ऐसी हैं जो ध्यान से उतर जाती हैं। हर समय की कविता ऐसी छवियों को हमारे लिए अंकित करती है और इस तरह उन्हें हमारी स्थायी स्मृति का हिस्सा बना देती हैं। बहुत हद तक यह काम कविता, कम-से-कम इन दिनों, कथावृत्त का सहारा लिए बिना करती है। शब्द एकाग्र और घनीभूत होकर एक छवि बनाते हैं और उसे कविता में मूर्त करते हैं। कविता लोगों का अमूर्त सामान्यीकरण के रूप में इस्तेमाल जब-जब करती है पर सार्थक कविता इन लोगों को उनके जीवित और गतिशील होने के अहसास को कविता में ऐसे ही मूर्त चित्रों द्वारा चरितार्थ कर पाती है। ये छवियाँ व्यक्तियों के अलावा घटनाओं और परिस्थितियों की भी हो सकती हैं। साही के यहाँ ये तीनों ही रूप हैं। **बेनाम तकलीफ़ोंवाला बूढ़ा, शाम के वक़्त रुद्ध अवस्थाओंवाला आदमी, साँप काटे हुए भाई से, क्रूसो, आख़िरी क़ैदी, औरेबी हमसफ़र,** आदि कविताओं के शीर्षक ही इस सन्दर्भ में इस तथ्य को रेखांकित करने के लिए पर्याप्त हैं। यह कविता हमें किसी दूरदराज़ के लोक में स्थानांतरित नहीं करती : हमें अपनी ही दुनिया में वह दिखाती है, जो हम अन्यथा न देख पाते। वहाँ ले जाती है जहाँ हम अन्यथा न गए होते और जहाँ पहुँचने पर हमें अपनी रोज़मर्रा की दुनिया वही नज़र नहीं आती जो हम पहले देखते थे।

इस सिलसिले में एक बहुत अच्छी और हिन्दी में अपने ढंग की बिलकुल अकेली कविता है **अस्पताल में**। यों यह अस्पताल के बारे में है। लेकिन समाप्त होते-होते वह हमारी दुनिया के बारे में भी हो जाती है। उसमें चरितनायक-रोगी का डॉक्टर से संवाद है अपनी पीड़ा के बारे में और पड़ोसी-रोगी की पीड़ा और उससे होनेवाली उलझन के बारे में। पीड़ा, सहवर्ती पीड़ा, उपचार और शमन, पीड़ा का स्थानान्तरण, अपनी पीड़ा दूसरों के लिए उलझन, पीड़ा की बिरादरी आदि अनेक मार्मिक प्रसंग इसमें बहुत सादगी और स्पष्टता के साथ उठते हैं।

अपनी पीड़ा, उसके प्रति संवेदनशीलता और दूसरे की पीड़ा के प्रति असंवेदनशीलता के बीच का अन्तर्विरोध और तीसरे द्वारा इस अन्तर्विरोध को सहज मानकर एक निश्चिंत वस्तुपरकता की अभिव्यक्ति कविता के भावजगत् को गहराई और जटिलता देती है। हम याद करें कि कुछ बरसों पहले 'दुःख सबको माँजता है' ऐसा हिन्दी कवि को लगता था। पीड़ा के निहायत भौतिक सन्दर्भ में परिष्कार या परिमार्जन लगभग असम्भव लगता है यह नया बोध इस कविता में है। उसे स्वीकार करने की निर्ममता के साथ ही पीड़ा में समान भागीदारी का अहसास कविता

को अपने ढंग से वस्तुपरक बनाता है। पीड़ा मात्र सच नहीं है, उसका यह अन्तर्विरोधी स्वरूप भी उतना ही सच है। कविता का अन्त एक अर्थ में अप्रत्याशित है और दूसरे अर्थ में कविता की अपनी अर्थगति का लगभग तर्कसंगत समापन।

सब सो रहे हैं
सहज समाधि की तरह
सब कराह रहे हैं।
अनाहत नाद की तरह।

कबीर परम्परा से उधार लिये गए ये शब्द 'सहज समाधि' और 'अनाहत नाद' उन्हें एक रहस्यलोक की अवधारणाएँ बनाए रखने के बजाय, सीधे हमारी जानी-पहचानी दुनिया में ले जाते हैं, दरअसल अस्पताल में, जहाँ सोना और कराहना एक साथ है : जो सोता है, वही कराहता भी है भले उसे अपना कराहना सुन न पड़े। जो 'सहज समाधि' में सोया है वही कराहता भी है 'अनाहत नाद' की तरह। पीड़ा और उसमें सहभागिता मानवीय समता स्थापित करती है। सारी कविता बातचीत जैसी है। उसमें अस्पताल के माहौल को बहुत मितव्ययिता के साथ चित्रांकित किया गया है। पीड़ा जो सादगी और आडम्बरहीनता साधारण व्यवहार में लाती हैं, वह इस रचना के पूरे काव्य-व्यवहार में है।

3

कविता यदि कवि के लिए पुरुषार्थ है तो इसलिए कि उसने इस अभागे समय में कविता लिखने और उसके माध्यम से कुछ साहसपूर्ण करने का निश्चय किया है। वह कुछ और भी कर सकता था। अभिव्यक्ति के ख़तरे कविता में ही नहीं, अन्यत्र भी उठाए जा सकते हैं अगर ख़तरे उठाने के प्रति अतिरिक्त आकर्षण हो ही। विजयदेव नारायण साही ने कविता लिखने के लिए विचार और कर्म के क्षेत्र में अपनी साहसिक सक्रियता से ऐसे ख़तरे उठाए भी थे। इसलिए कविता के पुरुषार्थ के प्रति कोई रूमानी या भावावेगी औचित्य उनके मन में नहीं था। बल्कि इस अतिरिक्त सामाजिक सक्रियता ने उन्हें एक वस्तुपरकता और यथार्थ बोध दिए जो उनकी कविता को ऐसा सत्यापन सुलभ कराते हैं जो दूसरों के यहाँ प्रायः नहीं मिलता और, जिसके अभाव में दूसरे, कविकर्म को और उसकी भूमिका को प्रायः अतिरंजित करते हैं।

एक इधर की सुपरिचित थीम विद्रोह को लें। साही की दो कविताएँ **लकीर की समाप्ति पर एक आदमी** और **आदमी जिसका चला जाना शुरू हुआ** इस सन्दर्भ में देखी जा सकती है। पहली कविता में एक चित्रांकन है :

जहाँ तक निशान बनता है
ज़मीन पुरानी पड़ जाती है
लेकिन जहाँ वह खड़ा होता है
उसके आगे सिर्फ़ एक शून्य रहता है
जो पैर पड़ते ही
ज़मीन में बदल जाता है

बहुत ही साधारण शब्दों में यह एक बखान है : विद्रोह पर लिखी अकसर कविताओं में मिलते बड़बोले बयानों से बिलकूल अलग। पर यह उस विद्रोही का बखान है जिसे संशय है **जो आज तक यह हल नहीं कर पाया :**

कि ये निशान उसे निर्मित करते हैं
या वह इन निशानों को निर्मित करता है।

हमारे समाज में विद्रोही की स्थिति और नियति का अधिक सीधा चित्र है दूसरी कविता में। वहाँ 'आततायी' और 'जो कुचले गए थे' अपने विद्रोही चुनते हैं 'जिनसे हमारा काम निकलता है।' वे 'किसी और विद्रोही को नहीं जानते।' एक ऐसे समाज में जिसमें विद्रोह लगातार धूमिल और शिथिल पड़ जाता है इस सचाई को बेबाक ढंग से पकड़ना मूल्यवान् है कि स्थापित व्यवस्था और तथाकथित विद्रोह के बीच परस्पर मान्यता का क़रार जैसा है, कि दरअसल विद्रोही की भी एक व्यवस्था है जिसके बाहर विद्रोह को मान्यता नहीं मिलती। पिछले पचास वर्ष का भारतीय इतिहास उन परम विद्रोहियों के एक तरह की नामहीनता में लोप होते जाने की करुण गाथा है जिन्होंने व्यवस्था की शर्तों या उसकी मान्यता की परवाह किए बिना विद्रोह किया। ऐसे विद्रोही के लिए यही विकल्प है कि वह पहचाने 'कि मैं फँस गया हूँ' और वापस चला जाए। कविता की अन्तिम पंक्ति में एक उदास ठण्डा स्वीकार है हमारे समाज में विद्रोह के हश्र का : 'इस तरह चले जाने की शुरुआत हुई'। यह वापस चला जाना विद्रोह से अपसरण नहीं है पर एक ट्रैजिक आत्मस्वीकृति है कि 'विद्रोहियों के विरुद्ध भी विद्रोह' सम्भव है पर व्यर्थ है। विद्रोह की पवित्रता इस दुष्चक्र से निकल जाने में ही है। स्वतन्त्रता के बाद भारतीय राजनीति में तमाम विद्रोहों का जो हश्र होता रहा है उन पर यह कविता एक निर्मम और पीड़ाजन्य टिप्पणी है।

युवतम पीढ़ी के एक कवि की इस अवधारणा को कि 'राजनीतिक कविता के लिए वही सूक्ष्म दृष्टि, संवेदना और किसी भी घटना को उसके समस्त मानवी प्रसार में देखने की क्षमता और कला-शक्ति दरकार है जो अन्य कविताओं के लिए' साही की कविताएँ पुष्ट करती हैं। वे ऊपर से किसी राजनीतिक घटना के बारे

में प्रायः नहीं है पर समाज में जो मूल्यों का संघर्ष है और उसकी जो मानवीय व्याप्ति, वह उनकी चिन्ता की परिधि में बराबर है, यह स्पष्ट देखा जा सकता है। आज जब सवालों और उनकी असलियत को लेकर ही इतना बावेला मचा हुआ है। साही की इन पंक्तियों के गहर राजनीतिक आशय को अलक्षित करना सम्भव नहीं है :

सुनो भाई साधो
असली सवाल है
कि असली सवाल क्या है?

जिस समाज में असली सवालों की पहचान ही धुँधला गई हो वहाँ कविता का एक आपद्धर्म शायद यह भी है कि वह यथासम्भव इस स्थिति को तो अंकित करे ही भरसक सही सवाल पूछने की जुर्रत करे। साही की कविता लगातार ऐसी जुर्रत करती है और इसलिए भी अपने फलितार्थों में राजनीतिक कविता है। यह आकस्मिक नहीं हैं कि उनकी अनेक कविताओं में प्रश्नवाचकता है। कई का तो अन्त ही सवालों में होता है :

भरी सभा में एक ही सवाल है
मेरे साथ कौन आता है?
(बहस के बाद)

कहाँ से आता है यह काला प्रकाश
जो अभी भी
तुम्हारी बेज़बान आँखों में
सन्निपात की तरह जल रहा है?
(आख़िरी क़ैदी)

उपस्थित या अनुपस्थित सज्जनो
जवाब देने की जल्दी न कीजिए,
मेरी तरह देर तक पूछते रहिए
आख़िर ऐसा क्यों हुआ?
(अन्त में सूत्रधार का वक्तव्य)

इसी शताब्दी ने
मुझे तुम्हें दोनों को
गम्भीर शब्दों वाली वाणी दी है
देखता हूँ पहले कौन चीख़ता है?
(इसी शताब्दी के सामने)

प्रश्नों से समापन इन कविताओं को मानवीय विश्वसनीयता और बौद्धिक जिज्ञासा के ऐसे छोर पर ले जाकर छोड़ता है जहाँ उत्तरों की बहुलता है और उनमें से अपनी दृष्टि के अनुसार चुनने की स्वतन्त्रता। कोई उत्तर साही अपनी ओर से लादते नहीं क्योंकि ऐसा करना उनका कवि-स्वभाव नहीं हैं यह सब होता है बिना किसी उलझाव के और बिना किसी संवेदनात्मक लापरवाही या बौद्धिक आलस्य के। एक ऐसे समय में जब अनेक कवि दूसरों के सुझाए उत्तरों से उत्प्रेरित अपनी रचना शुरू करते हैं या ऐसे उत्तरों में उसे समाप्त करते हैं, चालू मुहावरे में कहें कि साही प्रश्नों के प्रजातन्त्र को कविता में उत्तरों के एकाधिकार के विरुद्ध बल्कि उसके निषेध के रूप में बहाल करते लगते हैं।

साही में गहरा समुदाय-बोध भी है। सौभाग्य से वह निरा ऐतिहासिक या समाजशास्त्रीय नहीं है। उसमें एक कबीले के होने, उसके सौभाग्य-दुर्भाग्य से तदात्म होने का अचूकपन है। लोग साही के यहाँ अमूर्त सामान्यीकरण नहीं बनते। वे होते हैं अपनी विशिष्ट जीवन-छवियों के साथ—सजीव और अपरिहार्य :

कहाँ चले जाते हैं लोग
थोड़ी देर के लिए
आदिम पीड़ाओं की झलक दिखलाकर
थोड़ी देर के लिए
आदिम वैराग्य की खुशबू छोड़कर।
(अँधेरे मुसाफ़िरख़ाने में)

यहाँ लोगों ने
दिल की तसल्ली के लिए
मरदुमशुमारी की एक आदत डाल ली है
हर वारदात के बाद
वे अपने समूचे वंश को
कहीं एकान्त में खड़ा करते हैं
और गिन डालते हैं
जब कोई कम नहीं मिलता
तो वे जान जाते हैं
कि वारदात ने
उनके लिए चर्चा का
एक और अवसर दिया है
जिस पर वे तब तक अटकलें लगाते रहेंगे

जब तक कोई दूसरी वारदात न हो जाए।
(कुएँ में कोई गिर गया है)

ऐसा नहीं है
कि वहाँ लोग नहीं होंगे
हमें सोता देखकर वे आएँगे
और जागने पर हालचाल पूछेंगे।
हम उनसे कहेंगे
कि हम भी उनके साथ कान्तारों में
गुमनाम होने के लिए आए हैं
(मेरे साथ कौन आता है)

इतिहास अपने ज्ञातनामों, घटनाओं या स्मारकों के माध्यम से साही के यहाँ नहीं आता। बल्कि वह नामहीन 'सुनसान' है 'जहाँ बरसों से एक जंगल जल रहा था'। कविताओं में उसकी उपस्थिति का अहसास बारहदरी, हवा महल, मन्दिर, कान्तार, मेहराबें, चक्रव्यूह, सन्तरी, हथियार, प्यादे आदि अभिव्यक्तियों के माध्यम से तो होता ही है, उससे कहीं अधिक उन अन्तर्ध्वनियों से होता है जो अनेक कविताओं में गूँजती हैं। इन ध्वनियों से कविता समकालीन विषय या चरित्र पर होकर भी इतिहास को अपनी परिधि में समेट लेती है। इसी अन्तर्भूत ऐतिहासिक बोध से सम्भवतः यह साहसिक पहचान उभरती है कि :

अब हमें नई शुरुआत के लिए
नए सिरे से गुमनामी चाहिए।

बल्कि कहना यह चाहिए कि साही के यहाँ इतिहास अज्ञात नहीं, गुमनाम है। इस गुमनामी से ही आज के व्यक्ति के लिए 'नई शुरुआत' की सम्भावना बनती है। कविता इतिहास को उसके 'नाम' से मुक्त कर जो 'गुमनामी' उसे देती है वह उसे अधिक मानवीय, अधिक व्यापक बना देता है। संघर्ष, रहस्य, प्रयत्न, गोपनता, दीप्ति और धुँधलके की अनन्त निरन्तरता उभरती है, जिसमें इतिहास अपनी विशिष्टता खोकर भी निरा सामान्यीकरण नहीं बनता बल्कि नई तात्कालिकता और लगभग नैतिक-ऐन्द्रिय उपस्थिति हो जाती है। कविता सिर्फ़ भाषा की नहीं, इस मानवीय निरन्तरता और तात्कालिकता की भी संरचना करती है। कविता से हम ऐसे पुरुषार्थ की आशा नहीं करते हैं : पर साही की कविता उसे पूरा करती है यह बात स्वीकार की जानी चाहिए।

4

साही की कविता यद्यपि अक्सर ऐसे अनुभवक्षेत्र से सरोकार रखती है जो मुबहम है, जहाँ धुँधलका है, पर स्वयं उसमें पारदर्शिता है और किसी तरह के उलझाव से मुक्त मितव्ययिता भी। एक तरह की सूक्तिपरकता उन्हें प्रिय है पर साही में गहरा आत्मसंयम है और वे अतिकथन से बराबर बचते हैं। उनके बिम्ब और प्रतीक व्यवस्था हमेशा सार्थक और सुगठित हैं : वे अक्सर अपनी बात, सजा-सँवारकर नहीं, सीधे कहते हैं हालाँकि ऐसी सीधी साफ़-बयानी गहरे कलानुशासन से ही आती है :

प्यास के भीतर प्यास
लेकिन पानी के भीतर पानी नहीं।

संग्रह की कुछ कविताओं में साही ने परम्परा से सुपरिचित कबीर की उक्ति भंगिमाओं जैसे 'सुनो भाई साधो' का अपने उद्देश्यों के लिए बहुत मार्मिक और प्रभावशाली पुनराविष्कार किया है। प्रायः कविता में अन्त में आनेवाली ऐसी उक्तियाँ पूरी कविता और उसमें चरितार्थ अनुभव को अप्रत्याशित तीक्ष्णता देती हैं :

साधो कोई ज़ोर नहीं चलता
(चट्टान आसमान)

ऐसे ही, साधो, ऐसे ही
आज मेरे सत की परीक्षा है
(सत की परीक्षा)

सारी दुनिया तो उसके ताप से
जल रही है
साधो भाई
मैं अपना यह वत्सल भाव
किसको सुनाऊँ
(सूरज)

इस भरी पूरी मूँछ-मरोड़ ससुराल पर
थूका जा सकता है।
पूछा जा सकता है
कि सारी बिरादरी में कौन है ऐसा
जिसके मुँह पर कालिख न हो।
(सत की परीक्षा)

साखी विजयदेव नारायण साही को निश्चय ही हिन्दी की समकालीन कविता की एक प्रमुख उपलब्धि के रूप में प्रतिष्ठित करता है। बिना उनके चाहे वह एक सशक्त चुनौती है। वह ऐसे आदमी को कविता के केन्द्र में प्रतिष्ठित करती है जिसका खुला-सजग व्यक्तित्व है, जो अपने निर्णय में अकेला भले हो पर अपने समुदाय की नियति और इतिहास से आबद्ध है और जो बहस करने को हरदम तैयार है। व्यक्ति की गरिमा और सामाजिकता में जहाँ कोई द्वैत नहीं है। अपने समय के प्रश्नों और चिन्ताओं पर कविता के बाहर नहीं, कविता के अन्दर बहस कर साही ने कविता को चिन्तन और विचार की भी एक प्रामाणिक विधा के रूप में जैसे पुनर्जीवित किया है। आज के संवाद-विमुख परिवेश में यह प्रयत्न, उसकी एकान्त साहसिकता और संकल्प-शक्ति एक नया और अद्वितीय विकल्प प्रस्तुत करते हैं।

[1984]

रघुवीर सहाय का स्वदेश

यह जीवन यात्रा रहस्यमयी चीज़ है—
इसमें पहुँचना इस बात पर निर्भर है
कि कौन कहाँ कैसे रस्ते से कतरा गया।
(एकान्त : रघुवीर सहाय)

अपनी पराजयों के लिए
तुम्हें मिलेगा एक पुरस्कार। एक संकेत के रूप में
कि सिर्फ़ बोली ही स्वदेश है।
(चेश्वाव मिवोश)

दिन यदि चले गए वैभव के तृष्णा के तो नहीं गए
साधन सुख के गए हमारे
रचना के तो नहीं गए
(यही बच रही : रघुवीर सहाय)

हम अकसर सचाई और कविता के सम्बन्ध को लेकर यह सोचने के आदी हो गए हैं कि सचाई कविता से बाहर और अलग कुछ है और उससे दूरी या नज़दीकी, सादृश्य या असादृश्य पर कविता की वैधता और औचित्य जुड़े हैं : कविता की कोशिश इस सचाई के अधिक से अधिक का प्रतिनिधित्व करना है और महान् कविता वह है जो इस कोशिश को चरम पर पहुँचाती है और इस तरह स्वयं सचाई का स्थाई अंग बन जाती है। हमें, कम-से-कम हिन्दी में, अभी भी यह मानने में हिचक और संकोच है कि सचाई पहले और बाहर से दी हुई संरचना-भर नहीं है जिसे हम कविता में भाषा के माध्यम से स्वायत्त करने की चेष्टा करते हैं बल्कि ऐसी संरचना भी है जिसे कविता भाषा के अपने कर्म से संघटित करती है। हम सचाई को परिवर्तनशील और परिवर्तनीय तो ज़रूर मानते हैं पर जो शक्तियाँ यह परिवर्तन करती या कर सकती हैं हम आमतौर पर कविता को उनमें नहीं गिनते।

कविता सचाई की प्रतिनिधि और परिवर्तन की साक्षी-भर हो सकती है और अगर वह इतना कर पाती है तो काफ़ी है। हमारा लगभग अटल पूर्वग्रह यह है कि सचाई और उसमें परिवर्तन कविता से बाहर ही होते हैं और मनुष्य, उसका संसार और उसका वस्तु तथा अन्तर्जगत् भाषा में अन्तर्विष्ट नहीं होते। जिन कवियों ने, अपने सर्जनात्मक और अवधारणात्मक व्यवहार से इस पूर्वग्रह को तोड़ा है उसमें एक प्रमुख कवि रघुवीर सहाय रहे हैं। अपने समय की तथाकथित भाषा-बाह्य सचाई में पूरी तरह से धँसे रहने के बावजूद वे मानते हैं कि सचाई को भाषा संघटित भी करती है। वह परिवर्तन की मात्र साक्षी नहीं बल्कि उसमें अपने ढंग से हिस्सेदार भी होती है। जो कविता और भाषा यह नहीं कर पाती उसकी कलात्मक और मानवीय दोनों तरह की उपयोगिता को वे सन्दिग्ध मानते हैं। यह आकस्मिक नहीं है कि वे भाषा का अनिवार्य रचनात्मक संघर्ष—कविता जिसका एक रूप-भर है पर अद्वितीय और अकाट्य—सचाई के साथ, उसमें होते हुए, उसे गढ़ते-रचते और बदलते हुए मनुष्य के लिए अधिक आज़ादी, अधिक समता, अधिक न्याय, अधिक आशा की ओर बढ़ना मानते हैं। कविता भाषा के इस संघर्ष पर लगातार नज़र रखनेवाला माध्यम है। एक ऐसे समय में जब भाषा के अमानवीय या मानव विरोधी उपयोग के अनेक सुघर-चतुर और बारीक तरीक़े विकसित किए जा चुके हैं, कविता एक तरह की जासूसी करती है कि कहीं भाषा समाज में, कवि के यहाँ और कविता के अपने शिल्प में अपनी बुनियादी रचनात्मकता से डिग या सरक-बहक तो नहीं रही है। कहा जा सकता है कि यह भाषा को लेकर पिछली रूमानियत से मुक्त एक नई वस्तुपरकता है : यद्यपि भाषा मनुष्य का सबसे मानवीय और किन्हीं अर्थों से अक्षय आविष्कार है, उसका मनुष्य और उसकी आज़ादी तथा बराबरी के विरुद्ध कारगर उपयोग हो सकता है और दरअसल हो रहा है जिसकी चौकसी करने की ज़रूरत हैं यह चौकसी दूसरों पर ही नहीं खुद अपने पर भी है—कवि और कविता पर भी उतनी ही पैनी नज़र से जितना समाज और उसकी दूसरी इकाइयों के किए-धरे पर। यह चौकसी और सतर्कता कविता को रघुवीर सहाय के यहाँ एक साथ नैतिक और राजनीतिक कर्म बनाती है। भाषा की रचनात्मकता उसकी नैतिकता और उसकी राजनीति से अटूट हो जाती है। जैसे शास्त्रीय संगीत में शिल्प एक तरह के अचूक अन्तःकरण की भूमिका परम्परागत रूप से निभाता रहा है, वैसे ही रघुवीर सहाय कविता में शिल्प को इस चौकसी की ज़िम्मेदारी सौंपते हैं—शिल्प निरा भाषा का रचाव या परिष्कार-भर नहीं रह जाता बल्कि उसमें सन्निहित दृष्टि यह तुरन्त प्रगट कर देती है कि व्यक्ति की अपनी गरिमा और पवित्रता की और दूसरों के साथ उसके एक न्यायसम्मत स्वाधीन और बराबरी के सम्बन्ध की सम्भावना आगे बढ़ती है कि नहीं। इसके मार्ग में जो अड़चनें हैं शिल्प उन्हें ढाँकता या नज़रंदाज़ नहीं करता बल्कि खुले में सामने ला देता है। शिल्प और कथ्य के द्वैत को लाँघकर

रघुवीर सहाय ने शिल्प की अवधारणा में क्रान्तिकारी परिवर्तन किया है : उन्होंने शिल्प को कथ्य के नैतिक तनाव के रूप में अभिकल्पित किया और उसकी अद्वितीयता को ही उसके मानवीय सम्प्रेषण का मूलाधार बनाया। चेश्वाव मिवोश के इस आत्मस्वीकार से रघुवीर सहाय सहमत होते कि **भाषा मेरा माप है।** सिर्फ़ कौशल और सामर्थ्य का ही नहीं बल्कि, जो अधिक महत्त्वपूर्ण है, नैतिकता और मानवीयता का भी।

जिस नई वस्तुपरकता का अभी उल्लेख किया गया है उसका एक महत्त्वपूर्ण साक्ष्य वह है कि रघुवीर सहाय मानते हैं कि अगर किसी कवि ने **जानबूझकर किसी वस्तु रहने से वंचित किया है** तो वह ज़रूर घटिया कवि होगा :

प्रिय पाठक ये मेरे बच्चे हैं
कोई प्रतीक नहीं
और यह मैं हूँ
कोई रूपक नहीं

एक तरह से यह हमारे साहित्य में वस्तुओं का प्रजातान्त्रिक आदर किए जाने की शुरुआत है और मनुष्य और मनुष्येतर संसार के बीच अधिक बराबरी के रिश्ते की भी। यह हर वस्तु को मानवीय आशयों में रूपान्तरित करने और इस तरह उनका शोषण करने से इनकार करना है। यह वस्तुपरकता हिन्दी कविता में आगे फैली और बढ़ी है। विनोद कुमार शुक्ल की पंक्तियाँ याद आती हैं :

इन्हीं के बीच यह ग़रीब का लड़का
जैसे परिचितों के बीच
बेफ़िक्र होकर खेलता दिखता है
वैसे नंग-धड़ंग
लेकिन प्रतीकों के बावासूट में
कहीं जाने को तैयार
(तीन मीटर खुशबू के अहाते में)

नैतिकता दूसरे की अस्मिता का सम्मान करने में है, उसे अपना ही एक और संस्करण मानने या बनाने में नहीं। यह वस्तुपरकता इसी प्रजातान्त्रिक नैतिकता की भाषा के अपने विन्यास में अभिव्यक्ति है।

कविता को बुनियादी तौर पर राजनीतिक कर्म मानते हुए रघुवीर सहाय ने स्वयं राजनीति को क्रान्तिकारी ढंग से पुनर्परिभाषित किया और उसे सक्रिय राजनीति और विचारधारा दोनों के पिछलगुआ होने से एकबारगी, कम-से-कम कविता के लिए, मुक्त कर दिया। कविता और राजनीति दोनों ही जीवन के गुण से सरोकार

रखनेवाले विन्यास हैं—राजनीति कम अवधि के लिए, कविता दीर्घावधि के लिए। आज़ादी, बराबरी और न्याय को रघुवीर सहाय ने कविता और राजनीति का केन्द्रीय लक्ष्य माना और उनके बीच किसी अनिवार्य अन्तर्विरोधों को अनावश्यक करार दिया। उन्होंने इसरार किया कि दोनों को जाँचने का पैमाना एक भी हो सकता है और वह यह कि वे किस हद तक आज़ादी बराबरी और न्याय की सम्भावना और जगह को समाज में और हमारे समय में आगे बढ़ाती हैं। अपनी सारी खरी बेचैनी और तीक्ष्ण सघन बौद्धिकता के बावजूद मुक्तिबोध कविता और राजनीति के सम्बन्ध को विचारधारा के दुश्चक्र से नहीं निकाल पाए थे और न ही उसका सम्बन्ध उससे किसी रचनात्मक विडम्बना का हो सका था। रघुवीर सहाय ने विचारधारात्मक आतंक का हिन्दी में पहला दौर एक युवा कवि के रूप में नज़दीक से देखा-सहा था। इसके अलावा एक पत्रकार के रूप में उन्होंने राजनीतिक प्रक्रिया को सूक्ष्मता और बहुत निकटता से देखने का अवसर भी लगातार पाया थां यह कहना अतिशयोक्ति न होगी कि हमारे समय में कविता और राजनीति के रिश्ते को सचमुच द्वन्द्वात्मक बनाने का काम रघुवीर सहाय ने किया और यह हिन्दी का दुर्भाग्य है कि बावजूद इस परिवर्तन के उसकी नई प्रगतिशीलता और जनवादिता का पिछले दो दशकों का आक्रामक दौर विचारधारा के वर्चस्व का ही रहा है उसके साथ किसी द्वन्द्वात्मकता या विडम्बना का नहीं। उसमें विचार कितना रहा यह कहना मुश्किल है पर धारा बहुत रही है यह तो साफ़ ही है और कितना-क्या बहा ले गई इसका हिसाब किया जाना अभी बाक़ी है। विचारधारा की विडम्बना को रघुवीर सहाय ने अच्छी तरह समझा और व्यक्त किया है :

क्योंकि मैं
तुम्हारे हाथों
अपने विचार की बरबादी बनाने के लिए
अपने विचार को अपने ही तरह कहने के लिए
रखता हूँ
और तुम्हें एक अन्धी गली में फँसने के लिए
छोड़ता हूँ।

विचारधारा को लेकर जो तथाकथित ध्रुवीकरण-सा लेखक-समाज में हुआ उसमें एक ओर साहित्य विचारधारा का उपनिवेश बनाया जाने लगा तो दूसरी ओर उसे राजनीति से सर्वथा अस्पृश्य माना जाने लगा। रघुवीर सहाय ने एक तीसरा और अधिक यथार्थपरक विकल्प सामने रखा जो अगर मिलान कुन्देरा के एक पद का इस्तेमाल करें तो साहित्य की **रैडिकल स्वायत्तता** का है : जिसमें साहित्य और राजनीति, साहित्य और समाज परस्परावलम्बी तो हैं पर आत्मप्रतिष्ठ भी—वे सभी एक समान

मूल्य-विस्तार से जाँचे-परखे जाते हैं और जिनके बीच कोई वर्णव्यवस्था नहीं है। यह रैडिकल स्वायत्तता अगर साहित्य को राजनीति से जाँचे जाने का अवकाश देती है तो राजनीति के साहित्य द्वारा परखे जाने का भी। इस रैडिकल स्वायत्तता के रहते साहित्य न तो राजनीति से मुँह फेरता है और न ही जीवनविमुख होता है। रघुवीर सहाय ने कहा है कि 'रचनाकार हमेशा रचना करता आया है, वह रचना बहुधा विरोध हुआ करती है' और 'आदमी की आज़ादी को बचाए रखने के लिए यह बराबर मानते रहना पड़ेगा कि संगठित राजनीति अत्यन्त आवश्यक है, लेकिन उसके ख़िलाफ़ रचना भी आवश्यक है और इसके मानने का सबसे अधिक उत्तेजन अब पैदा हो सकता है, क्योंकि अब हम उन तमाम प्रयोगों को, जो कि संगठित राजनीति की दुश्चरित्रता को दूर करने के लिए किए गए, विफल पा चुके हैं।'

अगर ध्यान से देखें तो लगेगा कि आज़ादी, न्याय और बराबरी जैसे शाश्वत मूल्यों और उनके लिए संघर्ष को रचनात्मक चेष्टा और राजनीतिक कर्म का समान लक्ष्य बनाकर रघुवीर सहाय ने कविता और राजनीतिक के बीच प्रजातान्त्रिक सहकार—जो निश्चय ही तनाव और द्वन्द्व-भरा भी होगा ही—प्रतिपादित किया। कविता में तो शाश्वत का दबाव पहले से ही रहा आया है पर रघुवीर सहाय ने इस शाश्वतता को राजनीति के लिए भी प्रासंगिक बनाया यह जताते हुए कि शाश्वत मूल्यों का राजनीतिक आशय भी है। वे जर्मन कवि एन्सेंज़बर्गर से सहमत होते कि 'कविता अनुकरणीय ढंग से यह व्यक्त करती है कि वह खरचने के लिए राजनीति को सुलभ नहीं है। यही कविता का राजनीतिक कथ्य है।'

रघुवीर सहाय ने स्वयं भाषा को भी समाज में सत्ता पाने और बनाए रखने की एक शक्ति के रूप में देखने-समझने की कोशिश की है। यह भी उल्लेखनीय है कि स्वयं हिन्दी भाषा के राजनीतिक अपवंचन को किसी और कवि ने इतनी उत्कटता और बेचैनी से नहीं पकड़ा जितना रघुवीर सहाय ने। वे प्रतीक, अलंकार, अनेकार्थिता को हमारे समय में सन्दिग्ध मानते थे क्योंकि भाषा उनका प्रयोग कर अपने मानवीय दुरुपयोग को छुपाने के अनेक गुर सीख चुकी है। विज्ञापन, भाषण, नारों, उपदेशों आदि के रूप में भाषा की अमानवीयता और हिंसा को हिन्दी में रघुवीर सहाय ने विलक्षण पैनेपन के साथ पकड़ा है। उनकी प्रसिद्ध पंक्तियाँ हैं :

> इसलिए कहूँगा मैं
> मगर मुझे पाने दो
> पहले ऐसी बोली
> जिसके दो अर्थ न हों
> **(दो अर्थ का भय)**

उन्हें गहरा सन्देह था कि 'जहाँ बहुत कला होगी', 'परिवर्तन नहीं होगा।' पोलिश

कवि ज्बेग्न्यू हर्बर्ट के शब्दों का सहारा लेते हुए हम कह सकते हैं—रघुवीर सहाय दुनिया से झगड़ते हुए एक ऐसे कवि हैं जो इतिहास के वज्रपात से कम-से-कम दो शब्दों को उबारने की कोशिश करते हैं—न्याय और आज़ादी जिनके बिना सारी कविता आशयों और दिखावों का तमाशा-भर है।

2

यह दिलचस्प है कि रघुवीर सहाय की कविता में इतिहास नहीं है। उन्होंने, मसलन, किसी बौद्ध कथा या कि हुमायूँ के मक़बरे पर कोई कविता नहीं लिखी है। उनके यहाँ इतिहास की, और इस अर्थ में अतीत की छवियाँ प्रायः नहीं हैं। यही नहीं बल्कि हमारे समय की तथाकथित महत्त्वपूर्ण घटनाओं का भी उनके यहाँ ज़िक्र नहीं है। किन्हीं पुराने मिथकों की अनुगूँज का भी उनकी कविता से कोई वास्ता नहीं जान पड़ता। इस अर्थ में रघुवीर सहाय निरन्तर वर्तमान के कवि हैं : हिन्दी में शायद पहले ही, अगर आप याद करें कि छायावादियों के अलावा अज्ञेय, शमशेर बहादुर सिंह, गजानन माधव मुक्तिबोध, कुँवर नारायण, विजयदेव नारायण साही और श्रीकान्त वर्मा में से किसी की कविता इस अर्थ में इतिहास और अतीतहीन नहीं जान पड़ती है। अगर हम रघुवीर सहाय के बुनियादी मूल्यों को याद करें तो वे उनके गये-गुज़रे इतिहास में नहीं, उनके निपट वर्तमान में दिलचस्पी रखते हैं। उदाहरण के लिए वे अन्याय को किसी बड़ी सार्वजनिक घटना-दुर्घटना के सन्दर्भ में नहीं बल्कि बहुत रोज़मर्रा की और ज़्यादातर अलक्षित जानेवाली घटना के सन्दर्भ में देखते हैं। रघुवीर सहाय मूल्यों की विराट् नाटकीयता या प्रतिफलन में नहीं बल्कि उनकी दैनंदिन के जीवन और उसकी सामान्य स्थितियों में चरितार्थता या उसके संघर्ष को पकड़ने में अपना कविकर्म मानते हैं। किसी और हिन्दी कवि की तुलना में रघुवीर सहाय ने साधारण रोज़मर्रा के जीवन की जिजीविषा और मुक्ति को ही अपनी रचनात्मकता का अध्यात्म बनाया है। वे पॉल वैलेरी की इस उक्ति के अनुकूल काव्याचरण करते जान पड़ते हैं कि 'महान् घटनाएँ, शायद, ऐसे छोटे दिमाग़ों के लिए ही होती हैं। ज़्यादा सावधान दिमाग़ों के लिए अगोचर और निरन्तर घटनाएँ ही ख़याल करने लायक होती हैं।' जब एक निजी और रोज़मर्रा का अनुभव कला में रूपांतरित होता है तो संहति घटती है। शायद रघुवीर सहाय यातना और संघर्ष के इतिहास में नहीं, उनकी संहति में विश्वास करते हैं। उनकी कविता में दुख के स्थापत्य, विडम्बना के शिल्प किसी ऐतिहासिकता में नहीं आज और अभी की संहति में बनते-बिगड़ते हैं। काम्यू ने लेखक के बारे में कहा था कि वह उनके काम नहीं आ सकता जो इतिहास बनाते हैं—वह तो उन्हीं के काम आ सकता है तो इतिहास की प्रजा हैं। रघुवीर सहाय इतिहास की इसी प्रजा के संघर्ष और

विकल्प के कवि हैं, इतिहास या उसकी जय-पराजय के नहीं।

स्वाधीन भारत, उसके अनाश्वस्त लोकतन्त्र और उसमें विकसित आधुनिकता के नागरिक कवि होने के नाते रघुवीर सहाय में यह रचनात्मक और बौद्धिक सख़्ती है कि वे आसान राहतों और हर दूसरे-तीसरे ध्वस्त होनेवाले यूटोपिया या कल्पना लोक के प्रलोभन में आने का प्रतिरोध करें। उनकी कविता किसी क्रान्ति का किसी अगले मोड़ पर मुक्तिबोध की तरह 'ज्वाला-पंखुरी-दल में घिरे हुए...अग्नि-कमल के केन्द्र' का आश्वासन नहीं देती। उसका इतिहास कुछ भी हो मनुष्य उनके यहाँ, इतिहास और मिथकों के सारे आसरों के बिना, अपनी आज़ादी और बराबरी के लिए लड़ता हुआ निष्कवच और वेध्य है। वह व्यक्ति है जो एक साथ सोचता-विचारता-जूझता-रचता है। इसीलिए रघुवीर सहाय की कविता अपना ध्यान किसी घटना पर नहीं, उसमें पड़नेवाले या उसकी अनुपस्थिति पर केन्द्रित करती है। उसके पीछे एक तरह का उदासीन विवेक सक्रिय है जिसमें कर्म और संशय है पर निराशा नहीं है। पराजय है पर हताशा नहीं, न ही घबराहट। अपने अन्तिम प्रकाशित कविता संग्रह की अन्तिम कविता की अन्तिम तीन पंक्तियों में उन्होंने कहा है—'...फिर एक बार समझ पाता हूँ/कि यात्राएँ अब भी हो सकती हैं/इसी व्यर्थ जीवन में।' उसमें निरन्तरता और मुक्ति की ओर बढ़ते रहने की चेष्टा है, इतिहास की निश्चयात्मकता नहीं। सत्ता, पूँजी, उपभोग आदि के हमलों के विरुद्ध हर हालत में बिना आत्मसमर्पण किए, अपनी मानवीयता और गरिमा बचाने की कोशिश में यह कविता कहीं चूकती नहीं है। स्वयं सत्ता की इतनी चौकन्नी पकड़ और उसके प्रभाव में बनते-बिगड़ते मानव सम्बन्धों की सजग पहचान हिन्दी कविता में रघुवीर सहाय से ही शुरू हुई है और, हालाँकि उनके बाद के अनेक युवा कवियों के काव्यसंसार पर इसका गहरा प्रभाव है, वे इस चौकन्नेपन और पहचान के अभी भी सबसे सशक्त और प्रभावशाली कवि हैं। अपने पहले कविता संग्रह **सीढ़ियों पर धूप में** जो उत्सुकता और प्रसन्नता का रास्ता स्वयं उन्होंने अपने लिए चुना था, यह साफ़ देखा जा सकता था कि वे अपने दूसरे संग्रह **आत्महत्या के विरुद्ध** से ही उस रास्ते से कतराने लगे थे। अगर हम यह मानें कि पहले संग्रह की कविता उनकी कविता की एक यथास्थिति बनाती थी तो अनेक अर्थों में वे जल्दी ही उसे बदलने में जुट गए। हिन्दी के शायद किसी और कवि ने; हर नए संग्रह में, अपने को इतना नहीं बदला जितना कि रघुवीर सहाय ने :

अपनी एक मूर्ति बनाता हूँ और ढहाता हूँ
और आप कहते हैं कि कविता की है
क्या मुझे दूसरों की तोड़ने की फुरसत है।
(नेता क्षमा करें)

यहीं एक सच्चे कवि का क्रान्तिकारी से भेद भी स्पष्ट हो जाता है : क्रान्तिकारी की चिन्ता दूसरों को बदलने की होती है जबकि कवि स्वयं अपने को बदलना चाहता है। बहुत हद तक अपने समकालीनों की तुलना में रघुवीर सहाय इस अनूठी उपलब्धि में ऐकान्तिक ही हैं पर ऐसे जिनके बारे में यह कहना उपयुक्त होगा कि 'वे एक ऐसे अकेले थे जो दूसरों को कम अकेला बनाते हैं।'

यह एकान्त संघर्ष का ज़रूरी एकान्त है जिसके रहते ही रघुवीर सहाय यह निस्संकोच कह सकते हैं कि '...पर जो कुछ भी मैं रचता हूँ सिर्फ़ अपनी ज़िम्मेदारी पर रचता हूँ...या फिर नहीं रचता। फ़िलहाल अपने को रचने योग्य बनाए रखने में लगा रहता हूँ।' ज़ाहिर है कि साहित्य और समाज दोनों में ही अत्यन्त मुखर और जनाकीर्ण सामाजिकता के बढ़ते दबावों के बीच इस एकान्त की खोज ओर साधना जोखिम का काम रहा है—स्वयं रघुवीर सहाय की कविता जब-तब इस सामाजिकता के समर्थन में जुटा भले ली गई हो, वह कठिनाई का रास्ता था जिसमें 'राजनीति बहुत ज़रूरी है' के साथ-साथ उसी साँस में यह कहने की हिम्मत थी कि 'पर मैं भी अपने लिए बहुत ज़रूरी हूँ।' यहाँ कवि और व्यक्ति की ज़िम्मेदारी और कठिनाई अलग-अलग नहीं हैं—स्वाधीन व्यक्ति की एक सजग और संवेदनशील अवधारणा और अनुभव-सम्पदा इसके पीछे सदा सक्रिय है। 'स्वाधीन इस देश में चौंकाते हैं लोग/एक स्वाधीन व्यक्ति से।' उसी के साथ यह पहचान भी है कि :

> आपकी सहानुभूति सुलभ है, विभूति कष्ट
> की यह दुर्लभ है हम जिसके रखवारे हैं।
> **(झेल लेंगे)**

रघुवीर सहाय का आग्रह बराबर संघर्ष और उसके कठिन काव्यशास्त्र पर रहा है जो रचना और उसके लिए संघर्ष को किसी भी तरह की रूमानियत या नाटकीयता में देखने या समझने से इनकार करता है। यह परिस्थिति का अकारण जटिलीकरण नहीं करता और दूसरी ओर **बनावटी रागात्मकता और बनावटी इतिहास के निर्माण** के पीछे काम कर रहे झूठ को ठीक और बेचूक जानता है। आख़िर कविता भी झूठों-भरा इतिहास दुबारा लिख सकती है। अपने कठिन शिल्प और किसी भी तरह के सरलीकरण के प्रतिषेध से ही यह कविता **पतन का विकल्प जाग्रत** करने की क्षमता अर्जित करती है जो रघुवीर सहाय के अनुसार साहित्य और समाज दोनों की ही समान उपलब्धि हो सकती हैं। यह कठिन संघर्ष-चेतना ही उसे आत्मदया से बचाती है और 'यथास्थिति को ही यथार्थ के रूप में आरोपित करने' के दुष्प्रयत्न को निरन्तर तोड़ती और अपनी रचनात्मकता से बरजती चलती है। रचना कोई सुघर संयोजन नहीं बल्कि लड़ना और बदलना है : वह **वैभव** और **सुख** के साधनों के बजाय **तृष्णा** और **रचना** के युग्म का चुनाव है। वह वंचना के किसी दुर्ग में

क़ैद होकर तिल-तिल मरने के बजाय **आत्महत्या के विरुद्ध** होना है। उसमें अनुभव को किसी सामान्यीकरण से टरकाया नहीं जाता बल्कि यह जिज्ञासा बनी रहती है कि 'इस दुख को रोज़ समझना क्यों पड़ता है।' और साथ ही यह आत्मालोचन भी होता चलता है कि 'यह तेरे मन का कुप्रबन्ध/यह तो जीवन का मर्म नहीं।'

मार्टिन ब्यूबर ने कविता से यह अपेक्षा की है कि वह अधिक तीव्रता से उस प्रतिरोध को व्यक्त करें जो कि सामूहिक अकेलेपन के विरुद्ध होता है और जो सबसे आत्मीय प्रतिरोध भी है। इस प्रतिरोध के अनेक रूप रघुवीर सहाय की कविता में हैं :

कुछ होगा कुछ होगा अगर मैं बोलूँगा
न टूटे न टूटे तिलिस्म सत्ता का मेरे अन्दर एक कायर टूटेगा टूट
मेरे मन टूट एक बार सही तरह
अच्छी तरह टूट मत झूठमूठ ऊब मत रूठ
(आत्महत्या के विरुद्ध)

दूर के नगर से पत्र आया है
लिखा है कि गुड्डन की माँ का स्वर्गवास हो गया है
नहीं लिखा यह कि बीस वर्ष से विधवा थी
उसके बीस वर्ष कोई नहीं लिखता क्योंकि एक साथ बीस वर्ष हैं अब वे
भाषा की बधिया हमेशा वक़्त के सामने बैठ जाती है।
(लोग भूल गए हैं)

यह नहीं कि वह सिर्फ़ कृतित्वहीन है
बल्कि उन कम होते हुए लोगों को भी अधिकाधिक
बड़ा शत्रु मानता जा रहा है जो अब भी अपनी आग से रचते हैं
और अपने लिए रचते हैं अपनी आग
(हैं)

टेलीविजन
दूरबीन से
पहचानकर
ले आयेगा
एक हत्यारे और एक बच्चे को
तस्वीर में
बच्चा उससे पूछेगा जब आप इतने प्यारे हैं
तो आप इतना डरे हुए क्यों

इस मुकाम पर हम रघुवीर सहाय का एक काव्यशास्त्र जुटाने की चेष्टा करें तो लगेगा कि उसके मुख्य तत्त्व हैं : आज़ादी, बराबरी, न्याय और रचना, संघर्ष और प्रतिरोध। अब अगर हम ध्यान से काव्यशास्त्र का विश्लेषण करें तो पाएँगे कि मोटे तौर पर अगर हम अज्ञेय के काव्यशास्त्र को व्यक्तित्व की खोज और स्वाधीनता का और मुक्तिबोध के काव्यशास्त्र को बराबरी और न्याय का मानें (और ऐसा करते समय यह लगातार याद रखें कि यह सुविधा के लिए किया गया सामान्यीकरण है अन्यथा अज्ञेय में व्यक्तिगत समाजविमुख नहीं है और मुक्तिबोध की अभीष्ट सामाजिकता व्यक्तित्वहीन नहीं है) तो रघुवीर सहाय ने इन दोनों को मिलाकर और उसमें किसी की भी बुनियादी शक्ति और सार्थकता को गँवाए बिना उनके बीच सर्वथा सर्जनात्मक सहकार और, उन्हीं के एक शब्द का प्रयोग कर कहें, **उभयसम्भव** विकसित किया। उन्होंने कविता और कविता पर सोच-विचार के लिए एक नया स्पंदित स्पेस बनाने ओर बचाने की कोशिश की जिसमें व्यक्ति और समाज, राजनीति और कविता, यथार्थ और कला के बीच विरोध भाव का अतिक्रमण सम्भव और आवश्यक दोनों ही हैं। यह एक विडम्बना ही है कि हिन्दी में पिछले दो दशकों में युवतर कवियों पर सबसे प्रभावशाली कविता होने के बावजूद, रघुवीर सहाय की कविता और उसकी समझ का प्रायः दुर्विनियोजन या कि कुपाठ ही होता आया। यह उल्लेखनीय है कि रघुवीर सहाय ने स्पष्ट कहा था कि 'अगर आप अन्याय के पक्षधर हैं, अगर आप द्वेष करते हैं, अगर आप आदमी को नष्ट करना चाहते हैं तो आप रचना नहीं कर सकते।' और कम-से-कम साहित्य के सन्दर्भ में यह स्पष्ट किया था कि 'वामपन्थी और दक्षिणपन्थी शब्दों का आप इस्तेमाल करेंगे तो यह बहुत ही सम्भव है कि बहुत जल्दी किसी भी समय आगे जाकर आपको दुबारा अपनी मूल मान्यताओं को या तो बदलना पड़ जाएगा ताकि इन शब्दों का अर्थ ठीक-ठाक बना रहे, या फिर इन शब्दों को छोड़ देना होगा' ये दोनों ही बातें आज से ठीक पन्द्रह वर्ष पहले एक इन्टरव्यू में कही गई थीं और उन्हें आज एक ऐसी भविष्यवाणी के रूप में लिया जा सकता है जो सच सिद्ध हो चुकी है। पर सिर्फ़ अपनी वैचारिकता में नहीं रघुवीर सहाय ने अपनी अत्यन्त सुगठित कविता में भी सचाई को स्वायत्त और चरितार्थ किया। उनकी कविता को व्यापक मान्यता मिली और उसने आगे की कविता की नई राह भी दिखाई। पर अभाग्यवश उनकी कविता का यह महत्त्वपूर्ण सच दृश्य पर वह प्रभाव नहीं डाल सका जोकि उसे डाल सकना चाहिए था। देखा जाए तो रघुवीर सहाय ने हमारे इस भयावह राजनीतिक समय में सत्ता और सक्रिय राजनीति के बरक़्स स्वयं सच्ची रचना को वैकल्पिक राजनीति के रूप में प्रस्तावित किया। वे सत्ता, सक्रिय राजनीति और व्यापक समाज के सिलसिले में साहित्य को वामपक्ष ही मानते थे। यह विकल्प मुँह फेरने का नहीं बल्कि सामना करने का विकल्प है। पर जो शरणागत होने में अधिक आश्वस्त

अनुभव करते हैं और एक तरह के चालक समझौते के तहत सुरक्षाकामी हैं, अगर उन्हें कठिनता और जोख़िम के इस विकल्प ने आकर्षित नहीं किया तो उसमें अचरज नहीं होना चाहिए। बहुत बहस-मुबाहसे होते रहे हैं पर किसी वैचारिक स्पष्टता या नई समझ तक जाने के लिए नहीं, उन्हीं नतीजों पर एक बार फिर पहुँचने के लिए जिन पर पहले से पहुँचा जा चुका है। शायद इसी स्थिति पर रघुवीर सहाय का एक कवितांश टिप्पणी करता है : 'इस तरह वह ज़ाहिर करते हैं बहस एक चीज़ है पहले से सहमति के बिना जिसे किया नहीं जा सकता।'

3

अगर महान् कविता दृश्य जगत के साथ न्याय करने की कोशिश है, जैसा कि ज्बेग्न्यू हर्बर्ट मानते हैं, तो रघुवीर सहाय की कविता में यह कोशिश शुरू से अन्त तक बनी रही : उनकी कविता निरी वैचारिक व्यवस्था नहीं हमेशा ही ऐन्द्रिय व्यवस्था भी रही है। यह ऐन्द्रियता सिर्फ़ प्रेम या प्रकृति को लेकर ही नहीं है बल्कि बच्चों, अधेड़ औरतों, मरघट, अख़बारवाला, साइकिल रिक्शा आदि बहुत सारे मानवीय सम्बन्धों और वस्तुओं को लेकर भी है। हर जगह इस ऐन्द्रियता के कारण रघुवीर सहाय प्रेम में भय, बड़ी हो रही लड़की में लालच, मरघट में 'डिब्बा भर एक वही दारासिंह वाला घी' और चिता पर 'शिल्प में रीतिगत' 'सुन्दर सम्पुंजन' आदि देख और दिखा पाते हैं। वह ऐसी कविता है जो देखती है, सारे ब्यौरों में और देखे को समझने की कोशिश करती है। उसकी यात्रा एक तरह के अबोध उत्साह से सयाने-समझदार अवबोध तक की है। इस ऐन्द्रियता को विन्यस्त करने और बचाए रखने के लिए रघुवीर सहाय ने किसी पारम्परिक अवलम्ब की ओर नहीं देखा। कई दूसरे हिन्दी कवियों की तरह वे लोकसम्पदा की ओर नहीं मुड़े। उनकी कविता और उसकी ऐन्द्रियता बिलकुल नागरिक है। आज हिन्दी नागरिक समाज किसी लोकसंस्पर्श से अछूता है और उसके पास अपने व्यापक सांस्कृतिक दायवंचन के चलते कोई पारम्परिक स्मृतियाँ शेष नहीं हैं—रघुवीर सहाय ने इस समूची विपन्नता से ही अपनी कविता को सम्भव किया है। रघुवीर सहाय की कविता और भाषा में, यह नोट करने की बात है, छायावादी कविता और भाषा की कोई अनुगूँज नहीं है मानो कि यह छायावाद के हमारी काव्यस्मृति से लोप हो जाने की उत्तर-कविता है। यह भी नोट साथ ही करना चाहिए कि छायावाद-विरोधी या प्रतिरोधी अनेक मुद्राओं और आग्रहों के बावजूद छायावाद का यह लोप किसी भी कवि में, उनके पहले या समकालीनों में, सम्भव नहीं हुआ था। इस शताब्दी के आरम्भिक दशकों में बहुत सारे गद्य को पद्य में बदलने का उपक्रम मैथिलीशरण गुप्त ने किया था और इस शताब्दी के अन्तिम दो दशकों में बहुत सारे गद्य को कविता में बदलने

का बीड़ा रघुवीर सहाय ने उठाया। यह गद्य उन्हें कई जगह मिला—पारम्परिक राजनीतिक भाषणों, विज्ञापनों आदि में। छन्द और लय पर, उसकी पारम्परिक व्यवस्था पर अपने सक्षम अधिकार का प्रमाण वे अपने पहले ही संग्रह में दे चुके थे जहाँ उन्होंने अनेक भुला दिए गए छन्दों का सर्वथा ताज़े सौन्दर्यबोध और नए अनुभवों के लिए प्रयोग स्मरणीय ढंग से किया था। कविता की भाषा में, भले उसे विस्तार देते हुए, कविता तो सभी कवि लिखते हैं पर गद्य की भाषा में कविता लिखना निराले कवि का ही काम है। हमारे समय में ऐसे निराले कवि रघुवीर सहाय हैं—किसी भी और कवि से अधिक उन्होंने गद्य की ढीठ सामग्री को अधिकाधिक कविता में बदला। बिना छन्द-लय आदि का सहारा लिये उन्होंने हिन्दी गद्य की अपनी अन्तर्भूत कविता को प्रकट किया। इस अर्थ में भी वे एक सच्चे क्रान्तिकारी कवि थे।

4

हम किसी कवि के बड़े होने को कैसे पहचानते हैं? उसकी आकांक्षा और दृष्टि बड़ी हो; उसकी कविता में हमारा समय और जीवन अपनी सारी विविधता और जटिलता में झलकता हो; उसके यहाँ भाषा वहाँ गई हो जहाँ वह पहले कभी नहीं गई थी। उसने दूसरे कवियों को राह दिखाई हो और उसने जीवन-जगत् सम्बन्धी चरम प्रश्न पूछे हों—साथ ही समय और समयातीत के नाजुक सम्बन्ध को कविता में साधा हो; अपना अलग मुहावरा बनाया हो; कल्पना की प्रगल्भता और साहस हो। रघुवीर सहाय इन अपेक्षाओं की सूची में यह जोड़ना न भूलते कि उसकी कविता ने आज़ादी, बराबरी और न्याय की लड़ाई को ठोस ढंग से आगे बढ़ाया है।

रघुवीर सहाय के लगभग ढाई कहानी संग्रह और गद्य की कुछ और पुस्तकें छोड़ दें तो उनके तीस वर्ष की अवधि में कुल पाँच कविता संग्रह प्रकाशित हैं जिनमें लगभग तीन सौ कविताएँ एकत्र हैं। इससे स्पष्ट है कि वे प्रचुरतावाले कवि नहीं थे। बल्कि ख़ासे मितभाषी थे। लेकिन संख्या के भौतिक तथ्य से अलग, अपनी आकांक्षा में शुरू से ही बड़े रहे हैं :

> हमको तो अपने हक़ सब मिलने चाहिए
> हम तो सारा का सारा लेंगे जीवन
> 'कम-से-कम' वाली बात न हमसे कहिए।
> **(हमने यह देखा)**

इस आकांक्षा में बड़ा कुछ करने या कहने का भाव नहीं है पर एक दृढ़ता और सारे-के-सारे जीवन को लेकर एकतानता है जो उनके कृतित्व में शुरू से अन्त

तक है। एक-दूसरे स्तर पर यह आकांक्षा निश्चय ही एक बड़ी दृष्टि से पुष्ट होती और अपना सर्जनात्मक सम्बल पाती है। मनुष्य की आज़ादी और बराबरी की निरन्तर चिन्ता और उसके लिए भाषा में लगातार संघर्ष और संशोधन बड़े कवि के ही बस की बात है—यह दृष्टि धीरे-धीरे समग्रता और तीक्ष्णता अर्जित करती विकसित हुई है और कुछ ऐसी अद्वितीयता के साथ कि उसे कुछ भाववाची सामान्यीकरणों में घटाना उसके साथ अन्याय ही है।

नारी, चिड़ियाँ, देश जागरण
बच्चा, प्रकृति, दुःख, वासना
अलग-अलग डिब्बों में मेरी
पीड़ा मत बन्द कीजिए
जिन्हें एक में मिला-जुलाकर
मैंने की थीं ये रचनाएँ
(समाधि लेख)

पर इसमें सन्देह नहीं है कि यह बड़ी दृष्टि यथास्थिति को, फिर वह अनुभव की, विचार या कि निरी स्थितियों की भी, यहाँ तक कि भाषा और शिल्प की, परिवर्तित करने की दृष्टि है—वह परिवर्तन और मुक्तिकामी है। ईव बोनफुआ ने कहा है कि बड़ा कवि वह है जो एक मनुष्य की तरह पर्याप्त है। रघुवीर सहाय में कवि और मनुष्य दोनों ही तरह से, अपनी सारी अपूर्णताओं के बावजूद, ऐसी पर्याप्तता है। जिस **आत्मिक बल** की वे कामना करते हैं वह सिर्फ़ अपनी मुक्ति से नहीं, दूसरे सबों की मुक्ति से मिलता है—एक ऐसी लहूलुहान शताब्दी में जहाँ एक लेखक-दार्शनिक दूसरे लोगों को ही नरक बता चुके थे, रघुवीर सहाय, आक्तोवियो पाज़ के शब्दों को उधार लेकर कहें, मानते रहे कि 'मुक्ति दूसरे लोग ही हैं।' यह व्यक्तित्व से पलायन नहीं बल्कि सच्चा आत्मदान है। 'न्याय और बराबरी के जन्मजात आदर्श' को याद रखनेवाले लोगों के सामने अपने आन्तरिक संघर्ष की जाँच के लिए जो 'कवि अपनी रचना लाता है', जैसाकि रघुवीर सहाय ने स्वयं कहा था, तो उसमें दोनों की जाँच सन्निहित है—रचना की, लोगों की। शायद उन आदर्शों की जीवन्तता की भी। यह जाँच थी जो रघुवीर सहाय को एक अथक खोज में लगाए रही और जिससे वे बार-बार अपना पुनरुद्धार कर पाए। बड़ा कवि न केवल पर्याप्त होता है वह थकता या हार भी नहीं मानता। उनका आत्मालोचन भी कभी निष्क्रिय नहीं हुआ :

जितना समेट लेते हैं गठरी में
जादू के खेल सी टोकरी ख़ाली निकलती है

दुःख को उसकी जगह नहीं दी गई
और वह उड़ गया पंख फड़फड़ाकर।
(वृद्ध का वक्तव्य)

रघुवीर सहाय की कविता में हमारे समय और समाज के दुःख को उसकी जगह मिली है : वे 'झूठे करुणामय मन' को धिक्कारते हुए जानते थे कि 'वह दुख ही सच्चा है जो हमने झेला है।' यह जगह किसी भावुकता या रूमानियता से नहीं, सख़्ती और कठिनाई से पाई-दी गई जगह है और हिन्दी कविता में स्मरणीय रहेगी। रिल्के ने कहा था कि 'रोज़मर्रा के जीवन और महान् कृति में प्राचीन शत्रुता है।' रघुवीर सहाय ने इसके बावजूद रोज़मर्रा को ही शाश्वत में बदलने और समझने का सफल दुस्साहस किया।

हर बड़े कवि की रचना हमें अपने समय के अलावा दूसरे समय की ओर भी ले जाती है—यह दूसरे समय की ओर ले जाना, समय से समयातीत की ओर जाना अब भाषा के जिस स्मृतिबिद्ध रूप में सम्भव रह गया है वह शायद कविता ही है। रघुवीर सहाय की कविता कुछ ज़िद कर अपने ही समय में कुछ इस तरह धँसी रहती है और वे इसी समय को अपनी उत्कटता और पारदर्शिता से दूसरा समय बनाने का उद्यम करते दीखते हैं कि यह दूसरा समय उनकी कविता हमें नहीं दे पाती। नहीं देना चाहती। अभी और आज की ही होने का उसका संकल्प उसे सपने के लिए थोड़ा-सा भी अवकाश छोड़ने की मुहलत नहीं देता : जैसे उदाहरण के लिए हम शमशेर की कविता के साथ एक तरह का सपना देखते हैं दुर्भाग्यवश रघुवीर सहाय की कविताओं के साथ वैसा नहीं हो पाता। संघर्ष और उससे जुड़े सपने तो उनकी कविता में हैं और हममें भी जागते हैं, पर शुद्ध स्वप्नशीलता उनकी कविता से बाहर है। यह स्वप्नशीलता और स्मृति कोई रूमानी अवधारणा नहीं बल्कि एक क्लैसिकल गुण ही है। यह अभाव रघुवीर सहाय के पूरमपूर बड़ा कवि होने में बाधा बनता है। उन्होंने **आत्महत्या के विरुद्ध** की एक कविता में जिज्ञासा की थी :

क्या था वह अपने को खोले हुए आकाश में
जैसे एक पवित्र भय।
(शहर से शहर)

दुर्भाग्य से इस **पवित्र भय** का उनकी कविता में आगे कोई अन्वेषण नहीं हुआ। इस निबन्ध में कई बार **थे** को काटकर **है** और **है** को **ये** करना पड़ा है। रघुवीर सहाय के बारे में जो कुछ ऊपर लिखा गया है वह दुखी-सुखी अहसास के साथ कि यद्यपि वे दिवंगत हैं, वे एक स्पन्दित उपस्थिति है। **शोर के बीच गूँज है जिसे**

दूसरों से छिपाया नहीं जा सकता। वे उन थोड़े से कवियों में से हैं जिन्होंने अपनी ही दुनिया में जूझते-जूझते ज़िन्दा रहने की कोशिश की और उसी में मरे। हिन्दी कविता में जब भी भाषा के संघर्ष की कथा कही जाएगी, आज़ादी-न्याय-बराबरी के त्रिगुण की खोज की रचना का यत्न होगा, रघुवीर सहाय याद आएँगे। उन्होंने हमें सिखाया कि इस भयानक समय में भी मनुष्य और कवि लाचार नहीं हैं। वे हमारी कविता और भाषा में एक चौकन्ने अन्तःकरण की तरह सक्रिय रहेंगे जो हमसे थकान और हार के हर मुकाम पर पूछेंगे :

आतंक कहाँ जा छिपा भागकर जीवन से
जो कविता की पीड़ा में अब दिख नहीं रहा?
हत्यारों के क्या लेखक साझीदार हुए
जो कविता हम सबको लाचार बनाती है?
(आज की कविता)

पीड़ा, संघर्ष और मुक्ति की, पतन का विकल्प जाग्रत करने की बिरादरी जब तक है तब तक उसके साथ दृश्य या अदृश्य रघुवीर सहाय होंगे, हमारे कष्ट की दुर्लभ विभूति के रखवारे की तरह।

[1994]

जीने की अटूट इच्छा

यह कहना मुश्किल है कि हर समय ऐसा होता रहा होगा : पर हमारे समय के बारे में यह सही है कि उनके लिए, जो संवेदनशील हैं, सचाई दहशत पैदा करती है : कम-से-कम उनमें, जो जीने के कर्म में पूरी तरह संलग्न रहने के साथ-ही-साथ उसके अर्थ और उसकी दिशा को समझना चाहते हैं या जिनके लिए जिजीविषा का अर्थ ही ऐसी समझ है। उनको उनकी संवेदनशीलता यह इज़ाज़त नहीं देती कि वे लोगों को भीड़ या प्रेम को स्त्रियों में सरलीकृत कर सकें और यह नज़रअन्दाज़ कर दें कि भीड़ सिर्फ़ भीड़ नहीं, ज़िन्दा लोगों का एक समूह है जो सामूहिकता से अलग भी अपना अलग-अलग अर्थ और चेहरे रखते हैं : जो यह पहचानते हैं कि हमारे समय में जो होता है उसके बारे में एक अख़बारी या वैज्ञानिक ढंग का विशाल सामान्यीकरण कर देना कविकर्म नहीं है। समय या उसमें सक्रिय शक्तियाँ, रामदास, बड़ी हो रही लड़की, काले नंगे पैदल बच्चे, बुद्धिजीवी या संस्कृत या बाराबंकी, यूरोप में, फ़िल्मघर में, सड़क पर या अकेली दुपहर में क्या कर रही हैं, इसे भाषा में देख-दिखा सकना और ऐसे कि निरी जानकारी न बढ़े, बल्कि दृष्टि साफ़ हो, समझ पैनी और धारदार हो और सम्बन्धों के प्रति—फिर वे मनुष्यों के बीच हों या मनुष्य और मनुष्येतर या व्यक्ति और समूह-संगठनों के बीच—ज़िम्मेदारी, नैतिक ज़िम्मेदारी बढ़े, तभी कविता लिखना और किसी भी समाज में उसका होना सार्थक है। रघुवीर सहाय उन थोड़े-से कवियों में से हैं जो ऐसी सार्थक कोशिश करते रहे हैं और उनका नया और तीसरा संग्रह 'हँसो हँसो जल्दी हँसो' उनकी इस कोशिश को, हर हालत में अपनी जिजीविषा को सारे ख़तरों के बावजूद और सारी लुभावनी आसानियों के मुक़ाबले बचाए रखने को, नई पारदर्शिता और मार्मिकता से प्रस्तुत करता है।

2

रघुवीर सहाय उन कवियों में से हैं जो कविता में वैचारिकता को सक्रिय रखते हैं, जिनके यहाँ विचार और संवेदना का पारम्परिक द्वैत व्यर्थ हो जाता है लेकिन जिन्हें

किसी निश्चित विचारधारा का समर्थन या आश्वासन प्राप्त नहीं है। ज़ाहिर है उनके कुछ आग्रह और सरोकार हैं जो कविता में साफ़-साफ़ झलकते हैं और जिनकी किसी-न-किसी तरह की परम्परा उनके कृतित्व में खोजी भी जा सकती है। लेकिन बुनियादी तौर पर उनकी कविता का आकर्षण इस विचार-समुच्चय या उनकी परम्परा में नहीं है। उनकी कविता के पास हम उसकी तीख़ी-चमकती समझ के लिए जाते हैं जो निरे विचार से सम्भव नहीं है और जिसके लिए एक ऐसी संवेदना की ज़रूरत है जो जीने की तकलीफ़ों से जूझती-उलझती है, और उनसे पल्ला नहीं छुड़ाती बल्कि उन तकलीफ़ों से घिरे रहकर एक तरह का 'यातनापूर्ण विवेक' विकसित करती हुई जीने की इच्छा को अटूट रखती है। 'हँसो हँसो जल्दी हँसो' की दुनिया में भयानक दहशत है और ऐसी भी कि वह अपने अतिरेक में निहायत भावुक या आत्मघाती हो जा सकती थी। लेकिन रघुवीर सहाय की **समझ** उसे ऐसा होने से बचा ले जाती है : महापतन के कगार पर होकर भी, हत्या-षड्यन्त्र-जासूसी के माहौल में भी, मानवीय सम्बन्धों की असंख्य विकृतियों के बीच भी वह अपनी जिजीविषा और प्रकारान्तर से अपने मानवीय होने में अटल और अक्षत विश्वास रखती है। भयंकर तनावों और अमानवीकरण की शक्तियों से यह समझभरी संवेदना कविता में जबर्दस्त मुठभेड़ करती है : जय-पराजय की शब्दावली में सोचना इस कविता की बुनियादी शर्तों के लिए अप्रासंगिक-सा होगा और इसलिए यह कहना भी एक काव्येतर सरलीकरण है कि अन्ततः मानवीय जीवट विजयी होता है। लेकिन इतना कहना कविता के साथ अन्याय करना न होगा कि यह कविता हर हालत में मानवीय संवेदना से बचे रहने की कविता है। हम सबको, जो शक्ति और सत्ता से निरन्तर नियन्त्रित-आतंकित और अकसर अपनी अकर्मण्यता और साहस के अभाव को एक सुरक्षित बेचारगी में बदल लेते हैं, यह कविता सर्वग्रासी शक्तियों के बरक्स अपनी बुनियादी मानवीयता बनाए रखने का आश्वासन देती है। दरअसल यह संग्रह दहशत का दस्तावेज़ होने के साथ ही उम्मीद की भी किताब है। इस संग्रह की एक कविता 'बड़ी हो रही है लड़की' की कुछ पंक्तियाँ हैं :

> वे किताबें, वे उम्मीदें न होंगी
> जो उसके बचपन में थीं
> कविता न होगी साहस न होगा
> एक और ही युग होगा जिसमें ताक़त ही ताक़त होगी
> और चीख़ न होगी

ये कविताएँ कुल मिलाकर 'ताक़त ही ताक़त' के ख़िलाफ़ 'चीख़' हैं और कहीं-न-कहीं हमारे मन में यह उम्मीद जगाती हैं कि वैसा युग नहीं आने पाएगा। आज की हालत में जब कविता के लिए अवसर बहुत कम है और उसकी आधुनिक

समाज में भूमिका भी प्रायः अनिश्चित है, रघुवीर सहाय का हमें इतना भरोसा दे पाना—चाहे थोड़ी देर के लिए ही सही—न केवल कलात्मक दृष्टि से महत्त्वपूर्ण है बल्कि उससे कहीं बाहर सामाजिक रूप से बहुत मूल्यवान् है। कविकर्म और जीने के बीच, शब्द और कर्म के बीच जो फाँक हम देखने-मानने के अभ्यस्त है, वह ऐसी कविता में बिल्कुल ग़ायब हो जाती है। ज़िन्दगी में हिस्सेदार कविता और कलात्मक दृष्टि से सम्पन्न कविता दो अलग चीज़ें हैं, ऐसा हम प्रायः मानते और दुर्भाग्य से पाते भी रहे हैं। लेकिन यह ऐसी कविता है जिसमें गहरा सौन्दर्यबोध है, सुख और जोख़िमभरी संवेदना, भाषा पर असाधारण नियन्त्रण और जीने की साधारण हरकतों की अचूक पकड़ है। इसे देखकर साफ़ लगता है कि जो कविता ज़िन्दगी की तकलीफ़, साहस, संघर्ष, हर्ष और दहशत को सहेज पाती है, वही शिल्प-सौन्दर्य भी अर्जित कर पाती है।

3

भाषा के अर्थगर्भी होने की जो धारणा हमारे यहाँ आमतौर पर प्रचलित रही है उसमें एक से अधिक अर्थ होने को आवश्यक और वांछनीय माना गया है। अनुभव और ज़िन्दगी की जटिलताओं को अगर कविता में चरितार्थ करना है तो ज़ाहिर है कि एकार्थी भाषा से ऐसा सम्भव नहीं है, इसलिए 'एम्बिगुइटी' को काव्यगुण माना गया। लेकिन रघुवीर सहाय की एक कविता 'दो अर्थ का भय' एक बिलकुल अछूते सन्दर्भ में भाषा की इस 'एम्बिगुइटी' का निषेध करती है और उसका समापन इन पंक्तियों में होता है :

मैं सब जानता हूँ पर बोलता नहीं
मेरा डर मेरा सच एक आश्चर्य है
पुलिस के दिमाग़ में वह रहस्य रहने दो
वे मेरे शब्दों की ताक में बैठे हैं
जहाँ सुना नहीं उनका ग़लत अर्थ लिया और मुझे मारा
इसलिए कहूँगा मैं
मगर मुझे पाने दो
पहले ऐसी बोली
जिसके दो अर्थ न हों।

इसी तरह 'हँसो हँसो जल्दी हँसो' का एक अंश है :

हँसो पर चुटकुलों से बचो

उनमें शब्द हैं
कहीं उनमें अर्थ न हों जो किसी ने सौ साल पहले दिए हों

भाषा के अवमूल्यन और अर्थक्षरण पर काफ़ी बहस हुई है। जब शब्दों का, भाषा का ग़लत अर्थ लगाकर उसे भ्रष्ट और प्रयोक्ता को दण्डित किया जा सकता हो, तब अर्थ की एकाग्र स्पष्टता सिर्फ़ अपने बचाव के लिए ही नहीं, भाषा को दुरुपयोग या भ्रष्टाचार से बचाए रखने के लिए भी ज़रूरी है। यों अर्थ का अनर्थ न हो जाए यह चिन्ता कवि की सदियों से रही है, अपनी रचना की सम्प्रेषणीयता की दृष्टि से। पर भाषा के जान-बूझकर दुरुपयोग की जो प्रबल सम्भावना आज है, पहले कभी नहीं रही, क्योंकि राजनीति, संचार-साधन, संगठन—सभी भाषा का सहारा लेते हैं और ऐसी हालत में 'एम्बिगुइटी' का निषेध कविता की स्वतन्त्रता और उत्तरदायी सत्ता बनाने के लिए ज़रूरी है। ऐसी स्पष्टता की आकांक्षा कविकर्म की एक अधिक सक्रिय और ज़िम्मेदार धारणा भी प्रस्तुत करती है जिसमें भाषा से आशंकित अवमूल्यन या दुरुपयोग के विरुद्ध उसका रचनात्मक उपयोग पर्याप्त प्रतिकार या प्रतिरोध नहीं मान लिया गया है, बल्कि भाषा की, और इसलिए कविता की, क्या-क्या व्याप्ति और परिणतियाँ हो सकती हैं इसकी चिन्ता भी कवि की अनुभव-चिन्ता में शामिल है। अपने आशयों को ग़लत या दूषित होने से कवि फिर भी शायद बचा नहीं सकता। लेकिन वह इतना तो कर ही सकता है कि ऐसा करने को कठिन से कठिनतर बना दें।

भाषा रघुवीर सहाय के यहाँ हर बार निर्विकल्प साहस का, जोख़िम का साक्ष्य भी है—निरे माध्यम या उससे आगे जाकर अनुभव का हिस्सा होने के अलावा। जिस तरह से कवि को अपनी संवेदना, अपने विवेक पर भरोसा है, कुछ उसी तरह से भाषा पर भी। यह भी कहा जा सकता है कि भाषा पर यह भरोसा ही उसके अधिक-से-अधिक सूक्ष्म और स्पष्ट उपयोग के लिए प्रेरित करता है। यह शिल्पवादी होना नहीं है हालाँकि ऐसा नतीजा निकालने का आसान प्रलोभन—इस बारे में जो भ्रम हमारे यहाँ माहौल में हैं उनके रहते—सहज ही होगा। यह कवि होना है और सारी अमानवीयता के विरुद्ध मानवीय बने रहने की कोशिश करना है : यहाँ कविता ही हमारी बुनियादी और घनीभूत मानवीयता बनी रहती है।

4

नये संग्रह में बच्चों, लड़कियों और स्त्रियों के लिए अनेक कविताएँ हैं। उन्हें पढ़कर रघुवीर सहाय के पहले संग्रह 'सीढ़ियों पर धूप में' की याद आती है। पहला संग्रह बहुत हद तक एक प्रेमी और युवा व्यक्ति का कविता-संग्रह था : उसमें प्रेम, अनुराग,

उछाह, मस्ती, सबकुछ थे। थोड़ा-बहुत दुख भी था। पिता के लिए भी कुछ कविताएँ। इस तीसरे संग्रह में पिता की ओर से कविताएँ हैं—अपनी सन्तान के लिए, उनके भविष्य की यातना और उनके भयावह वर्तमान के छटपटाते एहसास के साथ। आरम्भ में जो ऐन्द्रियता थी, यह देखकर सुखद आश्चर्य होता है कि, वह अभी है : संसार के अधिक क्रूर और अधिक नाशकारी होने ने संवेदना की बुनियादी हार्दिकता और जीने के कर्म में हिस्सेदारी के भाव को क्षति नहीं पहुँचाई है—कवि ने उन्हें अक्षय बनाये रखा है।

बड़े होते बच्चों की और सफल लोगों की क्रूर-निर्मम दुनिया, दोनों को रघुवीर सहाय गहरी करुणा और सच्ची नफ़रत से अपनी कविता में देख-दिखा पाते हैं :

लम्बी और तगड़ी बेधड़क लड़कियाँ
धीरज की पुतलियाँ
अपने साहबों को सलाम ठोंकते मुसाहबों को ब्याहकर
आ रही होंगी जा रही होंगी
वह खड़ी लालच से देखेगी उनका कद
(—बड़ी हो रही है लड़की)

सारे अधूरे काम
नयी पीढ़ी करती है
अपने पिता को माफ़
नयी पीढ़ी करती है
(—अधूरे काम)

बड़ा हो रहा है लड़का
उन औज़ारों के बिना
जिनसे वह बनाता और तोड़ता हुआ बड़ा होता
वह सिर्फ़ बड़ा हो रहा है
(—बड़ा हो रहा है)

एक दिन
मेरे अपने जीवन में ही ख़त्म होनेवाला
है यह खेल
इस घर की दीवार पर मेरी तस्वीर होगी
बच्चे आयेंगे पर मेरी कल्पना में नहीं—अपने

समय से आयेंगे
और उनकी बोली में उनका तर्क नहीं होगा
जिसको आज सुनता हूँ
(–जीने का खेल)

बहुत सारी कविता पिछले दिनों व्यवस्था का पर्दाफाश करने का उद्यम करती रही है। रघुवीर सहाय की इन कविताओं में भी ऐसे ही 'एक्सपोजर' की कोशिश है लेकिन अत्यन्त मार्मिक और निजी प्रसंगों में है—ऐसे सम्बन्धों को लेकर है जिनमें अन्तर्निहित क्रूरता या जिन्हें विकृत-नष्ट करती स्थितियाँ कविता में पहले कभी पकड़ी ही नहीं गई थीं।

5

'सीढ़ियों पर धूप में' में पिता की छवि दुखी मन में उतरती थी, 'अभी तक नहीं कष्टों से जिन्हें निष्कृति', और पिता से शक्ति और बल चाहते हुए उनके दिये विक्षत जीवन के दाय और अनाहत जिजीविषा का स्वीकार था : यह तब भी यानी सन् '60 के आसपास असाधारण था क्योंकि तब पिता को, परम्परा को पूरी तरह से नकारने का माहौल था। साहित्य में 'पिता' पर आक्रमण-प्रहार हो रहे थे और तब दूसरों से अलग, रघुवीर सहाय अपनी पीड़ा और यातना में परम्परा खोज रहे थे, अपने पिता से यह जानना चाह रहे थे कि 'कैसे तुमने अपनी पीढ़ी में किया होगा क्या उपाय'। यह विनयशीलता भर नहीं, सच्चा रचनात्मक साहस था जो यह देख पाता था कि पीड़ा या संघर्ष नई पीढ़ी का एकाधिकार नहीं, कि हमसे पहलेवालों ने भी जीवन झेला और संघर्ष किया है और उनके अनुभव और संघर्ष हमारे लिये मूल्यवान और सहायक हो सकते हैं। अपने पिता के लिए जो खरी करुणा तब थी, अपने बच्चों के लिए वही खरी करुणा आज भी बरकरार है। यह संग्रह दहशत के साथ-साथ करुणा का भी है और इसीलिए अन्ततः उम्मीद का भी है। 'गुलाम स्वप्न' की पंक्तियाँ हैं :

छोटी ने मुझको पहचाना
बाबू
बड़ी के चेहरे को तब धीरे-धीरे मैंने जाना
बेटी
....
बड़ी उसी खंडहर में बैठी थी
वह तब से और बड़ी नहीं हुई

पर उसके चेहरे पर उम्र दिख रही थी
छोटी कहाँ है
जब मैंने पूछा
तो जाने किसने बताया कि वह अब नहीं है

कविता का मुहावरा बिना किसी अलंकरण या लागलपेट के बखान का है और उसके सीधे-सादेपन से स्थिति की क्रूरता और सहने का एक अटूट बिरादरीपन, दोनों ही प्रकट होते हैं। रघुवीर सहाय की कविता में अकसर लगता है कि वह अपने पर ज़रूरत से ज़्यादा भरोसा कर रहे हैं। संसार की सारी नृशंसता और हिंसा के विरुद्ध सिर्फ़ अपनी संवेदना पर अटल विश्वास रखना नैतिक और वैचारिक दृष्टि से अनुपयुक्त भी लगता है। लेकिन ऊपर जिन कुछ कविताओं का ज़िक्र है उनसे किसी हद तक इस आपत्ति का निराकरण हो जाता है। उनमें उनका 'मैं' एक अहंकेन्द्रित व्यक्ति-इकाई न रहकर सहने और बचे रहने की, यातना और संघर्ष की एक अटूट परम्परा का केन्द्र-बिन्दु बन जाता है।

6

बच्चों की ही तरह स्त्री के लिए रघुवीर सहाय के यहाँ अद्‌भुत करुणा है, पर वह नहीं जिसे एक पुरुषप्रधान समाज में एक पुरुष-कवि द्वारा की गयी दया कहा जा सके। कविता में जिस समझ का ज़िक्र रघुवीर सहाय के सन्दर्भ में किया जाता है उसका एक आकर्षक गुण यह भी है कि वह कवि को हमेशा दया या आत्मदया में पड़ने से बचाती है। उनके पहले संग्रह में स्त्री को लेकर अनेक कविताएँ थीं : प्रेम में, अनुराग में, कामना और दुख में पड़ी स्त्री की कविताएँ। नए संग्रह में स्त्री यन्त्रणा में, जाल और षड्‌यन्त्र में फँसी है, लेकिन रघुवीर सहाय हर हालत में उसे बिना अतिरंजना और पूरी ऐन्द्रिकता के साथ देख-दिखा पाते हैं :

कितनी सचमुच है यह स्त्री
कि एक बार इसके सारे बदन का एक व्यक्ति बन गया है
उसके बाल अब घने काले नहीं
दुख उसे केशों का नहीं है
वह उदास नहीं डरी हुई है अधेड़ है औरत है
(–**भय**)

वह सोचे बैठी है कि इस तरह घर बचा रहेगा
क्योंकि मैंने उससे छिपाया है कि मेरे पास

उसके क़त्ल का हुक्म कब का आ चुका है
(–उन्होंने कहा यह एक चाल है)

तू सुन्दर
इसलिए नहीं कि डरी हुई है
तू अपने में सुन्दर है
(–चेहरा)

बिना विशेषणों या बिम्बों की सहायता लिये अनुभव के ऐन्द्रिक ग्रहण को भाषा में चरितार्थ कर पाना सीधे-सीधे बयान या बखान द्वारा कठिन काम है। रघुवीर सहाय की कविता हिन्दी में अन्तर्निहित इस शक्ति का एक बार फिर एहसास कराती है और हमारे समय में कविता की सम्भावना को आगे बढ़ाती है। शब्द-बहुलता, अतिरेक और दुरूहताओं का अतिक्रमण कर वह एक ऐसा शिल्प और मुहावरा अर्जित करती है जो मनुष्य की हालत के बारे में अत्यन्त सघन और मार्मिक बखान करने में समर्थ है : जहाँ कविता प्राचीनों की 'बानी' का स्तर सहज ही पा लेती है और कवि संवेदनशील भाषा-सक्रिय इकाई-भर न रहकर हमारा प्रवक्ता और हमारे अन्तःकरण की साहसी आवाज़ बन जाता है। अपने होने का तीव्र अनुभव हमें हो पाता है : हम है क्योंकि हमारे लिए कविता बोलती है, हमारी भी 'बानी' है।

समकालीन नरक का एक भूगोल

पिछले पाँच-छह बरसों से ज़्यादातर बहस और आलोचना का केन्द्र कविता न होकर कहानी रही है, हालाँकि अकविता जैसे आन्दोलन को लेकर कुछ बेमानी शोरगुल ज़रूर हुआ। इसकी एक वजह तो ज़रूर थी कि कहानी में कुछ उत्तेजक और बात करते लायक़ काम हुआ। दूसरे, कवियों ने, खासकर ऐसा युवा कवियों ने जिनकी कविता ने पहले उत्सुकता और उम्मीद जगाई थी, संग्रह प्रकाशित नहीं किए। यह हालत फिर बदली, और सन् '67-'68 में एकाएक इतने सारे कविता-संग्रह प्रकाशित हुए कि इन्हें कविता की वापसी के वर्ष कहना अप्रासंगिक न होगा। पर यह वापसी कविता की समकालीन दृश्य के केन्द्र में वापसी ही है, वरना ये संग्रह ओर कुछ नहीं तो इतना जो ज़ाहिर ही करते हैं कि, भले ही उसके बारे में सोच-विचार और बातचीत न हुई हो, ऐसी सच्ची और जानदार कविता इस बीच बराबर लिखी जाती रही है, जो आदमी की आज की हालत के बारे में हमारी समझ और संवेदना को गहरा और सार्थक करती है।

आमतौर पर यह एक दुखद सचाई है कि हिन्दुस्तानी लेखक से विकास करने की उम्मीद बहुत कम अवसरों पर की जा सकती है। हमारे यहाँ या तो आत्मतृप्त और मुग्ध, उत्सवकामी और समकालीन अप्रासंगिकता के स्मारक बुज़ुर्ग या बुढ़ाते कवि हैं, या फिर आत्मप्रदर्शन में लिप्त, श्रीकान्त वर्मा के मुहावरे में कहें, 'नक़ली कवियों की एक पूरी वसुन्धरा' है। ऐसे युवक कवि बहुत कम हैं जो अपने बुनियादी लगावों और सरोकारों को सार्थक ढंग से विकसित-व्यापक करें, कविता की अपनी दुनिया के बाहर की दुनिया से रिश्तों और तनावों को तलाशें और अपना पहचाना जा सकने वाला, लेकिन अद्वितीय, मुहावरा और काव्य-संसार उपलब्ध करें। दूसरे शब्दों में, जो अपनी छटपटाहट, तलाश और प्रखरता से अपने युवा होने को चरितार्थ करें। इस सिलसिले में जिन तीन युवा कवियों को याद किया जा सकता है, वे हैं रघुवीर सहाय, केदारनाथ सिंह और श्रीकान्त वर्मा। हाल ही में श्रीकान्त वर्मा ने दो कविता संग्रह **माया दर्पण** और **दिनारम्भ** प्रकाशित किए हैं।

इन संग्रहों के ठीक दस बरस पहले, सन् '57 में श्रीकान्त वर्मा का पहल संग्रह **भटका मेघ** निकला था। उसकी कविताओं में मध्यवर्गीय बेचैनी और क्षोभ था,

लेकिन साथ-ही-साथ उसे जैसे सन्तुलित करती कोमलता और सहज मानवीय गरमाई भी थी। हाल के दोनों संग्रहों में ये पिछले लगाव बरक़रार हैं, पर इन लगावों को चरितार्थ करनेवाला मुहावरा और काव्य-संसार दोनों अधिक व्यापक, जटिल और शहरी हो गए हैं। तब की कविता में कहीं-न-कहीं क़स्बाई अवसाद और टटकापन था। अब की कविता में शहर की निर्मम प्रखरता और विविध जटिलता है और दोनों की तरह की कविता को कवि की अन्तर्भूत करुणा मार्मिकता में उजागर करती है।

माया दर्पण की दुनिया दहशत की, भयावह और अक्सर अप्रत्याशित सम्बन्धों की, दुनिया है। लेकिन उसमें से गुजरते हुए आप पाएँगे कि, श्रीकान्त वर्मा के क्षुब्ध और तीखे स्वर के बावजूद, उनकी करुणा लक्ष्य करने से आप बच नहीं सकते। दोनों में, यानी कि क्षोभ और करुणा में, जहाँ तक कविता का सवाल है, वह अन्तर्विरोध नहीं है। लेकिन, पिछले दिनों क्षोभ बहुत सारी युवा कविता का स्थाई भाव-सा बन गया है और उसकी कुछ एक ऐसी दक़ियानूसी विकसित हुई है कि ऐसा लगने लगा है कि करुणा कोई पुरानी और बुज़ुर्गों के मन की चीज़ है, जिससे क्षुब्ध युवक को कुछ लेना-देना नहीं है। जबकि सच यह है कि बहुत सारा श्रेष्ठ आधुनिक लेखन, पश्चिम में, इसे दोहराने की ज़रूरत है, करुणा का साहित्य है। श्रीकान्त वर्मा की कविता में यह बात फिर प्रमाणित होती है कि उनकी जैसी तेज़-तर्राट पोर-पोर आधुनिक और प्रखर क्षुब्ध युवा कविता में करुणा की भावना, मेरी समझ में, उनकी कविता में चरितार्थ छटपटाहट, क्रोध, ऊब और चिढ़ को मानवीय रूप से तात्कालिक बनाती है।

सबसे पहले और अन्त में कविता भाषा का एक ख़ास संयोजन है। जो कुछ कविता में होता है, कवि के चाहने-न-चाहने पर, और जो नहीं हो पाता, उसकी गवाही उसकी भाषा देती है। इसलिए ऊपर जिस करुणा का जिक्र है, उसकी गवाही श्रीकान्त वर्मा के बिम्ब देते हैं, भले ही अक्सर उनका एक-दूसरे से सम्बन्ध ऊलजलूल या अप्रत्याशित है। नीचे तीन टुकड़े हैं, जो अन्तर्भूत करुणा के अनगिनत उदाहरणों में आसानी से पाए जा सकते हैं :

मैं अपना अन्धकार, अपना सारा अन्धकार
गन्दे कपड़ों की
एक गठरी की तरह
फेंक सकता हूँ
मैं अपनी मार खाई हुई
पीठ
सेंक सकता हूँ

धूप में
बेटियाँ, और बहुएँ
सूप में
अपनी-अपनी
आयु के
दाने
बिन
रही
हैं।
(माया दर्पण)

अन्तिम गाने की
स्वरलिपि
करता है तैयार
संसार
हर रोज़
सबेरे-सबेरे
बिलबिलाता है
जन्म लेने के बोझ से
दबा हुआ
चूहा
(जन्मपत्री)

एक आदमी दूसरे का और दूसरा तीसरे का
दहेज है।
जिसकी वाणी में आज तेज है
दस साल बाद
वह इस तरह लौट आता है
जैसे किसी वेश्या के कोठे से
अपने को बुझाकर।
(समाधि लेख)

बिम्बों का ज़िक्र हमें श्रीकान्त वर्मा की कविता के दूसरे महत्त्वपूर्ण पक्ष की ओर ले जाता है। नई कविता बिम्ब-केन्द्रित कविता रही है, और अक्सर कवियों

में बिम्बों का ऐसा घटाटोप तैयार हुआ है कि सातवें दशक तक आते-आते कई जागरूक कवियों को यह महसूस हुआ कि कविता को बिम्ब से मुक्त कराकर ही उसे जीवन्त और प्रासंगिक रखा जा सकता है। उनके सामने बिम्ब-प्रधान कविता कुछ शक की चीज़ बन गई और सपाटबयानी की तरफ कई कवि झुके और उसे अधिक विश्वसनीय माना जाने लगा। ऊपर जिन तीन कवियों का ज़िक्र है, उनमें से हरेक ने सपाटबयानी के मूल्य को पहचाना, लेकिन उसे अपनी बुनियादी बिम्बधर्मिता के प्रतिकूल न रखकर उसके साथ संयोजित किया और अपने मुहावरों को और उनसे उजागर होनेवाले काव्य-संसार को समृद्ध किया। चित्रमयता को खोए बिना उसे रोज़मर्रा की जीवन्तता दी।

इस प्रसंग में श्रीकान्त वर्मा की कवि मुद्रा बातचीत करते, चीखते या बखान करते व्यक्ति की मुद्रा है। इसलिए उनका लहजा अपनी ज़िन्दगी के नाटक के व्यंग्यपूर्ण बयान कहने का है—उसमें संवाद की सहजता है, पर साथ-ही-साथ चित्रमयता का रचाव भी, जो भाषा को एक प्रीतिकर निखार दे देता है :

मेरे जीवन में एक ऐसा वक्त आ गया है
जब खोने को
कुछ भी नहीं है मेरे पास
दिन, दोस्ती, रवैया
राजनीति
गपशप, घास
और स्त्री हालाँकि वह बैठी हुई है
मेरे पास...
(बुखार में कविता)

इसलिए कुछेक कमज़ोर जगहों को छोड़ दें, तो श्रीकान्त वर्मा की कविताएँ वक्तव्य नहीं रह जातीं और न ही उनमें अपने अनुभवों का निरा एकायामी बखान होता है। वे कवि के अनुभव और दृष्टि को विस्मयकारी चित्रमयता और सहज बातचीत के लहजे के संयोजन से चरितार्थ करती हैं : भाषा एक इच्छित संसार की सूचना या बखान नहीं, अपने विशिष्ट प्रबन्ध द्वारा उसकी रचना हो जाती है। बिम्ब और चित्र आलंकारिक नहीं रहते, साक्षात्कार से बचने का उपाय भी नहीं, वे साक्षात्कार को एक प्रामाणिक विधा बन जाते हैं।

इसके रहते श्रीकान्त वर्मा ने अपना एक खास मुहावरा और टैकनीक विकसित किया हैं शिल्प के सम्बन्ध में आज जैसी व्यापक अराजकता और नासमझी है, वैसी शायद ही कभी रही हो। लेकिन श्रीकान्त वर्मा के यहाँ उनके ज़्यादातर युवक समकालीनों की तरह मात्र तात्कालिक युक्तिया नहीं, एक सुनिश्चित और

सचेत टैकनीक है। तुक का ऐसा ताज़ा, अप्रत्याशित और व्यंग्यपूर्ण इस्तेमाल शायद ही किसी ने किया हो। इस्तेमाल की सम्भावना या ईजाद भले कहीं और हुई हो, श्रीकान्त वर्मा ने उसमें काफ़ी सूक्ष्मता भरी है, और इसी वज़ह से वह आज एक लोकप्रिय युक्ति बन गई है। एक गम्भीर कवि के रूप में श्रीकान्त वर्मा अच्छी तरह जानते हैं कि कविता में कहीं-न-कहीं भाषा के साथ खिलवाड़ ज़रूरी है। ऐस खिलवाड़ उनकी कविता में खूब है और, बावजूद उसमें निहित व्यंग्य और चरितार्थ भयावह संसार के, वह उनकी कविता को एक आह्लादकारी गति दे देता है—एक शब्द से दूसरा, दूसरे बिम्ब से तीसरा, इसी तरह के खिलवाड़ से उपजे लगते हैं। खेद है कि श्रीकान्त वर्मा इस खिलवाड़ को कई बार संयमित नहीं कर पाते। नतीजा यह होता है कि उनकी कविता की 'आर्गेनिक' एकता को इससे क्षति पहुँचती है और कई बार ऐसा लगता है कि कविता के आरम्भ या अन्त की कोई अनिवार्यता नहीं है—वह अनियमित और भूगोलहीन हो जाती है, और उसके कलात्मक मूल्य पर शक होने लगता है।

सरसरी तौर पर देखने पर श्रीकान्त वर्मा का काव्य-संसार भाषा में एक ऐसे संसार की पुनर्रचना है जो अराजक, व्यवस्थाहीन और अर्थहीन है, जिसमें संस्थाएँ, सम्बन्ध और जीवनदृष्टियाँ गड्ड-मड्ड और व्यर्थ हो गई हैं। कविता की मुख्य थीम, बहुत स्थूल ढंग से कहें तो, संसार और व्यक्ति के बीच का असन्तुलन है, जो वैसे भी बहुत सारे आधुनिक साहित्य की थीम रही है। इस असन्तुलन की जो परिभाषा श्रीकान्त वर्मा अपनी नाटकीय भाषा के माध्यम से करते हैं, वह निश्चय ही रोचक और विशिष्ट होते हुए भी ऐसी हैं जो हमें अपनी जानी-पहचानी दुनिया को कुछ चौंककर और सीधे देखने की ओर ले जाती है। आम आदमी व्यवस्थाप्रिय होता है और, बावजूद समकालीन घोर अव्यवस्था के, व्यवस्था की मिथ से चिपटा, उसके सहारे एक अप्रामाणिक-सी ज़िन्दगी जीना चाहता है : उसके इस मोह को पोसने वाले और इस तरह उसे अपनी सच्ची हालत का सामना करने से दूर रखने वाले व्यवस्था-केन्द्रित कवि हैं। श्रीकान्त वर्मा की कविता 'कवियों के ऐयाशी झूठ' के विरुद्ध खड़ी हुई है। कवि आपकी धारणाओं को, जिन्हें समय और बदलाव ने अवास्तविक कह दिया है, सहलाता नहीं है, बल्कि 'त्रिशूल-सा गड़कर रह जाता है कवि'। जब वह खीझ कर कहता है :

> तुम जाओ अपने बहिश्त में
> मैं जाता हूँ
> अपने जहन्नुम में।

तो वह हमें अपनी समकालीन दुनिया की ओर धकेल रहा होता है, जो दरअसल हम सबका जहन्नुम है। इन कविताओं में इस समकालीन जहन्नुम के ख़ाके हैं,

जहाँ से हममें हरेक यह स्वीकार करने को बाध्य है कि–

> मैं यह अच्छी तरह जानता हूँ किसी के न होने से कुछ भी नहीं होता, मेरे न होने से कुछ भी नहीं हिलेगा। मेरे पास कुर्सी भी नहीं जो खाली हो। मनुष्य वकील हो, नेता हो, सन्त हो, मवाली हो–किसी के न होने से कुछ नहीं होता। **(माया दर्पण)**

किसी ने कहा है कि भाषा जब अपना अर्थ खो देती है तभी वह साहित्य का दर्जा प्राप्त करती है। यह विवादास्पद धारणा हो सकती है, लेकिन एक निरर्थक दुनिया को स्वायत्त रहने के लिए भाषा के अर्थ को जान-बूझकर विचलित और कभी-कभी समाप्त करना ज़रूरी है। खिलवाड़ से, तुकों और चित्रों-बिम्बों के अप्रत्याशित नाटक से, श्रीकान्त वर्मा अपनी काव्य-भाषा में अपने चतुर कौशल से ऐसी ही दुनिया बसाते और उजागर करते हैं।

दुर्भाग्य से राजनीति के प्रति ज़्यादातर नए कवियों की दृष्टि उदासीनता की ही रही है, कुछेक मुक्तिबोध-जैसे अपवादों को छोड़कर। श्रीकान्त वर्मा की दृष्टि उदासीन नहीं है, लेकिन वह राजनीतिक सचाई से वैसा साक्षात्कार नहीं करती जैसाकि रघुवीर सहाय के संग्रह **आत्महत्या के विरुद्ध** में है। रघुवीर सहाय की कविताएँ हमारे ख़ास जनतन्त्र के तनावों-उलझावों में जागरूक हिस्सा लेती रचनाएँ हैं, जबकि श्रीकान्त वर्मा की कविताओं के भूगोल में जनतन्त्र या कि राजनीतिक हालत की रेखाएँ नहीं हैं और उस हद तक वे विपन्न है। उनके यहाँ तो राजनीति के प्रति तीव्र घृणा है और मनुष्य के लिए आज की राजनीतिक संस्थाओं की अप्रासंगिकता की अभिव्यक्ति :

> कुछ लोग मूर्तियाँ बनाकर
> बेचेंगे शान्ति की (अथवा षड्यन्त्र की)
> कुछ और लोग
> सारा समय
> कसमें खाएँगे
> लोकतनत्र की।
> **(समाधि-लेख)**

मुक्तिबोध और रघुवीर सहाय के बाद राजनीति के प्रति बिना उसके ब्यौरों से जूझे श्रीकान्त वर्मा की दृष्टि कुछ सरलीकृत लगती है और उनके द्वारा चित्रित समकालीन नरक से कुछ अत्यन्त महत्त्वपूर्ण और नियामक तत्त्व गायब कर देती है।

अगर यह धारणा बन गई हो कि श्रीकान्त वर्मा सिर्फ़ नरक और दहशत और व्यंग्य के कवि-भर हैं, तो उसे सुधारना अब ज़रूरी है। दोनों ही संग्रहों में

बहुत-सारी छोटी कविताएँ हैं। उनमें जीवन और संसासर के एक रागमय सन्तुलन की खोज और चरितार्थता काफ़ी मार्मिक और ताजे ढंग से प्रगट हुई है। दहशत, निराशा और अकेलेपन की पिछले दिनों एक त्रासदायी और अत्यन्त एकांगी दक़ियानूसी हमारी कविता में विकसित हुई है। श्रीकान्त वर्मा ने सौभाग्य से अपने को इस दक़ियानूसी की गिरफ्त से बचाया है और प्रेम, प्रसन्नता, उछाह, सुख, तृप्ति आदि की अनेक मनोरम छोटी कविताएँ लिखी हैं, जो इन संग्रहों में सम्मिलित हैं। कुछ उदाहरण देखें :

घाट पर नहाती हुई
पानी पर अपनी
तस्वीर छपाती हुई
कन्धे अपने सुख के
केश सुखाती हुई
(घाट पर नहाती हुई)

नदी के किनारे कोई आसमान धो रहा है।
दुपहर है,
महुए का पेड़ सो रहा है।
(दुपहर)

शिथिल हुए प्रेम के उरोज में छिपा हुआ
कृतज्ञ एक माथ
उसके नितम्ब पर पड़ा हुआ
न–अनुभव–होता–मुझको हाथ!
(उत्तर-प्रेम-1)

इन कविताओं में संसार अपने सुन्दर अर्थों में प्रकाशित होता है। दूसरी उल्लेखनीय बात यह है कि श्रीकान्त वर्मा ने प्राकृतिक चित्रों से अलग शहरी और आधुनिक दृश्य की भी बहुत कविताएँ लिखी हैं, और छोटी कविता की क्षमता का विस्तार किया है। बड़ी कविताओं की दहशत और भयानकता को इन छोटी कविताओं की ऐन्द्रियता और सुन्दरता जैसे सन्तुलित करती है। दोनों संग्रहों में ऐसी प्रतिकूल-धर्मी कविताओं का अलग-अलग संकलित किया जाना उनमें एक नाटकीय और समृद्धिकर तनाव को जन्म देता है : उसका नरक और उनका स्वर्ग जैसे एक-दूसरे को प्रमाणित करने हैं और कवि-दृष्टि उचित और पूर्ण मानवीय सन्दर्भ पा जाती है।

उदाहरण होने से बचकर

वैसे तो यह कहा-माना जाता रहा है कि पिछले बीस-पच्चीस बरसों में कविता ने अलंकारों से अपने को मुक्त किया है और सपाटबयानी और सीधे साक्षात्कार को अपना मूलाधार बनाया है, लेकिन इस व्यापक काव्य-मुक्ति के बावजूद यह देख पाना बहुत मुश्किल नहीं है कि ज्यादातर कविता बराबर किसी-न-किसी आलंकारिकता का शिकार होती रही है। परम्परा से चले आए और जाने-पहचाने अलंकार-आभूषण भले छोड़ दिए गए हों, तथाकथित सामाजिकता और उसको लेकर विकसित हुआ 'हीरोइक्स', तनावग्रस्त व्यक्ति और उसे लेकर घिरी आत्मदया और नैतिक अहंकार आदि अनेक नई रूढ़ियों ने काव्यदृश्य पर—और यह अधिक दुर्भाग्यपूर्ण है कि युवा प्रतिभा पर—कब्जा जमाया है। जिम्मेदार और सार्थक रचना वहाँ सम्भव हुई है जहाँ इस नई आलंकारिकता के प्रलोभन के प्रति कवि सतर्क रहे हैं और जहाँ कविता को किसी तरह 'हीरोइक्स' बनाए बगैर एक सीधे-सच्चे आदमी के बेलाग और तीखे बयान और बखान के रूप में लिखा और पहचाना गया है। ऐसे कवियों में, जो हर हालत में थोड़े ही हैं, विनोदकुमार शुक्ल की कोशिश बहुत उल्लेखनीय है।

विनोद कुमार शुक्ल ने यहाँ कविता किसी भी तरह की यानी चालू मुहावरों की नई आलंकारिकता, सबको तुच्छ-नगण्य मानने की अतर्कित बहादुरी, बड़बोलेपन और मध्यवर्गीय आत्मदया, सभी से मुक्त है। यही कारण है कि उनकी कविता सबसे अलग दीखती है : इतनी अलग कि न केवल पुराने पैमाने से बल्कि कविता के तीस विद्रोही वर्षों के बाद पहचान से भी उसे ठीक-ठीक पहली नज़र में कविता कहना मुश्किल है। यह कविता इतनी धूसर, शान्त, सदी और कविता के लटकों से अलग है कि कविता ही नहीं लगती। वह आजकल लिखी जा रही कविता का एक तरह से प्रतिपक्ष है—प्रति कविता है। निजीपन और सामाजिकता का द्वैत इस कविता के लिए अप्रासंगिक ही है और सबसे बड़ी बात यह है कि विनोदकुमार शुक्ल कविता को लेकर किसी शहादत या वीरताभाव से कतई पीड़ित नहीं है। यह कविता में अविश्वास नहीं है, बल्कि एक तरह का 'ट्रैजिक' और वस्तुनिष्ठ आकलन है कि कविता में किसी भी चीज़ को, चाहे वह स्वयं कविता ही क्यों

न हो, बहुत बढ़ा-चढ़ाकर नहीं देखा जा सकता। अगर हमारे समाज में और मध्यवर्गीय मानसिकता में कविला कोई केन्द्रीय भूमिका अदा नहीं करती तो यह भी आज की उस मानवीय स्थिति का अंग है जिसका साक्षात्कार कविता को करना है और उसे लेकर किसी तरह का अतिरेक बेमानी होगा। दरअसल विनोदकुमार शुक्ल का काव्य निर्मोह और अपस्फीति का काव्य है, जो जैसे अपने काव्य होने के प्रति भी कोई मोह नहीं पालता और उनके चारित्रिक मसखरेपन से, अपने काव्य होने पर भी, स्वयं प्रश्नचिह्न लगाता चलता है।

ज्यादातर कवि निचले मध्यवर्ग से आते हैं और किसी-न-किसी तरह के आभिजात्य के प्रति उनका आकर्षण अस्वाभाविक नहीं है। मसलन कई बार लगता है कि यौन या क्रान्तिकारिता के प्रति जो ललक युवा कवियों में रही है वह कहीं-न-कहीं अपनी सामाजिक आकांक्षाओं की क्षतिपूर्ति या एक ऐसे लोक में शरण लेने की इच्छा के कारण रही है जिसमें कुछ महत्त्वपूर्ण या चौंकानेवाला करने से मान्यता मिल सके। ये सभी अन्ततः आभिजात्य के ही संस्करण हैं, मान्यता की ही तलाश है। हुआ यह है कि यह आकर्षण और यह खोज कवियों को उनकी मध्यवर्गीयता की ठोस जमीन से दूर ले गई है। उसके नीरस उबाऊपन से मनोवैज्ञानिक मुक्ति पाने के लिए युवा कवि महत्त्व की उन धारणाओं से प्रेरित हुए हैं जो उनके निजी संघर्ष से अर्जित या उनकी अपनी हालत की निर्मम खोज से पैदा नहीं हुई हैं। इसलिए उनकी रचनाएँ महत्त्व की खोज हैं पर वैसा महत्त्व नहीं जो उन्हें अपनी जड़ों की खोज से मिल सकता है, बल्कि वह जो दूसरों के द्वारा अभीष्ट हैं और जिसे पाने की इच्छा अपनी सामाजिक स्थिति को नज़रंदाज़ या अपनी स्थिति को अतिरंजित करने पर ही होती है। विनोदकुमार शुक्ल की एक यह भी विशेषता है कि उसमें मध्यवर्गीय परिवेश से भागने की कोई कोशिश नहीं है। उलटे, कविता लगभग जिद्दी ढंग से अपने को निचले मध्यवर्ग और उसकी अनगिनत छोटी-बड़ी सचाइयों में ही रोपे रहती है। अतिरंजना से वह लगभग कविता न माने जाने की हद तक मुक्त है। दूसरे शब्दों में, वह ऐसी कविता है जो कवि की ठोस निजी जिन्दगी और सामाजिक स्थिति को उसके पूरे ब्यौरों में स्वीकार कर चलती है और कवि के मानवीय होने के समूचे अर्थ को धीरे-धीरे और अविचलित भाव से इन्हीं सचाइयों में खोजने के लिए जैसे प्रतिश्रुत है। विनोदकुमार शुक्ल की पूरी बिम्ब-व्यवस्था, जीवन की छवियाँ, मुद्राएँ और मुहावरे सब इस सीमित दुनिया से आते हैं : मुहल्ला, खटारा साइकिल, रौताइन, धँसी इमारत में बूढ़ा माली, म्युनिसिपैल्टी का नल, बाल्टी, औरत, लड़की, दुकानदार, चपरासी, किराएदार, पेड़, हरा तोता, पिंजड़ा, मालिक, घोड़ा, अठन्नी, गन्दा झोला, ईदगाहभाटा, नौकरी आदि मिलकर जो दुनिया बनाते हैं, वह निचले मध्यवर्ग की जानी-पहचानी लेकिन कविता से अब तक छूटी हुई-सी दुनिया है। नायाब और दूरदराज से चकित कर देनेवाले

बिम्ब और प्रतीक जुटाने की खासी आजमाई हुई हिकमतें इस कविता के लिए गैर-जरूरी हैं। कल्पना की दूरगामी उड़ानें भी उसके लिए अप्रासंगिक ही हैं। जिस कविता में बिम्बों का चमकता संसार नहीं, कल्पना की उड़ानें नहीं, उसमें भला बचता ही क्या है? सुखद आश्चर्य यही है कि जो बचता है वह एक बिल्कुल अप्रत्याशित ढंग की कविता है। जो कुछ बचता है उसमें चीजों और लोगों के साथ अनेकविध और अप्रत्याशित सम्बन्ध है : [यह कविता महानगर के अधिकतर कल्पित ऐश्वर्य और अतिरंजित संत्रास की कविता नहीं है। वह छोटे शहर की, मुहल्ले की कविता है : वह किसी शिखर या चौक के किसी मंच से दिया गया उद्दाम बयान नहीं है, बल्कि जैसे मुहल्ले की किसी चाय की दुकान की बेंच पर बैठकर की गई निजी बातचीत है।] इस कविता में कवि एक स्पष्ट और सक्रिय चरित्र है, पर उसे अपने कवि होने का कोई सीधा या हस्तक्षेपकारी बोध नहीं है। वह मुहल्ले में एक 'कवि' नहीं है—वह मुहल्ले में एक 'आदमी' है। वह अपना और अपने संसार का शान्त भाव से बखान करता है लेकिन दोनों की सीमाओं के प्रति बराबर सचेत है :

मैं हमेशा जाता हुआ दिखाई देता हूँ।
मैं अपनी पीठ बहुत अच्छी तरह पहचानता हूँ।

आपकी पीठ अच्छी तरह पहचानने से ही विनोदकुमार शुक्ल की कविता में प्रामाणित सघनता आ पाई है : उसमें कहीं भी ऊपर या बाहर से दृष्टिपात करने की मुद्रा नहीं है। यह बखान बीचोंबीच फँसे-बसे आदमी का है, जिसकी हिस्सेदारी के बारे में शक की कोई गुंजाइश नहीं।

मध्यवर्गीयता के गहरे रचे-बसे होने का यह आशय कतई नहीं है कि इस कविता में कल्पनाशील साहस का अभाव है या कि जिस तरह के कामचलाऊ और शुद्ध व्यावहारिक मूल्यों पर वैसा जीवन चलता है, उससे कोई समझौता विनोदकुमार शुक्ल करते हैं। उनकी संवेदना उनके सारे शान्त मिजाज और ठेठपन के बावजूद, निरे वस्तुसंसार में और मानवीय सम्बन्धों में ऐसा कुछ खोजती है जो गहरी अन्तर्दृष्टि देता है और ऐसे अप्रत्याशित, विचलित करनेवाले अनुभवों के बीच हमें ले जाता है :

घोड़ा भूखा था तो
उसके लिए कुहरा हवा में घास की तरह उगा था।
और कई मकान, कई पेड़, कई सड़कें इत्यादि कोई घोड़ा नहीं था।
अकेला एक घोड़ा था। मैं घोड़ा नहीं था।
लेकिन हाँफते हुए मेरी साँस हूबहू कुहने के नस्ल की थी।

यदि एक ही जगह पेड़ के नीचे खड़ा हुआ वह मालिक आदमी था
तो उसके लिए
मैं दौड़ता हुआ, जूते पहने हुए था जिसमें घोड़े की तरह नाल ठुकी थी।

विनोदकुमार शुक्ल के यहाँ बराबर एक तरह की शान्त पर अनिवार्य ऐन्द्रिकता है, जो 'कुहरा हवा में घास की तरह उगा था' जैसे पंक्ति से अत्यन्त नाटकीय रूप से व्यक्त होती है, हालाँकि प्रायः कभी भी कोई विशाल और पारम्परिक किस्म की हाहाकारी नाटकीयता उसमें नहीं होती। चीजों को देखने-पकड़ने में उनके यहाँ एक तरह की आदिम शक्ति का भी एहसास होता है। कुहरा, हवा, पेड़, घोड़ा, मालिक और नाल जैसे बिलकुल अतिपरिचित बिम्बों से वह लगभग अनायास एक ऐसे अनुभव-बिन्दु पर पहुँचते हैं जहाँ आदमी और घोड़े के बीच एक और आदमी के मालिक होने से एक अत्यन्त विचलित करनेवाला तादात्म्य हो जाता है। इस तादात्म्य को बिना किसी शोरगुल के दिखा पाना ही कामचलाऊपन और व्यावहारिकता के मध्यवर्गीय समझौतों से कविता को मुक्त करना है। मुक्तिबोध फेलोशिप के दौरान लिखी गई कविताओं में यह बात ज्यादा साफतौर पर समझ में आती है कि वह अपनी नैतिक संवेदनशीलता तक ही सीमित नहीं है और आदमी और उसके पड़ोस, आदमी और चीजों के संसार और आदमी के संसार को नियमित करनेवाली शक्तियों के संघर्ष के प्रति उनकी संवेदना का विस्तार हुआ है। उनका निरुद्वेग पहले जो भ्रम पैदा करता रहा हो, अब कम-से-कम इतना साफ है कि वह तटस्थ नहीं है :

यह ज़मीन पर गिरे
दो किलो चावल के एक-एक दाने को बीनकर
मुहल्ले के लोगों के द्वारा
इकट्ठा करने का
इस तरह पेट से ज्यादा
समूह की ताकृत बढ़ाने का हिसाब है
....
एक-एक कर जिसको जब भी मौका मिले
अकेले से अच्छा
किसी को साथ लाना है।
....
डंक मारनेवाले विचारों को फैलाना है।
जरूरी काम है।

प्रगतिशीलता के नए दौर में भी लफ्फाजी से छुटकारा चूँकि नहीं हो सका है, यह अचरज नहीं होना चाहिए कि इस तरह की कविता की गहरी मानवीय आस्था को पहचाना न जाए और उसे एक तरह की शुद्ध कविता मानकर खारिज कर दिया जाए। लेकिन यह बात उल्लेखनीय है कि वैचारिक स्पष्टता और पक्षधरता विनोदकुमार शुक्ल ने अपनी कविता और मुहावरे का स्वाभाविक और संवेदनशील विस्तार करके ही अर्जित की है। उन्हें किसी दुराग्रह की तरह ऊपर से थोपा या चस्पाँ नहीं किया है। चूँकि वह एक सजग कवि हैं, उन्होंने इसकी बराबर सावधानी बरती है कि चालू मुहावरों का कोई दखल उनकी कविता में न होने पाए। अपने मुहावरे और अनुभव की शुद्धता पर ऐसा आग्रह हर तरह की जोखिम उठाकर करना मार्मिक होने के साथ ही फलदाई भी रहा है। नतीजा यह है कि विनोदकुमार शुक्ल का मुहावरा बिलकुल अलग से पहचाना जा सकता है। वह उन थोड़े से मुहावरों में से है। जिसका अलग व्यक्तित्व शुरू से ही स्पष्ट रहा है और जिसका आतंक अनेक युवा कवियों पर है। कई बार तो इतना कि उनकी अनुगूँजों से उनकी कविता मुक्त नहीं रह पाती। अपेक्षाकृत युवा कवि के लिए अपने काव्य-समय में ऐसी जगह पा सकना निश्चय ही उपलब्धि है।

आत्मविश्लेषण अकसर इधर की कविता का स्थायी भाव रहा है। लेकिन ज्यादातर विश्लेषण वस्तुपरक न होकर आत्मस्फीति में बदलता रहा है। दूसरों को कमतर दिखाना या अपने को दूसरों से बेहतर बता पाना ही इस तरह के विश्लेषण का हश्र हुआ है। विनोदकुमार शुक्ल की कविता में इस तरह विश्लेषण एक लगातार प्रक्रिया है और आत्मस्फीति की बजाय उनके यहाँ लगातार अपस्फीति है। लेकिन यह अपस्फीति अपना या दूसरों का भण्डाफोड़ करने जैसी आसान हरकत पर अपने को केन्द्रित नहीं करती : सब पर शक करने की नैतिक संवेदन-हीनता से यह कविता मुक्त है। बल्कि इसके बरक्स उसमें एक सूक्ष्म नैतिक बोध है जो अतिरंजना का बराबर निषेध कर वस्तुपरकता की ओर ले जाता हैं अपनी या दूसरों की जो चीरफाड़ कविता में विनोदकुमार शुक्ल करते हैं वह सबकुछ को एकबारगी सन्देहास्पद बनाने के लिए नहीं है : वह अपनी हालत को ठीक-ठीक समझने-परखने के लिए है और अपने वर्ग को तजे बिना उस नाटकीय स्फीति से बचने के लिए है जिसमें मध्यवर्गीय व्यक्ति विशाल और मौलिक परिवर्तन का केन्द्रीय वाहक होने की खुशफहमी पालता है। एक तरह का शरारती क्रीड़ा-भाव भी इन कविताओं में बार-बार उभरता है : कुछ-कुछ ऐसा, जैसे कि कोई अपना गुब्बारा फोड़ने के बाद दूसरों के पास वैसा ही गुब्बारा दिखने पर उसे सुई चुभो रहा हो। दूसरों पर जो टिप्पणी इस कविता में है और उसका अधिकार खुद अपने पर निर्मम टिप्पणी कर कवि ने अर्जित किया है—और यह अधिकार बाहर नहीं, कविता के अन्दर ही स्वायत्त किया गया है। इसलिए यह कविता सिर्फ

भाषाई अन्वेषण नहीं है, नैतिक अन्वेषण भी है।

अपस्फीति का काव्य एक जमाने में हमें मनुष्य की नगण्यता की और 'लघु मानव' की ओर, नई कविता के दौर में, ले जा चुका है। विनोदकुमार शुक्ल की कविता में महिमा-मण्डित मनुष्य नहीं है, बल्कि एक ऐसा मनुष्य है जो अपनी साधारणता में बराबर 'वध्य' है। लेकिन उनकी कविता पढ़ने से कोई बेचारगी या लघुता का बोध नहीं होता। अपनी निरलंकार साधारणता में मनुष्य अपने द्वारा किए जा रहे दूसरों के शोषण और खुद के शोषण को पहचानने की कोशिश करता है और शोषण से मुक्ति पाता है। यह मुक्ति, जो आत्मान्वेषण की शान्त परन्तु कठिन प्रक्रिया से मिलती है, इस कविता का एक तरह से अभीष्ट है। दरअसल विनोदकुमार शुक्ल अपने वर्ग की सबसे गहरी और प्रामाणिक पहचान इसी शोषण को देखने-परखने में देते हैं : मध्यवर्ग का जंजाल भी इसी में सबसे स्पष्ट रूप से झलक पाता है। मध्यवर्गीय मनुष्य स्वयं शोषक है और शोषित भी और स्थिति का व्यंग्य और आशा दोनों इसी में हैं कि वही इस शोषण को पहचान भी पाता है। अपने चारित्रिक स्वभाव के अनुरूप इस कविता में इस शोषण का बखान कभी भी मुखर या सीधा नहीं है : यह राजनीतिक समझ नैतिक संवेदना और एक परिष्कृत काव्य-संवेदना के साथ ऐसी घुली-मिली है कि उसे अलग देख पाना आसान नहीं है। उसे कविता के अनिवार्य रूपाकार से बाहर निकालकर निरे विचार के रूप में रखना और परखना भी उन शर्तों के प्रतिकूल है जिन्हें सच्ची कविता अपने पाठक पर अदृश्य रूप से लागू करती है—भले ही आलोचनात्मक विश्लेषण के लिए ऐसा करना लगभग अनिवार्य-सा है।

भाषा और मुहावरे की समृद्धि का पारम्परिक प्रमाण यह रहा है कि किसी कवि का शब्द-भण्डार कितना विपुल है। इस दृष्टि से देखें तो विनोदकुमार शुक्ल की कविता को समृद्ध की बजाय विपन्न मानना होगा। लेकिन अगर समृद्धि का प्रमाण यह भी हो कि अपने शब्द-भण्डार से कवि कितना काम लेता है और मानव-संसार और सम्बन्धों की कितनी बारीकियों और सम्भावनाओं को उजागर कर पाता है, तो उनकी कविता विपन्न कतई नहीं है। आमतौर से एक छोटे शहर का निम्न-मध्यवर्गीय जो कामचलाऊ शब्द-भण्डार बरतता है, भले ही उन्होंने अपना कारगर औजार बनाया हैं उनकी सारी कविताओं में शायद ही कोई ऐसा शब्द हो जो असाधारण हो या दूर की कौड़ी लगता हो। वह कभी-कभी विन्यास को अप्रत्याशित मोड़ देकर या सामान्य शब्दों-छवियों को एकाग्र सघनता और पारदर्शिता देकर उनका अर्थ-विस्तार करते हैं। रूपकों और प्रतीकों की भाषा उनके लिए अप्रासंगिक है। लेकिन यह असमर्थता नहीं है। इस तरह के प्रयोगों से एक नई ताजगी का एहसास होता है :

बत्तख का झुण्ड
बत्तख की तरह था।
बत्तख की तरह चोंच और पंख थे।
(—लगभग जयहिन्द में कविता चार)
सुबह छह बजे का वक्त सुबह छह बजे की तरह
(—लगभग जयहिन्द में कविता पाँच)

मध्यवर्गीय व्यक्ति की भाषा और उक्तियाँ कहावतों, उपमाओं आदि में वैसी रसी-बसी नहीं होतीं जैसी कि मसलन किसानों या मजदूरों की। उसकी भाषा कुछ-कुछ स्वाभाविक रूप से उन गहरी जड़ों से कटी होती है जो विविध अनेकायामिता और चित्रवर्णी समृद्धि को पोसती हैं। यह वर्गीय असमर्थता विनोदकुमार शुक्ल अपनी कविता में साफ स्वीकार करते हैं। पर इसी का इस्तेमाल वह निपुणता से एक ऐसी कविता रचने में करते हैं जो 'मिनिमल' है। युवा पीढ़ी के दूसरे महत्त्वपूर्ण कवि धूमिल से तुलना की जाए तो जहाँ धूमिल एक तरह के किसानी बातूनीपन के कवि हैं वहाँ विनोदकुमार शुक्ल एक तरह की बाबूगिरी की अल्पभाषिकता के कवि हैं। धूमिल जब-जब उद्दाम वक्तव्य देते हैं और कविता को वक्तव्य मानते भी हैं, लेकिन विनोदकुमार शुक्ल में ज्यादातर ठण्डा और सपाट बखान है। उनकी कविता में धूमिल जैसी दृश्य-गतिशीलता भी नहीं है बल्कि खण्डित ओर गद्यधर्मी ठहराव जैसा है। [मध्यवर्ग के यातना शिविर में यत्किंचित् साधनों का प्रयोग कर इधर-उधर लिख ली गई इबारतों की तरह ये कविताएँ हैं।] लेकिन कहीं भी उनमें तदर्थता या कामचलाऊपन नहीं है। उनकी अन्तर्निहित छटपटाहट को यकायक पहचान पाना कठिन जरूर है, पर असम्भव नहीं है। ऐसा सीमित-बाधित और विपन्न हालत में भी कविता सम्भव है—यह बात बहुत मार्मिकता के साथ विनोदकुमार शुक्ल की कोशिश सिद्ध करती है।

ठण्डेपन, निरुद्वेग और सपाटबयानी के बावजूद विनोदकुमार शुक्ल की कविता का एक दूसरा पक्ष उनकी ऐन्द्रिकता है। उनकी कविता में भावुकता के लिए कोई जगह नहीं है, लेकिन चीज़ों को उनकी भौतिक उपस्थिति की पूरी सघनता में उनकी कविता पकड़ दिखा पाती है। दो-एक उदाहरण ही काफी होंगे :

हरे रंग का तोता
इतना जाना-पहचाना
कि तोता कम हरा रंग ज़्यादा
तोता यदि निकलेगा
तो पिंजड़े में हरा रंग छोड़कर...
....

दूसरे पेड़ पर कौवे के बाजू में बैठी
रोती ज़्यादा औरत की गोद में
खेलते ज़्यादा बच्चे का
बड़े होने का भरोसा है…

यह नहीं है कि इस तरह की ऐन्द्रिकता कभी-कभार या किन्हीं खास अवसरों पर ही झलकती हो : यह उनकी काव्य-प्रकृति का सहज और अनिवार्य अंग है। इसलिए छोटी कविताएँ हों या लम्बी, उनमें संवेदना की यह ऐन्द्रिक पकड़ हर जगह अचूक है। यही ऐन्द्रिकता उनकी निरीक्षण की शक्ति को भी बहुत पैना बनाती है : किसी भी दृश्य या सम्बन्ध की बारीकियों को वह उसी के कारण अलक्ष्य नहीं कर पाते। विनोदकुमार शुक्ल की कविता में 'मिनिमैलिटी' के बावजूद, बहुत बारीक निरीक्षण का हमेशा साक्ष्य रहता है और कभी-कभी एक ऐसी अबोध सरलता भी, जो उनकी दहशत-भरी दुनिया में राहत का काम करती है।

फैंटेसी का भी इस्तेमाल इस कविता में है, लेकिन इतना बारीक और सुघर कि किसी तरह का झटका कभी नहीं लगता। एक बेहद सामान्य स्थिति के बखान को विनोदकुमार शुक्ल बहुत शान्ति और बिना किसी नाटकीयता के ऐसा मोड़ दे देते हैं कि कुछ अप्रत्याशित सामने आ जाता है, पर वह फिर सामान्य की ओर वापस चले जाते हैं। सामान्य और असामान्य के बीच एक द्वन्द्वात्मक सम्बन्ध उनके यहाँ बराबर मिलता है, लेकिन कभी भी फैंटेसी और यथार्थ के बीच एक महीन अन्तर से अधिक कुछ नहीं होता। दिलचस्प यह है कि फैंटेसी किसी तरह के इच्छित विश्वास का क्षतिपूर्ति की इच्छा का संस्करण नहीं बनती। विनोदकुमार शुक्ल फैंटेसी और सामान्य के ऐसे तीव्रीकरण को कि वह असामान्य लगे—कभी चौंकाने के लिए इस्तेमाल नहीं करते। उनका काव्यशास्त्र चौंकाने का है ही नहीं : वह विचलित करने का है, हमारे समय की ऐसी सचाई दिखाने-समझने का है, जो अन्यथा अदृश्य रहती और जिसे कविता में देखना कहीं गहरे विचलित होना है।

कविता का काम जहाँ चीजों के बीच नए सम्बन्ध खोजना है, वहाँ चीजों को उनकी स्वतन्त्रता सत्ता में देखना भी है। अगर विनोदकुमार शुक्ल को 'गरीब का लड़का' प्रतीकों के बाबा-सूट में कहीं जाने को तैयार दीख पड़ता है तो यह एक और प्रमाण उनके उस आग्रह का है जिसमें वह एक चीज को ठीक उस चीज के रूप में न देखकर किसी दूसरी चीज के प्रतीक या प्रतिबिम्ब के रूप में देखने की आदत का निषेध करते हैं। चीजों और उनके सम्बन्धों के प्रति यह सम्मान ही उन्हें गरीब लड़के को 'गरीबी' का उदाहरण मानने की आसान प्रवृत्ति से मुक्त रखता है। हिन्दी में हर चीज को किसी दूसरी चीज का प्रतीक मानने की इतनी भयानक रूढ़ि है कि चीजों और उनकी स्वतन्त्रता के प्रति आदर और संवेदनशीलता

का यह पुनर्वास मूल्यवान् और कुछ मायनों में ऐतिहासिक है।

उनकी कविता इस अर्थ में बहुत मौलिक कविता है। वह चीजों को किन्हीं अन्य आशयों के लिए इस्तेमाल करने अर्थात् वस्तु-जगत् का शोषण करने से जानबूझकर बचती है—व्यक्ति-व्यक्ति के शोषण के साथ-ही-साथ विनोदकुमार शुक्ल स्वयं माध्यम के, और किसी भी तरह के भावात्मक शोषण न करने के, प्रति बराबर सतर्क है।

विनोदकुमार शुक्ल की कविता एक ठोस, जाना-पहचाना लेकिन अप्रत्याशित और विचलित करनेवाला संसार हमारे लिए खोजती-रचती है जो प्रामाणिकता और व्यापकता रखते हुए भी उनका है, अद्वितीय है और उदाहरण होने से बचा हुआ है। वह निश्चय ही हमारा भी है लेकिन अपनी पूरी सघनता, निर्ममता, वस्तुपरकता और ऐन्द्रिकता के साथ एक संसार है, इस-उसका उदाहरण नहीं।

तलाश के दो मुहावरे

तुम शताब्दियों पीछे
छोड़ आए हो अपनी भूमि
भाषा में
अजनबी शब्दों की बहुतायत है इस समय
शब्द भी तुम्हें मजबूर करते हैं
अनावृत्त करने को
अपना असली हाल
भूलने को
सम्पदाएँ प्रकृति की
कहाँ से हो परिचय की शुरुआत?

शायद कमलेश की कविता के कुछेक सरोकारों को उनकी ऊपर उद्‌घृत कविता के अंश के सहारे पहाचाना जा सकता है। भाषा में अपनी पीछे छूट गई भूमि की तलाश, अपना असली हाल अनावृत्त करने की मजबूरी, प्रकृति की सम्पदाएँ भुलाने की कोशिश को देखकर उनके काव्य-संसार से परिचय की शुरुआत की जा सकती है।

सबसे पहले तो कमलेश का काव्य-संसार बिम्ब-केन्द्रित और अपने समवयस्कों के मुकाबले सबसे ऐन्द्रिक व्यवस्था हैं। भाषा में निजी भूमि की तलाश कमलेश को भाषा के स्वप्न-जगत, उसमें रची-बसी सजीव यादों की ओर ले जाती है। शताब्दियों पीछे छूट गई भूमि को फिर से प्राप्त और चरितार्थ करना जैसे भाषा की जड़ों तक, उसके बचपन तक जाना है। कमलेश के बिम्बों में इसीलिए शुद्ध संवेदनात्मक आघात है :

कोई सुराग़ पाने की कोशिश में
मौसम का
तुम्हारी आँखों की पुतलियाँ धीमी बयार में
पौधों-सी हिलती हुई
तुम्हारे स्तनों से झरते हुए फूल...

या जैसे जरत्कारु कविता में :

वे रात को चले गए घोड़ों पर सवार, हम जो
सिवान तक पहुँचाने गए थे लालटेनें लेकर
वापस लौट आए दूर जाती टापों की आवाजें
सुनते देर तक थके-हारे सो गए, हमने फिर
सपने देखे शेष रात-भर

भाषा की जड़ों तक पहुँचना अनुभव की जड़ों तक पहुँचने का ही दूसरा नाम है—यह पहुँच कमलेश में भाषा को ऐसी रहस्य-मुद्राएँ और चित्रमयता दे देती है कि भाषा सपने के बहुत नज़दीक आ जाती है। बल्कि शायद यह कहना उचित होगा कि कमलेश के काव्य-संसार में भाषा सपना देखती है। सपने और सच का पारम्परिक अन्तर्विरोध या द्वैत कमलेश के यहाँ गायब हो जाता है। अनुभव के सच को वे सपने के माध्यम से उसकी सजीव गहराई और रहस्यमयता में खोजने-पहचानने की कोशिश करते हैं।

भाषा की जड़ों तक पहुँचने की कोशिश कमलेश को उन अनुगूँजों, आशयों और मुद्राओं की ओर भी ले जाती हैं जोकि समकालीन कविता के अत्यधिक शहरातीकरण में उससे छूट गई है :

समुन्दर की नवजात परियाँ
हमें फुसला ले जाती हैं अपने देश में जहाँ
रेशे-रेशे से बहती हुई एक नदी है हमें तैरने को
और हम भूल जाते हैं तैरना, ओ सुबह—गई नयनाभा।

हिरनों के यूथ, नृत्यशालाएँ, आखेट, नीले ऐश्वर्य, भोग्या वसुन्धरा, तान्त्रिक नागलोक, देवदूत, परशु, रस-परिवर्तन, विष्णुप्रिया, हरिराका, सशस्त्र पहरेदार, अभिसार, प्रवालद्वीप, दैवीगृह, प्रजाजन, सम्राट, ईश्वरीय देश, देवता, मौन सहानुभूतिशील तपस्वी, स्वप्नाली, अशेष यात्राएँ, आदि, बीसियों शब्द या शब्द-समूह कविताओं की संरचना में एक मिथिकल-सा लोक ले आते हैं और काव्य-संसार के अन्दर अनुभव के सीधे और आज के लोक के साथ-साथ एक अन्तर्ध्वनित 'दिवंगत' लोक भी उजागर हो जाता है। या शायद उन्हें दो लोक कहना उनके आर्गेनिक सम्बन्ध की सही व्याख्या न होगी। वे काव्य-संसार की दो तहें हैं जो एक-दूसरे में धुली-मिली हैं—एक तह में दूसरी तह जैसे अनिवार्यतः निहित है।

'हम डर रहे हैं कि कल वह नाच आखिरी होगा' पंक्ति में मृतात्माओं का नाच अनायास पौराणिक प्रलयंकर नृत्य से भी जुड़ जाता है। यह याद जो हमारी जातीय याद है, भाषा में एक और तह का अहसास पैदा करती है। भाषा में कवि

के उपयोग से स्वतन्त्र जो प्रतीक-व्यवस्था अन्तर्निहित होती है उसे, और उससे जुड़ी जातीय यादों को, अपनी बिम्ब-व्यवस्था में गूँथकर कमलेश मुहावरे की एक असाधारण समृद्धि उपलब्ध करते हैं। इसलिए उनकी कविता अर्थ के किसी एकायामी स्तर पर नहीं, उसकी कई तहों को काव्य-संगति में समेटती चलती है। यह महत्त्वपूर्ण है, क्योंकि ज्यादातर युवा कवियों में भाषा के प्रति ऐसा तीव्र बोध और जिम्मेदारी का अहसास नहीं है, और तथाकथित सपाटबयानी के चलते ज्यादातर की भाषा अर्थ के एकायामी स्तर पर ही सक्रिय होती है। फिर कमलेश की कविता में परम्परा और सीधे अनुभव के बीच कोई सीधा-सपाट साक्षात्कार नहीं है, बल्कि कविता अपने पूरे फलितार्थ में परम्परा और अनुभव की धारावाहिकता में ही अपनी जड़ें फेंकती और चरितार्थता पाती है।

जब **ऐंटी-रोमांटिक** होने के शौक़ में बहुत सारे युवा कवियों ने भाषा की वाचिकता और **ऐन्द्रिकता** को कुंठित कर दिया है, कमलेश की कविता की ऐन्द्रिकता विशेष उल्लेखनीय जान पड़ती है। यह ऐन्द्रिकता उनकी गहरी रूमानियत से जुड़ी हुई है और कमलेश कहीं भी अपनी रूमानियत को अकवियों की तरह सतही मुद्राओं और अर्थहीन निर्भीकता से छुपाने या लाँघने की कोशिश नहीं करते। बल्कि अनुभव के सच में सपना मिलकर उसकी काव्य-चरितार्थता को एक ऐसी ऐन्द्रजालिकता दे देता है कि, 'बावजूद इससे हुई भावस्फीति के, कविता में अद्‌भुत तात्कालिकता आ जाती है :

मैं तुम्हें खोजता हूँ, चन्द्रमा की कलाओं के बीच
तुम्हारे शुतुरमुर्ग के पंख बिटोरते हुए—तुम्हारे
घोंसलों में बैठे हुए साँपों से डरते हुए, मैं तुम्हें
पाने की कोशिश करता हूँ जिराफ़ों दरियाई घोड़ों के बीच जहाँ
हथिनियों के बच्चे बड़े हुए हैं

विष्णुप्रिया में इस दृष्टि से रूमानियत और ऐन्द्रिकता का अद्‌भुत रचाव है :

तुम्हारी देह की किस कारा में बन्दी हैं हम
ओ साँझ-गई हरिराका जहाँ रोज रात शैया से
शेर के शरीर की दुर्गन्ध उठती है और हम
इस कारा में छटपटाते चक्कर लगाते रहते हैं अपने को
एक-गुना दो-गुना और सौ-गुना गिनते हुए...

जाहिर है कमलेश अतिरंजना से काम ले रहे हैं, लेकिन प्रखर ब्यौरे उसे प्रासंगिक बनाते हैं। इसलिए उसमें आत्म-प्रदर्शन नहीं, आत्म-विस्तार है। अतिरंजना को एक-दूसरे स्तर पर संयमित और प्रासंगिक करती है कविताओं की अनिवार्यता।

आम युवा कविता की तरह कमलेश की कविता आदि और अन्तहीन नहीं है। एक अनिवार्य संरचना का घटक होने के कारण रूमानी अतिरंजना निरा भावोद्रेक या शब्दों या बिम्बों की 'फ़िजूलखर्ची' बनकर नहीं रह जाती, बल्कि कविता की सार्थकता बढ़ाने में समझ-बूझकर हिस्सा लेती है। फिर कमलेश शायद ही कभी सामान्यीकरणों और भाववाचक संज्ञाओं से अपनी अतिरंजना बुनते हों जैसाकि अकवि करते हैं। जटिल अनुभव को चरितार्थ करने के लिए अगर किसी भाववाचक संज्ञा का इस्तेमाल करना ही पड़े तो वे उसे ऐसे ठोस चित्रों में रख लेते हैं कि वह मूर्त लगने लगे :

उन पहाड़ियों की चट्टानों में
तुम्हारे स्तनों की आहट है स्वप्नों से भी कुछ भारी
कुछ ठोस-सा संसार एक कंदरा में किसी याद
के ऊँघने पर निर्भर है यहाँ एक आवाज की गुर्राहट
असमान अन्तरालों पर खरगोश की तरह उछलती चली जाती है...

लेकिन लगता है कमलेश ऐन्द्रिकता के बहाने अपना असली हाल अनावृत्त करने की मजबूरी से बच जाते हैं। उनकी भाषा स्वप्न देखती है, लेकिन आज की सचाई की जटिल विविधता और उलझावों से जूझती या टकराती नहीं है। कमलेश की ऐन्द्रजालिकता मुक्तिबोध की तरह समकालीन भयावह सचाइयों की फैंटेसी के रूप में पुनर्रचना नहीं है, वह एक स्वायत्त संसार रचने की कोशिश है। सवाल यह है कि क्या यह स्वायत्त काव्य-संसार प्रासंगिक संसार भी है? इनका उत्तर खोजने की कोशिश करने पर यह लगता है कि जयादातर कमलेश अपने काव्यानुभव को ऐसी सीमाओं में रखते हैं कि उसमें सौन्दर्यमूलक आनन्द प्राप्त हो। समकालीन मनुष्य के तीव्र अन्तर्विरोध, भय, सन्देह इसलिए सीधे-सीधे कमलेश के काव्य-संसार में नहीं दीख पड़ते। वे अगर हैं भी तो उन्हें उनकी ख़ास सौन्दर्य-दृष्टि, कमलेश का ही एक शब्द लेकर कहें, 'रस-परिवर्तित' कर देती है। नतीजा यह होता है कि कमलेश की कविता असली हाल अनावृत्त नहीं करती, बल्कि उस हाल के एक ऐसे अपेक्षाकृत प्रीतिकर पहलू को उजागर करती है कि असली हाल और उसके पहलू के बीच अन्तराल आ जाता है। बाहरी सचाई के भीषण दबावों और निजी अनुभव के बीच ज्यादातर युवा कविता में तनाव और टकराहट है। लेकिन कमलेश के संसार में ऐसा कोई तनाव नहीं जान पड़ता। अधिक से अधिक उनके यहाँ शुद्ध काव्य-कौशल के स्तर की अभिव्यक्ति की छटपटाहट है, लेकिन वह अपने समय को उसकी जटिल अराजकता में व्यवस्थित करने और पकड़ने की छटपटाहट नहीं जान पड़ती। यह नहीं हैं कि रचनात्मक स्तर पर कमलेश को अपने संसार के सँकरे होने का अहसास न हो। **सिकुड़ती जाती है ऋतु मौसमी फूलों की/मृदुता**

महसूस नहीं होती। बल्कि वे इस अहसास को सीधे अपने काव्य-संसार की समस्या से जोड़ते भी हैं;

घोषित धोखों
की भाषा में बैंगनी, नीले, लाल फूलों के किस्मों की
पहचानें सारी उलट-पुलअ जाती हैं, रोता है
देवता मुरदार आयुधों के नाम, ज़रूरी हो जाती है तब
कविता एक और क़िस्म की।

कमलेश की बाद की कविताओं को इस एक और क़िस्म की कविता की तलाश में लिखी रचनाओं के रूप में देखा जा सकता है। लेकिन यह तलाश अभी तक कमलेश को एक अधिक समावेशी मुहावरे की ओर नहीं ले जा सकी है। सामाजिक सचाइयों से रिश्ता जोड़ने की कोशिश कुछ ऐसे अबोध भाव से वे करते हैं कि भाषा अपनी दूसरी अर्थ-तहों से कटकर सपाट और एकायामी हो जाती है और कमलेश जैसे गम्भीर कवि भी अपनी कविता को ऐन्द्रिक सुगठित व्यवस्था में चुस्त फ़िकरेबाजी के झटके देने का शिकार हो जाते हैं :

लूटी नहीं जाती सही है
अनाजों की दुकानों
सबको इजाज़त है भर ले
कोई भी स्वाँग, सब रहते हैं तैयार
धोखा खाने को जान या अनजान, शर्त सिर्फ़
गले में लटका ले तस्वीर
आप प्रधानमन्त्री की।

कमलेश की अबोध मुद्रा का आधार यह जान पड़ता है कि उनकी कविता में अहसास तो है, समझ नहीं। अपने समय के भारतीय मनुष्य को, उसके अन्तर्संघर्ष और जूझ को परिभाषित करने की चेष्टा कविता के प्रासंगिक ओर वयस्क होने के लिए ज़रूरी है। लेकिन ऐसी चेष्टा मनुष्य की हालत के अहसास-भर से कारगर नहीं हो सकती, उसके लिए ज़रूरी है कि उसकी समझ भी कविता के संगठन में सक्रिय हो। अपनी संवेदनात्मक ऐन्द्रिकता में कमलेश इतना जकड़े हुए हैं कि उन्होंने विचारों और उनके टकरावों को, समझ को, अपने काव्य-संसार से देश-निकाला-सा दे दिया है। उनके कवि-व्यक्तित्व में संवेदना और ज्ञान के बीच एक गहरी खाई जान पड़ती है। उनकी नई कविताओं में ज़्यादा से ज़्यादा कहीं-कहीं इस खाई का अहसास-भर है लेकिन रचनात्मक स्तर पर उसे किसी आत्मसंघर्ष, या अपने संसार को सिर्फ़ ऊपरी ढंग से चौड़ा करने, के बजाय उसकी पुनराविष्कार

करने की गहरी छटपटाहट से जोड़ना मुश्किल लगता है। शायद कमलेश को इसके लिए अपने कवि-व्यक्तित्व के विरुद्ध खड़ा होना होगा लेकिन अपने विरुद्ध अपने ही संसार में खड़ा हुआ जा सकता है—चालू मुहावरों और कविता से अलग उपलब्ध सामाजिक सचाइयों के आकर्षक संसार में नहीं, जैसाकि कमलेश अपनी हाल की कविताओं में करते जान पड़ते हैं।

अब उसे मालूम है कि कविता
घेराव में
किसी बौखलाए हुए आदमी का
संक्षिप्त एकालाप है।

धूमिल की इन पंक्तियों को उन पर चस्पाँ करने का प्रलोभन होना बहुत आसान है। आसान यह भी है कि इन पंक्तियों को धूमिल की कविता-सम्बन्धी धारणा मान लिया जाए। लेकिन दोनों ही आसानियतों में खतरा है क्योंकि एक तो धूमिल की चारित्रिक काव्य-मुद्रा 'बौखलाए हुए आदमी' की नहीं है, और दूसरे, उनकी कविता की चारित्रिक संरचना 'संक्षिप्त एकालाप' भी नहीं है। ऊपर की पंक्तियाँ एक कविता के अन्त में दिया गया नाटकीय वक्तव्य है जिसे उसकी नाटकीय व्यवस्था से काटकर धारणा के रूप में प्रस्तुत करना भ्रामक होगा।

लेकिन अगर धूमिल की कविता की आन्तरिक सचाई और उसमें उपलब्ध नाटकीय वक्तव्यों को पहचान लिया जाए तो उनके काव्य-संसार को समझने की ओर बढ़ा जा सकता है। धूमिल को आज हिन्दुस्तान में मनुष्य के चारों ओर भीषणता से बढ़ते, सघन होते, घेराव का पूरा अहसास है, लेकिन यह अहसास सिर्फ़ बौखलाहट में व्यक्त नहीं होता। बौखलाहट के पीछे सतही भावुक प्रतिक्रिया और निस्सहायता होती है और उनकी कविता, जब कमज़ोर और असफल होती है तब भी न तो भावुक प्रतिक्रिया-भर है और न उसमें कोई दीनता का भाव है। गहरी भावात्मक पकड़ के साथ-साथ, जो प्रखर और ताज़े बिम्बों से जाहिर होती है, धूमिल में बौद्धिक समझ भी है जो अहसास को संयमित करती और गहरा बनाती है। यहीं कमलेश-जैसे दूसरे युवा कवियों से धूमिल की विशिष्टता भी स्पष्ट होती है : धूमिल मात्र अनुभूति के नहीं विचार के भी कवि हैं। उनके यहाँ अनुभूतिपरकता और विचारशीलता, अहसास और समझ, एक-दूसरे से घुले-मिले हैं, और उनकी कविता मात्र भावात्मक स्तर पर नहीं, बल्कि बौद्धिक स्तर पर भी संयोजित और सक्रिय होती है। इस समझ का कविताओं में प्रमाण वे पंक्तियाँ हैं जिनमें कोई न कोई सामान्यीकरण किया गया है। मुक्तिबोध ने कहीं शिकायत की है कि नई कविता में जीवन-जगत के बारे में ऐसे सामान्यीकरण नहीं है जो जीवन-दृष्टि को नाटकीय एंग से सघन रूप में जाहिर कर सकें। धूमिल में ऐसे सामान्यीकरण कई बार आते हैं दो उदाहरण

काफ़ी होंगे :

नंगापन
अन्धापन होने के ख़िलाफ
एक सख़्त कार्यवाही है
(उस औरत की बगल में लेटकर)

वह चाहे जो है
जैसा है, जहाँ कहीं है
आजकल
कोई आदमी जूते की नाप से
बाहर नहीं है
(मोची राम)

इन सामान्यीकरणों की निरी चुस्त फ़िकरेबाज़ी और छद्म दार्शनिकता से भिन्नता धूमिल की शक्ति है। कविताओं की नाटकीय संरचना में वे ऐसे गुँथे हैं कि काव्यात्मक स्तर पर एकदम अनिवार्य लगते हैं और ठोस मानव-स्थितियों से अपनी जीवन्त प्रासंगिकता प्राप्त करते हैं। इस सिलसिले में यह याद करना ज़रूरी जान पड़ता है कि भाषा और शिल्प के प्रति अधिकांश युवा कवियों में ज़िम्मेदारी का कोई भाव नहीं है। बल्कि अधिक से अधिक कुछ कामचलाऊ दृष्टिकोण है जिससे उनकी मुद्राओं, युक्तियों और संगठनों में प्रायः किसी तरह की अनिवार्यता नहीं है और उनकी कविताओं में रचनात्मक सामग्री पर कोई सार्थक या कल्पनापूर्ण नियन्त्रण नहीं है। युवा कविता अक्सर एक तरह कई यान्त्रिक लेखन जान पड़ती है। लेकिन कमलेश की ही तरह धूमिल ऐसे युवा कवि हैं जो उत्तरदायी ढंग से अपनी भाषा और फ़ार्म को संयोजित करनते हैं। ऐसे समय जब ज़्यादातर युवा कविताएँ व्यर्थ और प्रसंगहीन अराजकता और असंयमित दायित्वहीनता की गिरफ्त में हों, किसी युवा कवि का उत्तरदाई होने और बने रहने की कोशिश करना उल्लेखनीय ही नहीं मार्मिक भी लगता है।

धूमिल की दायित्व-भावना का एक और पक्ष उनका स्त्री की भयावह लेकिन समकालीन रूढ़ि से मुक्त रहना है। मसलन, स्त्री को लेकर लिखी गई उनकी कविता **उस औरत की बगल में लेटकर** में किसी तरह का आत्मप्रदर्शन, जो इस ढंग की युवा कविताओं की लगभग एकमात्र चारित्रिक विशेषता है, नहीं है, बल्कि एक ठोस मानव स्थिति की जटिल गहराइयों में खोज और टटोल है जिसमें दिखाऊ आत्महीनता के बजाय अपनी ऐसी पहचान है जिसे आत्म-साक्षात्कार कहा जा सकता है :

मेरे भीतर एक कायर दिमाग़ है
जो मेरी रक्षा करता है और वही
मेरी बटनों का उत्तराधिकारी है

उत्तरदायी होने के साथ धूमिल में गहरा आत्मविश्वास भी है जो रचनात्मक उत्तेजना और समझ के घुले-मिले रहने से आता है और जिसके रहते वे रचनात्मक सामग्री का स्फूर्त लेकिन सार्थक नियन्त्रण कर पाते हैं। उनके यहाँ फ़ार्म में अक्सर कसाव और सुघरपन है और शायद कमलेश और श्रीराम वर्मा के अलावा और कोई ऐसा युवा कवि नहीं है जो उनकी तरह सचेत और सचेष्ट हो।

यह आत्मविश्वास उन अछूती थीमों के चुनाव में भी प्रगट होता है जो धूमिल अपनी कविताओं के लिए चुनते हैं। **मोचीराम, राजकमल चौधरी के लिए, अकाल दर्शन, गाँव, प्रौढ़ शिक्षा** आदि कविताएँ जैसाकि शीर्षकों से भी आभास मिलता है, युवा कविता के सन्दर्भ में एकदम ताज़ी बल्कि कभी-कभी तो अप्रत्याशित भी लगती हैं। इन थीमों से धूमिल जो काव्य-संसार बसाते हैं वह हाशिए की दुनिया नहीं बीच की दुनिया है। यह दुनिया जीवित और पहचाने जा सकने वाले समकालीन मानव-चरित्रों की दुनिया है जो अपने ठोस रूप-रंगों और अपने चारित्रिक मुहावरों में धूमिल के यहाँ उजागर होती हैं धूमिल का काव्य-संसार अकवियों की तरह कल्पना-विलास से रचाया गया ऐसा सन्दर्भच्युत लोक नहीं है जिसकी हमारे रोजमर्रा के जीने से संगति और जीवित प्रासंगिकता स्पष्ट न हो, और जिसमें कोई गहरी पहचान या खोज तो न उभरती हो लेकिन कवि के आत्म-प्रदर्शन और आत्मस्फीति के लिए अवकाश खूब हो। धूमिल की दुनिया जितनी ठोस है उतनी ही ठेठ और बेबाक भी। अपनी श्रेष्ठ उपलब्धि में वह समकालीन सचाई पर कोई धीमी मद्धिम रोशनी डालकर सन्तुष्ट नहीं हो जाती, बल्कि निर्भीकता और विश्वास से सचाई को उधार देती है। अक्सर ऐसी कविता के 'हीरोइक्स' में फँस जाने का खतरा रहता है, लेकिन धूमिल के यहाँ किसी तरह की आत्मस्फीति या अपने बारे में बड़बोलेपन का लटका ज्यादातर नहीं है। इस बात को अनदेखा नहीं किया जा सकता कि उनका काव्य-संसार सीमित या छद्म आभिजात्य का अप्रासंगिक हालाँकि लुभावना संसार नहीं है जैसाकि अकवियों का है। यह भी नहीं लगता कि कमलेश की तरह अनुभव को अपनी सौन्दर्य-दृष्टि से प्रभावित कर धूमिल उसे प्रीतिकर बनाने की कभी कोशिश करते हों। उनके यहाँ सुन्दर लगते बिम्ब भी किसी ऐसे अप्रीतिकर प्रसंग से जुड़े होते हैं कि विचलित कर देते हैं :

जलते हुए जनतन्त्र के सूर्योदय में
शरीक़ होने के लिए
तुम चुपचाप अपनी दिनचर्या का

पिछला दरवाजा खोलकर
बाहर आ जाओगे
जहाँ घास की नोक पर
थरथराती हुई ओस की एक बूँद
झड़ पड़ने के लिए
तुम्हारी सहमति का इन्तज़ार
कर रही है
(जनतन्त्र के सूर्योदय में)

असल में धूमिल की संवेदना पूरी तरह से जागरूक और चौकन्ना होते हुए भी सिर्फ़ शहराती नहीं है। उसमें गहरा ग्रामीण संस्कार भी है और इसलिए उनकी कविताओं में ज़ाहिर सचाई सिर्फ़ शहराती सचाई नहीं है। बल्कि शायद यह कहना अनुपयुक्त न होगा कि धूमिल में शहराती बौद्धिकता और ग्रामीण संवेदना एक रचनात्मक तनाव की स्थिति में रहकर उनकी कविता के सन्दर्भ को व्यापक और ठोस बनाती है। ग्रामीण संस्कार धूमिल के यहाँ फैशनेबिल आंचलिकता का रूप नहीं लेता। वह उनकी कल्पना-शक्ति, बिम्बयोजना और भाषा को ताज़गी और विस्तार देता है। इस सिलसिले में **मोचीराम,** जो सम्भवतः धूमिल की अब तक की श्रेष्ठ रचना है, कविता को लिया जा सकता है। कविता का चरितनायक एक मोची है जो अपने मुहावरों और अक्खड़ सहजबुद्धि से कविता में एक ठोस और विशिष्ट चरित्र के रूप में स्थापित होता है। लेकिन बड़ी सफाई से वह एक नाटकीय युक्ति के रूप में भी इस्तेमाल होता है, जिसके माध्यम से धूमिल कुछ सामान्यीकरणों की ओर पहुँचते हैं। लेकिन मोचीराम की चारित्रिक मूर्तता और ठोसपन और सामान्यीकरणों में कोई अलगाव नहीं, बल्कि 'ऑर्गेनिक' एकता है। मोचियों के पारम्परिक बातूनीपन को बहुत सूझ-बूझ से धूमिल ने इस कविता के सन्दर्भ को स्पष्ट और विश्वसनीय बनाने के लिए इस्तेमाल किया है। अगर कविता के सामान्यीकरण ठोस मानव-स्थिति से उभरते जान पड़ते हैं तो इसीलिए कि वे मोचीराम के बातूनीपन में रसे-बसे हैं :

असल बात तो यह है कि जिन्दा रहने के पीछे
अगर सही तर्क नहीं है
तो रामनामी बेचकर या रंडियों की
दलाली करके रोज़ी कमाने में
कोई फ़र्क नहीं है।

धूमिल मोचीराम के पेशेवर वस्तु-जगत का बहुत चतुराई से नई और ताज़ी बिम्बमाला

प्राप्त करने के लिए उपयोग करते हैं :

अब आप इस बसन्त को ही लो
यह दिन को ताँत की तरह तानता है
पेड़ों पर लाल-लाल पत्तों के हज़ारों सुखतल्ले
धूप में सीझने के लिए
लटकाता है

दरअसल, धीरे-धीरे मोचीराम का बातूनीपन और बिम्ब-धर्मिता उसके साथ कवि के तादात्म्य को लगभग अनिवार्य-सा बना देते हैं। इसलिए जब कविता के अन्त के करीब हम इन पंक्तियों पर पहुँचते हैं कि :

जो असलियत और अनुभव के बीच
खून के किसी कमज़ात मौके पर कायर है
वह बड़ी आसानी से कह सकता है
कि यार तू मोची नहीं शायर है

तो यह बात एकदम स्पष्ट हो जाती है कि कविता अपने नाटकीय विकास में अर्थ की एक और तह उजागर करती है, और कवि-कर्म पर भी कविता हो जाती है; यानी उस धन्धे पर भी जो मोचीराम के धन्धे की ही तरह आदमियों, उनकी भाषा और असलियत से उलझता है।

भाषा के प्रति जिम्मेदारी महसूस करने का मतलब आज भाषा की जड़ता और अपर्याप्तता को पहचानना है। धूमिल में यह पहचान काफी प्रखर है :

अब यहाँ कोई अर्थ खोजना व्यर्थ है
पेशेवर भाषा के तस्कर संकेतों
और बैलमुत्ती इबारतों में
अर्थ खोजना व्यर्थ है
(कविता)

व्यर्थता और निरर्थकता की नई दक़ियानूसियों के सक्रिय रहते भाषा की अपर्याप्तता का बोध अनायास ही ऐसे बहुत-से युवा कवियों को पिछले दिनों हुआ है जिनकी भाषा शक्ति बड़ी सीमित और विपन्न रही है। लेकिन धूमिल में भाषा की अपर्याप्तता की पहचान भाषा का अत्यन्त सघन और नाटकीय उपयोग करने के बाद उभरती है और वास्तविक जान पड़ती है। भाषा के सघन उपयोग का प्रमाण उनके ठोस, जटिल लेकिन ताज़ा बिम्ब हैं। दो-तीन उदाहरण ही काफ़ी होंगे :

चौराहों पर
भीड़ किसी अपभ्रंश का शुद्ध रूप जानने के लिए
उस प्रागैतिहासिक कथा की मुट्ठी
खोलने में व्यस्त है जहाँ-रात
बनैले पशुओं ने विश्राम किया था
(राजकमल चौधरी के लिए)

तथापि यह सही है कि सूरज
तुम्हारी जेब घड़ी है
तुम्हारी पसलियों पर
मौसम की लटकती हुई जंज़ीर
हवा में हिलती है और
पशुओं की हरक़तों से
तुम्हें आने वाले ख़तरों की गन्ध
मिलती है
(प्रौढ़ शिक्षा)

मूत और गोबर की सारी गन्ध उठाए
हवा बैल के सूजे कन्धे से टकराए
खाल उतारी हुई भेड़-सी
पसरी छाया नीम पेड़ की
डाँय-डाँय करते डाँगर की सींगों में
आकाश कैसा है
दरवाज़े पर अन्धी बुढ़िया
ताला-जैसी लटक रही है
कोई था जो चला गया है
(गाँव)

पटकथा धूमिल की अभी तक की सबसे लम्बी और महत्त्वाकांक्षी कविता है। पर वह एक दिलचस्प असफलता है। उसकी थीम व्यापक है और यह कहना भी शायद काफ़ी न हो कि वह देश के समकालीन बिखराव और प्रजातन्त्र की सचाइयों के सिलसिले में भारतीय मनुष्य की स्थिति का सही जायज़ा लेने की कोशिश करती है। जनता, संसद, संविधान और प्रजातन्त्र जैसे शब्द और धारणाएँ इधर की कविता में चालू मुहावरा बन गई हैं और **पटकथा** भी इन्हीं के इर्द-गिर्द घूमती है। यह ज़रूरी नहीं है कि जो दूसरों में चालू मुहावरा हो। वह किसी समर्थ कवि में विशिष्ट

और ठोस अभिव्यक्ति न हो सके। खेद है कि चालू मुहावरों को मात्र मुद्राओं के स्तर से **पटकथा** में धूमिल ऊपर उठाकर किसी सार्थक और विशिष्ट वक्तव्य में बदल नहीं पाते। अपने विशिष्ट मुहावरे को विकसित कर सकने में समर्थ धूमिल-जैसा युवा कवि भी चालू मुहावरों की गिरफ्त में आकर चुस्त फ़िक़रेबाजी और बड़बोलेपन पर उतर आता है :

अपने यहाँ संसद
तेली की वह घानी है
जिसमें आधा तेल है
और आधा पानी है
दरअसल, अपने यहाँ जनतन्त्र
एक ऐसा तमाशा है
जिसकी जान
मदारी की भाषा है
....
मैंने अहिंसा को
एक सत्तारूढ़ शब्द का गला काटते हुए देखा
मैंने ईमानदारी को अपनी चोरजेबें
भरते हुए देखा
मैंने विवेक को
चापलूसों के तलवे चाटते हुए देखा…।

ऐसे ढेरों अतिव्याप्त कथनों से कविता भरी पड़ी है। लेकिन उन्हें ठोस प्रासंगिकता में गूँथकर सार्थक बनाने वाला चारित्रिक केन्द्र कविता में नहीं है। कवि के ही शब्दों का सहारा लेकर कहा जा सकता है कि कविता के पीछे बराबर यह अहसास बना रहता है कि 'अब वक्त आ गया है…कि अपनी ऊब को आकार दो।' लेकिन बहुत व्यापक दृश्य को समेटने के चक्कर में **पटकथा** में ऊब अपना स्पष्ट और विशिष्ट आकार विन्यस्त नहीं कर पाती। **मोचीराम** के जैसा कोई स्पष्ट परिभाषित और ठोस चरित्र भी कविता के केन्द्र में नहीं है जो उसे सँभाल सके। बल्कि कवि की 'मैं-सब-कुछ-जानता हूँ' या 'आज मैं तुम्हें वह सत्य बतलाता हूँ/जिसके आगे हर सचाई/छोटी है' की मुद्रा और उससे उपजनेवाला पैगंबराना अंदाज़ विश्वास पैदा नहीं करते। उनसे कविता की आन्तरिक सत्ता बिखरती है, और चूँकि **पटकथा** एक लम्बी कविता है, पढ़ने में ऊब और कभी-कभी चिढ़ भी पैद्रा होती है। कविता के लिए यह दुभार्ग्यपूर्ण हो जाता है कि कवि-दृष्टि इस मुद्रा के प्रति कोई व्यंग्यभाव न रख आसक्ति ही ज़ाहिर करती है। आज जब युवा कविता में सीधे-सीधे ठोस

व्यक्ति-नामों द्वारा मार्मिक नाटकीयता और प्रासंगिकता लाई जा रही है (और इस कोशिश में धूमिल स्वयं भी शामिल हैं), उनका हिन्दुस्तान को एक चरित्र बनाना, जो अमूर्त ही बना रहता है, हास्यास्पद लगता है :

तुमने पहचाना नहीं मैं हिन्दुस्तान हूँ
हाँ मैं हिन्दुस्तान हूँ

पटकथा में न तो सौमित्र मोहन की **लुकमान अली** की तरह कोई ठोस मानवीय केन्द्रीय चरित्र है और न ही उसके व्यापक दृश्यलेख को कोई नाटकीय प्रसंग या आधार प्राप्त है जैसा कि राजकमल चौधरी में मुक्तिप्रसंग में अस्पताल-ऑपरेशन के रूप में है। इसलिए उसमें धूमिल के कई सूक्ष्म अवलोकन और प्रखर बिम्ब खो जाते हैं। जैसे, एक यही :

एक अजीब-सी प्यार-भरी गुर्राहट
जैसे कोई मादा भेड़िया
अपने छौने को दूध पिला रही है और
साथ ही किसी मेमने का सिर चबा रही है।

छोटी कविताओं में धूमिल अपनी काव्य-सामग्री पर जैसा कल्पनापूर्ण नियन्त्रण रख सके हैं वह **पटकथा** से ग़ायब है। यह भी लगता है कि धूमिल की काव्यात्मक समझ, जो निरन्तर बड़ी जागरूकता से उनके यहाँ सक्रिय रही है, **पटकथा** में चूक गई है।

समकालीन यथार्थ को, उसके अपने भीषण अनुभव का, बखान करने से धूमिल सन्तुष्ट होते लगते हैं जबकि कविता निरा बखान नहीं चरितार्थ करती है। चरितार्थता के लिए ज़रूरी है कि कवि अपने आसपास तैरते चालू मुहावरों के प्रति सतर्क और सशंक रहे—धूमिल में यह सतर्कता कम हो गई है इसका प्रमाण **पटकथा** ही नहीं, उनकी बिलकुल ताज़ी कविता **नक्सलबाड़ी** भी है। उसमें जहाँ एक ओर—

लेखपाल की
भाषा के लम्बे सुनसान में
जहाँ पाला और बंजर का फ़र्क
मिटा चुका है चन्द खेत
हथकड़ी पहले खड़े हैं

जैसे ताज़ा और कुछ नई उजागर करने वाली पंक्तियाँ हैं, वहाँ—

मतलब की इबारत से होकर
सबके सब व्यवस्था के पक्ष में
चले गए हैं
....
..
और वह सड़क
समझौता बन गई है जिस पर खड़े होकर
कल तुमने संसद को
बाहर आने के लिए आवाज़ दी थी

जैसे चालू मुहावरे भी हैं, जो सरलीकरणों और ऐसे सामान्यीकरणों से आक्रान्त हैं जिनकी प्रामाणिकता या विश्वसनीयता की परख करने का कोई नाटकीय आधार कविता में नहीं है।

अन्त में धूमिल की एक और विशेषता का ज़िक्र करना आवश्यक लगता है। उनकी केन्द्रिय काव्य-मुद्रा सम्बोधन की है। अगर अकेलापन बीसवीं सदी के मनुष्य की केन्द्रिय स्थिति है, तो यह स्वाभाविक ही है कि धूमिल भी इस स्थिति को टटोलते और उजागर करते हैं। लेकिन उनका अकेलेपन का अससास दूसरों के साथ जुड़ा है। ज़्यादातर युवा कवियों के समान धूमिल के यहाँ दूसरे लोग कवि के अकेलेपन का सामान जुटाने की युक्ति नहीं हैं, बल्कि जीवन्त उपस्थितियाँ हैं। इसलिए जब वे कहते हैं :

मुझे अपनी कविताओं के लिए
दूसरे प्रजातन्त्र की तलाश है

तो यह उनके अकेले के राजनीतिक आग्रह या काव्यगत प्रयत्न का दृढ़-कथनभर नहीं है। इन दो पंक्तियों में भारतीय मनुष्य की समकालीन तलाश का, उसकी नई आक्रामकता का, सीधा पर नाटकीय वक्तव्य भी है। दूसरे प्रजातन्त्र की तलाश की तीखा अहसास अगर धूमिल की कविता में है तो इसलिए कि वे राजनीतिक अर्थ में भी एक जागरूक और क्षुब्ध कवि हैं। यह जागरूकता उनकी कविता के दृश्य को व्यापक और मानवीय बनाती है। धूमिल की कविता में भी लोग और भीड़ हैं; लेकिन ज्यादातर युवा कवियों के 'लोग' और 'भीड़' की तरह वे सरलीकरण नहीं हैं—उनकी कविता में सामाजिक शक्तियों का टकराव साफ़ पहचान में आता है। यह महत्त्वपूर्ण है, क्योंकि सारे समाज और सामाजिक संघर्ष को सरलीकृत कर इधर बेचारगी और निरर्थकता की जो नई दक़ियानूसी प्रतिष्ठित हुई है, धूमिल का स्वर उसमें शामिल नहीं है, बल्कि उसके आगे एक बड़ा प्रश्नचिन्ह लगाता है। वह स्त्रियों के शारीरिक संसार तक सीमित नहीं रहता, बल्कि इस संसार को चरितार्थ

करने की, पहचानने और चुनौती देने की, कोशिश करता है जो रोज़मर्रा आदमी का मरता-खपता और कभी-कभार मुट्ठी तानता संसार है। यह और बात है कि बौद्धिक समझ और संयम के बाद भी कभी-कभी धूमिल की कविता निरे अनावश्यक रिटौरिक पर उतर आती है और उनका मुहावरा उत्सवधर्मी होने लगता है। **पटकथा** में इस तरह के रिटौरिक के, जो निरा भाषण मालूम होता है, कई पैबन्द हैं। **प्रौढ़-शिक्षा** के बीच का अंश भी रिटौरिक से आक्रान्त हो जाने के कारण अप्रासंगिक जान पड़ता है। चालू मुहावरे और रिटौरिक से अगर बच सके तो धूमिल की कविता हमारे समय की एक युवा और विश्वसनीय पहचान का दस्तावेज बन सकती है।

प्राचीनों से गप लगाता हुआ आधुनिक

पिछली बार जब आचार्य हजारी प्रसाद द्विवेदी भोपाल आए थे तो एक शाम अपने उपन्यासों के बारे में कुछ पूछने पर उन्होंने गम्भीरता और विनोद के अपने मिले-जुले सहज स्वभाव से कहा कि 'मैं तो गप लगाता हूँ। पण्डिताऊ काम में प्रमाण से बँधा रहना पड़ता है और जब उससे उकता जाता हूँ तो गप लगाता हूँ। उसमें सुविधा यह है कि जो सच लगे वह कह लो और बाद में सबके बारे में कह दो कि यह सब तो झूठ था।' सच्चे आधुनिक की शायद इससे बेहतर कोई परिभाषा नहीं हो सकती। वह सच कहना चाहता है पर कह चुकने के बाद उसे शक बना रहता है कि शायद वह झूठ है। द्विवेदीजी ने अपने चारों उपन्यासों के लिए सीधे आधुनिक परिदृश्य नहीं चुना, लेकिन आधुनिक मनुष्य का संशय, उसकी जिजीविषा, उसकी अस्मिता और संघर्ष, उसके दुःस्वप्न और आदर्श उनका विषय हैं। पीरियड क्रॉनिकल-जैसे लगने के बावजूद ये उपन्यास आज के आदमी के विकल दस्तावेज हैं। मनुष्य की सहजना और समग्रता, उसकी अपराजेयता की जो खोज द्विवेदीजी, कबीर और अन्य सन्त साहित्य में अपनी प्रखर विश्लेषण बुद्धि से करते हैं, वही उन्हें अदम्य सृजनात्मक ऊर्जा के साथ उपन्यास की ओर भी ले गई। मनुष्य की अपराजेय रचनात्मकता की शोध जैसे उन्होंने कबीर, रैदास और नानक में की, वैसे ही अपने औपन्यासिक चरित्रों बाणभट्ट, मौला और अनामदास में भी। आचार्य द्विवेदी इसीलिए ऐसे पण्डित नहीं थे जो दूसरों के रचे को समझ या जाँच-परखकर सन्तुष्ट हो जाएँ। वे अपनी अथक जिज्ञासा को रचनात्मक रूप देने और इसलिए दूसरों से जाँचे-परखे जाने के लिए प्रस्तुत होने का जोखिम उठानेवाले कृतिकार भी थे। हिन्दी में उनके अलावा कोई दूसरा आलोचक-उपन्यासकार नहीं हुआ। चूँकि अकादेमिक और धन्धई आलोचना ने पिछले पच्चीस वर्षों में हिन्दी की बौद्धिक और चिन्तन-सम्पदा में प्रायः कुछ नहीं जोड़ा और इस क्षेत्र में महत्त्वपूर्ण कार्य दरअसल कृतिकार-आलोचकों ने ही किया है, द्विवेदीजी के व्यापक आदर का एक और कारण स्पष्ट हो जाता है। हिन्दी में उनसे पहले किसी और आलोचक ने रचना के क्षेत्र में ऐसी श्रेष्ठता अर्जित नहीं की, जैसी उन्होंने अपने उपन्यासों और ललित निबन्धों से की। वे अगर कुछ भी आलोचना न लिखते तो भी एक कृतिकार के

रूप में उनकी शीर्ष-स्थानीयता सुरक्षित रहती। उनकी आलोचना ने उनके रचनात्मक व्यवहार से आन्तरिकता और विश्वसनीयता उपलब्ध की है।

उपन्यास भारत में बाहर से आया फार्म है। अक्सर कहा जाता रहा है कि उसका अद्वितीय भारतीय रूप नहीं विकसित हो सका है, क्योंकि उसके पश्चिम में बने यथार्थवादी रूप को कोई बड़ी चुनौती हमारे उपन्यासकारों ने नहीं दी। द्विवेदीजी के उपन्यासों का ठीक इस सन्दर्भ में विशेष महत्त्व है। उन्होंने उपन्यास को भारतीय गल्प और किस्सागोई से जोड़ा और उनके यहाँ उपन्यास का रूढ़ यथार्थवादी ढाँचा ढह जाता है। इस बात पर शायद कम ध्यान गया है कि रूप और वस्तु दोनों ही स्तरों पर द्विवेदीजी ने उपन्यास में जो किया है वह उन्हें प्रेमचन्द या यशपाल जैसे उपन्यासकारों से बिल्कुल अलग कोटि में रखता है। आज जब अनेक युवा लेखक अपने समय और अनुभव के सच को प्रायः गैर-यथार्थवादी युक्तियों से चरितार्थ करने की ओर प्रवृत्त हैं, तब द्विवेदीजी-जैसे उपन्यासकार की प्रासंगिकता स्वाभाविक ही है। कई बार तो लगता है कि उपन्यास में द्विवेदीजी ने जो नया द्वार खोला है, वह कुछ-कुछ कविता में मुक्तिबोध की फैंटेसी जैसा ही काम है। यह भी आकस्मिक नहीं है कि दोनों की व्यापक प्रशंसा और आदर के बावजूद उनका कोई सच्चा अनुयायी नहीं है। दोनों की कल्पना महाकाव्यात्मक है और मिल्टन-जैसी है, जिसका कोई समर्थ अनुयायी हो सकना सम्भव ही नहीं हुआ।

युवा पीढ़ी आचार्यों के प्रति आमतौर पर असम्मान और अविश्वास रखती रही है। लेकिन द्विवेदीजी ने युवतम लेखकों के बीच भी जो आदर पाया, वह अपवाद है। शायद किसी और आचार्य के बारे में युवा पीढ़ी ने ऐसा अपवाद नहीं किया। यह अकारण नहीं है। जिस तरह की रूढ़िवादिता, गुरु-गम्भीरता और सृजनविरोध से अधिकांश आचार्य सम्बद्ध रहते हैं, उस तरह की ग्रन्थियों से द्विवेदीजी आजीवन मुक्त रहे। गहरा और प्रामाणिक होने के साथ-साथ उनका पाण्डित्य आज के दबावों, तनावों को नजरअन्दाज़ नहीं करता था, बल्कि वे आज के मनुष्य को समझने और उसकी हालत का विश्लेषण करने के लिए ही मानों प्राचीन परम्परा का अनुशीलन करते थे। उनके लिए मनुष्य का समूचा कृतित्व एक सजग उत्तराधिकार था, जिसे समझ और सहेजकर ही मनुष्य की अस्मिता और जिजीविषा के उन चरम प्रश्नों का सामना किया जा सकता है जो हमारे सभी के सबसे केन्द्रीय और विवादग्रस्त प्रश्न हैं। प्राचीनों में अपनी गहरी निष्ठा के साथ द्विवेदीजी का आधुनिकता में भी भरोसा था। उनका सृजनात्मक मानस और अथक जिज्ञासा ऐसे थे कि मनुष्य की चिन्ताओं, उत्सुकताओं और प्रश्नों को एक निरन्तरता में देख, समझ पाते थे। प्राचीन और आधुनिक की अटूटता दिखाने की रचनात्मक और आलोचनात्मक दोनों ही क्षेत्रों में उनकी प्रतिभा दुर्लभ थी। न सिर्फ अपनी जिन्दगी में, बल्कि अपने समूचे

कृतित्व में द्विवेदीजी एक असाधारण खुले दिल और दिमाग वाले व्यक्ति थे। प्राचीनों के सान्निध्य में रहते हुए वे आधुनिकों से संवाद करने और उनकी परेशानियों को सहानुभूति से सोचने-समझने में कभी हिचकिचाए नहीं। एक ऐसे समय में जब प्राचीन परम्परा और आधुनिक प्रतिभा के बीच कम-से-कम साहित्य में अन्तर्क्रिया के सभी रास्ते बन्द-से हो गए लगते हैं, यह द्विवेदजी का अद्वितीय योगदान है कि उन्होंने भारतीय अतीत और वर्तमान को एक अटूट और अनिवार्य सम्बन्ध में देखा और हमें अनुभव कराया।

आचार्य द्विवेदी की आधुनिकता असन्दिग्ध तो थी ही, निराली भी थी। हिन्दुस्तान में आधुनिकता के जितने भी संस्करण प्रचलित या मान्य है उन सभी का स्थायी सन्दर्भ पश्चिम है। हमारे यहाँ पश्चिम से किसी-न-किसी तरह का सम्बन्ध जोड़े बिना आधुनिकता की कल्पना करना बहुत कठिन रहा है, मगर लगभग असम्भव नहीं। लेकिन आचार्य द्विवेदी ऐसे आधुनिक थे जिन्हें पश्चिम से मानो कोई मतलब नहीं था--यह नहीं कि वे पश्चिमी धारणाओं, विधियों या ज्ञान-सम्पदा से अनभिज्ञ थे। उन पर उसका कोई आतंक नहीं था और इसलिए उनकी आधुनिकता पश्चिम पर निर्भर न होकर अधिक स्वायत्त, अधिक स्वतन्त्र और इसलिए, अधिक देसी है। पश्चिम की भयानक उपस्थिति के बरक्स ऐसी मुक्त, जागरूक, चौकस और बद्धमूल आधुनिकता एक अद्वितीय उपलब्धि होने के साथ-ही-साथ वैचारिक और सृजनात्मक साहस के लिए बहुत आश्वस्तिकर भी रही है।

हिन्दी में आचार्यों और पंडितों की बड़ी चरणस्पर्शी और स्वाभिमान-विरोधी परम्परा रही है। उनमें से अधिकांश अपने शिष्यों को निरी विद्वता के अलावा प्रश्नाकुलता, जिज्ञासा और कुछ बुनियादी मूल्यों का सतर्क उत्तराधिकार देने में प्रायः असमर्थ और अप्रस्तुत रहे हैं। इस मामले में भी आचार्य द्विवेदी के शिष्यों में से अनेक ने (मसलन नामवरसिंह, केदारनाथ सिंह, शिवप्रसाद सिंह, काशीनाथ सिंह, विश्वनाथ त्रिपाठी आदि) साहित्य में प्रखर चिन्तन, गहरी प्रतिबद्ध रचनाशीलता के नए प्रतिमान स्थापित किए हैं। ऐसे बहुत कम लोग बचे हैं जो उपनिषदों की ऋषि-परम्परा में द्विवेदीजी की तरह दूसरों की सृजनात्मकता को उकसा सकें और पितृवत् सहजता और अधिकार से पोस सकें।

इस बात को भी याद करना जरूरी है कि द्विवेदीजी में सरसता के साथ फक्कड़पन भी था। लगाव और अलगाव का एक विलक्षण मिश्रण। इसी के रहते शायद के कबीर और सन्त-साहित्य के प्रति आकर्षित थे। यह कहना अतिशयोक्ति नहीं है कि पिछले तीस बरसों में कबीर और अन्य सन्त कवियों के संघर्ष, सामाजिक चेतना, विद्रोहशीलता, मानववाद आदि की जो पहचान बनी है, उसका बहुत बड़ा श्रेय द्विवेदीजी को है। अपने प्राचीन को एकबारगी अनुपयोगी और दकियानूस

मानकर घूरे पर फेंकने के लिए उतावली युवा पीढ़ी को उन्होंने बहुत धैर्य और प्रामाणिकता के साथ प्राचीनों के संशय, जिजीविषा, मनुष्य की पक्षधरता और संघर्षशीलता का एहसास कराया है और उसे सांस्कृतिक साक्षर बनाने में ऐतिहासिक काम किया है। हमारे अराजक श्रद्धाच्युत समय ने जिन कुछ लेखकों के माध्यम से अपनी परम्परा और उसकी निरन्तर सक्रिय सृजनधर्मिता और परिवर्तनशीलता को कुछ भरोसे के साथ समझा-पहचाना है, उसमें निश्चय ही द्विवेदीजी का नाम बहुत ऊपर रहेगा। बहुत—बुजुर्गों का उनके ऐतिहासिक योगदान के कारण महत्त्व होता है, भले ही वे प्रासंगिक न रह गए हों, लेकिन द्विवेदीजी आज के रचना-दृश्य में केन्द्रीय महत्त्व रखनेवाले सृजनधर्मी और आलोचक थे। उनके जाने से जो जगह खाली हुई है वह सचमुच खाली है। उसे भरने के लिए कोई और क्यू में नहीं खड़ा है। वह जगह एक तरह से हमेशा खाली रहेगी। आचार्य हजारी प्रसाद द्विवेदी आज हमारे क्लासिक हैं और बने रहेंगे। उनका कभी अतिक्रमण नहीं हो सकता।

[1979]

राग-विराम की गोधूलि का गल्प

सचाई को समझने ओर उसके जो गल्प हमारे समय में बनते-बिगड़ते रहते हैं उनसे प्रतिकृत होने के जो साधन हमारे पास हैं उनमें आलोचना भी एक है। ऐसा कम होता है कि हम अपनी दृष्टि और उसके अनिवार्य पूर्वग्रहों के साथ किसी लेखक का सामना करें और पाएँ कि हमारे पास जो साधन हैं वे काफी नहीं हैं या कि इस संवाद को सम्भव और सम्प्रेषित करने के लिए अपर्याप्त हैं। आलोचक का ही नहीं स्वयं आलोचना का भी दबा-छुपा दर्प होता है जिसके रहते वह समझती हैं कि जो अवधारणाएँ, सामान्यीकरण, सिद्धान्त और विधियाँ-प्रविधियाँ उसके पास हैं वे किसी भी लेखक या कृति को समझने-समझाने के लिए पर्याप्त हैं। चूँकि ज़्यादातर आलोचना का साबका औसत रचनाशीलता से ही पड़ता है, उसे अपने अस्त्रों की विश्वसनीयता पर जो भरोसा होता है वह स्वाभाविक है। मुश्किल तब होती है जब आलोचना किसी ऐसे लेखक या कृति का सामना करने पर विवश हो जो उसके प्रचलित सामान्यीकरणों और समझ की प्रविधियों में न अँटता हो। ऐसी हालत में दो ही रास्ते मुमकिन हैं : पहला तो यह कि अपने दर्प को तजे बिना आलोचना, फिर भी ज़िद करे कि वह तो उन्हीं साधनों का इस्तेमाल करेगी जो उसके पास है और उससे जो न्यूनताएँ या विकृतियाँ होंगी उन्हें नज़रअंदाज़ करेगी। दूसरा रास्ता यह है कि आलोचना विनयपूर्वक अपने ऊपर पुनर्विचार करे, गहरा आत्मसंघर्ष कर नए साधन खोजे और अपने पुराने साधनों की सीमा और अपर्याप्ता स्वीकार करे। हिन्दी आलोचना में, यह दुर्भाग्य की बात है, पहला सरल रास्ता ही आलोचना ने प्रायः अपनाया है। दूसरे रास्ते का जोखिम कम ही उठाया गया है।

निर्मल वर्मा ऐसे लेखकों में से हैं जो हमारी आलोचना के सामने एक नई चुनौती की तरह हैं। उनका साहित्य और चिन्तन उत्तर-औपनिवेशक समाज में कुछ बहुत मौलिक प्रश्न और चिन्ताएँ उछालता है, एक व्यक्ति-लेखक की गहरी बौद्धिक और आध्यात्मिक विकलता व्यक्त करता है और भारतीय परम्परा और पश्चिम की चुनौतियों के द्वन्द्व को नई समझ देता है। एक ऐसे साहित्यिक परिवेश में जहाँ तथाकथित सामाजिक यथार्थ का आतंक सा छाया रहा है और मुखर क़िस्म की

सामाजिकता साहित्य को लगभग आत्महीन बनाने पर उतारू है, अगर निर्मल वर्मा अपनी रचना और चिन्तन में पूर्णता और पवित्रता, उनकी खोज और सत्यापन, उनकी उपस्थिति और अनुपस्थिति, उनके अन्तःसंघर्ष और तनाव को मूलाधार बनाते हैं तो यह ऐसा कुछ है जिसे आसानी से स्वीकार करने को आज की आलोचना तैयार या उत्सुक नहीं हो सकतीं। यह एक रैडिकल चुनौती है और यह अप्रत्याशित नहीं है कि जो लोग प्रायः पूरे संसार में बासी और झूठे पड़ गए पदों, धारणाओं और विशेषणों को अभी भी अपनी अधेड़ होती क्रान्तिकारिता का आधार बनाए बैठे हैं बल्कि वैचारिक आत्मतुष्टि के बाड़े में आराम से बैठे पगुरा रहे हैं, वे बिना कोई गहरा या वस्तुपरक विश्लेषण किए, बरसों से निर्मल वर्मा की भारतव्याकुल, अध्यात्मवादी, पुनरुत्थानवादी आदि कहकर उन्हें हिन्दी का सबसे सशक्त और दुर्दम्य प्रतिक्रियावादी मानते और कहते रहे हैं। इतिहासबोध की दुहाई देनेवालों के दुर्भाग्य से इतिहास-चक्र यों चल गया है कि कम-से-कम यूरोप में जहाँ से ये धारणाएँ और शब्द हमारे यहाँ लाए गए हैं सब उलट-पुलट गया है, वहाँ सामाजिक यथार्थ के समर्थक आज प्रतिक्रियावादी माने जा रहे हैं। इस अवधारणा के चलते यथार्थ कैसे छिपाया गया, कितनी सामाजिक सचाइयों का क्रूरदमन किया गया और कितने लेखकों पर भयावह अत्याचार किए गए यह सब भी सामने आ रहा है। इस सन्दर्भ में हमारी आलोचना की हास्यास्पद दयनीयता दुहरी है। वह एक लेखक की रैडिकल चुनौतियों और जिज्ञासा के सामने अपने को बदलने में असमर्थ है और दूसरी तरफ उसे समझने के लिए उन औज़ारों का इस्तेमाल करने पर मजबूर है जो वहाँ कभी के अपनी विश्वसनीयता खो चुके हैं जहाँ से हमारे यहाँ लाए गए थे। ये विचार और औज़ार ऐसे हैं कि उनसे निर्मल वर्मा के सिलसिले में वही नतीज़े निकलते हैं, जोकि बिना कोई आलोचनात्मक उद्यम किए बिना, एक तरह से उन्हें पूर्वज्ञात हैं और जो उनकी आशा के अनुरूप हैं; निर्मल वर्मा के साहित्य या चिन्तन से उनकी कोई सच्ची या गहरी मुठभेड़ नहीं होती। ऐसे यत्नों की दयनीयता इससे शायद बढ़ ही जाती है कि उसके करनेवालों को अपनी उबाऊ एकरसता महसूस नहीं होती है और सर्वथा प्रत्याशित पर ही एक बार फिर पहुँचने पर भी उनका उत्साह मन्द नहीं पड़ता। उनकी प्रविधि में ही उनका निष्कर्ष अन्तर्भूत होता है, कृति को उसमें कोई फ़र्क नहीं लाने दिया जा सकता।

इतिहास और स्मृति निर्मल वर्मा के प्रिय प्रत्यय हैं वे उन लेखकों में से नहीं हैं जो इतिहास नामक सामान्यीकरण की सुरक्षा से संसार को जाँचते-परखते हैं पर उसकी विशिष्टताओं से कतराते हैं—निर्मल वर्मा के चिन्तन में इतिहास के ठोस और विशिष्ट अनुभव हैं—उसकी पूर्व-पश्चिम के द्वन्द्व में, परम्परा में, औपनिवेशिक और उत्तर-औपनिवेशिक परिस्थिति में सुरपरिभाषित अवस्थिति है। वह इस शताब्दी का और भारतीय समाज का ठोस इतिहास है—निरा वैचारिक संपुंजन नहीं जिसका

अवधारणात्मक औचित्य भले समझ में आ जाए पर जिसमें अन्तर्विरोध और ठोस सचाइयों के लिए जगह नहीं है। इतिहास के इस अनैतिहासिक बोध के बरक़्स निर्मल वर्मा इतिहास की दुर्गन्ध भरी हड्डियों-चीथड़ों की दुकान में उतरकर आज के व्यक्ति-सम्बन्धों की पड़ताल करते हैं—उनका इतिहासबोध बहुत कुछ को भुलाकर रचा-बचा बोध नहीं, बल्कि एक ऐसा बोध है जो भूलने के षड्यन्त्र को लगातार प्रतिरोध देता है—स्मृति उसका मूलाधार है। वह मनमाने ढंग से भूलता हुआ इतिहास नहीं, सबकुछ को याद रखने की कोशिश में लगा इतिहास है। वहाँ परम्परा इसी स्मृति का अंग है, बल्कि स्मृति को सहेजने और समझने का साधन है। निर्मल वर्मा इतिहास को नज़रअंदाज़ कर किसी सम्पूर्णता की कल्पना नहीं करते और सन्दर्भ में उन नीरन्ध्र परम्परावादियों से अलग हैं जो मानों समूचे औपनिवेशिक इतिहास को लाँघकर किसी स्वर्णिमा शुद्धता में पहुँचने के आकांक्षी हैं। निर्मल वर्मा भारतीय मनीषा में औपनिवेशिक अनुभव से पड़ी फाँक को, उससे प्रगट पूर्व और पश्चिम की परस्पर अन्यता को केन्द्र में रखकर सम्पूर्णता की कल्पना करते हैं। वह इतिहास के अतिक्रमण या उसे हाशिए पर ढकेल कर पाई गई सम्पूर्णता नहीं है—वह इतिहास की लहुलूहान रंगभूमि में, बीचोंबीच खड़े होकर देखा गया सम्पूर्णता का स्वप्न है। वहाँ स्वप्न सम्भव ही स्मृति से होता है।

इधर भारतीय परम्परा के बुनियादी और सनातन बहुलतावादी स्वभाव को नकारकर उसमें एक नए द्वैत की तलाश दूसरी परम्परा की खोज नाम से शुरू हुई है। निर्मल वर्मा उन लेखकों में से हैं जो इस तरह के द्वैत की खोज नहीं करते बल्कि उस फाँक पर अपना ध्यान एकाग्र करते हैं जिसका उल्लेख ऊपर है। वे दूसरी परम्परा की नहीं, परम्परा में ही इस फाँक की स्थिति और उसके सम्भव समाधान की तलाश में हैं। वह सम्पूर्णता की खोज है पर ऐसी सम्पूर्णता जो इस फाँक को समाहित कर ही सम्भव है। अन्यथा नहीं। यह भी स्पष्ट है कि इस फाँक के प्रति चौकन्नेपन के साथ ही निर्मल वर्मा के यहाँ सम्बन्धों के अतिक्रमण के प्रति भी सतत जागरूकता है : वे सम्बन्धों के तनाव-अलगाव विपर्यय आदि के रहते किसी निस्सम्बन्ध या सम्बन्धोत्तर सुरक्षा के लिए उत्सुक नहीं हैं। उनके यहाँ मुक्ति माया से उबरने में नहीं है बल्कि माया में रहकर ही है। वे राग और विराग की गोधूलि के कथाकार हैं, राग से मोहमुक्त होकर विराग की ओर बढ़ते सन्त या दार्शनिक नहीं।

सम्बन्ध पर यह असमाप्य आग्रह उन्हें हिन्दी में ही नहीं समूचे भारतीय परिदृश्य में अनूठे लेखकों में से एक बनाता है। उनके यहाँ संसार का आशय सम्बन्धों की छाया या प्रकाश में ही खुलता है, अन्यथा नहीं। सम्बन्धों के प्रति यह उद्दीप्त संवेदनशीलता उन्हें अनेक अप्रत्याशित सूक्ष्मताओं में भले ले जाती हो, उनको ऐसा चिन्तक-कथाकार नहीं बनाती जिसका चिन्तन अलग से हस्क्षेप

करता चलता हो। इसके बरक़्स वह उन्हें एक ऐसा सोचता-विचारता कथाकार बनाती है जिसकी रचनाप्रक्रिया में चिन्तन ओर संवेदना का अचूक रसायन है। उनकी भाषा की ऐन्द्रियता, सूक्ष्म से सूक्ष्म बखान भी कविता की तरह बिम्बों या स्मृतिचित्रों से करने की उनकी क्षमता, उनका शब्दसंयम और मितव्ययिता उनके कथारूपों को एकाग्र भी बनाते हैं और साथ ही अनेकार्थी भी। वे अर्थों के बखान के नहीं, अर्थों की गूँजों और अनुगूँजों के कथाकार हैं। वे तेज़ी से आक्रान्त और सतही परिवर्तनों की क्षिप्रता से अभिभूत समय में धीरज के धनी हैं—वे, इस अर्थ में, प्रतिरोध का स्वर हैं क्योंकि अधिक बुनियादी और दूरगामी परिवर्तनों के धीमे-धीमे घटने या न घटने के साक्षी-लेखक हैं। वे जो बदलता है, जो बदलाव की मुद्रा के बावजूद नहीं बदलता और जो बदलने से ठिठकता है उस सबको अपनी रचना के ताने-बाने में विन्यस्त करनेवाले लेखक हैं—वे परिवर्तन के चालू छद्म से बचते हैं, वे परिवर्तन के सूक्ष्म लगभग अदृश्य सच की पहचान के कलाकार हैं।

एक अग्रणी कथाकार के साथ ही साथ निर्मल वर्मा न केवल हिन्दी बल्कि समूचे देश के समकालीन श्रेष्ठ बुद्धिजीवियों में भी गिने जाते हैं। उन्होंने जो आलोचना लिखी है और अनेक प्रश्नों पर चिन्तन किया है वह इस दौरान हिन्दी में इस विधा के सबसे विचारोत्तेजक हिस्से में आता है। यह कहना अतिशयोक्ति न होगा कि जैसे निर्मल वर्मा ने हिन्दी को एक नई कथाभाषा दी है, उसी तरह से हिन्दी की नई चिन्तन-भाषा के विकास में उनकी महत्त्वपूर्ण भूमिका है।

इधर कुछ वर्षों से बड़े पढ़े-लिखे लोगों ने जानबूझकर निर्मल वर्मा की ऐसी छवि बनाने की लगातार कोशिश की है कि वे पश्चिमाभिमुख और भारतव्याकुल लेखक हैं जिनकी नवार्जित भारतीयता और उस पर आग्रह किसी अन्तर्राष्ट्रीय षड्यन्त्र का हिस्सा हैं। ये वे लोग हैं जिन्हें कुम्भ पर लिखी त्रिलोचन की कविताओं में स्वतःस्फूर्त जनतादात्म्य दीखता है और निर्मल वर्मा अगर कुम्भ पर लिखें तो उसमें संदिग्ध आध्यात्मिकता का अकाट्य प्रमाण मिलता है। इनमें से एकाध मूर्धन्य तो ऐसे हैं कि उन्हें एलेन टेट, जान क्राउ रेन्सम, क्लीन्थ बुक आदि की नई समीक्षा शीतयुद्ध के एक संस्करण से अधिक कुछ नहीं लगती है जबकि वे स्वयं नई समीक्षा की अनेक युक्तियों और अवधारणाओं का चतुर इस्तेमाल निस्संकोच करते रहे हैं। विडम्बना यह है कि उन्हें अपने पुराने मूल्यांकन और प्रतिमानों और पुनर्विचार की ज़रूरत शिद्दत से महसूस होती है। लेकिन निर्मल वर्मा जैसे लेखक और चिन्तन पर उनका विचार उन्हें फिर अपने मताग्रह की अन्धी गली में ले जाता है। हमारी आलोचना का एक बड़ा हिस्सा ऐसे दिग्गजों के हाथों महज वाग्विलास बनकर रह गया है : प्रेमचन्द, जैनेन्द्रकुमार, अज्ञेय और रेणु की कोटि के कथाकार और हजारी प्रसाद द्विवेदी, अज्ञेय, मुक्तिबोध की श्रेणी के आलोचक-चिन्तक के साथ हमारे सुलूक में अगर इतना नैतिक-बौद्धिक आलस्य और शैथिल्य है तो स्थिति की

भयावहता स्पष्ट है।

निर्मल वर्मा की भारतव्याकुलता है क्या? सबसे पहले तो यह कि स्वयं उन्हें अपनी स्थिति की विडम्बना का तीखा और सजग अहसास है : 'लगता है जैसे हम परम्परा और आधुनिकता के हाशिए पर जी रहे हैं। न एक में हमारा घर है, न दूसरे में हमारी सुरक्षा।' वे यह भी कहते हैं, "जैसे मेरी चेतना के बीचोंबीच एक फाँक खिंच गई है, एक तरफ आधुनिक अनुभव, जो मेरे वास्तविक यथार्थ को प्रतिध्वनित करता है–दूसरी तरफ अखण्डित सम्पूर्णता का अनुभव है, जिसमें मेरी संस्कृति का स्वप्न छिपा है...।" दूसरे शब्दों में वे अपने ऐतिहासिक अनुभव के स्पष्ट स्वीकार और आकलन से ही भारतीयता के प्रश्न को अपने लिए पुनःपरिभाषित करते हैं। वे दरअसल उसे पश्चिमी सभ्यता के अपने संकटों और उस सभ्यता का उपनिवेश बन जाने के बाद भारतीय सभ्यता और समाज के संकटों और अन्तर्विरोधों की ठोस भूमि पर रखते हैं और समूची सृष्टि की पवित्रता, सम्पूर्ण सार्थक जीवन मर्यादा, समग्रता की पवित्र और सार्वभौमिक भावना, समूचे यथार्थ की एक अखण्डित अस्मिता, विशिष्ट जीवन पद्धति की लौ जैसे अर्थगर्भी पदों से उसकी व्याख्या करते हैं वे संलग्नता के सर्वव्यापी बोध के गँवाए जाने से बेख़बर नहीं हैं और उनकी चिन्ता यह है कि क्या हम स्वयं अपनी संस्कृति के भीतर शरणार्थी बनकर रह जाएँगे? पश्चिमी सभ्यता के संकट, उसकी हिंसा और आक्रामकता उसके अहंकार की बहुत तीखी आलोचना निर्मल वर्मा करते हैं और उस नक़लची औपनिवेशिक मानसिकता की भी जो आज भारत में प्रभुत्वशाली हैं। मुक्तिबोध के शब्द उधार लेकर कहें तो यह 'सभ्यतासमीक्षा' है जो उन्हें प्रसाद और अज्ञेय जैसे लेखक-चिन्तकों की परम्परा में खड़ा रखती है–जहाँ अपनी जातीय अस्मिता का एक नया सजग बोध रूप से ले रहा है। निर्मल वर्मा पश्चिम के लोकतन्त्र और सोवियत अधिनायकवाद को एक ही किस्म की आधुनिक सभ्यता के दो पहलू और मानव-जाति मात्र के अस्तित्व के लिए खतरा मानते हैं। वे मनुष्य और सृष्टि के अखंडित सम्बन्ध, पवित्र परिवेश, उसमें समवेत और साझा और सम्पूर्ण निर्भयता का जो स्वप्न देखते हैं उस वर्तमान स्थिति की ठोस ज़मीन पर खड़े रहकर ही जिसमें 'आध्यात्मिक शून्यता' है। शून्यता के इस बोध तथा पूर्णता का और पवित्रता के स्वप्न के बीच द्वन्द्व निर्मल वर्मा की सभ्यता-समीक्षा का एक प्रमुख मुद्दा है। यह कोई सरल बाबावाद नहीं है बल्कि निर्मल वर्मा ने कड़े शब्दों में 'महर्षियों, भगवानों, साईं बाबाओं, बालयोगियों' की भर्त्सना की है और 'भारतीय अध्यात्म के मसीहाओं' और 'पश्चिमी सभ्यता की विक्षुब्ध पीढ़ी' के बीच 'समन्वय' को 'आत्मछलना का उत्कृष्ट उदाहरण' बताया है। यह भी उल्लेखनीय है कि निर्मल वर्मा की यह सारी सभ्यता-समीक्षा किसी पारम्परिक भाषा पदावली में व्यक्त नहीं हुई है–वह सीधे-सीधे आधुनिकता की पदावली में ही है और उस विडम्बना को

भी रेखांकित करती है जो उन समाजों की हैं जहाँ औपनिवेशिक वर्चस्व रहा है और उस वर्चस्व का प्रतिषेध औपनिवेशिक आधुनिकता की भाषा में ही करने की विवशता है।

निर्मल वर्मा के आध्यात्मिक रुझानों से वही चौंकते हैं जो या तो उन्हें उनके समूचे सन्दर्भों में पढ़ना-समझना नहीं चाहते और जिनके लिए लेखक की यातना का कोई महत्त्व नहीं है और या इतने अनजान हैं कि उन्हें पता नही कि मार्क्स और गांधी, ताल्स्तोय और दोस्तोवस्की, ज्वायस और काफ्का, निराला, अज्ञेय और मुक्तिबोध गहरी आध्यात्मिक चिन्ताओं से घिरे रहे हैं और वे उनके कृतित्व का कारक रही हैं। इस चिन्ता की अवज्ञा करना (भले ही कोई उससे सहमत हो या न हो) न केवल नैतिक नहीं है, बौद्धिक फूहड़पन है जो दुर्भाग्य से हिन्दी साहित्य-जगत् का आज स्थायीभाव सा बन गया है।

अन्दर और बाहर एक आदमी

"मैं चाहता हूँ कि कविता कुछ करे, बस निःस्पन्द खूबसूरत पड़ी न रहे..."

"कविता अभिव्यक्ति और रचना दोनों हैं। न सिर्फ़ अभिव्यक्ति, न सिर्फ़ रचना। अभिव्यक्ति एक प्रक्रिया के अन्त तक पहुँची हुई चीज़ है, रचना एक प्रक्रिया है जो अभी चल रही है। कविता में जो स्थिर रुका हुआ है, एक जगह आकर टिक गया है उसे भी लाना होता है और उसे भी जो अभी बन रहा है या बनने लगा है। कविता के भीतर एक तगड़ी कविता के भीतर...यह बन चुके हैं और बननेवाले दोनों की मुठभेड़ होनी चाहिए, दोनों का आमना-सामना होना चाहिए।"

"मुझे यह साफ दीख पड़ रहा है कि आज त्रिलोचन, केदार अग्रवाल और नागार्जुन की भारतीयता को लेकर हम नहीं चल सकते...इनकी भारतीयता में बौद्धिक ऊर्जा की कमी है, ये हद से हद लिरिकल किस्म के भारतीय हैं। इनमें टकराहट नहीं है, वे बस अपने को सुरक्षित रखे हुए हैं, अपनी अस्मिता बचाए हुए हैं, बह नहीं गए हैं। एक ज़मीन इनके पास है उस पर बस टिके हुए हैं। हमें रामचन्द्र शुक्ल की भारतीयता चाहिए, प्रेमचन्द की भारतीयता चाहिए, गांधी जी की भारतीयता चाहिए, जिनमें एक ओर अपनी ज़मीन का विवेक था तो दूसरी तरफ पश्चिम से टकराने का खुलापन...त्रिलोचन की भारतीयता जैसा बँधा-बँधापन उनमें न था, एक जगह टिकने रहने की भारतीयता उनमें न थी।"

मलयज की डायरी : 8 अगस्त-2 सितम्बर 1980
(पूर्वग्रह अंक 51-52, पृष्ठ 55)

यद्यपि मलयज साहित्य के अन्दर के आदमी थे और उनमें साहित्य का गहरा रागबोध हमेशा सक्रिय-सजग था, वे निरन्तर साहित्य के बाहर को उसके अन्दर से जोड़कर

देखने-समझने की कोशिश में लगे रहे। सीमों वील की तरह वे कह सकते थे कि "हमारी खोज का लक्ष्य संसार होना चाहिए"...सिर्फ़ वही नहीं, जिसे हम कविता का संसार कहते हैं, पर वह भी जो इस कवि संसार को व्यापक संसार से जोड़-गूँथकर बनता है। ठीक जैसे वे साहित्य में दोहरी सर्जनात्मकता की तलाश करते थे, जिसमें 'अनुभूति का अपनापन और अनुभूति का दूसरापन' दोनों हों, वैसे ही कहा जा सकता है कि उनकी आलोचना भी ऐसे ही दोहरेपन को प्रामाणिकता की कसौटी मानकर चलती थी। मलयज के यहाँ आलोचना अपनी 'क्लैसिकल सघनता, लाघव और चुस्ती' के बावजूद एक मुकम्मल उत्पाद नहीं है—उनके ही शब्दों का सदुपयोग करते हुए कहें कि "वह एक प्रक्रिया के अन्त तक पहुँची हुई चीज अर्थात् अभिव्यक्ति होने के बजाय अभी चल रही प्रक्रिया की तरह रचना है।" यह अकारण नहीं है कि मलयज ने आलोचना की शैली में निरन्तर प्रयोग किए—उन्होंने चुस्त निबन्ध लिखे उसके अलावा डायरियाँ, पत्र, संस्मरण, व्यक्तिगत स्मृतियों आदि का उपयोग कर हिन्दी आलोचना को उसके रूढ़ और औपचारिक निबन्धन से मुक्त भी किया है। रामचन्द्र शुक्ल पर उन्होंने जो लिखा है उसकी शैलीगत विविधरूपिता इसका सबसे अच्छा उदाहरण है।

अगर हम मलयज की आलोचना के कुछ बीज शब्दों पर ध्यान दें तो उनमें एक अथक गतिशीलता प्रगट है—साक्षात्कार, मुठभेड़, सामना, अन्तर्विरोध, संघर्ष, संवाद, तनाव, अन्तर्निष्ठा। जाहिर है कि मलयज ने अपने समय के सृजन और सम्वेदना को पकड़ने और समझने के लिए जो भी औज़ार विकसित किए उनका अनिवार्य सन्दर्भ था हिन्दी में चल रहा आधुनिकता का आन्दोलन और उसकी लम्बी बहस। मलयज के सामने यह स्पष्ट था कि आधुनिकता एक निरा वैचारिक या साहित्यिक आन्दोलन भर नहीं है, उसमें पूरे समाज और भाषा के समग्र मूल्यसंघर्ष और रागसम्वेदनाओं के ढाँचे की रैडिकल उथल-पुथल शामिल है। कोई भी कृति या लेखक मलयज के लिए, 'मूर्त उपस्थित' था जिसे 'अमूर्त अनुपस्थित' से जोड़कर देखना-परखना उनका आलोचनात्मक स्वभाव था। वे साहित्य को एक जीवित सांस्कृतिक परिवेश के फ्रेम में रखकर ही उसका रसास्वादन कर सकते थे—उन्होंने अपने एक समकालीन आलोचक से, उसकी पहली पुस्तक पर प्रतिक्रिया करते हुए प्रश्न किया था—"कविता के मैटाफिजिक्स में फँसे बगैर किसी भी समय की कविता की आत्मा तक पहुँचा जा सकता है?"

इरविंग हाव ने खण्डित और झगड़ालू विश्वासों के इस युग में आलोचकों के अनिवार्यतः रुचि के अभिभावक, मूल्य के पुरोहित और शब्द के संरक्षक होने या उनके विश्वासघाती और दूषक होने की जो बात कही है अगर उसे ध्यान में रखें तो लगेगा कि मलयज के लिए आलोचना मुख्यतः एक सांस्कृतिक संलाप था जिसमें सांस्कृतिक और नैतिक भाष्य अपरिहार्य ही था।

ध्यान देने की बात है कि यह साहित्य के भीतर और बाहर का 'तनावपूर्ण सन्तुलन' साहित्य को कमतर या कि किसी अन्य अनुशासन का गरीब या पिछलग्गू बिरादर मानकर नहीं पाया गया था। बल्कि इसके ठीक उलट मलयज ने स्पष्ट और दो टूक कहा था कि "कला की नैतिकता सबसे पहली और आखिरी यह है कि वह अपने अनुशासन पर दूसरा कोई अनुशासन हावी न होने दे···अपने प्रति सच्ची बनी रहे।" कला की अपनी सचाई निरे वाग्विलास से संभव नहीं है यद्यपि वह बिना वाक् के भी संभव नहीं है। एक ऐसे समय में जब तथाकथित वैचारिक आतंक में भाषा का अपकर्ष हो रहा था, मलयज में यह धीर विवेक था कि वे इस अवमूल्यन का प्रतिरोध ऐसी अवधारणाओं और पाठविधियों से करें जो भाषा की अन्तर्भूत वस्तुपरकता और शब्द से जीवन और संस्कृति तक के उसके अनिवार्य विस्तार को एक निरन्तरता में देख-पकड़ सकें। मलयज ने कहा है–"अनुभूति और शब्द के बीच कहीं कोई चीज़ हमेशा छूट जाती है···यह काव्यानुभूति को पूरा-का-पूरा भाषा में न निचोड़ सकना क्या यह साबित नहीं करता कि कविता भाषा के बाहर भी है?" आप चाहें तो इसे दोतरफा सर्जनात्मकता के वजन पर दोतरफ़ा आलोचनात्मकता कह सकते हैं। अन्तर्विरोध को एक बुनियादी अवधारण के रूप में स्वीकार करनेवाले मलयज ने यों तो 'पूर्वग्रह' में 'इकतरफ़ा' शीर्षक एक स्तम्भ कुछ समय के लिए लिखा था और यह शीर्षक खुद उनका दिया हुआ था। पर वे इकतरफ़ा थे नहीं···क्योंकि जिस आधुनिक साहित्य के गहरे रागबोध ने उनका भावबोध विकसित किया और उनकी संवेदनाओं और समझ का परिष्कार किया, उससे और इस ईमानदार निर्ममता के रहते जो उनके आलोचक-मन का सहज गुण था, इस तरह का इकतरफ़ापन सम्भव ही नहीं था। उसका कोई बौद्धिक, नैतिक या वस्तुपरक औचित्य नहीं था। इसमें उनके द्वारा उस समय चल रहे शीतयुद्ध और उसके सांस्कृतिक संस्करणों में अपने शील-धर्म के अनुरूप ही शामिल होने से इनकार भी जाहिर है।

मलयज का दुखद देहावसान जब हुआ तब हिन्दी में रुचियों का ध्रुवीकरण सौभाग्य से उतना कर्कश और कठोर नहीं हुआ था जितना दुर्भाग्य से आज है। पर उसकी शुरुआत हो चुकी थी। इसके बावजूद कि स्वयं मलयज की शब्दावली संघर्ष और साक्षात्कार की है, जिसकी किंचित् शान्त आक्रामकता अलक्षित नहीं जा सकती, यह सही है कि उन्होंने रुचि की खरी उदारता बनाए रखी। निराला, रामचन्द्र शुक्ल, अज्ञेय, शमशेर, मुक्तिबोध, रघुवीर सहाय, त्रिलोचन, निर्मल वर्मा, श्रीकान्त वर्मा, श्रीराम वर्मा, रमेशचन्द्र शाह आदि लेखकों या उनकी रचनाओं पर मलयज ने गम्भीरता से लिखा और उनमें से किसी के भी कृतित्व के आकलन में मलयज की व्याख्या की महत्त्वपूर्ण जगह है। उदाहरण के लिए शमशेर की 'असम्भव को सम्भव और फिर उस असम्भव को सम्भव बनानेवाली कविता की

दुनिया' या कि साहित्य-क्षेत्र में अज्ञेय द्वारा 'लगभग अकेले लड़ी गयी कला-मूल्यों की रक्षा की लड़ाई' या रामचन्द्र शुक्ल द्वारा 'सच को मिथ में बदलने का' उपक्रम या कि उन्हीं की 'भीतर की अतर्क्य तानाशाही को चुनौती' या कि निराला की 'स्वनिर्भर दुनिया से बाहर आने की चीख' आदि को जब कभी भी जतन से देखा-सुना और समझा जाएगा मलयज की आलोचना एक अनिवार्य उपस्थिति होगी। यह बात थोड़े अचरज की है कुछ इसलिए कि उनके जीवनकाल में पहचानी नहीं जा सकी थी कि अपने समय के किसी भी आलोचक की तुलना में अर्थ और महत्त्व की ऐसी तहें जमा दी हैं कि काफी समय तक इन लेखकों का कृतियों को पढ़ना मलयज के साथ या कम-से-कम उनकी आँखों से भी, पढ़ना होगा। रचना या रचनाकार से उनकी आलोचना की यह घनिष्ठ निकटता, फिर वह सहमति की हो या असहमति की, हिन्दी में दुर्लभ है। यहाँ रचना का सच अन्तरंग रहस्य भर नहीं है···उस पर आलोचना एक ऐसा अर्थ-बहिरंग भी जोड़ देती है कि उस सच को छूने या उस तक पहुँचने के लिए उस बहिरंग से गुजरना अनिवार्य सा हो जाता है।

एक आलोचक का किसी लेख या कृति की समझ और व्याख्या के लिए इस तरह अनिवार्य हो जाना कैसे सम्भव हो पाता है? खासकर एक ऐसे आलोचक के लिए, जिसके पास विचारधारा या शिविरबद्ध समर्थन और बल नहीं थे। 'परिमल' और नई कविता के इलाहाबाद सम्प्रदाय से शुरू करने के कारण मलयज की आरम्भिक छवि निर्दोष या निश्छल भी नहीं थी। मलयज में निर्मम ईमानदारी के साथ-साथ गहरा और अविचल विनय भी था--वे अपने विचारों और सम्वेदना में ज्यों-ज्यों परिपक्व और सयाने हुए त्यों-त्यों उनका यह खरापन प्रखरतर और उनकी विनयशीलता और गहरी हुई। संघर्ष को अपने भावबोध में केन्द्रिय स्थान देनेवाले मलयज उसकी कठिनता और प्रतिफल को भी खूब समझते थे। वे अगर अपने संघर्ष की वीरगाथा बखाने, दूसरे के संघर्ष को कमतर आँकने और किसी तरह के नैतिक अहंकार में फँसे रहने के दुश्चक्र से मुक्त रह सके तो इसी विनय के कारण। हमने शुरू में नोट किया कि वे साहित्य तक अपने को महदूद नहीं करते थे पर, जैसा कि उन्होंने स्वयं लिखा है–''आलोचना लिखना मेरे लिए उतना ही जिन्दा काम है, जितना कविता लिखना···ज़िन्दा चीज़ के बारे में लिखने में मैं एकबारगी शुरुआत नहीं कर पाता···एक झिझक, एक सम्भ्रम, अपने को तौलने का भाव मन में होता है, जैसे मैं किसी बहुत निजी और पवित्र वस्तु को छूने जा रहा हूँ।'' रचना की निजता और पवित्रता के इस सजग सम्मान के कारण ही मलयज की आलोचना में निर्णय देने की उतावली नहीं है। उसमें सघनता और मन्थर गति है–आवेग या हड़बड़ी नहीं। आज जब आलोचक प्रायः अपने को रचना की इस निजता और पवित्रता के लिए समाज में समझ और जगह बनाने की चिन्ता और चेष्टा करने के बजाय, शक्ति-सन्तुलन के झगड़ों में उलझे हैं, मलयज एक ऐसे

सच्चे और भरोसेमन्द आदमी की तरह दीख पड़ते हैं जो रचना और अनगिन कठिन संघर्षों में, यातना और उसकी झुलसानेवाली आँच और आभा में सहभोक्ता और सहधर्मा रहा।

2

'कविता क्या है' शीर्षक अपने निबन्ध में रामचन्द्र शुक्ल ने जीने की जो परिभाषा दी है उसे उद्‌धृत करते हुए मलयज ने यह जिज्ञासा की है कि क्या यह आलोचना और रचना की भी परिभाषा नहीं है? मनुष्य अपने भावों, विचारों को लिए-दिए दूसरों के भावों, विचारों और व्यापारों के साथ कहीं मिलता और कहीं लड़ता हुआ अन्त तक चला चलता है और इसी को जीना कहते हैं। 5 सितम्बर 1979 को लिखी गयी डायरी में इस उद्धरण और उस पर टिप्पणी के साथ ही यह भी नोट किया गया है कि 'इसमें मिलना और लड़ना की-वर्ड हैं।' उसी सिलसिले में मलयज ने यह स्थापना भी की है कि ''कविता अगर हृदय की मुक्तावस्था है—तो आलोचना ज्ञान की मुक्तावस्था है।'' आगे मलयज यह भी लिखते हैं कि ''मुक्त होना ही वास्तविक जीना है। मुक्त होना याने एक वृहत्तर इकाई से अपने को जोड़ना।'' मलयज की आलोचना को उनकी जीवन की अवधारणाओं से अलगाना सम्भव नहीं है और जीवन में उनके लिए की वर्ड थे—मिलना, लड़ना और जोड़ना। यह सिर्फ रुचि का लचीलापन या बौद्धिक सख्ती का अभाव नहीं था कि वे अगर मुक्तिबोध का आत्मसंघर्ष पहचान सके थे तो निर्मल वर्मा के स्मृतिलोक में रहकर भी अरक्षित नहीं गए थे। जाहिर है कि यह शुद्ध सम्वेदना का मामला नहीं है—यह एक आलोचक की मूल्यदृष्टि की भी अभिव्यक्ति है। इस मामले में रचना और आलोचना दोनों के पूर्वग्रह एक-दूसरे का सामना करते हैं—अपने अन्तर्विरोधों को साफ पहचान पाते हैं। वे मिलते हैं, लड़ते हैं और जुड़ते हैं। उसमें अपनी जगह किसी अवसरवादी की तरह बदलने का प्रलोभन नहीं बल्कि अपने को तौलने और रचना की निजता और पवित्रता की रक्षा करने अपने आलोचनात्मक पूर्वग्रहों की चहारदीवारी से रचना में बाहर उसके पूर्वग्रहों के सामने आने और इस मुठभेड़ से एक नया और शायद अप्रत्याशित सच पाने का उत्साह और चाव है। एक सच्चे आलोचक की तरह मलयज को यह मानने में कतई संकोच न होता कि यह मुठभेड़ स्वयं आलोचक को समृद्ध और सार्थक करती है।

मलयज कविता को कर्म नहीं मानते थे। पर्याप्त कर्म तो वह उनके लिए निश्चय ही नहीं था उनके लेखे सार्थक कविता वह है जो ''महसूस किए हुए को कर्म की प्रखरता तक ले जाए'' और जो ''सम्पन्न अर्थच्छटाओं से युक्त कला की कीमती दस्तावेज़'' होने के बजाय ''जीवन संघर्ष के जुझारूपन में घटित होकर

सर्जनात्मकता की एक नयी कसौटी सामने ला दे।'' अपनी पहली पुस्तक 'कविता से साक्षात्कार' से लेकर अपनी अब तक प्रकाशित अन्तिम पुस्तक 'रामचन्द्र शुक्ल' में वे कविता और कर्म के इस द्वैत और सम्बन्ध पर विचार करते रहे। शुक्ल जी की अवधारणाओं का विस्तार करते हुए उन्होंने कहा कि ''भाषा के भीतर जो अनुभूति है, भाषा के बाहर वही कर्म है। कविता इन दोनों की सन्धि पर है। कविता सच्ची बनती है भाषा के भीतर की अनुभूति से और बड़ी बनती है भाषा के बाहर के कर्म से।...कविता सीधा-सीधे कर्म नहीं, पर हमने जीवन में कर्म की जो दिशाएँ खोजी हैं उनका वह फलक है।'' आगे, इस कर्म सौन्दर्य-प्रधान कविता में, उनके अनुसार, ''सिर्फ दीप्ति न होगी, दाग भी होगा, केवल शान्ति ही नहीं कोलाहल भी होगा, प्रबोध नहीं ललकार भी, गूँज ही नहीं गर्जन भी।''

कविता और कर्म के बीच जो अन्तर मलयज लक्ष्य करते हैं उसे आधुनिकता के सन्दर्भ में समझना होगा। प्रायः समूचे संसार में आधुनिकता ने अपनी व्याख्या से बुद्धिजगत् को, तर्क और मूल्य के लिए, जिस तरह वैज्ञानिक, नैतिक-राजनैतिक और सौन्दर्यमूलक क्षेत्रों में अलग-अलग कर दिया उस तरह से कविता को हानि ही हुई है। इस स्थिति में, जैसा कि हैबरमास आदि ने बताया है, कला-उत्पाद उस तरह के सांस्कृतिक अधिकार की माँग नहीं कर सकते जो कि वैज्ञानिक और नैतिक-राजनीतिक कर्म को सजीव रखता है। कर्म से कविता का यह आधुनिक विलगाव बहुत सारे काव्यचिन्तन का एक बुनियादी मुद्दा रहा है और मलयज उससे बार-बार उलझते हैं तो यह अस्वाभाविक नहीं है। पर इस सिलसिले में यह लक्ष्य करने की बात है कि एक ओर कर्म के प्रति उनका आकर्षण कविता को उसकी नितान्त आन्तरिकता से मुक्त करने का है जो कि नयी कविता के एक खास दौर में नितान्त समसामयिकता की ही तरह नयी कविता का एक अटल काव्यसिद्धान्त हुआ जा रहा था। उस समय दृश्य पर इस अवधारणा का दबाव डालना महत्त्वपूर्ण था कि ''कविता सिर्फ अपने भीतर से बल्कि अपने बाहर से भी निर्मित होती है।'' यह भी दिलचस्प है कि मलयज ने पूरी समस्या को भीतर-बाहर के पदों में देखा-समझा और व्यक्ति और समाज के उबाऊ द्वन्द्व में न डालकर उसे उनसे उकसनेवाले पूर्वग्रहों का शिकार होने से बचा लिया।

इसका दूसरा पक्ष यह है कि अन्ततः और प्रथमतः भी मलयज कविता में जीवन की पूर्णता का आग्रह करते थे। उनके यहाँ कविता और भाषा अपना सत्यापन जीवन से ही पा सकती हैं—पर जीवन नामक किसी समग्रीकरण या सामान्यीकरण से नहीं, उस भरे-पूरे स्पन्दन से 'जिसमें धरती के अनेक रंग कोमल और कठोर, भीषण और सरस, मृदु और प्रचण्ड, कटु और मधुर, अनुभूति-जल में प्रतिबिम्बित हों, घुलें, प्रवाहित हों, जीवन के राग-खण्ड आपस में टकराएँ, छिलें, टूटें, बनें, ढलें।' शायद यह भी कहा जा सकता है कि मलयज के विरुद्धों के बीच सामंजस्य में

दिलचस्पी नहीं थी पर वे हर हालत में कविता में जटिलता की आधारभूमि अनुभूति की द्वन्द्वात्मकता में ही पाते थे—कोमलता के पीछे उतना ही कठोर चेहरा और मृदुता को ओट लिए हुए प्रचण्डता आदि की उनकी अपेक्षा जीवन की पूर्णता की, उसके अनेक पक्षों की ठोस बहुलता की ही अपेक्षा थी। वह अन्दर या बाहर दोनों के इकहरेपन के विरुद्ध गहरा और लगातार आत्मसंघर्ष है जो मलयज की इस द्वन्द्व-दृष्टि को ऊर्जा और ताप देता है। हमारे समय में कविता में भाषा जीवन और यथार्थ के खुरदरेपन नोंक-खरोंचों को नजरन्दाज़ कर एक अमानवीय और जीवन-विमुख स्वयंपर्याप्तता अर्जित कर सकती है। इस खतरे के प्रति मलयज बेहद चौकन्ने थे। उनकी एक काव्योक्ति है : "मानव सम्बन्धों को अब अनुभूति की वास्तविकताएँ नहीं करतीं निर्धारित भाषा की अवास्तविकताएँ करती हैं।"

कविता और भाषा को मलयज वस्तुजगत् से, उसके ठोस खुरदरे अस्तित्व से अविच्छिन्न देखना चाहते हैं—उनकी नजर में यह वस्तुपरकता ही कविता को वास्तविक बनाती है। उसका अन्दर और उसका बाहर दोनों ही एक-दूसरे से अविच्छिन्न हैं और एक-दूसरे को जाँचते और सत्यापित करते हैं। व्याकरण से एक रुपक उधार लेकर हम कह सकते हैं कि मलयज की दृष्टि चालू अर्थों में द्वन्द्वात्मक नहीं, बल्कि द्वन्द्व-सामासिक थी।

नयी कविता के उत्कर्षकाल में रचना-प्रक्रिया पर भी बहुत जोर दिया जाता था और यह मानना चाहिए कि उस कविता ने जो अवधारणाएँ हमें अधिक टिकाऊ ढंग की दीं उनमें कविता या कवि पर विचार करते समय रचना-प्रक्रिया को भी ध्यान में लेने की अवधारणा महत्त्वपूर्ण है। पर शायद मलयज एकमात्र आलोचक ऐसे हुए हैं जिन्होंने रचना-प्रक्रिया की इस अवधारणा को लगातार अपने विश्लेषण और चिन्तन में शोभा-परक नहीं वस्तुपकर जगह दी। 'सरोजस्मृति' से लेकर उनके अन्य विश्लेषणों तक प्रायः सभी में वे कविता या लेखक की अनुभूति ही नहीं उस ठोस भूमि पर भी अपना ध्यान केन्द्रित करते हैं जो उन्हीं के शब्दों में "अपने कच्चे-पक्के रंगों के साथ प्रकाशित हैं जिसके भीतर से वह अनुभूति पैदा हुई है।" अन्तिम उत्पाद से चलकर समूची प्रक्रिया को रेखांकित करने की पद्धति का इस्तेमाल उन्होंने बार-बार उदाहरण के लिए शमशेर या रामचन्द्र शुक्ल का विश्लेषण करने में किया है। मलयज में न केवल धीरज था, उनकी ब्यौरों में अथक दिलचस्पी थी। निरे साहित्यिक औज़ार उनके लिए साहित्य को समझने-सराहने के लिए काफी नहीं थे। वे जीवनवृत्त, निजी प्रसंगों आदि सबको मिलाकर किसी भी रचना या लेखक को एक मुकम्मल संरचना के रूप में नहीं एक बनती-बिगड़ती प्रक्रिया के रूप में पढ़ते-समझते थे। सावधान-सतर्क पाठ-कुपाठ के इस समय में मलयज सावधान और सतर्क पाठ के लगभग आदर्श ही माने जा सकते हैं। उनका पाठ अत्यन्त समावेशी और संश्लिष्ट है पर वह दूर की कौड़ी लाने का कभी कोई उपक्रम नहीं

करते। पर जो है उसमें 'जो नहीं है' के तनाव को पढ़ने की समझदारी उनमें बराबर मौजूद रही है। ब्यौरों के लिए इस चौकन्ने धीरज से ही मलयज की आलोचना-भाषा का संस्कार हुआ है। उसकी तर्कनिष्ठता, यथातथ्यता और सघनता की उचित ही प्रशंसा हुई है। उस भाषा में जो सर्जनात्मकता है वह मलयज के कवि होने के कारण या नया लालित्य नहीं है बल्कि जीवन और साहित्य से गहरे प्रेम की अभिव्यक्ति है—प्रेम में प्रेय पर ध्यान का केन्द्रीकरण अनिवार्य ही है। यह केन्द्रीकरण निरी सम्वेदना का नहीं, विचार और दृष्टि का भी है, जिनमें इस ध्यान से अपने को तौलने और बदलने का खुलापन भी है। 'हार के क्षणों में भव्य किस्म की उदासी', 'संवदेनशीलता के ऊपर चढ़ी हुई एक तटस्थ मखौल की कठोर चमड़ी', 'यह भाषा ठोस मज्जा और रुधिर से बनी भाषा है', 'विचार की मांसल दृढ़ता'—जैसे वाक्यांश उनकी भाषा में चुस्त फिकरों की नाटकीयता से नहीं अपने सहज प्रवाह में आते हैं। गौर करने की बात यह है कि मलयज ने आलोचक के रूप में शब्द के संरक्षक होने की अपनी भूमिका शब्द को महफ़ूज़ रख के, उसे पूजकर नहीं बल्कि उसे विलोमों के आँगन में जीवन के धूल-धक्कड़ में लोटते-पोटते, गिरते-उठते, देखते और दिखाते हुए निभाई। आलोचक रचे गए शब्दों को अपने उद्यम से कैसे अनेकार्थगामी और सजीव कर सकता है, मलयज इसके हिन्दी में दुर्लभ उदाहरण हैं।

3

हमने शुरू में यह कहा है कि मलयज के लिए आलोचना सांस्कृतिक संलाप है। मुक्तिबोध के स्मरणीय शब्दों को इस्तेमाल करें तो वह 'सभ्यता-समीक्षा' है। जीवन की प्राथमिकता का इतना प्रबल आग्रह करनेवाले मलयज हमारी सांस्कृतिक परिस्थिति में उठनेवाले व्यापक प्रश्नों पर विचार न करें यह सम्भव नहीं। इन्हीं में से एक प्रश्न भारतीयता का है जो आजकल घोर धर्मान्धता और पश्चिम के सामने लगभग आत्मसमर्पण की आर्थिक-बौद्धिक स्थिति के सन्दर्भ में कुछ और तीखा और तात्कालिक हो उठा है। 1970 में जब मलयज ने यह प्रश्न त्रिलोचन की कविता पर विचार करते हुए उठाया था तब भी उन्हें उसके इस्तेमाल के खतरों और उससे आनेवाली संकीर्णता और अबौद्धिकता की बू का पूरा अहसास था। आज तो यह संकीर्णता अत्यन्त संगठित-आक्रामक होकर खतरे के रूप में नहीं एक ठोस चुनौती के रूप में हमारे सामने हैं—शायद यह कहा जा सकता है कि समकालीन बौद्धिकता की यह विफलता है कि उसने एक अधिक समावेशी सामासिक भारतीयता का विकल्प दृढ़ता और स्पष्टता से सामने नहीं रखा और एक छद्म और हमारी परम्परा से असमर्थित भारतीयता को दृश्य पर इस तरह हावी होने दिया है कि सच्ची औसत

भारतीयता लगभग निरुपाय हाशिए पर ढकेली जा रही लगती है।

मलयज ने औसत आदमी को ही भारतीयता के केन्द्र में रखा है। मूर्त और ठोस के साथ रखनेवाले उस औसत आदमी के भीतर ही उन्होंने छोटी-मोटी दार्शनिकता बैठी पाई। उसमें 'कटुता से उपजा पोढ़ापन' भी है और 'सहज भावुकता' भी। मलयज उसकी मार्मिकता से प्रभावित होते हैं पर यह जिज्ञासा करने से नहीं चूकते कि क्या यह औसत भारतीय अपनी आस्था और समर्पण के आधारों को तोड़-फोड़कर उस व्यापक मूल्य-अराजकता का अंग बन सकता है जो आज की निपट नंगी और चीखती हुई सचाई है। आगे रामचन्द्र शुक्ल के रूप में और शुक्ल जी की अवधारणाओं की बहुत सटीक व्याख्या करते हुए मलयज ने उनमें 'एक भारतीय आत्मा' की खोज की। यह औसत भारतीय, यह सामान्य आदमी मलयज के यहाँ दो रूपों में प्रगट होता है, जैसा कि श्री नामवर सिंह ने मलयज की पुस्तक की भूमिका में बताया है, स्वयं रामचन्द्र शुक्ल के रूप में और उनकी कृतियों से उभरनेवाले सामान्य मनुष्य के रूप में। इस मुकाम तक पहुँचते हुए मलयज के सामने यह साफ़ हो गया था कि ऐसी औसत भारतीयता न केवल सम्भव है बल्कि मौजूद है जिसमें अपनी ज़मीन के विवेक के साथ-ही-साथ पश्चिम से टकराने की अदम्य बौद्धिक ऊर्जा और ललकार और उससे टकराने का खुलापन भी है। उनके लिए अपनी जड़ों से कितना ही जुड़ी क्यों न हो और उसमें लोक जीवन की कितनी ही 'अन्तःगरिमा' क्यों न हो ऐसी भारतीयता काफी नहीं है—उनकी माँग अधिक जुझारू और सकर्मक भारतीयता की है जिसमें 'घुलावट की समरसता' नहीं बल्कि 'सम्भावना की बेचैन गतिशीलता' हो। आज जब पश्चिम की ओर पीठ किए सरलता को एक नए काव्यसिद्धान्त के रूप में प्रतिष्ठित कर उसे हिन्दी की जातीय परम्परा का केन्द्र बताया जा रहा है और पश्चिम से मुठभेड़ करनेवाली हिन्दी की स्वाभिमानी परम्परा की किंचित् अवहेलना या अवमूल्यन हो रहा है—मलयज फिर एक बेचैन आलोचना-केन्द्र की तरह उपस्थित हैं। उन्हें बरजकर हम भारतीयता की अपनी किसी खोज में आगे नहीं जा सकते। उनकी इस सिलसिले में आलोचना एक सख़्त अवरोध है जिसे हम आसानी से पार नहीं कर पाएँगे। बड़ा आलोचक सिर्फ हमारी मदद ही नहीं करता, हमें प्रतिरोध भी देता है। मलयज की आलोचना संघर्ष की रसिकता का दस्तावेज़ है जो हमें उत्तेजित करता रहेगा और जब-तब हमारे आड़े भी आता रहेगा।

दूर बैठे का दुःख

रखियो, 'ग़ालिब', मुझे इस तल्ख़नवाई में मुआफ़/आज कुछ दर्द मिरे दिल में सिवा होता है।

—मिर्ज़ा ग़ालिब

कहानी अपनी छोटी-सी जीवन-यात्रा में उस अजानी और ख़ाली ज़मीन को पार करती है जो भाषा और समय, कविता और इतिहास के बीच फैली है।

—निर्मल वर्मा

सबसे पहले हमें कुछ लोकापवादों को रास्ते से हटा देना चाहिए। पहला लोकापवाद यह है कि कहानी की दुनिया में बहुत कुछ हो रहा है जिसका समाकालीन आलोचना नोटिस लेने से कतरा रही है। दूसरा यह कि आलोचना कविता पर इस तरह एकाग्र है कि वह जान-बूझकर लगभग किसी षड्यन्त्र के तहत कहानी की उपेक्षा कर रही है। तीसरा यह कि कहानी, कविता के मुक़ाबले, एक अग्रगामी विधा है। चौथा यह कि यह युग गद्ययुग है और उसका सबसे उज्ज्वल प्रमाण कहानी है। पाँचवाँ यह है कि कविता या अन्य साहित्यिक विधाओं की तुलना में कहानी एक अधिक सामाजिक विधा है। हम तुरन्त इनका तर्क या तथ्यसमस्त प्रत्याख्यान नहीं करने जा रहे हैं। आग्रह सिर्फ़ यह है कि इस निबन्ध में इन लोकापवादों को निराधार मानकर ही कुछ बातें कहने की कोशिश की जा रही है।

अगर हम आज लिखी और सराही जा रही कहानियों का जायज़ा लें तो क्या हम यह कह सकते हैं कि उनके माध्यम से जीवन, मनुष्य, भाषा और समाज के बारे में, हमारे समय में मनुष्य की हालत के बारे में कुल मिलाकर एक ऐसा विजन प्रगट या चरितार्थ होता है जो अद्वितीय, हिन्दी जातीय और मेजर हो? यानी क्या हम यह कह सकते हैं कि जैसे इधर का लातीनी अमरीकी कथा साहित्य ज़िद करके लातीनी अमरीका का है, उसके जातीय जीवन और संस्कृतियों में, उसकी बुनियादी आवेगशीलता-हिंसा-पैशन में धँसा हुआ और फिर भी परम प्रयोगशील, असंख्य चरित्रों को सामने लाता हुआ क्या वैसा कुछ हमारा हिन्दी का

कहानी-साहित्य है? यथार्थ, आख्यान, कथानक, बखान की भाषा आदि की कितनी विविधता हम अपनी कहानियों में पाते हैं? क्या यह सही नहीं है कि भले ही एक रेणु, एक निर्मल वर्मा या एक कृष्णा सोबती या एक वैद हिन्दी में ही सम्भव हैं, हमारे अधिकांश कहानीकार कहीं नहीं के कहानीकार हैं? वे अपनी अल्पप्राण प्रतिभा से कहीं भी हो सकते थे और यह हिन्दी का भाग्य है कि वे संयोगवश हमारे यहाँ हुए। तीन-चार तोतों से आकाश नहीं बनता और वे कितनी ऊँची उड़ान क्यों न भरें, नीलिमा को हरीतिमा में नहीं बदल सकते।

यह विचित्र और दिलचस्प है कि हमारे यहाँ कथा की मुख्य विधा उपन्यास होने के बजाय कहानी हो गयी है। कहानी को ऐसी केन्द्रीयता शायद ही संसार की किसी भाषा में मिली हो। कुछ इस हद तक कि हमारे अधिकांश कहानीकार असफल उपन्यासकार हैं—हम अभी इस विश्लेषण में नहीं जाएँगे कि क्यों कथा और क़िस्सागोई की इतनी लम्बी परम्परा के बावजूद, कम से कम हिन्दी में, हम उपन्यास जैसे माध्यम को मानो साथ ही नहीं पाए। लगे हाथ अलबत्ता यह कह सकते हैं कि हिन्दी में उपन्यास का यह अवमूल्यन दरअसल हमारे समूचे जातीय जीवन की महाकाव्यात्मकता का अवमूल्यन ही सिद्ध हुआ—उस महाकाव्यात्मकता का जिसका दर्शन हमें जैनेन्द्र कुमार, अज्ञेय, हजारीप्रसाद द्विवेदी, रेणु के उपन्यासों और कृष्णा सोबती या निर्मल वर्मा की कहानियों में होता है। कहीं उपन्यास के बजाय कहानी पर हमारी एकाग्रता महाकाव्यात्मकता के इस निरुपाय लोप की अभिव्यक्ति तो नहीं है? या कि जैसा रवीन्द्रनाथ ठाकुर ने माना था कि महाकाव्य गीतों में बिखर गया है—क्या महाकाव्यात्मकता उपन्यास छोड़कर कहानियों में बिखर गयी है जिसे विन्यस्त करने की ज़िम्मेदारी आलोचना की है जिसे वह निभा नहीं पा रही है? क्या आलोचना इस कठिन उद्यम से घबराकर कुछ सामान्यीकरणों की शरण लेती रही है—जबकि उसके करने के लिए बहुत उत्तेजक सामग्री और काम हैं? या कि ये थोड़े-बहुत सच मिलकर किसी बड़े सच का नक़्शा बना पाते—ऐसा सच तो हमें सिर्फ़ कहानियों के अपने रूपाकार में ही मिल सकता हो और जो किसी पहले से जाने हुए सच का नया संस्करण न हो?

जिसे हम आज की आलोचना का सबसे विचारोत्तेजक और मूल्यवान हिस्सा कहेंगे उसके पीछे और उसमें आज भी—कवि-आलोचकों की एक बड़ी परम्परा है। छायावादियों से लेकर अज्ञेय, मुक्तिबोध, शमशेर से होती हुई यह परम्परा बिल्कुल ताज़ा पीढ़ी तक लगभग अविच्छिन्न चली आयी है। पिछले लगभग पचास बरसों की कविता की जो समझ, उसके प्रति जो खुलापन, उसके लिए नए विचार और विश्लेषण की युक्तियाँ-पद्धतियाँ आलोचना ने विकसित कीं उनके मूल में स्वयं कवियों के विचार और कथन का उपजीव्य रहा है। इसके अलावा ऐसे कवियों की लम्बी सूची है जो सक्रिय और सजग आलोचक रहे हैं। कहानी के क्षेत्र में ये दोनों

ही शक्तियाँ सिरे से ग़ायब हैं। एकाध अपवाद को छोड़ दें तो कहानी का काव्यशास्त्र स्वयं कथाकारों द्वारा विवक्षित नहीं हो सका है। हमारे कहानीकार एक-दूसरे की निजी ज़िन्दगियों और उसके ज़रूरी-गैरज़रूरी ब्यौरों पर रौशनी डालते रहे हैं। यह दयनीय और हास्यास्पद एक साथ है कि एक विधा के अनेक प्रमुख लेखक अपने माध्यम और कृतित्व की समझ बढ़ाने के बरक्स अपने मित्र या शत्रु कहानीकारों का छवि निर्माण या ध्वंस करने में व्यस्त रहे हैं और अभाग्यवश आज भी हैं। अपने को दूसरों से अधिक सामाजिक मानने वाली विधा के प्रयोक्ता इतने आत्मरत और आत्मकेन्द्रित हों यह हिन्दी में अभूतपूर्व ही है—समझ से तो आलोचना उपजती-विकसती है लेकिन छवि से नहीं। छवि वैसे भी आलोचना का पद नहीं, विज्ञापन का है। यह भी साफ़ देखा जा सकता है कि कहानी के क्षेत्र में अकसर कीर्तियाँ आलोचना से नहीं, इस निराली विज्ञापनशीलता से बनती रही हैं। इस अर्थ में तो यह भी कहा जा सकता है कि हिन्दी कहानी को दरअसल आलोचना की यानी समझ-विश्लेषण मूल्यांकन की ज़रूरत नहीं वह उसे अगर मिली नहीं तो इसमें आश्चर्य क्या? कुन्देरा ने अपने ताज़ा उपन्यास में जिसे विचारधारा और छविशास्त्र कहकर अलगाया है उसे हमारे हिन्दी कहानीकारों ने बहुत अरसे से स्वायत्त और सिद्ध कर रखा है। हिन्दी कहानी में झगड़े ऊपर से विचारधारा के लगते हैं पर असल में अन्दर वे छवि के ही हैं। हिन्दी आलोचना का एक बड़ा हिस्सा बरसों से लेखकों और कृतियों की दाख़िल-ख़ारिज सूचियाँ जारी करने और सारी आलोचना को प्रशंसा-निन्दा में रिड्यूज़ करने में लगा रहा है और इसमें कहानी का योगदान कम नहीं रहा है। जब कवियों को लगा कि पेशेवर या अकादेमिक आलोचना उनकी कविता के साथ न्याय नहीं कर पा रही है, वे रचना के अलावा आलोचना आपद्धर्म मानकर उसमें पूरे उत्साह से प्रवृत्त हुए हैं : कहानीकारों को ऐसा करना क्यों ज़रूरी नहीं लगा? यही नहीं ध्यान से देखें तो हम पाएँगे कि प्रयोगशीलता, व्यक्तित्व की खोज, जड़ीभूत सौन्दर्याभिरुचि आदि अनेक आलोचनात्मक प्रत्यय और विचार, जो कि आज कविता की आलोचना के अनिवार्य उपकरण हैं, कवियों द्वारा दिए हुए हैं। क्या हम एक भी ऐसा पद या अवधारण याद कर सकते हैं जो किसी कहानीकार ने आलोचना को दिया हो? अगर हिन्दी में नाम लेने का भी कोई कथाशास्त्र, नैरेटोलाजी, विकसित नहीं हुआ तो इसमें कहानीकारों का दोष कम करके नहीं आँका जा सकता। क्या जैसे लोगों को वैसी ही सरकार मिलती है जिसके कि वे पात्र होते हैं वैसे विधाओं को भी वैसी आलोचना मिलती है जिसकी कि वे पात्र होती हैं?

ऐसा क्यों हुआ कि एकाध बड़े आलोचकों के कहानी से आरम्भिक अनुराग के अपवाद को छोड़ दें तो हिन्दी का कोई बड़ा आलोचक ऐसा नहीं है जिसकी उपलब्धि और कीर्ति का मूलाधार कहानी की आलोचना हो। इस परेशानकुन सवाल का जवाब यह देकर सन्तुष्ट नहीं हुआ जा सकता कि हिन्दी में आलोचना ढर्रे

पर चलनेवाली रूढ़िवादी है जबकि कहानी एक अग्रगामी विधा है। यह जवाब यों भी सही नहीं है क्योंकि हिन्दी आलोचना का अग्रगामिता के प्रति, अवाँगार्द के प्रति स्वाभाविक आकर्षण रहा है जिसके अच्छे-बुरे उदाहरण कविता की आलोचना से ढेरों मिल सकते हैं। फिर कहानी किस अर्थ में अग्रगामी है? हम यह न भूलें कि वर्तमान कहानी मूलतः इसी शताब्दी की विधा है जबकि कविता की हज़ार बरसों की परम्परा है। जिसका अर्थ यह भी है कि कविता में अग्रगामिता दुस्साध्य है जबकि कहानी में अधिक आसान। इस ऐतिहासिक परिस्थिति के बावजूद कविता के मुक़ाबले हमारी कहानी रूढ़िग्रस्त रही आई है—उसमें नवप्रवर्तन भी कम रहा है। वह ज़्यादातर आदि-मध्य-अन्त वाली यथार्थवादी संरचना रही है। जितने प्रयोग कविता में हुए हैं, कहानी में नहीं। पिछले पचास वर्षों में कविता ने अपना कायाकल्प ही कर लिया है कुछ इस हद तक कि रूढ़िवादी कई बार उसके कविता होने को पहचान सकने में भी असमर्थ रहते हैं जबकि कहानी का चेहरा-मोहरा, ढाँचा-ढब काफ़ी कम बदला है। प्रयोगशीलता का कविता में तो पूरा नया शास्त्र ही लिखा और मान लिया गया है जबकि कहानी की दुनिया में वह लगातार सन्देह से ही देखी जाती रही है। कविता ने छन्द, तुक, अलंकारों आदि से मुक्ति पा ली पर कहानी में कथानक और चरित्र की रूढ़ियाँ बरक़रार हैं। रूढ़ि के प्रति आलोचना ज़्यादातर उदासीन ही रही है जैसे कि उस सारी कविता के उदाहरण से देखा जा सकता है जो गीत कविता है और आज भी बड़ी लोकप्रिय है। क्या अपनी बद्धमूल रूढ़िवादिता के कारण ही हिन्दी कहानी आलोचना का ध्यानाकर्षण करने में असफल हुई है?

शायद इसी रूढ़िवादिता का एक पहलू यह भी है कि हमारे यहाँ कहानी में यथार्थ की एक बड़ी इकहरी धारणा का वर्चस्व रहा है। व्यक्ति और समाज में बँटा-तना यथार्थ जिसके चलते तथ्य को कथ्य में बदलने की हड़बड़ी कहानी का मूलाधार बनी रही है—यह विलोम और ऐसे कई और विलोम अव्वल तो भारतीय परम्परा से नहीं बल्कि पश्चिम से आए हैं और दूसरे वहाँ कब से तज दिए गए हैं। हमारी कहानी, कुल मिलाकर, इसी इकहरे और अपर्याप्त यथार्थ के आतंक में रही आई है—इसने उसके निर्भीक और कल्पनाशील गल्प होने में भी बाधा पहुँचाई है। बल्कि कहानी की हिन्दी दुनिया में कल्पना और उससे जुड़े रचनात्मक साहस को विशेष प्रतिष्ठा नहीं मिल पाई है। हमारी ज़्यादातर कहानियाँ कल्पना की सर्वथा निवार्य अल्पता की उपज हैं। जो रचनाएँ कल्पना को नहीं उकसातीं, आलोचना को आकर्षित कर सकेंगी यह उम्मीद बेहद भोली है। आलोचना जो 'हदे छाड़ि, बेहदि गया' उस ओर जाती है क्योंकि उसे वहाँ कुछ नया और अप्रत्याशित खोजने-पाने की उम्मीद होती है। हिन्दी कहानी ने अपनी हदें छोड़कर, या उनका अतिक्रमण कर बेहद की ओर जाने की कोशिश बहुत कम की है—जब की है तो उसकी ओर

आलोचना आकर्षित भी हुई है। विविधता का हाल यह है कि जीवन के आध्यात्मिक और दार्शनिक प्रश्नों को हमारी कहानी कभी छूने की हिम्मत तक नहीं करती क्योंकि सामाजिकता की उसकी इकहरी अवधारणा के रहते ये पक्ष विचार या ध्यान के योग्य ही नहीं है। यह कहना ग़लत न होगा कि हमारी कहानियाँ कुल मिलाकर हमारी दुनिया का एक हिस्सा ही पेश करती हैं—ऐसा बहुत-सा है कि जो उनमें व्यक्त सचाई के अलावा है, और सच है। इस सच के छूट जाने का कोई अवसाद तो दूर, अहसास तक नहीं है। अगर कोई विधा मेज़र विजन व्यक्त करना चाहती है तो उसे मनुष्य और उसके संसार के बारे में, बेहिचक चरम और मेजर प्रश्न भी लगातार पूछने चाहिए। हमारी कहानियाँ यह नहीं करती हैं और न ही अपनी तथाकथित सामाजिकता से आक्रान्त रहते, ऐसा करना ज़रूरी समझती हैं। अत्यन्त प्राचीन पर अभी भी जीवन्त परम्परा में अपनी पहचान गँवा चुका व्यक्ति जिसकी आज के समय में पहचान गढ़ी जाना बाक़ी है, जो पूरी तरह से अपनी वेध्यता में स्थिर और गतिशील एक साथ है—सतही सामाजिकता और बढ़ते उपभोक्तावाद के मुहाने पर खड़ा अपने को फिर भी बनाए रखने का संघर्ष करता व्यक्ति—राज और सत्ता के विराट् यन्त्र के समक्ष निरुपाय और फिर भी उससे जूझता और अपनी प्रामाणिकता पाता व्यक्ति—ताक़त और ताक़त के युग में अपना साहस और चीख़ बचाए व्यक्ति और उसे अर्थ गरिमा और मानवीयता देता हुआ एक भरा-पूरा जूझता हँसता-गाता समाज—जीनेवालों के मेलों में खोया और उसे दूर से निहारता व्यक्ति—मनुष्य को घेरे और उससे अलग भी असंख्य चीज़ों की अपनी दुनिया, प्रकृति का समूचा आश्चर्य-लोक, ये सब और नश्वरता और मृत्यु का सामना, अनश्वरता के स्वप्न, हर्ष-विषाद, रहस्य-आश्चर्य, समय और समयातीत के असंख्य मानवीय अनुभव और छबियाँ—हम अपनी कहानी से यह सभी चाहते हैं। किसी एक कहानी से नहीं पर कहानी-समाज से। वह सब कुछ जिसे हम समझ और आलोचना के खाँचों में बाँध न पाएँ और जो हमें सिर्फ़ कहानी की अपनी अद्वितीय आभा और आँच में ही दिखाई दे सके—वेध्य और स्वाधीन।

पर इस विराटता से अछूती और अन्तर्ध्वनियों से रहित आज की ज़्यादातर कहानियों पर आलोचनात्मक दृष्टि अगर एकाग्र हो भी तो उसे क्या मिलेगा? एक ऐसा समाज जो सामाजिक-आर्थिक-राजनैतिक स्तरों पर तो सक्रिय है पर जिसके अस्तित्व से आध्यात्मिक, नश्वरता, अस्तित्व का अर्थ, नियति आदि सूक्ष्मताओं को देशनिकाला दिया जा चुका है और जिनको गँवाने की कोई व्यथा उसे नहीं रह गई है? समाज की यह तस्वीर कितनी नाकाफ़ी है यह इससे ही प्रगट है कि इस वंचना के चलते इस समाज के एक बड़े हिस्से को अपनी आध्यात्मिक ज़रूरत का जवाब साहित्य में नहीं राजनीति में मिल रहा है और उसे ऐसी शक्तियाँ आकर्षित कर रही हैं जिनकी छिछली धार्मिकता इस आध्यात्मिक शून्य को भरने का छद्म हैं।

सब जानते और मानते हैं कि बीसवीं शताब्दी और हमारा समाज बेहद जटिल संरचनाएँ हैं जिन्हें समझना और भाषा में विन्यस्त करना ख़ासा कठिन है। हमारे समय में एक लम्बे पारम्परिक उत्तराधिकार और आधुनिकता के दबावों में फँसा व्यक्ति भी एक अत्यन्त जटिल इकाई है। समाज और व्यक्ति उनके सम्बन्धों के द्वन्द्वों-तनावों को समझने के लिए किसी अबोध आवेग से काम नहीं चल सकता। उसके लिए दोनों चाहिए—आत्मसजगता और बौद्धिक सघनता। क्या हमारी कहानी में सक्रिय रचनात्मकता में ये गुण हैं? इधर तो हिन्दी में विशेषतः कहानीकारों द्वारा ऐसा माहौल बनाया जाता रहा है मानो कि बौद्धिकता एक रूपवादी चोंचला है और तथाकथित सामाजिक संघर्ष ज़्यादा ज़रूरी और सर्जनात्मक तत्त्व है। हमारे समय में कोई सामाजिक संघर्ष बिना गहरी और उत्कट वैचारिकता के सम्भव हुआ इसका कोई प्रमाण नहीं है। उल्टा इसका नतीजा यह है कि हमारी कहानियाँ ख़ासी एकायामी हैं और उनमें किसी तरह की बौद्धिक उकसाहट को जगाने की क्षमता बेहद क्षीण है। दरअसल कल्पना की अल्पता और बौद्धिक शिथिलता दोनों रचनात्मकता में एक-दूसरे के अनिवार्य साथी हैं और जहाँ वे नहीं हैं वहाँ कोई सच्चा टिकाऊपन होना सन्दिग्ध ही है। बौद्धिक सघनता के अभाव का एक प्रमाण हमारी कहानी में यह भी है कि उसमें कोई आन्तरिक आलोचना-वृत्ति सिर्फ़ कविता की आलोचना में नहीं बल्कि स्वयं कविता में बराबर सक्रिय रही है। कहानी ने आलोचना का यह अभ्यन्तरीकरण नहीं किया है और कहानी में आत्मसजगता को तो हमारे एक बड़े आलोचक ने घातक ही करार दिया है। भाषा और समय, कविता और इतिहास के बीच फैली अजानी और ख़ाली ज़मीन को हमारी कहानी पार नहीं कर पाई हालाँकि निर्मल वर्मा उसे ही कहानी का बुनियादी काम मानते हैं। इस सिलसिले में यह बात भी नोट करने की है कि स्वयं निर्मल वर्मा जैसे विचारक-लेखक की अनेक स्थापनाएँ और विचार हिन्दी कहानी जगत् में, उसकी व्यापक आलोचना और विचार विमुखता के रहते, अचर्चित ही रहे हैं जबकि उन्होंने साहित्य और विचार के व्यापक जगत् में हमेशा ही नई उत्तेजना और ऊर्जा पैदा की है। आलोचनात्मक गुण के अभाव ने ही किसी हद तक यह स्थिति बनाई है कि हिन्दी आलोचना कहानी के गल्प के समतुल्य आलोचना के गल्प विकसित नहीं कर सकी है—कहानी की आलोचना ज़्यादातर ग़लत ढंग से अकादेमिक और उबाऊ ढँग से क़िताबी रही है। यह सचमुच दुखद है कि हमारी आलोचना ने कहानी को पढ़ने और समझने की कोई नई पद्धतियाँ विकसित नहीं की हैं—हम इससे अभी भी उपन्यास की छोटी बहिन या कविता की चचेरी बहिन की तरह बरताव करते हैं। इसका एक कारण तो निश्चय ही यह है कि स्वयं कहानी ने अपनी स्वतन्त्र अस्मिता पर आलोचनात्मक ढंग से वैसा इसरार नहीं किया है जैसा कि उसे कर सकना चाहिए था। दूसरे, कहीं-न-कहीं हिन्दी कहानी उस रैडिकल

स्वायत्तता तक पहुँचने में तो दूर, उसे चाहने में हिचकती रही है, जिसे कुन्देरा ने एक अन्य प्रसंग में उपन्यास का गुण गिनाया है।

कविता में इन दिनों कथ्य और शिल्प के द्वैत में बात करना पुरानी और कुछ पिछड़ी-सी प्रवृत्ति मानी जाती है जबकि सृजनात्मक स्तर पर अवास्तविक इस द्वैत का कहानी में प्रभुत्व अभी भी कायम है। अगर विश्लेषण के लिए इस विभाजन को काम का मान भी लिया जाए तो यह विडम्बना सामने आती है कि हमारी कहानी तथाकथित रैडिकल कथ्य के लिए रैडिकल शिल्प खोजने-पाने के बजाय उसे कुल मिलाकर रूढ़िवादी रूपाकार में ही व्यक्त करती है। यही वजह है कि आलोचना ने कहानी पढ़ने की दक़ियानूस पद्धतियों का कोई कायाकल्प करना ज़रूरी नहीं पाया। यह और बात है कि इसके चलते अनेक श्रेष्ठ कहानियों को उनके योग्य पाठ-पद्धति नहीं मिल सकी जो कि आलोचना की असमर्थता का ही इज़हार है। पर दूसरी ओर क्या यह इसका भी एक प्रमाण नहीं है कि हमारी कहानियों में अन्ततः जिसे वास्तविक का दरिद्र बोध कहा गया है वही मुख्य रहा है? आख़िर वास्तव का सघन-समृद्ध बोध शिल्प में भी सघनता समृद्धि लाए बिना कैसे चरितार्थ हो सकता है? कथा, कथ्य और घटनात्मकता के दुश्चक्र में फँसी हिन्दी कहानी की दुनिया में शिल्प और कथाभाषा में प्रयोगशीलता बड़े सन्देह से देखी जाती है और एक हद तक इसने भी उसकी आलोचना में कहानी की भाषा और शिल्प का गम्भीर विश्लेषण उकसाने के बजाय एक तरह की सारसंक्षेपिता को ही बढ़ावा दिया है : यहाँ यह याद कर लेना चाहिए कि शिल्प या भाषा का सार-संक्षेप नहीं हो सकता, कथ्य का हो सकता है। कविता की आलोचना में तो फिर भी कविता का एकाध अंश प्रमाण आदि के रूप में उद्धृत करने की विवशता-सी है पर कहानी में सार-संक्षेपिता का सबसे असंगत संस्करण सामने आता है जब ज़्यादातर कहानियों और कहानीकारों के नामों की सूचियाँ बनाकर, जैसा कि पहले भी कहा गया, दाख़िल ख़ारिज की जाती हैं।

कहानी पर पाठकवर्ग का दबाव भी एक महत्त्वपूर्ण और विचारणीय तत्त्व माना जाता है। यह भी अकसर कहा जाता है कि पाठकों पर उसका सीधा प्रभाव पड़ता है और वह इसलिए सामाजिक रूप से अधिक कारगर माध्यम है। वह पाठकों की और उनकी रुचि की अनदेखी नहीं कर सकती। ऐसे वक़्त पर यह अकसर भुला दिया जाता है कि रुचि रचने का काम या कि उसे यथासमय मोड़ने का काम भी साहित्य ही करता है। क्या कहानी यह भूमिका निभा रही है? क्या उसने हिन्दी में रुचि के रैडिकलाइजेशन का ज़रूरी काम किया है? शास्त्रीय संगीत जैसे अत्यन्त कठिन और चालू भाषा मे, अमूर्त माध्यम अपने लिए एक स्पष्ट सुरुचि विकसित कर पाए हैं जबकि कहानी ने ऐसा करने की कोशिश भी की हो ऐसा नहीं जान पड़ता। सामाजिक प्रभाव एक मिथ है जिसकी सचाई को कम-से-कम स्वयं

कहानीकारों को तो साफ़ समझ और मान सकना चाहिए। अगर आज हिन्दी समाज हमारे देश में सबसे विशृंखल, अराजक, प्रतिक्रियावादी और हिंस्र समाज की तरह सामने है तो क्या उसके इस रूपान्तरण में साहित्य सर्वथा अप्रासंगिक रहा है? क्या इस रूपान्तरण के विरोध में जो क्रान्तिकारी और प्रतिरोधकारी शक्तियाँ हैं उन पर साहित्य का कोई प्रभाव है? क्य साहित्य उनकी प्रेरणाओं में से एक है? हिन्दी कथा-साहित्य तो निरपवाद और लगभग ज़िद कर साम्प्रदायिकता और धर्मान्धता का विरोधी साहित्य है—कम-से-कम किसी महत्त्वपूर्ण कथाकार या कथाकृति से हम किसी तरह की कट्टरता की पुष्टि या समर्थन नहीं पा सकते फिर ऐसा क्यों है कि आज हिन्दी समाज ही सबसे भयावह धर्मान्धता और साम्प्रदायिकता की चपेट और गिरफ़्त में है? व्यावसायिकता और उपभोक्तावाद से लैस जो अपसंस्कृति आज हर ओर फैल रही है उसका जितना प्रतिरोध कविता में है उतना क्या कहानी में है? क्या ऐसा नहीं है कि हर दूसरे-तीसरे एक कहानीकार इन नए माध्यमों से नए तादात्म्य ढूँढ़ने का नाट्य करता हुआ लोलुप व्यावसायिकता की सरहदों के पार ग़ायब हो जाता है? हम यह न भूलें कि कविता में लोकप्रिय कविता और फ़िल्मी गीत का अत्यन्त वित्त-विपुल प्रलोभन ज़माने से मौजूद रहा है और कविता अपनी दरिद्रता में अटल और अप्रलोभित ही रही है। कहानी का कविता के मुक़ाबले व्यावसायिक होने का कोई औचित्य नहीं है—न ही कोई ऐतिहासिक मजबूरी।

हिन्दी में कहानी इसी शताब्दी की विधा है। चूँकि उसे किसी लम्बी परम्परा और उसके बोझ से जूझना नहीं पड़ा है, उसके पास कोई ऐतिहासिक स्मृतियाँ और खरोंचें भी नहीं हैं। कविता को अपने नए मूल्यों और नए शास्त्र को एक लम्बी काव्य-परम्परा के कारण और उसके बरक्स स्थापित करने के लिए लम्बा और लगातार संघर्ष भी करना पड़ा है—यह नहीं कहा जा सकता कि कहानी को भी ऐसा संघर्ष करना पड़ा है, बल्कि शायद कविता ने लड़कर जो ज़मीन तैयार की वह काफ़ी हद तक कहानी को बनी बनाई मिल गई। बहुत हद तक कहानी का हमारे यहाँ नैसर्गिक-सा विकास हुआ है और उसमें कोई क्रान्तिकारी मोड़ या परिवर्तन नहीं आए हैं। इसका एक परिणाम यह है कि उसे लेकर विचलन का कोई शास्त्र नहीं गढ़ना पड़ा है जैसा कि कविता में हुआ है। किसी विधा का लम्बा इतिहास, उसके दौरान हुए परिवर्तन और विचलन उस पर अपनी कई तरह की छापें और खरोंचें छोड़ते हैं जो कि हिन्दी कहानी के ऊपर नहीं हैं—लम्बी ऐतिहासिक स्मृति जो अर्थ की तहें एक के ऊपर एक जमा करती जाती है वे और उनसे सम्भव अर्थ समृद्धि भी उसे सुलभ नहीं हुई है। थोड़ी अतिरंजना कर कहें कि हिन्दी कहानी की अपनी यादें बहुत अधिक नहीं हैं—ऐसा बहुत कम है जो उसके अस्तित्व में अपने आप अनायास मात्र कहानी होने से ही अन्तर्ध्वनित होता हो। कई बार तो यह लगता है कि मानों वह सारी सचाई को अलग से दी हुई ही मानती है और उसे यह अनुभव

बहुत कम और क्षीण है कि सचाई हम संघटित करते हैं—वह हमेशा पहले से दी हुई नहीं है। यह अकारण नहीं है कि कविता अपने सच के अपनी ही प्रक्रिया से संघटित और अर्जित करने का आग्रह करती रही है जबकि कहानी ज़्यादातर अपना सच बाहर कहीं से सत्यापित करने पर ही ठिठकी हुई है।

आजकल माना जाता है कि हर विधा की अपनी प्रज्ञा होती है। कुन्देरा 'विज़डम आव् द नावेल' की बात करते हैं। हिन्दी कहानी की ऐसी प्रज्ञा अभी तक पूरी तरह प्रस्फुटित होकर इस विधा में सक्रिय नहीं हो पाई है। कहानी की इस प्रज्ञा या कहें आत्यन्तिक वैचारिकता के अभाव के कारण कहानी कई बार हमारे यहाँ चले विचारधारात्मक समर में असहाय-सी इधर या उधर मानी-ढकेली जाती रही है—उसकी प्रज्ञा इस अतिचार को प्रतिरोध दे सके, दुर्भाग्य से, ऐसी उद्‌बुद्ध नहीं रही है। अगर वह जब-तब आलोचना या कि आलोचक-रुचियों से भी परिचालित होती दीख पड़ी है तो इसका कारण भी उसकी यही प्रतिरोधात्मक वैचारिकता की अशक्यता रही है।

पर इससे इनकार करना कठिन है कि कहानी को अपने सक्रिय ध्यान के केन्द्र में न रखने से किसी हद तक आलोचना की भी हानि हुई है। सबसे बड़ी तो यही कि उसने कथा-विश्लेषण की कोई नई प्रविधियाँ ईज़ाद नहीं कीं और अकसर कहानी को कविता की तरह पढ़ने-समझने का ही यत्न करती रही है। ऐसी प्रविधियाँ और कथा-साहित्य के लिए अलग और विशिष्ट प्रत्यय विकसित हुए होते तो आलोचना का अपना संसार अधिक सार्थक और ठोस ढंग से बहुलतावादी बन पाता और उसमें ठोस विकल्पों की बहुलता वास्तविक होती। कभी-कभी कविता को कहानी की तरह और कहानी को कविता की तरह पढ़ने से जो सच्चा प्रजातान्त्रिक विनोद सम्भव था उससे भी आलोचना वंचित रही आई है। इसके अलावा यह भी कि स्वयं तथाकथित प्रगतिशील आलोचना का हिन्दी में इस वजह से विकास इस अर्थ में एकांगी-सा हो गया है कि हालाँकि पश्चिम में मार्क्सवादी आलोचना अधिकतर कथा साहित्य के सहारे विकसित हुई हिन्दी में वह कविता पर केन्द्रित रही है। इससे जो कुछ सैद्धान्तिक गड्डमड्ड हुई सो हुई—हिन्दी आलोचना में यह बात ठीक से बद्धमूल नहीं हो सकी है कि कहानी का अपना सच है और उस सच को गढ़ने-पाने की अपनी विशिष्ट प्रक्रियाएँ हैं—कि जो समय, समाज और व्यक्ति कहानी में प्रगट होते हैं और भाषा के जो रूप गढ़े जाते है वे अद्वितीय हैं और उन्हें उनकी ही शर्तों पर समझा-सराहा जा सकता है। बड़े सच की अपनी जगह और महत्त्व है पर छोटे-से-छोटे सच को अलक्षित और ख़राब नहीं जाना चाहिए। आलोचना का सच्चा प्रजातन्त्र इसी में है और कहानी का भी।

सुनने-गुनने का अर्थ

इस समय देश में बड़ी उछल-पुथल है। यह प्रश्न मुँह बाए सामने खड़ा-सा है कि एक देश, एक प्रजातन्त्र और एक समाज के रूप में हमारी क्या नियति है? क्या हम एकजुट और मिलजुलकर रह पाएँगे? क्या हम निरन्तर बढ़ रहे बिखराव और विखंडन से, सामाजिक और राजनैतिक आचार की नीतिहीनता, मूल्यहीनता और अराजकता से बच कर निकल पाएँगे? क्या इन प्रश्नों की चिन्ता हमारे संगीतकार भी करते होंगे? अकसर लगता है कि नागरिक के रूप में अवश्य ही ऐसा करते होंगे क्योंकि आख़िर नागरिक जीवन में उनसे बच पाना सम्भव नहीं रहा है। पर क्या संगीत में, उसकी सृजनशीलता और अभिव्यक्ति में इन प्रश्नों की कोई गूँज-अनुगूँज पहुँच पाती है? साहित्य और रंगमंच से, रूपंकर कलाओं और सिनेमा से, स्थापत्य और वास्तुकला से हम यह उम्मीद करते हैं कि वह हमारे समय को, उनकी बुनियादी और तात्कालिक चिन्ताओं और जिज्ञासाओं को उनकी उलझनों और सम्भ्रमों को हमारे लिए विन्यस्त करेंगे पर हम संगीत से ऐसी अपेक्षा नहीं करते हैं—क्या इसलिए कि हम उसे इस अर्थ में एक सर्वथा निरपेक्ष कला मानते हैं जिसका काम हमें रस और आस्वाद के अवसर देना है, हमारे बुनियादी प्रश्नों से जूझने की कोई समझ या शक्ति देना नहीं? आज की उथल-पुथल के हम अन्य कलाओं में तो रूपक खोजते हैं पर संगीत को समयातीत या समय से परे मानकर उससे ऐसे रूपकों की माँग नहीं करते? क्या संगीत का संसार, हमारे लिए, प्रमुखतः भावनाओं का संसार है, विचारों का नहीं? समय के साथ विचार तो बदलते हैं अकसर भावनाएँ नहीं। प्रेम या शृंगार दूसरी शताब्दी में भी होता था और हमारी शताब्दी में भी : पर स्त्री-पुरुष की बराबरी का जो विचार आज प्रमुख है उसे शताब्दियों पहले मान्यता मिलना कठिन था।

हमारा समय परिवर्तन का है : इतने तेज और मूलगामी परिवर्तन का कि शताब्दी के अवसान के निकट आते हुए यह कहा जा सकता है कि परिवर्तन की अपनी लगभग सौ वर्ष लम्बी एक परम्परा ही बन गई है। इस सन्दर्भ में संगीत ने परिवर्तन को सबसे अधिक प्रतिरोध दिया है। परिवर्तनकामी होने के बजाय वह परम्पराजीवी अधिक है—उसका आग्रह जो रहा आया है, जो इतनी सदियों चलता

आया है उसे बचाए रहने का अधिक, और उसमें कुछ नया जोड़ने या उसे बदलने का कम रहा है। शायद इसीलिए कई बार दूसरी कलाओं के लिए संगीत एक विलोम, एक प्रतिकल्प बनकर ध्यानाकर्षण करता है। वह जो तेजी से बदल रहा है उसके बरक़्स जो बहुत कम बदलता है प्रस्तुत करता है। वह निरन्तर बदलते हुए में जो शाश्वत और पहले का है और, बदलाव के उत्साह में, अलक्षित रह या ओझल हो जाता है उस पर बल देता है। वह आज और अभी के उत्सव के बरक़्स शाश्वत की आराधना है। ज़रूर वह आज और अभी हमारे सामने होता है पर वह अनन्त और कालातीत में भी घटता है : वह समय में घटता है पर समयातीत है। वह जो 'है' को जो 'था' का ही एक संस्करण बनाता है। एक तरह से यह भी कहा जा सकता है कि संगीत होने की निरन्तरता, उसकी अटूट परम्परा की अभिव्यक्ति है। विशेषतः हमारे यहाँ उसका लिखित इतिहास नहीं है क्योंकि ग्रन्थ या दस्तावेज़ों के अलावा ऐसी सांगीतिक कृतियाँ नहीं हैं जिनके आधार पर इतिहास की रचना की जा सके। इसका एक गहरा आशय भी है : संगीत के लिए इतिहास एक अप्रासंगिक अवधारणा है। उसके लिए तो जो था, वही है और वही होगा : कुछ भी संगीत में बीतता नहीं है और इस अर्थ में वह इतिहास के बन्धन, उसकी कारा से मुक्त है। उसकी परम्परा है पर इतिहास नहीं है।

कलाओं के बारे में सोचते हुए हम समकालीनता की धारणा पर पिछले लगभग पचास पचहत्तर वर्षों में इतना केन्द्रित हो गए हैं कि हम उसका उपयोग लगभग प्रतिमान के रूप में करने लग गए हैं। कुछ इस भाव से कि जो समकालीन नहीं है वह सार्थक या मूल्यवान नहीं हो सकता। संगीत इस अवधारणा को सबसे बड़ी चुनौती देता है : वह समकालीनता से एकदम निरपेक्ष या अछूता है ऐसा नहीं है पर वह उससे आक्रान्त क़तई नहीं है जैसा कि कई अन्य कलानुशासन जैसे साहित्य, रंगमंच, सिनेमा, वास्तु आदि हैं। वह मानो समकालीनता और उसके आतंक को उनकी सही औकात जताता है—उनके क़द को छोटा नहीं करता पर शायद उन्हें उस क़द के ज़रूरत से ज़्यादा ऊँचे और प्रमुख होने की खुशफ़हमी से मुक्त होने के लिए प्रेरित और कभी-कभार हो सके तो विवश करता है। समकालीनता से आक्रान्त कलाएँ अगर राजनीति से मिलती-जुलती हैं इस अर्थ में, तो संगीत धर्म और अध्यात्म से। शायद यह भी कहा जा सकता है कि संगीत की संवेदना जब तक के होने वाले परिवर्तनों के प्रति उदासीन रहती है और जब उसमें परिवर्तन होता है तो मानना चाहिए कि भारतीय मनुष्य के संसार में कोई अत्यन्त मूलगामी परिवर्तन या क्रान्ति हो रही है। संगीत सिर्फ़ रेडिकल से प्रतिकृत होता है, जो उससे कम परिवर्तन है उसका नोटिस नहीं लेता। दूसरे शब्दों में वह परिवर्तन का विरोधी नहीं है पर किसी भी परिवर्तन का जाँच-परख और ठोंक-बजा कर अपनी शर्तों पर ही अंगीकार

करता है। संगीत को किसी भी समाज या संस्कृति की सबसे अद्वितीय और विश्वसनीय पहचान इसीलिए कहा गया है कि वह उसकी शाश्वत अस्मिता का शायद सबसे स्थायी और सबसे कम परिवर्तनीय रूप है। साहित्य और कलाओं में तो जो आधुनिक दौर चल रहा है उसमें हर दशक में नए परिवर्तन होने की अपेक्षा की जाती है जबकि संगीत में परिवर्तन सदियों में एकाध बार होता है। हमारे भारतीय समाज में जिसमें उसकी जातीय स्मृति को धूमिल और नष्ट करने का एक विराट् यत्न किया जा रहा हो, संगीत जातीय स्मृति है, हमारी निरन्तर सत्ता का अक्षय रूपक, इधर की उथल-पुथल का प्रतिरूपक। समकालीनता के चकाचौंध भरे दरबार में संगीत, हमारे सौभाग्य से, प्रायः अविचलित और अप्रभावित बैठा रहा है। इस समय हम समय और इतिहास से अपरिहार्य रूप से घिरे हैं पर संगीत हमें समय से और इतिहास से मुक्त करता है—यह नोट करना ज़रूरी है कि वह ऐसा हमें समय या इतिहास को भुलाकर नहीं करता। वह हमें समय और इतिहास में उनसे मुक्त करता है। एक ऐसे युग में जब सिर्फ़ पश्चिम में ही नहीं बल्कि हमारे यहाँ भी प्राथमिक पर माध्यमिक का वर्चस्व बढ़ता जाता है, संगीत प्राथमिक का पुनर्वास और दृश्य पर उसका सत्याग्रह है। वह तत्काल और समकाल के प्रति उदासीन है क्योंकि महाकाल से प्रतिबद्ध है। वह महाकाल को, अन्य कलाओं की तरह, तत्काल के माध्यम से नहीं, उससे परे देखता और साधता है।

मार्सेल प्रूस्त ने लिखा है : ''जैसे कुछ प्राणी जीवन के उस रूप का अन्तिम अविशिष्ट साक्ष्य हैं जिसे प्रकृति ने तज दिया है, मैं अपने से पूछता हूँ कि क्या संगीत एक आत्मा से दूसरी के सम्प्रेषण करने वाले माध्यम का अद्वितीय उदाहरण नहीं है, अगर भाषा का, शब्दों की रचना का, विचारों के विश्लेषण का आविष्कार न हुआ होता—यह एक ऐसी सम्भावना है जो निःशेष हो गई।'' संगीत एक भाषा है जो शब्द के अर्थ पर नहीं ध्वनि और नाद के अर्थ पर केन्द्रित है यह हम जानते हैं। पर उससे किस तरह का सम्प्रेषण सम्भव है? क्या वह सचमुच संलाप का माध्यम है? कभी रहा होगा पर इस बेहद बेसुरे ज़माने में हम संगीत से कुछ भी संवाद करते या कर सकते हैं? पहल तो यही कि जैसे रूपंकर कला हमारा स्पेस से संवाद है वैसे ही संगीत काल से, उसके जरिए हम किसी और से नहीं स्वयं काल से बतियाते हैं—उसे सिर्फ़ सहने या बखानने का रिश्ता नहीं, उससे संवाद का रिश्ता बना पाते हैं। अपने समय से प्रायः उदासीन और निरपेक्ष लगते हुए भी संगीत काल से संवाद है, वह काल को सम्बोधित है। दूसरे, वह हमें दूसरे सारे संवादों की तुलना में अपने समय की ही सीमा और मुहावरों में बात करने की बन्दिश से मुक्त करता है : हम स्वरों की कल्पसृष्टि के द्वारा—फिर हम स्वयं संगीतकार हो या कि

संगीतरसिक—ऐतिहासिक समय के आर-पार निर्विघ्न और अबाध विचरण करते और संवाद करते हैं। तीसरे, संगीत उस अविवक्षित को संवाद के घेरे में लाता है जो किसी अन्य कला या साहित्य के माध्यम से सम्भव नहीं है। चौथे, वह संवाद में किसी तरह की वर्णव्यवस्था का प्रतिषेध कर सभी पक्षों की समकक्षता को मान्यता देता है और हमें भी एक प्रजातान्त्रिक भागीदारी के लिए विवश करता है। वह सत्य का अन्वेषण नहीं, सचाई का रंजन है।

एक बार कुमार गन्धर्व ने कहा था कि वे सबसे नश्वर कलामाध्यम के साधक हैं और गाते-गाते रोज़ मरते हैं : जो तिलककामोद और जो कुमार गन्धर्व गा चुके वे दोनों ही मर चुके। फिर तिलककामोद गाया जाएगा और कुमार गन्धर्व ही गाएँगे : पर वे दोनों दूसरे होंगे। स्वयं एक अर्थ में सबसे नश्वर हैं—वे हमारे सामने एक संगीत रचना में विभिन्न संयोजनों में विन्यस्त होते हैं और हमारे ही सामने निःशेष हो जाते हैं पर वे अपने प्रभाव, अपनी स्मृति में अनश्वर हैं। सदियों बाद भी सुरों के अनेक प्राचीन संयोजन हमें रंजित और अभिभूत करते हैं। अपने तिरोहित होने की, अपने सर्वथा नश्वर होने की ट्रैजेडी को संगीत उसके आभ्यन्तरीकरण द्वारा स्वयं अपने सम्बोधन का ही अंग बना लेता है। वह काल में तिरोहित होता है और कालातीत में अवस्थित। वह मानो मरते-मरते स्मृति में, प्रभाव में, अभ्यास या किसी अन्य प्रदर्शन में पुनरुज्जीवित हो जाता है। उसके लिए मृत्यु नहीं सिर्फ़ समापन है। वह समय के पार मुक्त और निर्भय जिजीविषा है। वह अपने होने में ही न होने को समाहित किए हैं : वह होने का न होने से अविरल संलाप है। वह लय और विलय का द्वन्द्व है। वह जो है के पड़ोस में नहीं है का घर है। वह जो था, जो है, जो नहीं है, जो होगा का समाज है। पर उन्हें किसी ऐतिहासिक क्रमबद्धता में रखता हुआ नहीं, उन्हें तात्कालिक बनाता हुआ। एक परम अर्थ में संगीत तत्काल है।

संगीत के शास्त्रीय और लोक पक्षों के बीच पहले जो संवाद था वह इस बीच शिथिल हुआ है अगर एकदम समाप्त नहीं हो गया है। शास्त्रीय धारा में ऐसे अनेक रूप हम याद कर सकते हैं जो लोकधारा से ही वहाँ आए हैं। पर अगर कुमार गन्धर्व जैसे गायक द्वारा लोकजड़ों तक जाने और उनसे फिर रस खींचने के अपवाद को छोड़ दें तो कहा जा सकता है कि इधर शास्त्रीय संगीत अपनी पारम्परिक लोकाभिमुखता से हटा है और उसमें इस सन्दर्भ में ग्रहणशीलता घटी है। ऐसे शायद ही कोई लोकरूप हों जिन्हें हम इस शताब्दी में शास्त्रीय परिधि में मान्यता प्राप्त करते देख पाते हैं। इस स्थिति का एक पहलू यह भी है कि उसकी प्रामाणिकता को इतनी लगातार चुनौती पहले के समयों में नहीं थी जितनी आज शास्त्रीय संगीत के सामने है और इसलिए लगता है कि वह अपनी स्वायत्तता और शुद्धता का अधिक आग्रही और बाहरी प्रभावों के प्रति अधिक शंकालु या

अनुत्सुक हो गया है। एक और बात यह है कि शास्त्रीय और लोक के बीच अत्यन्त सुनियोजित और साधना सम्पन्न फ़िल्मी संगीत भी आ गया है जो कि पहले नहीं था और शायद उसने भी पारम्परिक अन्तर्क्रिया को बाधित किया है।

एक ऐसे समाज में जिसे सूक्ष्मता और जटिलता की अधिक चिन्ता न हो और जो अधिकाधिक ऐन्द्रिय फुरफुरी और उत्तेजना के माहौल में रहने-सोचने का आदी होता जा रहा हो ऐसी कलाओं की क्या स्थिति हो सकती है जिनका समूचा सौन्दर्यशास्त्र और भावबोध सूक्ष्मता, बारीकी और जटिलता पर केन्द्रित हो, जैसा कि शास्त्रीय संगीत का है? ज़ाहिर है कि स्थिति हाशिए की ही होगी और उसके साधक और रसिक भी अल्पसंख्यक होंगे। फिर एक और गहरी मुश्किल है : हमारा संगीत ऐन्द्रिय होते हुए भी अधिकतर अमूर्त है। उसमें जो रूप और छवियाँ उभरती भी हैं वे उसका केन्द्रीय तत्त्व नहीं हैं। स्वयं हमारे जाने-पहचाने वस्तुजगत् का संगीत के लिए मानो असितत्व ही नहीं है—जिन अभिप्रायों का वह अपने लिए कभी-कभार सहारा लेता है वे मध्यकालीन या प्राचीन हैं और उन कथारूपकों या बन्दिशों का उसके बुनियादी अर्थ के लिए विशेष महत्त्व नहीं है। दूसरे शब्दों में, हमारा शास्त्रीय संगीत उस विराट् अमूर्तन का ही हिस्सा है जो भारतीय सृजनमनीषा ने संसार और उसके रहस्य को चरितार्थ करने के लिए लगभग आरम्भ से चुना है। संगीत इस मौलिक रहस्य से हमें अवगत कराता है—हमें उसके पड़ोस में ले जाता है, उसे जब तब स्पर्श करने देता है पर कभी न खोल पाता है और न ही हमें ऐसा करने के लिए उत्साहित करता है।

सौभाग्य से हम संगीत के बारे में सामान्यतः यह जिज्ञासा नहीं करते कि वह किस बारे में है : हम बराबर पूछते हैं कि इस चित्र का विषय क्या है, या कि कविता किस बारे में है पर हम नहीं पूछते कि राग पटदीप किसके बारे में है? यह क्या इसलिए है कि अन्य कलाओं को लेकर हमारी बद्धमूल धारणा यह है कि वे अनुकरणात्मक ही होती हैं जबकि हम संगीत की स्वायत्तता, उसका अनुकरण न होना आरम्भ में ही स्वीकार कर लेते हैं? क्या हम मान लेते हैं कि संगीत सचाई का एक स्वायत्त रूप है, उसका निरा प्रतिनिधित्व नहीं? या कि यह कि हम उसे सचाई से जोड़कर देखते ही नहीं है और यह मानते हैं कि संगीत को सचाई से कुछ लेना-देना नहीं है? याने उसका विषयबद्ध न होना और हमारा उसे तद्‌वत् स्वीकार कर लेना उसकी स्वायत्तता सचाई का स्वीकार उतना नहीं है जितना कि उसे सचाई से सर्वथा असम्बद्ध और इस तरह उसका अनिवार्य अवमूल्यन। यह एक विडम्बना ही है कि हम संगीत का अमूर्तन सहज स्वीकार कर लेते हैं पर साहित्य और कलाओं का अमूर्तन हमारे गले बल्कि आँखों या दिमाग़ में नहीं उतर पाता। ध्रुपद के आलाप में मनुष्य की आवाज़ का जो अमूर्तन होता है वह अद्वितीय है—न केवल हमारे देश में बल्कि समूचे विश्व-संगीत के सन्दर्भ में। पर ध्रुपद गायक

चित्रकला के अमूर्तन पर प्रश्नचिह्न लगाते हैं। वह उन्हें समझ में नहीं आता। यों तो इसे एक कला की समझ को दूसरी कला की समझ में अन्तरित न कर पाने की सामान्य दुर्बलता कहकर समझाया जा सकता है। पर क्या कहीं-न-कहीं उसमें स्वयं संगीतकार का संगीत को अगर अवास्तविक नहीं तो वास्तविकता से उतना सम्बद्ध न मानने का और चित्रकला या साहित्य को वास्तविकता के अधिक नज़दीक मानने का लगभग आत्मघाती पूर्वग्रह नहीं काम कर रहा है?

यों तो कहा गया है कि सभी कलाएँ संगीत के आदर्श को पाने की महत्त्वाकांक्षा रखती हैं क्योंकि संगीत में कथ्य और शिल्प का द्वैत मिट जाता है। उसमें जो कहा जाता है और जैसे कहा जाता है उसमें कोई अलगाव या भेद नहीं है। इस बात को थोड़ा आगे बढ़ाएँ तो लगेगा कि संगीत का विषयहीन होना, वास्तविकता से सीधे सम्बद्ध न होना, उसका अनिवार्य अमूर्तन उसके सर्वथा स्वयंप्रतिष्ठ होने के ही लक्षण हैं। वह किसी और सचाई के बारे में बनाई या रची गई कलात्मक सचाई नहीं है—वह स्वयं सचाई है। वह किसी के बारे में नहीं, सबसे पहले और सबसे अन्त में, अपने ही बारे में है। उसका अलग से सचाई के बारे में कोई सन्देश नहीं है। संगीत कोई सन्देश नहीं देता। आप चाहें तो इस बात को यों भी कह सकते हैं कि संगीत का सन्देश यही है कि दी गई सचाई भर, चाहे कितनी ही विराट्-जटिल बहुल क्यों न हो, सचाई नहीं है : वह भी सचाई है जो हमारे सामने किसी व्यक्ति द्वारा रची गई : स्वायत्त, स्वतन्त्र, स्वयंप्रतिष्ठ। शायद इस अवधारणा में हमारी उस जिज्ञासा का भी कुछ समाधान है कि संगीत अपने आसपास की दुनिया की उथल-पुथल से इतना उदासीन और अप्रभावित क्यों रहता है। क्योंकि वह स्वयं अपनी सचाई बने रहने में उलझी हुई विधा है। नादब्रह्म को अगर हमारे यहाँ संगीत साधना का लक्ष्य माना गया है तो शायद इसीलिए कि नाद से जो चरम रचना सम्भव है वह ब्रह्म की ही है। आगे बढ़कर यह भी कहा जा सकता है कि नाद ब्रह्म का नाद-संस्करण नहीं है : वह एक स्वायत्त ब्रह्म है। आधुनिक मुहावरे में कहें तो वह ब्रह्म के समकक्ष ब्रह्म है, प्रतिब्रह्म : ब्रह्म की सृष्टि के बरक्स नाद प्रतिसृष्टि करता है। तभी न संगीत से मिलने वाला रस ब्रह्मानन्द सहोदर है बल्कि तभी हो सकता है।

हर समाज को मनोरंजन और अभिव्यक्ति के लिए संगीत चाहिए। जिस तरह का नक़लची उपभेक्तावादी समाज हमारा होता जा रहा है, उस तरह के समाज में संगीत की ज़रूरत ऐन्द्रिय उत्तेजना को उकसाने और शान्त करने के लिए है और अधिकतर सचाई के दूसरे विचलित करने वाले दबावों से राहत पाने के लिए। यह अकारण नहीं है कि विशेषतः लोकप्रिय फ़िल्म संगीत ने और उसके ही एक अनिवार्य विकास के रूप में ग़ज़ल गायकी ने इस ज़रूरत को पूरा करने का ज़िम्मा उठा लिया है और न केवल संगीत बल्कि कविता की ज़रूरत को भी एक साथ

पूरा कर रहे हैं। शास्त्रीय संगीत का एक पक्ष यह है कि वह रसिकों को अभिभूति में लगभग निष्क्रिय कर देता है—कम-से-कम क्रिया-जगत् से कुछ देर के लिए दूर कर देता है। फ़िल्म संगीत, दूसरी ओर, क्रिया उकसाता है—एक तरह की सामुदायिक क्रिया में रसिकों के भागीदार होने का कुछ देर के लिए छद्म पैदा करता है। जो समाज एक तरह की मुखर और दृश्य सामुदायिकता से इतना आक्रान्त होता जाता है कि उसमें व्यक्तियों के अकेले रहने के अवसर कम या विरल होते जाते हैं और जिसके अधिकांश सदस्य दरअसल ऐसे अकेले होने से घबराते हैं—ऐसे समाज में शास्त्रीय संगीत एक अल्पसंख्यक व्यापार ही हो सकता है। हमारा शास्त्रीय संगीत हमें अकेले रहकर भी समाजबद्ध बनाए रखता है।

हर कला, दूसरों से ही नहीं, स्वयं अपने से भी संवाद करती है। बल्कि बहुत हद तक दूसरों से उसके संवाद की उत्कटता और गुणवत्ता इस पर भी निर्भर करती है कि किस तरह का आत्मसंवाद वह कर पाती है। यह आत्मरति नहीं है, यह अपने को सुबह-शाम ओढ़ना-बिछाना नहीं है। यह अपने अन्तर्विरोधों, अपने आत्मसंघर्ष के विभिन्न स्तरों और अपने अस्तित्व की बहुलता को स्वीकार करना और उनका सीधे सामना करना है। यह हमेशा ही अपने को जानने, अपनी स्थिति को समझने, अपनी ही निर्मम चीर-फाड़ करने और अपने पर सन्देह करने की प्रश्नाकुलता से उपजता है। जो इस अर्थ में अपने से नहीं बतियाती वह किसी गहरे अर्थ में किसी दूसरे से नहीं बतिया सकता। अपनी संरचना में वादी-विवादी स्वरों की परिकल्पना हमारे संगीत में इसी अन्तःसंवाद का रूपक है। चूँकि अकसर उसका कोई विषय नहीं है, वह किसी विषय पर संवाद भी नहीं है। कई बार ऐसा लग सकता है कि हमारा संगीत किसी अन्य को सम्बोधित संवाद है ही नहीं : वह अपने आप से एक लम्बी बातचीत है जिसे दूसरों को सुनने का, वह भी चुपचाप या गुपचुप, अवसर दे दिया गया है पर जो दरअसल उनसे की नहीं जा रही है। अकसर यह ग़ौर किया गया है कि हमारा संगीत अधिक-से-अधिक महफ़िल जैसी अन्तरंगता और आत्मीयता के माहौल में ही जमता है : क्योंकि वह दूसरों को किया गया व्यापक सम्बोधन नहीं है, वह आत्मसंलाप है जिसमें दूसरे शुद्ध संयोग हैं। एक बार मल्लिकार्जुन मंसूर ने, यह पूछे जाने पर कि क्या सामने बैठे श्रोताओं से सही समय पर दाद मिलने से उनके संगीत पर कोई अनुकूल प्रभाव पड़ता है, कहा था कि श्रोताओं की प्रतिक्रिया से उन्हें कुछ लेना-देना नहीं है। वे गाते हैं : कोई सुने या न सुने। यह एक महान् कलाकार का निरा आत्मविश्वास ही नहीं है बल्कि इसमें संगीत के अपने अपरिहार्य एकान्त की प्राथमिक उपस्थिति का, उसकी निपट अन्तरंगता का सहज स्वीकार भी है। उस्ताद अमीर ख़ाँ अकसर आँखें बन्द कर देर-देर तक गाते रहते थे और बीच में कभी-कभार आँखें खोलकर अपने सामने इकट्ठा दो-एक हज़ार श्रोताओं को कुछ इस भाव से देखते थे मानो कह रहे हों

कि अच्छा आप भी यहाँ हैं, कोई हर्ज़ नहीं। अनेक संगीतकारों ने संगीत के दौरान आत्मविस्मृति का उल्लेख किया है। वह इस आत्मसंवाद से सर्वथा तदात्म होने की ही अभिव्यक्ति है, किसी तरह की आत्महीनता का प्रमाण नहीं। बल्कि कहना चाहिए कि हमारा संगीत आत्म को, उसके संवाद को, उसके एकान्त को, उसकी सामुदायिकता को ही अपना प्रमुख उपजीव्य बनाता है। वह समाज में हर समय सक्रिय निर्वैयक्तिकता और आत्महीनता का प्रबल प्रत्याख्यान है। संगीत हमसे सीधे प्रायः कुछ नहीं कहता : वह जो करता है उसका फलितार्थ यह सब है, अगर हममें सुनने और गुनने की इच्छा और क्षमता हो।

हमारे शास्त्रीय संगीत की सीमित भावसम्पदा पर अकसर टिप्पणी की गई है। यह कहा गया है कि उसमें अनेक भावों मसलन हास्य, हिंसा आदि के लिए स्थान नहीं है। यह सही है कि शास्त्रीय संगीत में कुछ भाव जैसे जुगुप्सा, बीभत्स, हिंसा, हास्य आदि वर्जित से हैं। यह शायद इसलिए कि जिस तरह की विश्वदृष्टि हमारा संगीत व्यक्त करता रहा है उसके लिए वे अप्रासंगिक या महत्त्व के नहीं है। बुनियादी बात यह नहीं है कि संगीत क्या छोड़ता है बल्कि यह है कि वह क्या चुनता है—उस चुनाव से कितनी बड़ी अनुभवसम्पदा को व्यक्त कर पाता है। यह अलग बात है कि अनेक प्रस्तुतियों में विनोद भाव भी आता है, लड़न्त-भिड़न्त के तत्त्व, आक्रामकता भी लाते हैं। कई बार संगीतकार सुरों के साथ या कि संगतकार के साथ जो खिलवाड़ या स्पर्धा-सी करते हैं उनसे एक प्रसन्न विनोदशीलता भी, राहत की तरह, गायन या वादन में आ जाती है। एक ऐसे समय में जब हिंसा मनुष्य का आज एक प्रमुख स्थायी भाव ही बन गया है और कलाओं में भी हिंसा एक लगभग अनिवार्य थीम या तकनीक या रूपक है, हमारा शास्त्रीय संगीत उसे सर्वथा अमान्य करता है—इस मामले में वह शायद पश्चिमी शास्त्रीय संगीत से भी भिन्न है जहाँ हिंसा की अभिव्यक्ति के लिए स्थान है और इधर बढ़ता ही गया है। एक हिंसा-आक्रान्त युग में और एक ऐसे संसार में जहाँ हिंसा मनुष्य का दैनन्दिन व्यापार है, हमारा शास्त्रीय संगीत शायद एकमात्र ऐसा संगीत है जो अपने उद्‌गम और अन्तिम प्रभाव दोनों में ही हिंसाविरोधी है। यह सोचकर आश्चर्य होता है कि जितना कड़ा और सफल प्रतिरोध हिंसा को इस संगीत ने दिया है उतना संसार में शायद ही किसी और विधा ने दिया है। इस अर्थ में यह भी कि हमारा संगीत जिस तरह की समरसता को अपना उपजीव्य और लक्ष्य दोनों ही बनाता है वैसी समरसता हिंसा और अतिक्रमण को अपवारित कर ही पाई जा सकती है। यह अपने समय की सचाई से मुँह चुराना नहीं बल्कि सचाई के अराजक-हिंस्र रूपों के बरक्स एक हिंसामुक्त विकल्प को, एक वैकल्पिक कल्पसृष्ट को सक्रिय बनाए रखना है। यह विकल्प आवाज़ों और शोरगुल के बरक्स शान्ति और ठहराव का, आपाधापी और चकाचौंध के विरुद्ध धीरज और आभा का, परिवर्तन के मुक़ाबले स्थिरता और संरक्षण

का, विखंडन और अलगाव के विरुद्ध अटूटपन और विन्यास का है। यह सही है कि सभी अन्य संगीतों की तरह इस संगीत का भी तात्कालिक प्रभाव पड़ता है और हम अकसर उससे अभिभूत होते हैं—फिर वह एक ऐसा संगीत भी है जो संगीतकार या कलाकृति और रसिकों के बीच चिन्तन का स्पेस भी बनाता है : वह बीच में कहीं ओझल-सी पर असन्दिग्ध ऐसी जगह भी रचता है जहाँ सुनना सिर्फ़ सुनना नहीं, गुनना भी है।

संगीत में शिल्प और कथ्य का द्वैत समाप्त हो जाता है यह कई बार कहा और माना गया है पर यह प्रायः लक्ष्य नहीं किया जाता है कि शिल्प एक तरह से संगीत का अन्तःकरण है। हम किसी राग के बारे में यह नहीं कहते कि उसमें यह या वह भाव वर्जित है, हम कहते हैं कि उसमें यह या वह सुर वर्जित है। जो विन्यस्त और जो वर्जित है इनके बीच सन्तुलन बनाए रखन की या कि इस आचारसंहिता का पालन करने की ज़िम्मेदारी शिल्प पर ही है। ग़लत सुर लगते ही या कि बेसुरा होते ही हम एकदम पहचान जाते हैं कि कुछ ग़लत या गड़बड़ हो रहा है। शायद दूसरे कला-माध्यमों में शिल्प का यह चौकन्नापन या उसका इस तरह हमेशा सजग अन्तःकरण बने रहना स्पष्ट नहीं होता जितना कि वह संगीत में होता है। बल्कि अपने माध्यम के प्रति उसकी अहर्निश चौकसी स्वयं संगीत को सभी कलाओं का अन्तःकरण बना देती है। हमारी सृजनात्मक संवेदना में क्या मूलगामी घट रहा है इसकी ख़बर सबसे पहले इस बेख़बर माध्यम से ही मिलती है या कहना चाहिए कि जब संगीत माने तभी मानना चाहिए कि कुछ बदल गया है। सिर्फ़ अन्तःकरण में हुए परिवर्तन ही स्थायी होते हैं।

इस सिलसिले में हम याद करें कि पश्चिम की चुनौती को हमारे यहाँ सबसे आत्मविश्वास के साथ हमारे शास्त्रीय संगीत और नृत्य ने ही झेला है। अगर हम पिछली लगभग दो शताब्दियों को हमारी संस्कृति में भारतीयता और आधुनिकता के द्वन्द्व का समय मानें तो यह देखना रोचक है कि किस तरह हमारी शास्त्रीय कलाओं ने एक आत्मविश्वस्त भारत केन्द्रित आधुनिकता विकसित पर पाने और अपनी बुनियादी अस्मिता बनाए रखने में सफलता पाई है। हमारी व्यापक आधुनिकता हमारी औपनिवेशिक मानसिकता और उसके मूल्यों से हमारी मुठभेड़ और कई बार उनसे आक्रान्त होने की गाथा है! इधर जब हमने धीरे-धीरे पश्चिम की इस आक्रान्ति से मुक्ति पाकर स्वयं अपनी आधुनिकता के अधिक सशक्त जीवनदायी और जातीय उत्सों की ओर देखना शुरू किया है तब यह लक्ष्य किया जा सकता है कि हमारे साहित्य, रूपंकर कलाओं, सिनेमा, वास्तुकला, रंगमंच की तुलना में संगीत और नृत्य पश्चिम से सबसे कम प्रभावित हुए हैं। बल्कि संगीत के बारे में तो यह कहा जा सकता है कि जो थोड़ा-बहुत प्रभाव आया है वह बहुत बाद पिछले दो-तीन दशकों का ही है। यह नहीं कि इस शताब्दी में संगीत में बदलाव

नहीं आया। उनमें से अनेक शुद्ध भौतिक परिस्थितियों में आए बदलावों का नतीजा है और कुछ स्वयं अपनी परम्परा के विकास के तर्कों का परिणाम। रविशंकर द्वारा सितार में लम्बा आलापचार, कुमार गन्धर्व की विलक्षण प्रयोगशीलता आदि बदलाव के उदाहरण ज़रूर हैं पर साथ ही स्वयं अपनी परम्परा के पुनर्नवा होने का साक्ष्य भी। वे इसलिए नहीं हुए हैं कि पश्चिम है, उसका प्रभाव हम पर पड़ता रहा है। साहित्य में पश्चिम की ओर पीठ किए सच्ची भारतीय आधुनिकता की बात इधर की जा रही है वह संगीत में शुरू से ही सक्रिय रही है। हमारे संगीत की स्वायत्तता ऐसी है कि उसने पश्चिम को भी, अपनी सारी शक्ति के बावजूद, उसे प्रभावित या खंडित नहीं होने दिया है। वह शास्त्रीय और समकालीन एक साथ है : वह शास्त्रीय परम्परा के अनुरूप है इसलिए प्राचीन और शास्त्रीय है पर वह आज का है, किसी संग्रहालय या अजायबघर की चीज़ नहीं है। उसे हमारे आज के कलाकार प्रस्तुत करते हैं और हम अपनी सारी समकालीन संवेदनाओं के साथ उससे प्रतिकृत होते हैं। उसे पीढ़ी दर पीढ़ी अनगिनत लोग सीखते, गाते-बजाते और सुनते हैं। वह समकालीन है।

राग के कठिन अनुशासन और उसकी अनतिक्राम्य सीमाओं का उल्लेख होता है। राग एक दिया गया सीमित स्पेस है पर उसमें उपज के लिए अपार स्वच्छन्दता भी है। हमारा संगीत बन्धन और स्वतन्त्रता, सीमा और स्वच्छन्दता की लीलाभूमि है। यह जिज्ञासा अकसर होती है कि तीन-चार सौ सालों से वही राग अनेक कलाकार गाते-बजाते हैं तो सिवाय व्यक्ति भिन्न होने के संयोग के वे सब एकरूप क्यों नहीं होते। उनकी प्रस्तुति और हमारे रसास्वादन में अन्तर क्यों पड़ता है? सबसे पहले तो यह कि कोई भी संगीतकार संगीत को किसी अन्य लक्ष्य की साधना के साथ-साथ आत्माभिव्यक्ति का माध्यम भी बनाता ही है। एक दी हुई अपेक्षाकृत रूढ़ राग-रचना में आत्माभिव्यक्ति कैसे होगी? इस प्रश्न का उत्तर खोजते हुए हमें याद रखना चाहिए कि दरअसल राग तो खूँटियाँ या सहारे हैं जिन पर संगीतकार अपनी अभिव्यक्ति का समूचा लोक रचता-बनाता है। बल्कि कहना यह चाहिए कि कमतर संगीतकार राग को व्यक्त करता है जबकि बड़ा कलाकार राग के बहाने अपने को। मल्लिकार्जुन मंसूर, विलायतख़ाँ, कुमार गन्धर्व, किशोरी अमोनकर आदि ललिता गौरी, सुघरा सुग़रई, बिहाग या भूप आदि राग भर नहीं गाते हैं। मल्लिकार्जुन मंसूर ललिता गौरी के सहारे मल्लिकार्जुन मंसूर को गाते हैं। एक और गहरे अर्थ में संगीत आत्मसम्बोधित है : संगीतकार स्वयं उसका सम्बोध्य और विषय है।

रागरूप एक होते हुए भी संगीतकार, उनके अलग-अलग घराने उसकी अलग-अलग व्याख्या प्रस्तुत करते हैं। हमारे संगीत ने एक तरह से भाष्य या आलोचना को संगीत के बाहर की चीज़ नहीं रहने दिया है बल्कि उसका अभ्यन्तरीकरण कर लिया है। रचना और आलोचना के बीच, अन्य कलाओं के

सन्दर्भ में, जो द्वैत अनिवार्य है वह संगीत के प्रसंग में अप्रासंगिक हो जाता है। हर संगीतकार जब एक किसी राग को प्रस्तुत करता है ते वह न केवल रचना और आत्माभिव्यक्ति कर रहा है, वह उस राग की अपनी दृष्टि से व्याख्या भी कर रहा है—दूसरे शब्दों में वह रचता है और साथ ही साथ आलोचना भी करता है। अगर आज इतने समृद्ध और जीवन्त शास्त्रीय संगीत के बावजूद उसे देखने-परखने में सक्षम उतनी ही सक्रिय और सन्नद्ध आलोचना नहीं है तो इसका एक कारण तो अवश्य ही यह है कि संगीत जैसे जटिल और अमूर्त माध्यम की शब्दों में व्याख्या और भाष्य हमेशा ही दुष्कर कार्य है। पर दूसरा कारण यह भी सम्भावित है कि ऐसा भाष्य बाहर या अलग करना अनावश्यक है क्योंकि रागप्रस्तुति स्वयं एक भाष्य ही है—वह रचना होते हुए भी आलोचना है।

संगीत से साहित्य की दूरी पिछली लगभग एक शताब्दी में काफ़ी बढ़ गई है। उन्नीसवीं शताब्दी तक तो कविता और संगीत में सहचारिता थी। अनेक भक्त कवियों के पदों के साथ विशिष्ट रागों के नाम भी दिए गए हैं : लेकिन यह लक्ष्य करने की बात है कि संगीत ने अकसर इन पदों का उपयोग नहीं किया है। शायद इस जतन के कारण कि संगीत में शब्द की, रचनात्मक शब्द की प्रमुखता न हो जाए—आख़िर संगीत अपना आत्यन्तिक अर्थ शब्द से नहीं सुर से सिरजता है। उसका परम अमूर्तन तभी सम्भव होता है जब वह शब्द का आलम्बन पूरी तरह से तज दे जैसे कि ध्रुपद के आलाप में। यह और बात है कि स्वयं ध्रुपद को ख़याल ने विस्थापित किया वैसे-वैसे शहद का महत्त्व भी घटता गया है। ख़याल में शब्दों की राग विशेष के लिए प्रासंगिकता प्रायः शिथिल ही रही है और उसमें अकसर शब्दों के स्पष्ट या सही उच्चारण पर आग्रह नहीं रहा है। संगीत की दुनिया से सार्थक शब्द और उनके किसी कवितामय संयोजन को ख़याल ने अगर एकदम अपदस्थ न भी किया हो तो अवमूल्यित अवश्य किया है। हो सकता है कि ख़याल जिस तरह के कल्पनालोक की सृष्टि अपना अभीष्ट मानता है उसके लिए शब्दों की प्रभावशाली उपस्थिति बाधक सिद्ध होती है। यह आकस्मिक नहीं हो सकता कि ख़याल की अधिकांश बन्दिशें कविता की दृष्टि से ख़ासी सपाट और दरिद्र ही होती हैं। यह भी ध्यान में रखना होगा कि प्रायः बन्दिशों का यानी गायकी में प्रयुक्त शब्द-संयोजन का राग से या उसके मूल भाव से कोई अनिवार्य या ऑर्गेनिक सम्बन्ध नहीं रहा है। अमीर ख़ाँ अकसर अगर बड़े ख़याल में बन्दिश भक्तिपरक हो तो उसी राग के छोटे ख़याल में शृंगारपरक बन्दिश चुनते थे। पर यह उनका व्यक्तिगत चुनाव या रुझान था और इसके आधार पर यह सामान्यीकरण नहीं किया जा सकता कि ख़याल गायकी में भक्ति और शृंगार का या शृंगार और भक्ति का कोई अनिवार्य द्वन्द्व, कोई पारम्परिक या शास्त्रविहित बाध्यता थी।

बावजूद इसके कि साहित्य और संगीत दोनों ही हमारे समाज में अल्पसंख्यक और हाशिए की गतिविधियाँ हैं, साहित्य के बजाय संगीत ने बेहतर सामाजिक प्रतिष्ठा अर्जित की है। मीडिया उस पर, या कहें कि लेखकों की तुलना में संगीतकारों पर, अधिक ध्यान देता है। इस स्थिति की विकृति यह है कि शास्त्रीय संगीत का सिगरेटों आदि के विज्ञापन में भी उपयोग किया जा रहा है। यह प्रतिष्ठा संगीत ने अपने लोकप्रिय न होने के बावजूद पाई है। बल्कि उसने बिना अपनी शुद्धता, प्रामाणिकता, अपनी रूढ़ियों को तजे या उनके बारे में किसी तरह का समझौता किए या रियायत दिए ऐसा किया है। यह उसका सौभाग्य है कि उससे यह उम्मीद नहीं की जाती कि वह जन से अपने को सम्बद्ध करे या आम आदमी के सुख-दुख से अपने को जोड़े जैसी कि, उदाहरण के लिए, साहित्य से, हर सुबह-शाम की जाती है। साहित्य अगर जन की धारणा पर प्रश्नचिह्न लगाए या उससे अपने निर्धारित होने से इनकार करे तो उसे निश्चय ही अकारथ और मनुष्य-विरोधी तक मान लिया जाएगा। पर जन से असम्बद्ध होने के बावजूद और बावजूद आम आदमी से दूर होने के कोई संगीत को मनुष्य विरोधी कहने की हिमाक़त नहीं करता। यह भी ग़ौरतलब है कि जन के बजाए संगीत ने गुणीजन से ही अपने को प्रतिबद्ध किया है। उसकी रसिकता में प्रवेश ही गुणीजन को मिल सकता है। इस पर भी कोई आपत्ति हमारे जनाक्रान्त समाज में प्रायः नहीं उठाई जाती। कोई यह नहीं कहता कि गुणीजन के अलावा अन्य जन को भी संगीत की रसिकता में स्थान मिलना चाहिए। संगीत ने लगभग हठपूर्वक हमारे समाज में अपनी रसिकता का आभिजात्य स्थापित किया है और उसे व्यापक सामाजिक मान्यता दिलाने में सफलता पाई है। यों तो बड़े संगीतकारों के रहन-सहन में भी ख़ासा आभिजात्य है। पर अगर उसे संगीतकारों के सामान्य आभिजात्य का पर्याप्त प्रमाण हम न भी मानें तो भी यह स्पष्ट है कि प्रस्तुति और रसिकता एक विलक्षण और अद्वितीय आभिजात्य हमारे अभिजन-विरोधी समय में संगीत ने स्थापित किया है। साहित्य के लिए यह आभिजात्य एक स्वप्न है : सहृदयों की शास्त्रविहित परम्परा के बावजूद वहाँ पाठकों का ऐसा सपाट लोकतन्त्रीकरण हो गया है कि किसी तरह के अभिजन की अपेक्षा तक आपत्तिजनक हो जाती है। जो चाहे, इस युग में साहित्य को यह होने या वह होने का उपदेश दे सकता है, उससे यह करने या वह करने की अपेक्षा कर सकता है और ऐसा कर साहित्य की किसी भी मर्यादा का दिनदहाड़े मनचाहे ढंग से अतिक्रमण कर सकता है। पर ऐसा संगीत के साथ, सौभाग्य से, अभी तक नहीं हुआ है। उसने अपनी जो मर्यादाएँ बनाई हैं मानो व्यापक समाज उनका आदर करता है। साहित्य संगीत के इस सौभाग्य को ईर्ष्या से ही देख सकता है।

हमारे समय में विचारों का जो संसारव्यापी द्वन्द्व और स्पर्धा है उससे संगीत प्रायः तटस्थ है। एक ओर तो यह सच है कि बिना उस अर्थ के समकालीन हुए जिस अर्थ में अपनी समकालीनता और नितान्त समसामयिकता से आश्वस्त और आक्रान्त हमारा युग इस पर दुराग्रह करता है, संगीत समकालीन परिस्थिति में अपना स्थान और हैसियत बनाए हुए है। पर दूसरी ओर उसकी वैचारिक तटस्थता उसके दुरुपयोग या दुर्विनियोजन के लिए बढ़ावा भी दे सकती है क्योंकि किसी तरह का आत्यन्तिक व वैचारिक प्रतिरोध उसके पास होता नज़र नहीं आता। चूँकि वह निष्पक्ष है, या कम-से-कम अपने प्रगट रूपों में प्रायः ऐसा नज़र आता है, संगीत का वे शक्तियाँ भी उपयोग कर सकती हैं जो कि मनुष्यविरोधी हैं। हम याद करें नाज़ियों ने ऐसा किया भी था और संसार के भीषणतम नरसंहारों में व्यस्त अनेक नाज़ी जनरल संगीत प्रेमी थे। हमारी परम्परा में तो यह माना गया है कि जो व्यक्ति साहित्यकला-विहीन है वह बिना पूँछ का साक्षात् पशु ही है। पर, जैसा साक्ष्य है उसके रहते, यह दावा करना कठिन है कि संगीत किसी व्यक्ति को हर हालत में मानवीय बने रहने या उसे अमानवीय होने या किसी बर्बर कर्म में हिस्सेदार होने से रोक पाता है। शायद संगीत में परिष्कार है, अवरोध नहीं है। वह वैभव है, संघर्ष नहीं।

यह बिल्कुल साफ़ है कि हमारा समाज और समय बेहद शोर-गुल और आवाज़ों से भरा-पटा है। हालत हर दिन बद से बदतर होती जाती है और लगता है कि थोड़े दिनों में किसी भी तरह की शान्ति और मौन भौतिक रूप से असम्भव हो जाएँगे, सिर्फ़ अवधारणात्मक स्तर पर ही बचे रहेंगे। लेकिन उसके साथ यह भी सच है कि इस ध्वनिबहुल और कोलाहल-प्रिय समाज में किसी तरह की ध्वन्यात्मकता के लिए स्थान कम होता जाता है : सभ्यता और बोली में, हमारे समूचे जीवन-व्यापार में जो साफ़-साफ़ और दो-टूक नहीं है उसके लिए जगह बहुत कम बची है। बाँकपन और व्यंजना जैसे हम हर दिन धीरे-धीरे खो रहे हैं—सब कुछ निरी अभिधा में बदलता जा रहा है—हमारा जीवन और उसके सभी रूप। हमारी सामान्य रोज़मर्रा की भाषा से धीरे-धीरे मुहावरों, वक्रोक्तियों और कहावतों का एकदम ग़ायब नहीं तो काफ़ी कम होते जाना भी अभिधा के बढ़ते आधिपत्य का ही द्योतक है। संगीत में जहाँ एक ओर हमारी आदिमता, हमारे आद्य अभिप्राय और रूपक अब तक संगृहीत हैं, वहीं दूसरी ओर उसमें हमारी संसकृति का यह बाँकपन, यह वक्रता भी बची हुई है। वह बोली है पर बाँकी बोली। दुःख की बात यह है कि हम इस बाँकपन का उसके फलितार्थों में उपयोग करने के बजाय सिर्फ़ उस परिवर्तन या एकरसता से होने वाली ऊब से बचने के लिए करते हैं। हम उसमें कुछ दूसरा रसाभास शायद जब-तब पा लेते हैं, पर जीवन-जगत् को, वस्तु संसार और इतिहास को परोक्ष कर कुछ अलग देखने वाली दृष्टि हमारी पकड़ में नहीं आती।

संगीत का प्रचार-प्रसार पिछले तीन-चार दशकों में निश्चय ही बढ़ा है। आज जितने संगीत समारोह हैं, उतने शायद ही पहले कभी होते हों। विश्व संगीत में भी भारतीय संगीत को न केवल स्थान बल्कि आदर और ध्यान मिला है। घरानों की जकड़बन्दी कम हुई है। पर दुर्भाग्य से यह भी सही है कि महान् संगीतकारों का उदय अब बहुत धीमी गति से दृश्य पर हो पा रहा है। यों तो किसी भी क्षेत्र में महानता बिरली ही और कभी-कभार ही होती है। पर संगीत में उत्कृष्टता पर जो लगभग दुराग्रह-सा रहा है और लम्बी साधना की अनिवार्यता भी, उनके चलते दृश्य में महानता की निरन्तर बढ़ती विरलता चिन्ता का विषय है। जो संगीत अपनी जनप्रियता के कारण नहीं अपने गुणीजनों द्वारा पोषित होने और अपनी जीवन्त और परिवर्तनशील रूढ़िवादिता और उत्कृष्टता के कारण जीवित रहा है उसके लिए महान् प्रतिभा एक आवश्यक उपजीव्य है। अगर हम पिछले तीन दशकों पर नज़र डालें तो पाएँगे कि सन् साठ के आसपास जिन संगीतकारों का हमारे संगीतपरिदृश्य पर अपनी प्रतिभा और उपलब्धि, अपनी श्रेष्ठता के कारण आधिपत्य-सा था वह आज भी बना हुआ है। संगीत में श्रेष्ठजन की बिरादरी आगे नहीं बढ़ रही है : इस दौरान मल्लिकार्जुन मंसूर, रविशंकर, विलायत ख़ाँ, अली अकबर ख़ाँ, कुमार गन्धर्व, किशोरी अमोनकर आदि से बेहतर संगीतकार तो दूर कोई एक समकक्ष संगीतकार भी नहीं उभरा है। यह नहीं कि युवा प्रतिभा में सामर्थ्य और साधना का अभाव है पर लगता है कि यह समय संगीत में श्रेष्ठता अर्जित न कर पा सकने का समय बनकर रह जाएगा। अगर अभी यह हालत है तो अगली शताब्दी में, जिसका आरम्भ अब दूर नहीं है, हम संगीत में एक ऐसे अपेक्षया मीडियाकर परिदृश्य होने की ही बात सोच सकते हैं जिसमें आज के श्रेष्ठजनों में से कोई दुर्भाग्य से नहीं बचेगा और जिसके अपने नए श्रेष्ठजन विकसित होना असम्भावित ही हैं। यह एक विचित्र चरण होगा हमारे संगीत की महायात्रा में : बिना श्रेष्ठजन के, बिना उत्कृष्टता के गौरवशिखरों के एक स्पन्दित सक्रिय पर औसत और अधिक-से-अधिक अच्छी प्रतिभा से बना पठार-समय। यह कहना मुश्किल है कि अगर ऐसा हुआ तो उत्कृष्टता के अपने हठ के कारण संगीत ने जो सामाजिक प्रतिष्ठा आज पाई है वह फिर भी बची रहेगी।

संगीत अपने विकास के तर्कों से तो जब-तब बदला है, उसमें सर्वथा ग़ैर-सांगीतिक कारणों से भी बदलाव आया है। चूँकि कोई सार्थक संगीत-आलोचना हमारे यहाँ दुर्भाग्य से नहीं है, इन कारणों का कोई विश्लेषण नहीं हुआ है। उनमें कुछ का उल्लेख किया जा सकता है। पिछले पचास वर्षों में आवाज़ लगाने के तरीक़े बदले हैं : माइक व्यवस्था के आविष्कार और प्रसार ने इसमें निर्णायक भूमिका निभाई है। ऐसे संगीतकार कम से कमतर होते हैं जिन्हें आप बिना माइक के सुन सकें। दूसरे, महफ़िल या बैठकों का चलन कम होने से ज़्यादातर संगीत अब

बड़ी संगीतसभाओं या सम्मेलनों में ही सुलभ है। इसका उसकी पारम्परिक अन्तरंगता और आत्मीयता पर प्रभाव पड़ रहा है। तीसरे, प्रस्तुति की अवधि, बड़े-छोटे ख़याल को मिलाकर एक राग की, पैंतालीस से साठ मिनिटों की ही होते जाने का कारण ख़याल की अपनी संरचनात्मक बाध्यता नहीं बल्कि अकसर रेडियो जैसे माध्यमों पर शास्त्रीय संगीत के लिए उपलब्ध अवधि की सीमा है। यह सीमा अब एक नार्म-सा बन गई है और इसने रागरचना में उपज के स्पेस को निश्चय ही सीमित किया है, अगर कुछ समय के लिए भी उसे उत्तरदायी मान लिया जाए। अलबत्ता इस समय सीमा का एक विधेयात्मक पक्ष यह ज़रूर है कि उसने निरर्थक आवृत्ति और निरे व्याकरण-प्रदर्शन को नियन्त्रित किया है।

शायद पश्चिम के सीधे प्रभाव में नहीं बल्कि उस जीवन शैली के प्रभाव में जिस पर पश्चिम और उसका जीवन और कालबोध बेहद हावी है, हमारे संगीत के कुछ पक्षों पर नई सम्पन्न रसिकता के दबाव में तनाव आ रहा है। गति और क्षिप्रता पर अतिरिक्त आग्रह चकाचौंध भरी नाटकीयता का प्रलोभन, लड़न्त-भिड़न्त की ओर ज़रूरत से ज़्यादा झुकाव इस तनाव के कुछ प्रमाण हैं। यह बात नोट करने की है कि अकसर ये तनाव वाद्यसंगीत में अधिक अनुभव किए जा रहे हैं और हमारा गायन उनसे कम प्रभावित है। हमारी परम्परा में वाक् को जो प्रधानता दी गई है, उसका, इस सन्दर्भ में, एक कारण स्पष्ट दीखता है और वह यह है कि मनुष्य का किया हुआ आसानी से बिगाड़ा या विकृत किया जा सकता है, मनुष्य का कहा हुआ नहीं। इस कहने में, ज़ाहिर है, गाना शामिल है।

हमारे यहाँ संगीत की संस्कृति एक और गहरा सामाजिक आशय है जो इधर भारतीय समाज और राजनीति में जो परिवर्तन हो रहे हैं उनके प्रसंग में नए ढंग से विचारणीय हो गया है। हमने अन्यत्र यह नोट किया है कि हमारे संगीत का सम्बन्ध धर्म और अध्यात्म से है—पर जिस तरह का धार्मिक उन्माद और भारतीयता की इकहरी अवधारणा फैला रहे हैं उनके बरक़्स वह किसी एक धर्म से, सौभाग्य से, सम्बद्ध नहीं है। अपनी गहरी आध्यात्मिकता के बावजूद वह हिन्दू या मुसलमान संगीत नहीं है। बल्कि दो या अनेक धर्मदर्शनों के बीच जैसी समरसता और पारस्परिकता हम अपने संगीत में पाते हैं वह एक ऐसा यथार्थ है जिसे हम अपने सामाजिक जीवन में आदर्श तो मानते हैं पर लगता है कि स्वतन्त्रता के चालीस वर्षों बाद भी यथार्थ बनाने में सफल नहीं हो पा रहे हैं। इस अर्थ में हम कह सकते हैं कि हमारा संगीत हमारे समाज का विलोम है : उसमें जो सहज-सामान्य यथार्थ है वह समाज में आदर्श मात्र है और ऐसा जिसे होने की विकलता उस यथार्थ में कम होती जा रही है। या शायद यह कि समाज का असली यथार्थ वही है जो संगीत का है—छिछोरी राजनीति ने उसे निरा आदर्श बताकर उसके स्थान पर एक अधिक असहिष्णु यथार्थ लादने की कोशिश की है। सामासिकता हमारे

संगीत और हमारे समाज दोनों की दैनन्दिन सचाई है और यहाँ भी मानना पड़ेगा कि संगीत हमारी अचूक और अदम्य पहचान हैं।

विज्ञान के कुछ आविष्कारों ने संगीत की संरचना को प्रभावित किया है, इसका उल्लेख पहले किया गया है। इसका भी कि सम्मेलनों और सभाओं के बाहुल्य ने हमारे संगीत के लिए, उसके अधिकतर आत्मसम्बोधित होने के बावजूद, अन्तरंगता समाप्त-सी कर दी है। पर इधर सुनने के कैसेटों का जो व्यापक प्रचार हुआ है उसने किसी हद तक इस अन्तरंगता का पुनर्वास किया है। अब आप, चाहें तो सिर्फ़ आप ही, संगीत सुन सकते हैं। आवागमन और सम्प्रेषण की बढ़ती तेजी और व्यापकता ने कर्नाटक और हिन्दुस्तानी शैलियों में आदान-प्रदान बढ़ाया है। कर्नाटक शैली का संगीत अधिक सुबद्ध और उस हद तक अधिक रूढ़ संगीत है : उसमें उपज की सम्भावना बहुत सीमित है। शायद वह इस मायने में अधिक क्लैसिकल और हिन्दुस्तानी संगीत अधिक रोमैंटिक है। कर्नाटक पद्धति के अनेक रागों का हिन्दुस्तानी संगीत में इधर चलन बढ़ा है जैसे शंखध्वनि, शिवरंजनी, चारूकेशी आदि। हिन्दुस्तानी पद्धति में रागों का समय से सम्बन्ध है और हर पहर के राग अलग हैं। कर्नाटक शैली में ऐसा बन्धन नहीं है। पर इस बन्धनहीनता ने अभी तक कुला मिलाकर हिन्दुस्तानी पद्धति को प्रभावित नहीं किया है और अपवादों को छोड़कर समयानुसार राग की रूढ़ि बरक़रार है।

बावजूद इसके कि हमारे यहाँ अपार रागसम्पदा है, संगीत सभाओं और सम्मेलनों की दुनिया सिमटकर कुछ रागों, वाद्यों और शैलियों तक ही सिमट गई है। ऐसे अनेक राग, शैलियाँ और वाद्य हैं जिनका सम्मेलनों आदि में चलन ही नहीं है। किसी भी तरह की व्यावसायिकता में अनिवार्यतः शैलीकरण भी होता है—लगता है कि हमारा संगीत भी इसका धीरे-धीरे शिकार होने जा रहा है। कुछ ही राग या कुछ ही वाद्य मंच पर रह जाने का अर्थ होगा कि उन्हें सीखने, सुनने और सराहने सभी की पद्धतियाँ और अवसर धीरे-धीरे ओझल हो जाएँगे और अर्थ-बहुलता और शैलियों की विविधता के बजाए एक तरह की जड़ीभूत सौन्दयाभिरुचि दृश्य पर हावी हो जाएगी। ऐसा होने के लक्षण साफ़ नज़र आ रहे हैं। ग्वालियर घराने की कठिन गायकी बहुत कम सुनने मिलती है, बड़े लोकप्रिय कलाकार भी पाँच-सात रागों से अधिक मंच पर पेश नहीं करते और सारंगी, इसराज़, पखावज, बीन जैसे वाद्य कभी-कभार ही सुनने को मिलते हैं। कलाकार अपने श्रोताओं की रुचि का विस्तार न करें बल्कि उसका शिकार बनने लगें और उन्हें परम्परा से जो इतना समृद्ध दाय मिला है उसे स्वयं सीमित कर अपने को एक तरह से दायवंचित करने लगें यह सर्वथा अवांछनीय है।

वाद्यों के प्रति बढ़ती लापरवाही का ही एक उदाहरण सारंगी है। सदियों से वह आवाज़ के सबसे नज़दीक माना जाने वाला मित्रवाद्य भी रहा है। सारंगी की

अच्छी संगत निश्चय ही गाने के प्रभाव, उसकी सुगन्ध को बढ़ाती है। पर दुर्भाग्य से हमारे गायक आजकल हारमोनियम को तरजीह देते हैं जबकि वह विदेशी प्रभाव में बनाया गया एक ऐसा वाद्य है जो अकसर आवाज़ की कमज़ोरियाँ या दरारों को ढँकने का काम अधिक करता है—यही नहीं उसके प्रभाव में आवाज़ दब-सी जाती है। दूसरे, पहले न केवल बीन बल्कि सितार और सरोद के साथ भी पखावज़ की संगत होती थी और एक अलग क़िस्म की गूँजभरी गम्भीरता पैदा करती थी। अब तबले का साथ कुछ इस क़दर भाता है कि वाद्यकारों को इस वाद्य की याद भी नहीं आती। इस सन्दर्भ में यह याद करना दिलचस्प है कि गायकी के मुक़ाबले वाद्यसंगीत अधिक लोकप्रिय है जबकि अकसर वादक कहते हैं कि वे सितार या सरोद गायकी या ख़याल या ध्रुपद अंग से बजा रहे हैं। व्यावसायिकता का अधिक दबाव भी वाद्यसंगीत पर है और जो रियायतें संगीत इन प्रभावों को दे रहा है वे वादन से ही हैं, गायन से नहीं। भारतीय पद्धति में गायन की जो प्राथमिकता है उसका कुछ औचित्य इससे भी सिद्ध हो जाता है कि वह बाहरी प्रभावों के प्रति सबसे कम नमनीय है—उसका प्रतिरोध सचमुच गहरा और प्रबल रहा है। यह भी स्पष्ट ही है कि स्वयं संगीत की दुनिया में वाद्य का आदर्श गान है—वाद्यकार की सबसे कठिन और उत्कट इच्छा रहती है कि उसका वाद्य सिर्फ़ बजे नहीं, बल्कि गाने लगे। पर यह प्रश्न भी उठता है कि गायकी अंग से इतना अभिभूत क्यों है सितार या सरोद : उनका अपना अर्थात् सितार का सितार अंग या सरोद का सरोद अंग कहाँ है? अपना अंग न होना या उसे छोड़कर दूसरे के अंग को सहेजने का ऐसा मोह क्यों?

अन्त में दो बातें और। कलाओं में अस्मिता और अन्यता के बीच द्वन्द्व नई बात नहीं है। पहले भी कलाओं ने अस्मिता की अपनी शर्तों पर ही अन्यता को स्वीकार किया, उससे मुठभेड़ की और जब-तब समन्वय किया है। स्वयं हमारा संगीत इसका एक उदाहरण है। उसमें ईरानी अरबी संगीत के तत्त्व भी कब किस प्रकार घुलमिल गए इसको याद करना मुश्किल है क्योंकि वे उसके वर्तमान रूपाकार से सर्वथा तदात्म हैं और उन्हें अलगाना कठिन है। संगीत की संस्कृति दूसरी संस्कृति के प्रभाव को सबसे कड़ा और लम्बा प्रतिरोध देती है पर वह संवाद से विमुख नहीं होती। वृन्दगायन या वादन आदि के कुछ प्रयोग छोड़ दें तो यह बात थोड़ी हैरत में डालती है कि भारतीय संगीत की अस्मिता ने पश्चिमी अन्यता के साथ प्रायः कोई संवाद नहीं किया है। उसने पश्चिमी सभ्यता से आए उपकरणों मसलन ध्वनिव्यवस्था या रेडियो आदि से अपने को, अपनी संरचना और सौन्दर्यशास्त्र तक को प्रभावित होने दिया है पर पश्चिमी संगीत से नहीं। मानों कि पश्चिमी संगीत उसके लिए परम अन्य है। शायद इसका एक पक्ष यह है कि इस तरह पश्चिमी संगीत से प्रभावित होने का काम उसने लोकप्रिय फ़िल्मी संगीत के लिए छोड़ दिया

है जिसका काफ़ी बड़ा हिस्सा पश्चिमी मूल का अनुवाद है। यह लक्ष्य किया जाना चाहिए कि बहुत हद तक शास्त्रीय संगीत और नृत्य ही ऐसे माध्यम हैं जहाँ पश्चिम का प्रभाव नहीं के बराबर या बहुत कम है। न तो प्रभाव, न ही कोई अर्थ पूर्ण संवाद। जबकि प्रभाव की उद्विग्रता, विशेषतः पश्चिम के सन्दर्भ में साहित्य, रूपंकर कलाओं, रंगमंच आदि का अनिवार्य सन्दर्भ है।

आज के साहित्य को नज़र से देखें तो शास्त्रीय संगीत एक अत्यन्त स्वायत्त, शुद्ध और पवित्र, आत्मविश्वस्त और स्वयंप्रतिष्ठ स्पेस नज़र आता है। एक इतालवी लेखक ने कहा है कि हमारे समय में साहित्य अपने को जान रहा है और अपने पर अविश्वास कर रहा है—यह पूछने का मन होता है कि क्या संगीत के मन में इस बेहद संशय-भरी सन्देहग्रस्त शताब्दी के अवसान के निकट कभी अपने पर सन्देह होता है? इस पवित्रता पर, इस शुद्धता पर, इस स्वायत्त आभिजात्य पर? अगर होता है तो उसे पहचानना इतना दुष्कर क्यों है? वह दिखाई, बल्कि सुनाई क्यों नहीं देता? या कि हम उसे सुनते तो हैं पर गुन नहीं पाते?

देह का देश-काल

कहा जाता है कि सभी भारतीय शास्त्रीय नृत्यों का उद्गम मन्दिरों में हुआ और वे सदियों तक वहीं होते रहे : वे राजसभा और दरबार भी गए। इसलिए उन पर दोनों की छाप है—छाप उस समाज की भी है ही जो कि अपने को मन्दिर जैसे स्वायत्त स्पेस और राजसभा जैसे संयमित स्पेस से परिभाषित करता था। यह नहीं कि इन दोनों से परिभाषा पूरी हो जाती थी या होगी : यही कि नृत्य के लिए परिभाषा का यह स्पेस पर्याप्त था। आज भी शास्त्रीय नृत्यकार अपने नृत्यप्रदर्शन को दरअसल सदियों पुराने इसी स्पेस पर करता है। करता तो वह आज के जनसुलभ और किसी भी तरह की पवित्रता से असम्बद्ध और उदासीन स्पेस पर है जो हालों या सार्वजनिक मंचों का होता है पर नृत्यकार उस स्पेस को, अपने प्रदर्शन की अवधि के लिए, मन्दिर या दरबार के स्पेस में बदल लेता है : अकसर ऐसे नाचता है मानो कि वह पवित्रता और भव्यता के स्पेस में नाच रहा हो। यह कहा जा सकता है कि स्पेस का यह नाटकीय रूपान्तरण हमारे शास्त्रीय नृत्य का एक अनिवार्य सन्दर्भ है। यह अन्तरण सिर्फ़ स्पेस का ही नहीं है, वह समय का भी है। नृत्य अपना स्वतन्त्र देशकाल बनाता है, हमारे रसिकता के वर्तमान देशकाल से भिन्न हालाँकि अटूट। नृत्य स्वयं जिस देशकाल में अपने को अवस्थित करता है अनायास हम भी उस देशकाल में चले जाते हैं : अन्तर इतना है कि शायद नृत्यकार को नाचते हुए इन दो भिन्न देशकालों का सक्रिय अवबोध नहीं रहता, जबकि हम जो नृत्य देखते हैं, इस भिन्नता और अभिन्नता को एक साथ देख-पहचान और अनुभव कर पाते हैं। अगर कलाओं का एक गुण हमें इतिहास में अवस्थित करना और साथ ही हमें इतिहास से मुक्त करना है तो हमारा शास्त्रीय नृत्य यह सबसे उत्कट रूप से करता है। हम जानते हैं कि देह नश्वर है पर नाचती हुई देह हमारे सामने कालातीत होकर, या कहें कि काल और कालातीत को एक साथ साधकर कुछ देर के लिए ही सही, देह को, और उस देह से प्रतिकृत हो रहे हमको, नश्वरता के बोध से मुक्त करती है। नृत्य देह की अनश्वरता का उत्सव है : वह देश और काल की सीमाओं को लाँघकर, उनकी ऐतिहासिकता का अतिक्रमण कर, देह के अपने देशकाल की प्रतिष्ठा है। वह देह का अपना वक्तव्य

है। देह की अपनी उपस्थिति, अपनी दृष्टि, अपनी ऐन्द्रियता और अपने विचार की उपस्थापना : नृत्य में रसिकों के सामने, जैसे कि केलि में प्रेमी के साथ, देह 'होती' है, देह देखती और सोचती है—अपने होने को प्राथमिक उपस्थिति बनाती है। नृत्य देह की प्राथमिकता का, केलि और क्रीड़ा की ही तरह, स्पेस है। नृत्य की बुनियादी आभा उसकी सुन्दरता है, आलोक या उस पर पड़ने वाली कृत्रिम प्रकाशव्यवस्था की चकाचौंध की नहीं है—वह देह की अपनी अन्तरंग, आत्मीय न छुपाई जा सकने वाली आभा है—देह की अपनी द्युति। नृत्य में देह दीपशिखा है—निर्धूम, प्राचीन और अर्वाचीन के कगार पर ठिठकी हुई-सी, पर दोनों को रौशन करती हुई, अपनी झिलमिल में उसके अन्तरालों को अगर तिरोहित न भी कर सके तो, ओझल करती हुई। यह भी कह सकते हैं कि ऐन्द्रियता और पवित्रता के बीच हमारा शास्त्रीय नृत्य प्रायः सन्तुलित रहता है और उसकी पवित्र ऐन्द्रिकता या ऐन्द्रिय पवित्रता उसकी विशिष्टता है—यह आकस्मिक नहीं कि हमारे नृत्यों में शृंगार और भक्ति लगभग स्थायीभाव जैसे हैं।

नृत्य, स्थापत्य और रंगमंच की तरह, भौतिक स्पेस को भी संयोजित करता है। वह एक सीमित और दिए हुए स्पेस में देह-गतियों, मुद्राओं और पदसंचालन से उस स्पेस को स्पन्दित करता है, उसे असीम से जोड़ता है--उसे उसकी भौतिक सीमा से मुक्त करता है, उसका विस्तार करता है। समूचे आकाश या पृथ्वी या वन या उद्यान आदि अनेक रूपकों में यह स्पेस अपने को बदलता चलता है और इस तरह कि हम देखते हुए भूल-सा जाते हैं कि यह एक जड़, निश्चित-सीमित भौतिक स्पेस है। हम यह भी देखते हैं कि स्पेस और देह का सम्बन्ध कितना जटिल, सम्भावनापूर्ण गतिशील और अर्थबहुल है—नृत्य में दोनों हैं : स्थापत्य जैसी स्थिरता और रंगमंच जैसी गतिशीलता। नृत्यरत देह को उसका भौतिक स्पेस बाँधता नहीं है बल्कि उससे अनुकूलित हो विस्तार पाता है। वह नृत्यगतियों से इतनी गति से दूसरे स्पेसों में भी अन्तरित होता है कि उसकी जड़ भौतिकता मानो स्वयं उसके लिए कुछ देर के लिए अवास्तविक हो जाती हैं

कई बार लगता है कि हमारा नृत्य अपना आत्यन्तिक अर्थ अनेक युग्मों के द्वन्द्वों या तनावों-सन्तुलनो से चरितार्थ करता है। स्थिरता-चपलता, देह और संगीत, देह और प्रकाश, देह और कविता, देह और लय, देह और ताल, नृत्य और नृत्त, काल और कालातीत, देशबद्ध और देशमुक्त, प्राचीन और अर्वाचीन, पवित्रता और ऐन्द्रियता, भक्ति और शृंगार, नश्वर और अनश्वर, व्यक्त और अव्यक्त, प्रत्यक्ष और परोक्ष, मूर्त-अमूर्त, लय और विलय, मौन और मुखर, स्थिर और गतिशील जैसे अनेक युग्म इस सन्दर्भ में याद आते हैं। नृत्य काल के आयाम में संक्षिप्त अनन्त है : देश के आयाम में गतिशील स्थिरता। कई बातें, जो तर्क की दुन्यिा में अन्तर्विरोध जान पड़ती हैं, कलाओं के संसार में समरस दीख पड़ती हैं। अगर हम

सतही या इकहरे रसास्वादन की जड़ीभूत अभिरुचि में फँस न गए हों तो हमारी रसिकता का बराबर विकास होता है और हम कलाओं में अनेक अर्थ, अर्थों के अनेक जटिल संगुम्फन खोजते-पाते हैं और हमारा आस्वादन गहरा और उत्कट और इसीलिए मर्मस्पर्शी और स्मरणीय होता चलता है। जैसे कि सृजन में, वैसे ही आस्वाद में अभिधा इकहरी अभिव्यक्ति ही होती है : सार्थकता तब है जब अर्थ अनेकशः व्यंजित हों और रसिकता ऐसी उत्सुक और संश्लिष्ट हो कि व्यंजना को ग्रहण कर सके।

मन्दिर और राजसभा के स्पेसों के अलावा नृत्य के लिए एक और महत्त्वपूर्ण स्पेस रहा है सीखने और अभ्यास करने का स्पेस। अकसर यह स्पेस ऐकान्तिक है और इसमें गुरु और सहकर्मी शिष्यों के अलावा दूसरों की उपस्थिति अगर वर्जित नहीं तो आवश्यक और अभीष्ट नहीं है। यह रंगशाला नहीं कर्मशाला है। वहाँ जो नृत्यकार करता है वह सीखना है, सीखने को दुहराना है, उसकी बारीकियों को बेहतर समझना है, अपनी अभिव्यक्ति का परिष्कार आदि है। सभी कलाओं में यह होता है कि जो सीखा गया है वह सबका सब प्रदर्शित नहीं हो पाता. पर विशेषतः नृत्य में सार्वजनिक मंच का और उससे जुड़ी लोकरुचि का कुछ ऐसा आतंक है कि प्रायः नृत्यकार ऐसी बहुत-सी चीज़ें नहीं पेश करते जिनके, उनकी सूक्ष्मता या जटिलता के कारण, व्यापक दर्शकों पर खो जाने का अन्देशा हो। हमारे शास्त्रीय संगीत की तरह हमारा नृत्य भी नज़दीक से देखने-परखने के लिए ही रहा है : एक सजग अन्तरंग परिवेश उसकी पहली अनिवार्य शर्त-सी रही है। यह भौतिक अन्तरंगता कई तरह की जटिल सूक्ष्मताओं के लिए और देखे-सराहे जाने का पूरा अवकाश देती थी। लेकिन आजकल जिस तरह के विशाल हालों और मंचों पर नृत्य प्रस्तुत होते हैं उनमें न तो यह अन्तरंगता है और न ही इन सूक्ष्मताओं के लिए जगह। नतीजा यह हुआ कि हमारे नृत्यों में एक तरह की विस्तीर्णता छा गई है और पहले देह निकट से देखे जा सकने की सुविधा से जो सूक्ष्म अभिव्यक्ति करती है उसका स्थान निकट से नहीं पर कुछ दूर से स्पष्ट देखे जा सकने वाले सुन्दर मनोहर परिधानों, प्रकाशव्यवस्था आदि ने ले लिया है। जो अनात्मीय दूरी से देखा जा सकता उसे देह कर नहीं पाती—जो देह नहीं कर पाती, वह दूसरे अनुषंग किसी हद तक कर पूरा करते हैं। देह को अन्तरंग सुलभ नहीं, तो वह अनुषंगों के सहारे बहिरंग हो रही है। इसकी कुछ गहरी पड़ताल होनी चाहिए कि इन आधुनिक अवरोधों या कठिनाइयों के कारण हमारे नृत्य और उसके समकालीन शास्त्र में सूक्ष्मता का कितना-कैसा क्षरण हुआ है। और इसकी भी कि दूर से देखे जाने के लिए इस अन्तरंग नृत्य को किस तरह की बहिरंगता का लगभग बलात् वरण करना पड़ा है।

संगीत की ही तरह हमने शास्त्रीय नृत्य से समकालीनता की माँग करना

छोड़ दिया है। हम अपनी आज की ज़िन्दगी में जो घटता-होता है उसकी कोई सीधी अभिव्यक्ति नृत्य में नहीं खोजते। पर क्या यह इसलिए है कि हम अपने समय को समझने में नृत्य से किसी तरह की सहायता या दृष्टि की अपेक्षा नहीं करते? या कि हम यह देख पाते हैं कि नृत्य की दृष्टि दूसरे ढंग की है—वह समकालीनता का कालातीत या कालमुक्त विकल्प है? यह नहीं है कि समय से नृत्य सर्वथा अप्रभावित या अछूता हो : उसकी छाया, खरोंचें जैसे और कला माध्यमों पर वैसे ही नृत्य पर पड़ती ही हैं। यों देखा जाए तो अनेक शास्त्रीय नृत्यों के आज जो रूढ़ रूप हैं वे बहुत पहले से रूढ़ हुए रूप नहीं हैं—उनमें से कई ने अपना सुपरिभाषित या सुगठित रूप हाल ही में पाया है : यह कथक, भरतनाट्यम, ओडिसी आदि के बारे में सच है। दूसरे शब्दों में कहा जा सकता है कि वे पारम्परिक रूपों के संशोधित संस्करण हैं! आज जो कथक या भरतनाट्यम होता है वह पिछली या उससे पिछली शताब्दी से काफ़ी अलग है भले उससे अटूट भी है ही। शास्त्रीय नृत्य के क्षेत्र में, जैसे कि किसी हद तक शास्त्रीय संगीत में भी, यह बात हैरत में डालती है कि अपने पारम्परिक रूपों को कुछ वर्षों पहले स्थिर करते हुए नृत्य ने उन्हें अत्यन्त प्राचीन शास्त्रीयता का गौरव दिया है और उसे समाज से मनवा भी लिया है। परम्परा स्वयं अपनी सर्जनात्मकता और सहज ऊर्जा से समय के अनुकूल कैसे बदलती और फिर भी नहीं बदलती है या कम-से-कम बदली गई मानी जाती है उसका यह एक अच्छा उदाहरण है।

जब-तब शास्त्रीय नृत्य में इस तरह का विवाद उठता रहता कि अमुक रूप किसी प्राचीन शास्त्र, जैसे कि भरत के नाट्यशास्त्र, के अनुरूप और प्रामाणिक है या नहीं। इस बहस में न पड़ा जाए कि शास्त्र किस हद तक प्रयोग का सिद्धान्तीकरण है और किस हद तक आदर्श निरूपण तो भी यह स्पष्ट दीखता है कि अगर एक शास्त्रीय परम्परा जीवन्त और प्रवहमान है तो शास्त्र कुछ तो सच होगा और कुछ सपना। जैसे कि जीवन में वैसे ही परम्परा में सपना कुछ तो सच तो नियमित करता है और कुछ अपने को सच संशोधित करता है। इस दृष्टि से हमारे शास्त्रीय नृत्य के लिए शास्त्र आधा सच और आधा सपना है : सच और सपने के बीच जो परस्पर स्पन्दित स्पेस बनता है, नृत्य उसी में सम्पन्न होता है। इसी प्रसंग में हम किसी तथाकथित शास्त्रीय शुद्ध रूप की पुनर्रचना के प्रश्न को देख सकते हैं : शास्त्रीय नृत्य रचना है क्योंकि उसके माध्यम से नृत्यकार कुछ नया और अद्वितीय पहली बार रचता है और वह पुनर्रचना है क्योंकि वह एक पूर्वनिर्धारित रूप को फिर से चरितार्थ करने का यत्न भी है। वह एक साथ नृत्यकार की और स्वयं नृत्य की आत्माभिव्यक्ति है। वह शुद्धता का मूलरूप का सपना भले देखे, उन्हें पा नहीं सकता। बल्कि कहीं गहरे वह शायद उन्हें पाना भी नहीं चाहता—वह अपनी अशुद्धता और अपूर्णता की सचाई से देखा जा रहा रूप की

शुद्धता और पूर्णता का सपना है। सपने का होना उस सच को सार्थक बनाता है पर साथ ही वह सपने के बरक्स इस सच का एसर्शम भी है। वह ऐसा सच है जो बिना सपने के सम्भव नहीं। सदियों पहले रचना के साथ आलोचना की सहवर्ती और सहचरी परम्परा थी जो दुर्भाग्य से निःशेष हो गई। यह एक विडम्बना ही है कि आज के शास्त्रीय नृत्यों के जो रूप आज विकसित और स्थिर हैं उन्हें विचार में लेने वाली नया शास्त्र नहीं है और इस कारण उनकी शास्त्रीयता परम्परा से उत्तराधिकार में पाई शास्त्रीयता से उपजी है, बजाए किसी नए शास्त्र से। यह नए शास्त्र के बिना नई शास्त्रीयता है।

स्वयं शास्त्र का ज्ञान नृत्य के गुरुओं और कलाकारों में भिन्न स्तरों का है। ऐसे गुरु दक्षिण में तो अधिक हैं तो शास्त्र-निष्णात हैं पर उत्तर में वे बिरले ही हैं। दोनों ही अंचलों में ऐसे कलाकारों की संख्या कम है और कम होती जाती है जो शास्त्र--पारंगत हों। शास्त्र जानने वाले रसिकों की संख्या तो और भी कम है। ऐसा रसिकवर्ग कम से कमतर होता गया है जो नृत्य की शास्त्रीय भाषा जानता-समझता हो। हालत यह है कि गुरु-कलाकार-रसिक तीनों घटकों के स्तर पर शास्त्रीयता क्षीण से क्षीणतर हो रही है : नृत्य की शास्त्रीयता एक ख़ासे नाजुक सन्तुलन पर टिकी है और यह सन्तुलन दिन-ब-दिन और नाजुक हो रहा है। यह सौभाग्य की बात है कि टूट नहीं रहा है। यह प्रश्न अलग है कि जब तीनों ही घटकों में शास्त्रीयता की सच्ची जानकारी इतनी क्षीण है तो नृत्य की शास्त्रीयता का मुख्य आधार है क्या? उसकी शास्त्रीयता अगर सन्दिग्ध नहीं तो कमज़ोर और अनिश्चित लगती है। इसका एक पक्ष यह भी है कि धीरे-धीरे हमारे यहाँ नृत्यभाषा की समझ का लोप हो रहा है। किसी ने बताया था कि भरतनाट्यम में ऐसी मुद्राएँ हैं जिनसे आकाश, उसके नीले या लाल रंग के होने को व्यक्त किया जाता है। स्वयं दक्षिण में, जहाँ सौभाग्य से परम्परा की भाषा और समझ वैसी खंडित या लुप्त नहीं हुई है जैसी कि दुर्भाग्य से उत्तर में, इन मुद्राओं का भावार्थ, बिना कविता या शब्दों के सहारे के, कितने विदग्ध रसिक समझते होंगे यह कहना कठिन है। पर अनुमान है कि उनकी संख्या बहुत अधिक नहीं है। नृत्य के अपने शास्त्र और भाषा में अपढ़ और असंस्कारी जो प्रायः नवधनाढ्य पर संस्कृतिविपन्न रसिकता हमारे यहाँ सामने आ रही है, उसका नृत्य पर आतंक भी बढ़ ही रहा है। स्वयं नृत्यकारों और गुरुओं में शास्त्रीय विदग्धता सशक्त और प्राणवती न हो तो वह नृत्य में कैसे सार्थक और और सबल बनी रह सकेगी यह शंका होना स्वाभाविक है। अपढ़ असंस्कारिता का प्रतिरोध भी उसमें कैसे सम्भव होगा यह सोचने की बात है। उलटे इसकी भी सम्भावना है कि गहरे संस्कार और सशक्त प्रतिरोध के अभाव में एक उथली और कृत्रिम शास्त्रीयता नृत्य पर छाने लगे।

नृत्य की शास्त्रीयता निरी नृत्यशास्त्र से सम्बद्ध नहीं है। हमारी परम्परा में जो जीवन-दृष्टियाँ, मूल्य और भावबोध शामिल हैं उनका गहरा और उत्कट अवबोध तभी सम्भव है जब नृत्यकार और गुरु उनसे परिचित हों। इसका सीधा अर्थ है कि सिर्फ़ नृत्यशास्त्र भर से परिचय काफ़ी नहीं है, अन्य प्रासंगिक अनुशासनों का ज्ञान भी ज़रूरी है। यह ज्ञान, आज नृत्य के क्षेत्र में जैसा कि दुर्भाग्य से अन्य क्षेत्रों में भी, व्यापक नहीं बल्कि बिरलों में ही दीख पड़ता है। कई बार अच्छे नृत्यकारों में भी गहराई और आध्यात्मिक उत्कंठा का अभाव स्पष्ट नज़र आता है : निरी ऐन्द्रियता या सतही पावनता से इस अभाव और उससे होने वाली अर्थक्षति को छिपाया नहीं जा सकता। यह ठीक है कि शास्त्रीय प्रदर्शनकारी कलाओं में उत्तराधिकार के अन्तरण की अबोधता बढ़ती जा रही है : जो शिष्य सिर्फ़ नाचना सीखता है और उस नाचने को किसी व्यापक पारम्परिक दृष्टि और दर्शन से, सौन्दर्य के अन्य अनुशासनों में अन्तर्भूत कल्पनाओं और अवधारणाओं से जोड़ने की आवश्यकता और सामर्थ्य नहीं अर्जित कर पाता वह न तो अपने नृत्य के सम्भावित गहरे दार्शनिक आशयों को समझ सकता है न ही उन्हें सम्प्रेषित कर सकता है। वह निरे व्याकरण से किसी दृष्टि तक जा नहीं सकता, उसके कालातीत को छूने की तो बात ही अलग है। हमारी परम्परा में नाचना सिर्फ़ नाचना नहीं है, साथ-साथ अनेक दृश्य-अदृश्य स्तरों पर कुछ और भी करना है : जिसे कुछ और प्रशिक्षण और उत्तराधिकार में मिला ही नहीं, वह यह कुछ और कर ही नहीं सकता। उसका नृत्य अधिक-से-अधिक सुघर पर अर्थदरिद्र व्यायाम ही होगा। नृत्य के मंच पर ऐसे व्यायाम का प्रदर्शन बढ़ रहा है, यह निश्चय ही चिन्ता की बात है।

हमारे ज़माने में सारी कलाएँ जैसे कि साहित्य भी, सरलीकरण, फूहड़पन और लोकप्रियता की शक्तियों से घिरी हैं। नृत्य के सामने भी उनकी चुनौती भरी ललकार है। कई बार लगता है इस ललकार को अनसुनी करने या उनका अपनी ही शर्तों पर मुँह तोड़ बल्कि कहना चाहिए मुँह पर जवाब देने में जैसा आत्मविश्वास और शक्ति शास्त्रीय संगीत ने दिखलाई है, वैसी नृत्य के मामले में नहीं जान पड़ती। यह भी लगता है कि अपनी जटिलता और सूक्ष्मता को हर हालत में बचाए रखने की जैसी प्रबल इच्छा संगीत में है वैसी नृत्य में नहीं दीख पड़ती। एक ओर तो यह सही है कि संगीत के मुक़ाबले नृत्य को अपने प्रति सामाजिक पूर्वग्रह और बदनामी के विरुद्ध एक लम्बी लड़ाई लड़ना पड़ी है और वह उसमें सफल रहा है। भद्र समाज और विशेषतः मध्यवर्ग का उसके प्रति पूर्वग्रह कम हुआ है और इसका नतीजा यह है कि आज के अधिकांश नृत्यकार मध्यवर्ग से ही आते हैं। दक्षिण में अधिक पर उत्तर में भी नृत्य को भद्रसमाज में प्रतिष्ठा मिली है जो पहले नहीं थी। पर दूसरी ओर, नृत्य की इसी बढ़ती मध्यवर्गीयता ने उसकी बुनियादी

शास्त्रीयता पर सबसे अधिक दबाव पैदा किया है। जैसा नक़लची और परम्परा से प्रायः विच्छिन्न हमारा मध्यवर्ग है उसके रहते शास्त्रीयता पर आग्रह अगर कम होता जाए तो आश्चर्य नहीं होना चाहिए। हमारी परम्परा जो प्रायः साधारण जन या गुणीजनों द्वारा सम्पोषित और सुरक्षित रही आई है इस मध्यवर्ग द्वारा बहुत उत्साह से तोड़ी-मरोड़ी जाती है या उसके अधिक कामचलाऊ रूप, अपने सारे कर्मकांड के साथ, अंगीकार कर लिए जाते हैं।यह वर्ग हर पल सरलता नहीं सरलीकरण की ओर बढ़ता और किसी भी तरह की सूक्ष्मता और जटिलता से मुँह चुराता बल्कि उनके लिए निरन्तर असहिष्णु होता जाता वर्ग है। इस वर्ग के संरक्षकत्व का अर्थ ही इन गुणों का अवमूल्यन है। विशेषतः हमारे यहाँ उसके दिखाऊ और नक़लची होने के उसके अनुराग का ही यह प्रतिफल है कि हम एक अनुसमाज हुए जा रहे हैं : उसका बस चले तो हमारा शास्त्रीय नृत्य भी नृत्य न रहकर अनुनृत्य बनकर रह जा सकता है! मुश्किल यह है कि इस शास्त्र-विमुख और शास्त्रीयता की ओर मुँह-फेरे मध्यवर्ग की रुचियों और रुझानों के विरुद्ध या कम-से-कम उनसे बचे रहने का हमारे नृत्य में कोई चौकन्ना और सशक्त प्रतिरोध है, ऐसा कहना मुश्किल है। उसका स्पष्ट साक्ष्य कम ही दीख पड़ता है। सामाजिक संरक्षण का स्वरूप बदलने से किसी कला के स्वरूप पर क्या प्रभाव पड़ता है यह इसका एक ज्वलन्त उदाहरण है।

मध्यवर्ग ने अपने लिए जो मंच और स्पेस बनाए गढ़े हैं उन पर सूक्ष्म और जटिल कर या देख सकना भौतिक रूप से ही असम्भव है। दूसरी ओर, जिस ऐन्द्रिय पवित्रता या पवित्र ऐन्द्रियता का उल्लेख पहले हुआ है वह आज के मध्यवर्ग के सुन्दरता के प्रतिमानों में नहीं आती। नृत्य की एक कठिनाई यह भी है कि वह कला ही नहीं सुन्दतर का भी आयाम है। पहले के किसी भी समय की तुलना में हमारे समय में नृत्य को सुन्दरता और कला दोनों होने का अधिक जतन करना पड़ रहा है। इस उत्साह में कभी-कभार वह सुन्दर होने के चक्कर में कलात्मक होने से रह जाता है। आज जो स्थिति है उसमें कला होने की चूक सुन्दरता होने की चूक से ज़्यादा बरदाश्त की जा सकती है। अगर कुल मिलाकर हमारा मध्यवर्ग सुन्दरता के आयाम में फूहड़ दिखाऊपन और चकाचौंध को महत्त्व देता है तो उसकी इस रुचि से हमारा नृत्य प्रभावित न हो, यह तभी सम्भव है जबकि उसमें आत्यन्तिक निष्ठा और शास्त्रीय साहस हो। दुर्भाग्य यह है कि जीवन के कई क्षेत्रों में एक तरह के कामचलाऊपन से काम चल जाता है पर शास्त्रीय कलाओं में यह मुमकिन नहीं—यह डर लगता है कि धीरे-धीरे यह भावना घर कर रही है कि शास्त्रीय कलाओं में भी कामचलाऊपन से काम चल सकता है। आज का शास्त्रीय नृत्य-परिदृश्य ऐसे कामचलाऊपन के प्रभाव में है, यह सामान्यीकरण बिना संकाच के किया जा

सकता है। शायद इस कमाचलाऊपन के सभी दुष्परिणाम आज ही नज़र न आएँ पर उनक दूरगामी परिणाम क्या होंगे यह सोचना कठिन नहीं है। प्रशिक्षण और अन्तरण की सारी प्रक्रियाएँ और अन्ततः हमारे शास्त्रीय नृत्यों की समूची संरचना और पहचान कितनी बदल जाएगी यह सोचकर घबराहट-सी होने लगती है।

संगीत के बारे में एक बार कुमार गन्धर्व ने कहा था कि इन दिनों हमारे संगीत में सुगन्ध कम हो रही है। शायद संगीत से अधिक यह नृत्य के बारे में सही है। शायद सुगन्ध पूर्णता और समग्रता से ही आती है—वह ऊपर से किया गया अलंकरण या प्रसाधन नहीं है। हमारा नृत्य तेजी से अपनी पारम्परिक पूर्णता और समग्रता से विचलित हो रहा है और उसकी सुगन्ध घट रही है—वह सुगन्ध जो ऊपर से चुपड़ लेने या डाल लेने से नहीं, अपनी अद्वितीयता, अपनी अनन्यता से आती है। पहले नृत्य और उसके आस्वाद के बीच विचार और आस्था की परम्परा भी थी जो दोनों को जोड़ती और एक के अर्थ और आशय दूसरे तक पहुँचाने का काम करती थी। उसकी अनुपस्थिति में एक ओर तो अब यह सम्बन्ध किसी हद तक सीधा और तत्काल हो गया है लेकिन दूसरी ओर अनेक अर्थ और आशय अव्यक्त और अस्पष्ट रह जाते हैं। दोनों ओर अर्थ की हानि हो रही है।

हमारे नृत्य का उन्नीसवीं शताब्दी तक साहित्य से, विशेषतः समकालीन कविता से गहरा सम्बन्ध रहा है। दोनों एक व्यापक परम्परा का अंग रही हैं जिनकी उत्सुकताएँ, चिन्ताधारा, आस्था और मूल्य, अभिप्राय और रूपक प्रायः समान थे। पर इनके बीच अलगाव लगभग सौ वर्षों पहले शुरू हुआ और इधर इतना व्यापक हो गया है कि कहा जा सकता है कि शास्त्रीय नृत्य और आज की कविता के बीच कोई सम्बन्ध कोई संवाद है ही नहीं। बल्कि यह भी कि ऐसा सम्बन्ध लगभग असम्भव हो गया है। इस असम्बन्ध के कई कारण हैं। प्रमुख यह लगता है कि हमारे यहाँ पश्चिम की उकसाई जिस आधुनिकता ने अपना विकास किया उसने शास्त्रीय कलाओं और समकालीनता से विद्ध कलाओं, जैसे साहित्य, रूपंकर कलाएँ, रंगमंच आदि, को बिलकुल अलग और लगभग विपरीत दिशाओं में ढकेल दिया। यह एक विडम्बना ही है कि स्वयं पश्चिम में आधुनिकता ने सदियों से अलग-थलग पड़ गए कलाओं और साहित्य को फिर एक-दूसरे के निकट लाने और उनमें संवाद स्थापित करने की सफल चेष्टा की और हमारे यहाँ जहाँ सदियों से रचना और आस्वाद दोनों में ही ऐसी निकटता और अन्तनिर्भरता विद्यमान थी, उसे तोड़ दिा और खंडित कर दिया। अपनी भावाभिव्यक्ति के लिए अगर हमारा शास्त्रीय नृत्य इन दिनों शायद ही कभी आज की कविता का सहारा लेता है तो इसलिए नहीं कि उसमें निरी समकालीनता है और नृत्य के लिए अनिवार्य शाश्वतता नहीं, बल्कि इसलिए कि उसकी कोई पहचान नृत्य के पास नही है। आधुनिकता के स्थपतियों ने दोनों के बीच 'अपरिचय का विन्ध्याचल' खड़ा कर दिया है। इस सन्दर्भ में

ध्यान देने की बात यह है कि एक शिथिल और अल्पज्ञ शास्त्रीयता के चलते स्वयं नृत्यकारों का प्राचीन कविता या मध्यकालीन कविता से परिचय कुछ गहरा या बेहतर है इसका कोई प्रमाण नहीं है। इसी बात को आगे बढ़ाएँ तो जान पड़ेगा कि नृत्य को उत्तराधिकार में पारम्परिक संगीत की भी कोई विश्वसनीय समझ नहीं मिल रही है। नृत्य में लय, सुर और शब्द के समुच्चय की ज़रूरत होती है और उनका संस्कार इधर निश्चय ही शिथिल पड़ रहा है।

बिरजू महाराज नृत्य को लय की कविता कहते हैं। लय मात्र नृत्य की विशेषता नहीं है। कविता और संगीत में भी लय होती है और रूपंकर अभिव्यक्ति भी लयात्मक अभिव्यक्ति होती है। प्रश्न यह है कि नृत्य की अपनी अनन्य भाषा क्या है। क्या वह लय-ताल, सुर, शब्द-मुद्रा-देह गतियों और पद संचालन के किसी संगुम्फन से बनी भाषा है? वह जीवन की कुछ चुनी हुई स्थितियों और छवियों के अनुकरण से, संगीत और साहित्य की सम्पदा के अलंकरण से अपनी आत्यन्तिक अभिव्यक्ति करता है या कि उसका अपना कोई स्वायत्त मुहावरा है? हमारे यहाँ नृत्य के दो प्रकार हैं : शुद्ध नृत्य जिसे नृत्त कहते हैं और भावप्रधान नृत्य जिसे नृत्य कहते हैं। 'नृत्त' में संगीत और बोल तो होते हैं, शब्द या उनसे प्रगट भाव नहीं जबकि 'नृत्य' में प्रायः भावाभिव्यक्ति के लिए किसी कविता या छन्द या ठुमरी आदि का सहारा लिया जाता है। नृत्त का प्रकार अधिक स्वतन्त्र और स्वायत्त है—वह नृत्य का अपने ही मुहावरे में सम्बोधन या सम्प्रेषण है। उसकी शब्द या पद पर याने किसी अन्य कला माध्यम पर निर्भरता नहीं है। उसमें नृत्त सीधे अपनी बात अपने ही अद्वितीय ढंग से कहता है—यह कुछ विचित्र ही है कि नृत्त को, इसके बावजूद, भावहीन माना जाता है क्योंकि भाव से प्रायः आशय उन भावों से होता है जो किसी शब्द-केन्द्रित माध्यम के सहारे व्यक्त होते हैं। अन्यथा नृत्त में भी निश्चय ही देह, अपने पद संचालन, घुँघरुओं आदि के माध्यम से बोली है हमसे बतियाती है—शायद इसी प्रकार में वह शुद्ध अपनी भाषा बोलती है। उसमें नृत्यभाषा दीखती है और सुनाई देती है। नृत्यार्थ, निरे वागर्थ या रूपार्थ के बरक्स, अवतरित होता है। नृत्य में मूर्तन और अमूर्तन का जो अनिवार्य द्वन्द्व है वह भी इसी प्रकार में अधिक उद्दाम रूप में प्रकट होता है। नाचती हुई देह सर्वथा मूर्त है पर जब वह नृत्त में कोई जाना-माना भाव या छवि प्रदर्शित नहीं करती बल्कि लयों और बोलों से तथाकथित भावहीन कुछ रचती व्यक्त करती है तो नृत्य में अमूर्तन होता है—मूर्त देह का अमूर्तन। नृत्य अपना परम रहस्य या कि सबसे चकित क्षण तभी पाता है जब सर्वथा मूर्त सर्वथा अमूर्त देखते-देखते हो जाता है। यह नृत्य की अपनी कविता है, वैसे वागर्थ से मुक्त है। चूँकि बोलों आदि में शब्दों का नहीं केवल ध्वनियों आदि का प्रयोग होता है, यह भी कह सकते हैं कि नृत्त नृत्य का वागर्थ है।

जिन्हें हम भावहीन नृत्त बोल कहते हैं अगर उन्हें सूक्ष्मता से देखा जाए तो वे शब्दार्थहीन भले हों, उनका अपना अर्थ, किसी स्थिति या मनोवेग से सादृश्य अवश्य है—चूँकि अकसर हम उतनी संवेदना से या कि समझ से नहीं देखते, हम तक यह अर्थ सम्प्रेषित नहीं हो पाता है। जैसा कि बिरजू महाराज कहते हैं, नृत्य एकाकी देह का समूहन ही है—देह के अनेक अंग अलग-अलग नृत्य में कुछ करते-कहते हैं और उनकी समग्रता वह अभिव्यक्ति बन जाती है जिसे हम नृत्याभिव्यक्ति कहते हैं।

इधर प्रायः शैलियों में नृत्त का आग्रह कुछ बढ़ रहा है। एक ओर तो यह निरे व्याकरण पर अधिकार और उसकी चकाचौंध के आकर्षण के कारण होगा। पर यह भी लगता है कि हो सकता है कि यह कहीं-न-कहीं चित्रकला के आधुनिक अमूर्तन की ही तरह नृत्य का अपने को वागर्थ से मुक्त करने की चेष्टा का प्रतिफल या अभिव्यक्ति हो।

संगीत से तुलना करें तो लगेगा कि नृत्य की भावसम्पदा उतनी सीमित नहीं है : अनेक ऐसे भावों का, जैसे हास्य या वीभत्स आदि, संगीत में प्रवेश वर्जित-सा है, जबकि नृत्य के विस्तीर्ण मंच पर उनके लिए भी स्थान निकल आता है। शास्त्रीय संगीत के मुकाबले शास्त्रीय नृत्य में प्रयोगशीलता अधिक है—उसने अपनी भवसम्पदा को नए प्रयोगों और परिवर्धनों द्वारा अधिक बढ़ाया भी है। अलबत्ता यह है कि उसमें अमूर्तन की क्षमता और किसी हद तक अनेक जटिलताओं और सूक्ष्मताओं को व्यक्त करने की सामर्थ्य संगीत के मुक़ाबले कम है—वह एक अधिक अविनीत या कि अनम्य भौतिक माध्यम है। उसकी निपट दृश्य भौतिकता जहाँ एक ओर उसे निरन्तर उपस्थिति बनाती है वहाँ दूसरी ओर उसके लिए कई कठिनाईयाँ भी प्रस्तुत करती है। उससे प्रतिकृत होने वाली सजग और संस्कारित रसकता क्योंकि क्षीण पड़ गई है, उसे अनेक ऐसे परोक्ष अर्थों को व्यक्त करने की चेष्टा करनी पड़ती है जो ऐसी सजगता की उपस्थिति में अपने आप उद्‌बुद्ध हो सकते थे। कई बार लगता है कि इन दिनों नृत्य को ज़रूरत से ज़्यादा कहने पर और इसलिए व्यंजना को सीमित कर अभिधा पर बहुत अधिक निर्भर करना पड़ रहा है। अस्फुट और व्यंजित की अगर चौकन्नी समझ सामने न हो तो कुछ भी अनकहा न छोड़ने की मजबूरी नृत्य की कलात्मकता को प्रभावित कर रही है। शास्त्रीय संगीत ने तो रसिकता का आभिजात्य स्थापित किया और उसे व्यापक मान्यता दिलवाने में सफलता पाई है पर नृत्य में अभी तक ऐसा नहीं हो पाया है।

जिसे हम आज का रोज़मर्रा का जीवन कहते हैं उससे नृत्य का अलगाव और दूरी जगज़ाहिर है। इसके बावजूद नृत्य में अनुकरण की प्रवृत्ति का ख़ासा प्रभाव है : प्रायः उसके 'नृत्य' पक्ष में जीवन की कुछ स्थितियों-छवियों का अनुकरण होता

है—चाल में गतियों और मुद्राओं में, भावों में। प्रत्येक प्रदर्शन का आरम्भ वन्दना से करने का चलन है और वह हमेशा ही अनुकरणात्मक होती है, हालाँकि उसमें कुछ शुद्ध नृत्त के टुकड़े भी कई बार पिरोये जाते हैं। कथक में प्रायः नृत्त पक्ष पहले और भाव-प्रधान नृत्य पक्ष बाद में प्रस्तुत किया जाता है : अन्य नृत्यों के मुकाबले उसमें यह विभाजन अधिक स्पष्ट भी है। भरतनाट्यम या ओडिसी में शुद्ध नृत्य को अधिकतर भावप्रधान शृंखला में ही गूँथा जाता है। अगर सिर्फ़ प्रदर्शन के प्रचलित रूपाकार को देखें तो लगेगा कि कथक में नृत्य अमूर्तन से मूर्तन की ओर बढ़ता है जबकि अन्य नृत्य शैलियों में मूर्त-अमूर्त के बीच ख़ासा गुँथाव रहता है। समापन की विधियों में विभिन्न नृत्यशैलियों में अन्तर है। कथक का तत्कार एक जटिल और क्रमशः क्षिप्र से क्षिप्रतर होता प्रकार है जबकि ओडिसी में मोक्ष और शान्तिपाठ होता है जो कि गति से स्थिरता की ओर लौटना है। यों देखें तो समूचा नृत्य-प्रदर्शन एक तरह की ट्रैजिक संरचना होती है : वह प्रदर्शन की अवधि में हमारे सामने रचता और मिटता हुआ एक लोक है जो होते-होते मिटता भी रहता है। कविता में एक पंक्ति से अगली पंक्ति पर जाएँ तो शब्द पीछे छूट भले गए हों पर वे मिट नहीं जाते जबकि नृत्य में एक स्थिति से दूसरी स्थिति पर पहुँचने का अर्थ ही पहली का मिट जाना है—यह तो हमारी उसकी स्मृति है जो मिटे हुए को याद रखती है और जो अभी हो रहा है उसके क्रम में जोड़ती चलती है। कथक में समापन लयों के अत्यन्त और सर्वथा गतिशील अमूर्तन तत्कार से होता है—नृत्य मानों अपने ट्रैजिक अन्त का सहर्ष उत्सव मना रहा हो, जैसे कह रहा हो कि यह जो लोक अभी रचा बल्कि कहें नाचा और रचा गया वह अब समेटा जा रहा है—वह ओझल हो जाएगा। उसकी परम नश्वरता अवश्यम्भावी है। वह दुःख-सुख से परे आनन्द का विषय है। तत्कार में पैरों और घुँघरुओं का काम होता है : वह उपस्थिति को लगभग लोप कर देता है। जैसे देह अनुपस्थित हो रही है—सिर्फ़ घुँघरू और पैर बजे हैं, फिर शायद वे भी नहीं सिर्फ़ आवाज़, सारा दृश्य एक विलक्षण ढंग से श्रव्य हो जाता है। यह संक्षिप्त अनन्त का अन्त है—ऐसा बहुत कम होता है जब समूची देह अपने को सिर्फ एक अंग में रिड्यूज कर ले और वहाँ भौतिक रूप से होते हुए भी लगभग ओझल हो जाए। कथक का यह परम अमूर्तन है—उसकी नश्वरता का उच्छल उत्सव।

संगीत की तुलना में नृत्य में उपज की सम्भावना सीमित है। संगीतकार प्रदर्शन के क्षण मे उल्लसित होकर या अपनी संरचना में डूबकर नई-नई उपज कर सकता है और ऐसा कुछ भी कर सकता है जो उसने पहले से न सोचा हो। ऐसा होता ही रहता है कि अचानक या सहसा कोई नया पदबन्ध या युक्ति या सुरों का कोई नया संयोजन सूझ जाए। पर नृत्यकार के लिए ऐसी उपज की अनुमति उसका माध्यम अधिकतर नहीं देता। वह ऐसा बहुत कम कर पाता है जो उसने

पहले से न सोचा हो या कि जिसका उसने अपने संगतकारों के साथ अभ्यास न किया हो। सवाल-जवाब और लड़न्त-भिड़न्त में अप्रत्याशित या अपूर्व-निर्धारित के लिए अवसर है पर वह भी बहुत अधिक या बहुत खुला हुआ नहीं है। संगीत में जितनी स्वच्छन्दता के लिए अवकाश है, नृत्य में नहीं है। बहुत बँधा हुआ न होने के कारण शायद कथक में उपज की सम्भावना दूसरी शैलियों के मुक़ाबले अधिक जान पड़ती है। तत्कार और भावप्रदर्शन दोनों में यह सम्भावना प्रायः मूर्त होती है—एक टुकड़े से दूसरे टुकड़े के बीच के हिस्से में भी उपज सम्भव होती है। शम्भु महाराज भाव में और बिरजू महाराज अन्यथा भी मंच पर ही देर तक शुद्ध उपज से कुछ बहुत अनोखा और अप्रत्याशित करते रहे हैं।

पहले से नृत्य शैलियों की परिस्थिति में एक बुनियादी परिवर्तन यह आया है कि उनके कलाकारों और रसिकों दोनों के अनेक शैलियों को देखने और उनसे प्रतिकृत होने के अवसर बढ़े हैं। इसका एक सुप्रभाव तो यह है कि अनजाने ही ये शैलियाँ एक-दूसरे से प्रभावित भी हो रही हैं और एक दूसरे को प्रभावित भी कर रही हैं। अगर ओडिसी में इधर आई क्षिप्रता कथक के प्रभाव में है तो कथक का अधिक संग्रथित प्रदर्शन, उसमें इधर विकसित हुई परिधान-सुरुचि भरतनाट्यम और ओडिसी के प्रभाव से है कभी-कभार अगर कथक संस्कृत और मध्यकालीन कवियों के पदों का सहारा लेने लगा है बजाए पहले की तरह सिर्फ़ अपनी पारम्परिक ठुमरियों आदि पर ही एकाग्र रहने के, तो इसकी कुछ प्रेरणा निश्चय ही इस अहसास से आई है कि भरतनाट्यम और ओडिसी में हमारी श्रेष्ठ प्राचीन कविता को उपजीव्य बनाने की लम्बी परम्परा है।

स्वयं कई नृत्यशैलियाँ इन दिनों अपनी एकरसता और रूढ़ रूपाकार से ऊब चली हैं और कुछ नया और अपूर्व करने की चेष्टा करती रही हैं। संगीत की अपेक्षा एक अधिक भौतिक माध्यम होने के कारण नृत्य की एकरसता संगीत से अधिक प्रगट और त्रासदाई या ऊबाऊ होती है। मालकौंस को आप कईबार सुन-सराह सकते हैं लेकिन माखनचोरी के दृश्य को बार-बार देखने में ऊब होने लगती है। इन सन्दर्भ में प्रायः सभी नृत्य शैलियों में विस्तार और प्रयोग की प्रवृत्ति बढ़ी है। मोटे तौर पर इन्हें दो काटियों में रखा जा सकता है। पहली वह है जिसमें किसी शैली की अपनी परम्परा में रहकर प्रयोग किए जा रहे हैं। बिरजू महाराज के बैले और समूह-नृत्य-रचनाएँ इसका अच्छा उदाहरण हैं। वे सभी नई सम्भावना को नृत्य के कृष्ण-केन्द्र के विस्तार के रूप में ही देखते और व्यक्त करते हैं। ज़ाहिर है इस प्रयोगशीलता के पीछे यह गहरा विश्वास है कि नृत्य के पारम्परिक मुहावरे में सब कुछ नया-पुराना समाहित और विन्यस्त करने की क्षमता है। कथक में ही कुमुदिनी लाखिया के प्रयोग दूसरी दिशा में हैं। वहाँ परम्परा का सहारा लेते हुए भी उसके मुहावरे में नया कुछ जोड़ने की कोशिश है। वहाँ मुहावरे की क्षमता में

कोई संशय नहीं है पर उसे कृष्णकेन्द्रित ही बनाए रखने की अनिच्छा सक्रिय है। उसमें कथक को एक समकालीन चेहरा देने की कोशिश है बजाए समकालीन को कथक के पारम्परिक परिवेश में रूपान्तरित करने का यत्न जैसा कि बिरजू महाराज के यहाँ है। ओडिसी में गुरु केलुचरण महापात्र, कुचिपुड़ी में गुरु वेम्पटि चिन्ना सत्यम, भरतनाट्यम में पद्मा सुब्रमणियम के नए प्रयोग परम्परा के अन्तर्गत ही हैं। गुरु केलुचरण महापात्र ने पल्लवी में कोणार्क आदि के प्रस्तार-शिल्पों को नृत्याकार में बाँधने की कोशिश की है जिनसे कई बार ऐसा सुखद अहसास होता है कि मानो वे मूर्तियाँ ही जीवन्त हो नृत्य कर रही हैं। यहाँ इसका उल्लेख भी ज़रूरी है कि अपनी प्रामाणिकता की खोज हमारे समय में शास्त्रीय नृत्य ने अन्य कला-स्रोतों से भी की है। मिनिएचर चित्रों, चिदम्बरम या कोणार्क के मन्दिरों में उत्कीर्ण मूर्तियों और उनकी नृत्यभंगिमाओं आदि से कई पारम्परिक अभिप्रायों, परिधान और करणों आदि की पुनर्रचना हुई है। बिल्कुल भिन्न और साहसिक कोटि में चन्द्रलेखा जैसी नर्तकी का यत्न है जो भरतनाट्यम के बुनियादी ढाँचे को बरकरार रखते हुए उसके पारम्परिक रहस्यभाव से उसे मुक्त कर उस पर नए अर्थ-अभिप्राय अधिरोपित करता है। यहाँ सिर्फ़ व्याकरण का विस्तार भर नहीं है, बल्कि उस व्याकरण को उसकी अन्तर्भूत दृष्टि से मुक्त कर उसे अन्य दृष्टि का वाहक बनाने की चेष्टा है। यह दिलचस्प है कि इस व्यापक प्रयोगशीलता के चलते शास्त्रीय नृत्य की कुछ शैलियों में महत्त्वपूर्ण परिवर्तन हो रहे हैं जिनके सभी फलितार्थों का आकलन किया जाना अभी बाक़ी है।

इनमें से कुछ का उल्लेख किया जा सकता है। कथक अभी इस शताब्दी के पूर्वार्द्ध तक मुख्यतः पुरुष प्रधान नृत्य था। पिछले लगभग तीन दशकों में वह पलटकर स्त्रीप्रधान नृत्य हो गया है, कुछ इस हद तक कि उसमें उल्लेखनीय पुरुष नर्तक बिरले ही रह गए हैं। इस परिवर्तन का उसके सौन्दर्यशास्त्र पर अन्ततः गहरा प्रभाव पड़ रहा है। कथक में जब पुरुष नर्तक घूँघट-पनघट आदि की गतें करता था या कि नायिका अभिनय करता था तो प्रदर्शन में एक नाटकीय तनाव आता था जो नृत्यार्थ को सघन और विशिष्ट करता था—उसमें एक विचित्र तरह की चुनौती निहित होती थी। जब यह सब अब किसी नर्तकी द्वारा किया जाता है तो वह नाटकीय तनाव नहीं होता फिर भी वह अच्छा लगता है तो शायद इसलिए कि अब हम सामान्य जीवन में घूँघट-पनघट आदि की स्थितियों से बहुत दूर हो गए हैं और उन्हें नृत्यमंच पर होते देखना एक तरह का नॉस्टैल्जिया पैदा करता है और इसलिए एक दूसरे क़िस्म का नाटकीय तनाव भी। दूसरे, कथक धीरे-धीरे एकल के बजाय समूह नृत्य हुआ जा रहा है। कुछ इसका कारण यह भी है कि अभ्यास और प्रशिक्षण की अवधि और सख़्ती में जो छूट बढ़ रही है उसके चलते ऐसे कलाकार मुश्किल से तैयार हो पा रहे हैं जो अपने बल पर दो घण्टे का प्रदर्शन

कर सकें और रसिकों का ध्यान एकाग्र रख सकें। एक ही कलाकार द्वारा अनेक चरित्रों का अभिनय जिस तरह की नाटकीयता और कल्पना-शक्ति का उद्वेलन उपजाता था वह कई कलाकारों द्वारा अलग-अलग चरित्र-चित्रण से अनावश्यक हो जाता है। हमारे नृत्य में एक की बहुलता का जो अद्भुत नाट्य हमारी आँखों के सामने घटता था वह धीरे-धीरे इस समूहन की प्रक्रिया में हम गँवा बैठेंगे। तीसरे, अनेक कथक कलाकारों ने भक्ति और रीतिकाल की कविता को अपने नृत्य का आलम्बन बनाना शुरू किया है जिससे कथक में निश्चय ही काव्यसमृद्धि आई है। यह बात भी ध्यान देने की है कि शास्त्रीय नृत्य ने अपनी ज़रूरतों के लिए काफ़ी नई शास्त्रीय संगीत रचनाएँ इस बीच उकसाई हैं। सम्भवतः नाट्यसंगीत की ही तरह नृत्यसंगीत के अन्दर हुए विकास का अलग से गहरा अध्ययन किया जाना चाहिए। अगर कथक के अनेक महान् कलाकार, जो निश्चय ही आज के युवा कथक कलाकारों की तुलना में कविता के अधिक निकट थे, अच्छी भक्ति-रीति कविता के उपयोग से विमुख रहे तो इसका एक कारण तो यह सूझता है कि उन्हें कविता के सहारे की बहुत ज़रूरत नहीं थी या कि बहाने भर को चाहिए थी। वे महान् कविता का या कि अच्छी कविता का अलंकरण अपने नृत्य को नहीं बनाना चाहते थे या कि उनका आग्रह, जैसा कि बिरजू महाराज अक़सर कहते हैं, नृत्य की अपनी कविता पर था, शब्द की कविता पर नहीं। हलकी-फुलकी कविता उन्हें उपज की अपार सम्भावना देती थी जिसका पूरा सदुपयोग करने का सामर्थ्य उनमें था। आज ऐसी सामर्थ्य घट रही है तो लगता है कि नृत्य को कविता आदि की बैसाखी चाहिए। दूसरी ओर यह भी कहा जाना चाहिए कि इसका कोई कारण नहीं है कि कथक जैसी महान् कला हलकी-फुलकी कविता से ही अपना नृत्यार्थ उपजाए। महान् नृत्य को महान् कविता या अच्छी कविता गहरा, अर्थपूर्ण और रससिक्त करती है।

एक और नृत्यशैली जिसमें महत्त्वपूर्ण परिवर्तन हमारी आँखों के सामने हो रहा है मणिपुरी है। अभी तक वह व्यापक रूप से समूह-नृत्य के रूप में जाना जाता रहा है। उसमें परिवर्तन आया है और वह व्यक्तिप्रधान एकल या युगल नृत्य हो रहा है। ज़ाहिर है कि इस विकास से उसके सामुदायिकता पर आधारित सौन्दर्यशास्त्र में बदलाव आएगा।

नृत्य के संरक्षण का एक महत्त्वपूर्ण कारण गुरुशिष्य-परम्परा रही है। नृत्य का जैविक शास्त्र संगीत से लगभग उलट है। संगीत में आयु बढ़ने से परिपक्वता आती है और प्रायः अधेड़ संगीतकार अपने चरम पर होते हैं। नृत्य में ऐसा नहीं है। वहाँ तो नृत्य को आयु से हारी होड़ लगातार लगानी पड़ती है। संगीतकार के मुक़ाबले नृत्यकार का प्रदर्शन-जीवन काफ़ी कम होता है। आज के सामाजिक दबावों के रहते इस परिस्थिति ने नृत्य के प्रशिक्षण और अभ्यास को गहरे प्रभावित किया

है। प्रशिक्षण के लिए अब लम्बी अवधि सहज सुलभ नहीं है—एक तरह की हड़बड़ी घर कर रही है। अन्य कलामाध्यमों की तुलना में नृत्य में शिष्य बहुत जल्दी गुरु का एक तरह का प्रतिस्पर्धी बन जाता है। इसमें भरतनाट्यम या ओडिसी जैसी शैलियाँ कुछ अलग हैं क्योंकि उनमें गुरु प्रायः स्वयं प्रदर्शक-कलाकार नहीं हैं। इधर इस बात को लेकर चिन्ता बढ़ रही है कि अनेक शैलियों में गुरुओं की संख्या घट रही है। एक ओर प्रशिक्षण के लिए आवश्यक धीरज का अभाव और दूसरी ओर गुरुओं की घटती संख्या विद्या के अन्तरण को गम्भीर रूप से प्रभावित कर रही हैं। अधकचरा प्रशिक्षण बढ़ रहा है और जो भी थोड़ा-बहुत सीख चुका है गुरु बनने के लिए उत्साहित हो रहा है। कुछ यह भी हो रहा है कि इधर अनेक कलाकार गुरु होने की ओर आकर्षित हो रहे हैं। अभी तक इस प्रवृत्ति के जो परिणाम सामने आए हैं उनको लेकर उत्साहित नहीं हुआ जा सकता। इसका एक कारण यह भी होगा कि प्रायः कलाकार स्वयं अपने प्रदर्शन में व्यस्त होने की वजह से शिष्यों पर उतना ध्यान नहीं दे पाते होंगे जितना कि लगातार देना ज़रूरी है। दूसरे, उनका आग्रह सिखाने के बजाए प्रदर्शन के लिए तैयार करने पर कुछ अधिक रहने से भी प्रशिक्षण की गुणवत्ता प्रभावित होती है। शास्त्रीय अन्तरण हमेशा ही गुरु और शिष्य दोनों की साधना पर एकाग्र रहा है—उस साधना का अवमूल्यन अन्ततः समूची शास्त्रीयता का ही अवमूल्यन होगा। यह ख़तरा लगातार बढ़ रहा है। संगीत की ही तरह हमारे शास्त्रीय नृत्य में साधना के इस क्षरण के परिणाम सामने आने लगे हैं। अच्छे और सुशिक्षित नृत्यकारों की आज अच्छी संख्या दृश्य पर सक्रिय है पर श्रेष्ठता तेजी से विरल हो रही है। अगर हम पिछले लगभग तीन-चार दशकों का जायज़ा लें तो स्पष्ट होगा कि इस दौरान वाला सरस्वती या शम्भु महाराज, बिरजू महाराज जैसे महान् कलाकार बहुत कम ही हैं। वे निरन्तर कम होते जा रहे हैं और अगर इस शताब्दी के अन्त में गुरुओं का लगभग अकाल पड़ गया, जैसी कि सम्भावना साफ़ दीख रही है, तो अगली शताब्दी का आरम्भ शास्त्रीय नृत्य के लिए ख़ासा निराशाजनक ही होगा। फ़िल्मों के प्रभाव में और नृत्य पर मीडिया द्वारा काफ़ी ध्यान दिए जाने के कारण उसमें व्यावसायिकता भी बढ़ी है। उसे लेकर एक तरह का ग्लैमर भी बढ़ा है। ये सभी विकास किसी हद तक अनिवार्य से हैं पर उनका प्रभाव किस तरह से नृत्य की पूरी शास्त्रीयता को अपनी चपेट में लिए ले रहा है यह पहचानना ज़रूरी है। किसी हद तक ये प्रभाव शास्त्रीय वाद्यकारों पर पड़ रहे प्रभावों और प्रलोभनों से मिलते-जुलते हैं। उनके प्रति कितना गहरा और सशक्त प्रतिरोध हमारी नृत्यपरम्परा दे पाएगी। इसका अनुमान लगाना मुश्किल है। पर बिना इस प्रतिरोध के इस परम्परा की अस्मिता और विशिष्टता बचाना मुश्किल है यह तो स्पष्ट है ही। यों अगर यह धारणा बन रही है कि यह नृत्य के लिए बहुत ख़राब समय है तो उसे ठीक करना ज़रूरी है। पिछले चार दशकों

में ही हम कुल चार भारतीय नृत्यों कथक-कथकली-मणिपुरी-भरतनाट्यम की सीमित संख्या से आगे बढ़े हैं और ओडिसी, कुचीपुड़ी और मोहिनीअट्टम को राष्ट्रीय मान्यता मिल पाई है।

नृत्य की समकालीन आलोचना अत्यन्त विपन्न है। उसका अधिकांश या तो अख़बारो में छपने वाली प्रदर्शनों की समीक्षाओं या नृत्य पर विवरणात्मक लेखों, आदि पुस्तकों तक सीमित है। यह भी अधिकांशतः अँग्रेज़ी में है। नृत्य का सौन्दर्यशास्त्र प्रायः सभी शैलियों में बदल रहा है पर इस बदलाव को समझने-पहचानने और उसके अनुरूप अवधारणाएँ और युक्तियाँ विकसित करने वाली आलोचना नहीं है। इस प्रश्न पर भी विचार होना चाहिए कि नृत्य को लेकर शास्त्ररचना की लम्बी परम्परा हमारे युग तक आते-आते निःशेष क्यों हो गई। हमारे आज के नर्तक अपने नृत्य और उसमें प्रयोगों द्वारा एक नया या परिवर्तित शास्त्र नाच और रच रहे हैं पर उसे परिभाषित और शब्दबद्ध करनेवाली आलोचक-प्रतिभा नहीं है—नाचा जा रहा शास्त्र है पर लिखा गया शास्त्र नहीं है। वहीं यह भी लक्ष्य किया जाना चाहिए कि नए बोलों, परनों आदि की रचना भी शिथिल, धीमी और निष्प्राण हो रही है।

शास्त्रीय नृत्य के कुछ और पक्षों पर विचार करना चाहिए। हर कला माध्यम उसके प्रयोक्ता के लिए आत्माभिव्यक्ति का भी माध्यम होता ही है अगर सत्यान्वेषण, लोकमंगल, रस-सिद्धि आदि भी उसके लक्ष्य हों। शुद्ध नृत्य अथवा नृत्त में, उसकी भावहीनता के कारण, किसी तरह की आत्माभिव्यक्ति की गुंजाइश बहुत कम है। गुंजाइश जो है सो नृत्य अर्थात् भावप्रधान नृत्य में ही होती है। पर वहाँ भी सीधे आत्माभिव्यक्ति का अवसर कम है। कथक को छोड़ दें जहाँ प्रदर्शन के दौरान नर्तक-नर्तकी पढ़न्त आदि करते हुए सीधे नर्तक या नर्तकी के रूप में रसिकों को सम्बोधित करते हैं तो सभी शैलियों में नृत्य में नर्तक या नर्तकी कोई कथांश, चरित्र या पद नाचता है—वह अपनी देह से दूसरों की कथा कहता है। नृत्यक्षण में उसकी देह दूसरे की देह बनती है—कई बार एक ही देह बारी-बारी से अनेक देहें। नृत्यकार की चुनौती इसी क्षण में कहीं आत्माभिव्यक्ति के लिए अवकाश निकालने की है। हम देखते हैं कि यह यामिनी कृष्णमूर्ति की देह है जो कृष्ण और सत्यभामा की देहें बन रही है : वह दोनों एक साथ हैं यामिनी भी और कृष्ण या सत्यभामा भी। जो है और जो होने का अभिनय है उसके बीच जो द्वनद्व है जो स्पेस है वहीं कहीं नृत्यकार का आत्म भी बसता है : अपने को प्रकट करता है। नृत्य में देह में देवी-देवता, नायक-नायिका, पशु-पक्षी अवतरित और लोप होते हैं : देह स्वयं होती है और उसमें अन्य भी देहगत होते हैं। नृत्यक्षण में देह की अपनी अस्मिता पूरी तरह अन्यता को अंगीकार कर पाती है। एक पल को लगता है कि देवी-देवता या अन्य चरित्र नृत्यदेह की ही रचना है। देह नाचते हुए अपनी सहज लीला से

इतने सारे रूपक रचती हैं

डब्ल्यू. बी. येट्स ने कहा है :

> Labour is blossoming or dancing where,
> the body is not bruised to pleasure soul.
> Nor beauty born out of its own despair,
> Nor blear-eyed wisdom out of mid-night oil,
> O chestnut tree, great rooted blossomer,
> Are you the leaf, the blossom or the bole?
> O body swayed to music, O brightening glance,
> How can we know the dancer from the dance?

यह समझना कठिन है कि हमारे समय में शास्त्रीय नृत्य ने अपने को संगीत को छोड़कर अन्य कला माध्यमों से इतना अपरिचित क्यों रखा है। कहाँ तो वह एक समग्र अन्तर्निर्भरता का अंग था जिसमें सभी कलानुशासनों में मित्रता-पड़ोस, आदान-प्रदान आदि थे और कहाँ यह हालत आ गई है कि दूसरी कलाओं से उसका मुँह-बोला तक नहीं है। एक ओर तो नृत्य अपनी प्रामाणिकता के लिए प्राचीन स्थापत्य और मध्यकालीन चित्रकला का सहारा लेता है ओर दूसरी ओर अपने समकालीन कलामाध्यमों से उदासीन और अप्रभावित रहता है। यह स्थिति निश्चय ही उसके लिए अन्ततः हानिकारक ही है। अब तक रही है।

इन दिनों यह प्रश्न कुछ तीख़ेपन से उठता रहा है कि जब इस शताब्दी में वैचारिक संघर्ष साहित्य और कलाओं में केन्द्रीय है, शास्त्रीय नृत्य उससे अलग-थलग रहकर क्या स्वयं अपने लिए हाशिए की स्थिति नहीं चुन रहा है? जब मनुष्य की नियति अपने को इस वैचारिक द्वन्द्व के माध्यम से ही व्यक्त करती है तब उससे दूरी क्या नृत्य की इस नियति से ही दूरी का पर्याय और साक्ष्य नहीं है? सत्ता के प्रति जैसा आलोचनात्मक रुख साहित्य रखता है वैसा संगीत और नृत्य का नहीं रहा है—साहित्य सत्ता से बराबर दूरी बनाए रखता है। जबकि प्रायः नृत्य और संगीत, उसकी प्रकृति कैसी भी क्यों न हो, सत्ता से निकटता बनाने के लिए सचेष्ट दीख पड़ते हैं। यह क्या सिर्फ़ इसलिए हो रहा है कि नृत्य को भौतिक साधन साहित्य से अधिक चाहिए और इसलिए उसकी सत्ता पर निर्भरता कुछ-कुछ अपरिहार्य-सी है? या कि इसलिए कि एक कला के रूप में वह इतनी आत्मरत और आत्ममुग्ध है और उसमें वैचारिक प्रतिरोध देने की क्षमता इतनी कम कि किसी तरह का आलोचनात्मक रुख़ उसके लिए अस्वाभाविक-सी बात है?

हो सकता है कि एक कारण यह भी हो कि नृत्य मन्दिर और राजसभा के

दो स्पेसों के अलावा कहीं और होने से घबराता है—उसने आज के पवित्रता और भव्यता से विछिन्न उदासीन नागरिक स्पेस का नृत्य होने की चेष्टा नहीं की है। इस चेष्टा से अनिवार्यतः होने वाले वैचारिक उलझाव को वह जानता है और उससे दूर रहने में ही अपनी ग़नीमत मानता है। मनुष्य के लिए उसकी पक्षधरता में भले सन्देह न हो पर यह शंका बनी रहती है कि वह शायद उसके संघर्षों में सीधे-सीधे उसका साथ देने में संकोच करता है। यह प्रश्न अपनी जगह बना रहता है कि यह संकोच उसका अपनी माध्यम की सीमा का स्वीकार है या कि उसके बुनियादी तौर से पर्याप्त रूप से साहसी और संघर्षशील न होने का प्रमाण।।

दूसरों की उपस्थिति में

> कहानी चलती है कि अपने मरने के पहले या बाद में उसने आप को ईश्वर के सामने पाया और उसने कहा : 'मैं, जो व्यर्थ में इतने सारे पुरुष हो चुका, एक पुरुष ही होना चाहता हूँ : स्वयं मैं।' एक बवंडर से ईश्वर की आवाज़ ने उत्तर दिया : मैं ही एक नहीं हूँ। मेरे शेक्सपीयर, जैसे तुमने अपनी रचनाएँ कल्पित की हैं, मैंने यह संसार कल्पित किया है, और मेरी कल्पना की आकृतियों के बीच तुम हो, जो कि मेरी तरह कई व्यक्ति हो—और कोई नहीं।'
> 'सच कुछ और कुछ नहीं' का अंतिम अंश
>
> *जार्ज लुई बोरहेस*

कुछ कलाएँ हैं जिनमें ऐकान्तिकता उनके अर्थ-सृजन का मूलाधार होती है। कविता या संगीत या रूपंकर कलाएँ ऐसे ही माध्यम हैं जिनकी रचना और आस्वादन दोनों ही ऐकान्तिक रूप से सम्भव है। बल्कि प्रायः उनके लिए ऐसी ऐकान्तिकता उनके आस्वादन को अधिक गहरा और उत्कट बनाती है। रंगमंच की स्थिति इस ऐकान्तिकता के बिलकुल विपरीत है। उसका आस्वाद बल्कि रचना ही बिना दूसरे के सामने कुछ सम्भव नहीं। अकेले में अभ्यास किया जा सकता है (हालाँकि वह भी अक्सर सामूहिक ही होता है) पर अकेले में नाटक नहीं खेला जा सकता। यह 'दूसरों' की उपस्थिति की अनिवार्यता रंगमंच का स्वभाव भी निर्धारित करती है और उसकी नियति भी। बिलकुल खाली हाल में भी कोई चाहे तो नाटक 'खेल' सकता है—पर नाटक 'होगा' तभी जब दूसरे होंगे। कह सकते हैं कि रंगमंच, इस अर्थ में, सबसे सामाजिक कला है। यह नहीं कि वह आत्मनिवेदित या आत्मसम्बोधित नहीं हो सकती : पर यह आत्मनिवेदन भी उसमें अन्ततः दूसरों के लिए ही है। उसमें 'आत्म' का बिना 'पर' के मानों अस्तित्व ही नहीं है। अगर एक आद्यरूपक का सहारा लें तो लगेगा कि ब्रह्म लीला कर सकता है, नृत्य कर सकता है पर अपने विराट् एकान्त में नाटक नहीं कर सकता। नाटक लीला कर चुकने के बाद अर्थात् माया-सृष्टि के बाद का उपक्रम है। बिना माया के नाटक

नहीं हो सकता : अकेले ब्रह्म के वह बस की बात नहीं है। रंगमंच दरअसल सबसे मायावी कला है : उसमें सब कुछ शामिल है—साहित्य, रूपंकर कलाएँ, संगीत, नृत्य आदि। अगर इस रूपक को कुछ और आगे ले चलें तो लगेगा कि वह सबसे अशुद्ध कला है—उसमें भयानक मिश्रण है। वह परम शुद्ध ब्रह्म द्वारा रची गई अशुद्ध माया की तरह है। हमारा संगीत अगर शुद्धता का स्तूप है तो रंगमंच अशुद्धता का प्रवाह। एक अशुद्ध कलामाध्यम होने के कारण रंगमंच में हमेशा ही अन्य कलानुशासनों की तुलना में अधिक ग्रहणशीलता और विनम्रता रही है। शायद आत्मविश्वास भी कम रहा है—अगर संगीत हमारी आस्था की सबसे अचूक पहचान है तो रंगमंच हमारे अनिश्चय और सन्देहों की सबसे मार्मिक अभिव्यक्ति। वह अपनी अशुद्धता और मिश्रित अर्थव्यवस्था से भागता नहीं है बल्कि उन्हीं के जरिए अपना आत्यन्तिक अर्थ खोजता और सम्प्रेषित करता है। यह थोड़ा विचित्र है कि नाट्य को हमारे यहाँ पाँचवाँ वेद माना गया है—शायद पवित्रता और आस्था के लिए इतना व्यापक स्पेस देने के बाद अपवित्रता और अशुद्धता के लिए भी कुछ स्पेस देना हमारे प्राचीनों के लिए, अपनी सम्यक् बुद्धि से आवश्यक लगा हो।

दूसरे, रंगमंच की अनिवार्यता है और चुनौती भी। साहित्य या कि रूपंकर कलाओं की तरह ये दूसरे सम्भावित नहीं, नाट्यघर में रंगमंच के सामने भौतिक रूप से उपस्थित दूसरे होते हैं। अकेले में न कोई नाटक देख सकता है और न ही कर सकता है। इसका एक अर्थ यह भी है कि रंगमंच में अक्सर वही किया या कहा जा सकता है जो दूसरों तक पहुँच सके। अन्तर्मन की अनेक सूक्ष्मताएँ या व्यथाएँ अगर दूसरों के काम की नहीं हैं या कि दूसरों तक पहुँचाई नहीं जा सकतीं तो रंगमंच के काम की नहीं हैं। रंगमंच का एक बड़ा संघर्ष दूसरों तक सूक्ष्म-से-सूक्ष्म, जटिल-से-जटिल पहुँचाना रहा है और ऐसा करने में वह दूसरे सभी कला-माध्यमों का अपने आशयों के लिए शोषण करने में संकोच नहीं करता है। प्रायः रंगार्थ आत्मप्रस्फुटित नहीं होता, वह अन्यसम्वेद्य होता है। ऐसे रंगप्रयोग हुए हैं जिनमें इस दूसरे की उपस्थिति और अनिवार्यता को मिटाने-घटाने की चेष्टा हुई है : पर सामान्य तौर पर दूसरे हैं और रंगमंच उनके सामने ही का सृजन व्यापार है। हम यह न भूल जाएँ कि एक तरह से दूसरे कलामाध्यम अर्थात् रंगमंचेतर कला माध्यम भी उसके लिए दूसरे हैं—नाटक अक्सर दूसरा ही कोई लिखता है, प्रकाश व्यवस्था और दृश्यबन्ध, वेशभूषा आदि दूसरों के किए होता है और निर्देशक और अभिनेता स्वयं एक-दूसरे के लिए 'दूसरे' ही हैं। किसी और कलामाध्यम पर दूसरे इतने छाए नहीं रहते हैं जितने कि रंगमंच पर। एक दिलचस्प अर्थ में रंगमंच हमेशा ही दूसरों का माध्यम रहा है।

दूसरों की बात करते हुए या कि दूसरों से इस तरह घिरे रहने के बावजूद रंगमंच अपनी बात कहता है। नाटक में अभिनेता ज़्यादातर किसी दूसरे की ही

भूमिका निभाते हैं। उनके लिए मंच पर स्वयं अपनी ही भूमिका में जाना सम्भव नहीं। वे एक या अनेक चरित्र बनते हैं जो सब दूसरे होते हैं। एक तरह से मंच पर अभिनेता की स्थिति हमेशा ही विडम्बना की है : वह कोई दूसरा होता है और फिर ऐसे मानो कि वह वही दूसरा हो, स्वयं नहीं। जानते हैं कि अभिनेता अश्वत्थामा का अभिनय कर रहा है पर स्वयं तो मोहन महर्षि है : मोहन महर्षि अश्वत्थामा की तरह—अपने से दूसरा होते हुए भी स्वयं बने रहना। याने कोई और अश्वत्थामा की भूमिका करे, मान लीजिए द्वारका, तो वह वही अश्वत्थामा नहीं होगा। पहला बदला तो दूसरा भी बदल जाएगा : उनके बीच के तनाव का रूपगुण भी अलग क़िस्म का हो जाएगा। दूसरी ओर यह भी है कि दोनों के लिए ही अश्वत्थामा दूसरा है और उनके द्वारा प्रगट होने वाले दो रूपों में तारतम्य भी होगा। अभिनेता रूप धरता है दूसरे का, और फिर भी स्वयं बना रहता है। आत्म और पर का तादात्म्य होता है तो उनके बीच की दूरी भी बनी रहती है। रंगमंच का बुनियादी नाटक तादात्म्य और दूरी के तनाव से ही उपजता है। चरित्र तो नाटककार रचता है और वही उसे शब्द और घटनाएँ देता है—वही उसे एक आख्यानपरक सिलसिले में बाँधता है : पर उस चरित्र को सजीव मंच पर अभिनेता ही करता है : वही दिए गए शब्दों को अनिवार्य बनाता है और उन्हें जीवन्त और स्पन्दित करता है। अभिनेता का व्यवहार मंच पर यों होता है जैसे कि शब्द और स्थितियाँ स्वतः स्फूर्त हैं। कई बार अभिनेता की कोई भंगिमा, कोई मुद्रा, कोई यति या मौन अचानक ऐसी अर्थ-दीप्ति ले आते हैं जो नाटककार या निर्देशक ने कभी न सोचे हों। संगीत के मुहावरे में कहें तो यही उपज का स्पेस है—दूसरों से सीमित-बाधित स्पेस में अपना कुछ कर पाने के साहस का अवसर। यही उपज समूचे निर्देशन, परिकल्पना, दृश्यव्यवस्था आदि अनेक रंगपक्षों में सम्भव होती है। यहाँ हम याद कर सकते हैं कि कैसे उन देशों में जहाँ स्वतन्त्र अभिव्यक्ति पर कड़ा सेंसर रहा है, शेक्सपियर या अन्य क्लैसिक नाटकों को रंगकर्मियों ने अपने विद्रोह या असहमति को व्यक्त करने के लिए बहुत चतुराई से ऐसे प्रस्तुत किया है कि क्लैसिक होने के कारण सेंसर तो आपत्ति न कर सके लेकिन उनकी प्रस्तुति ऐसी हो कि आपत्तिजनक व्यंजित हो जाए। यह आकस्मिक नहीं है कि अक्सर राज्य भी नाटकों के प्रदर्शनों में रुचि रखता है : अभी भी भारत के कई राज्यों में प्रस्तुति के पहले नाटकों के पुलिस या सेंसर द्वारा अनुमोदित किए जाने का क़ानून लागू है। इसी का एक दूसरा पक्ष यह है कि अक्सर कई विचारों को सीधे और मार्मिक ढंग से सम्प्रेषित करने की नाटक की क्षमता के कारण अनेक शक्तियाँ प्रचार-प्रसार के लिए इस सक्षम माध्यम का व्यापक रूप से इस्तेमाल करती हैं।

साहित्य की ही तरह रंगमंच एक ऐसा उत्सुक स्पेस रचता है जहाँ अक्सर किसी समाज के द्वन्द्व, चिन्ताएँ, बुनियादी प्रश्न, मूल्यबोध प्रत्यक्ष या परोक्ष हमारे

सामने आते हैं—उनकी एक तरह की जाँच-पड़ताल, चीरफाड़, रंगमंच पर होती है। वह एक ऐसा परिसर है जहाँ सब कुछ प्रश्नाकुलता के घेरे में आ जाता है। हम रंगमंच पर सिर्फ़ दुष्टों या खलनायकों के आचरण पर ही शंका नहीं करते, धीरोदात्त नायकों के आचरण और उनकी नियति पर भी प्रश्न उठाते हैं। रंगमंच पर शायद सभी कुछ के नितान्त और निपट भौतिक होने की विवशता सब कुछ को वेध्य बनाती है। अक्सर नाटक किसी दृष्टि-विशेष से लिखे जाते हैं और उन्हें प्रस्तुत करने वाले निर्देशक की भी दृष्टि विशेष होती है। पर रंगमंच की अपनी परम बेध्यता की रूढ़ि ऐसी है कि वह दृष्टि भी प्रश्नों के घेरे में आ जाती है। रंगमंच शायद उत्तर नहीं देता : उसके पास समाधान भी शायद नहीं होते। वह तो हमें प्रश्न पूछने, जिज्ञासा करने, जिससे तदाकार भी होते हैं उससे थोड़ा अलग हटकर उसकी स्थिति पर विचार करने के लिए उकसाता है। राजनीति और आचार के, अध्यात्म और सामाजिकता, दर्शन और विचार के क्षेत्र के ऐसे अनेक प्रश्न और अर्थ हैं जो हमारे सामने रंगमंच में ठोस भौतिक स्थितियों में सामने आते हैं और हम उनका सामना करने से बच नहीं सकते। जो देखने में साधारण है, रोज़मर्रा का है उसमें भी कितना विशेष और असाधारण छुपा है यह सबसे तीखे रूप में रंगमंच ही हमें अहसास कराता है। जीवन की ऐसी कितनी ही सामान्य-सी लगने वाली स्थितियाँ हैं जिनकी पूरी व्याप्ति और गहरे आशय हम तभी पहचानने की ओर प्रवृत्त होते हैं जब उन्हें जीवन में नहीं रंगमंच पर देखते हैं—जीवन में जो आपाधापी है उसमें हम बहुत-सा अलक्षित करते हैं। लेकिन रंगमंच पर जो होता है हम उसे अनदेखा नहीं कर सकते क्योंकि वह संपुंजित हमारे सामने होता है और आख़िर हम देखने ही तो नाटक जाते हैं।

रंगमंच उन कलाओं में से है जो कालबिद्ध हैं, लगभग अनिवार्यतः। उसे यह सुविधा नहीं है कि वह अपने को किसी और काल में अन्तरित कर ले : उसके दूसरे आज और अभी के हैं। वह आज के कलाकारों द्वारा आज के सामाजिकों के समक्ष होता है। जब किसी क्लैसिक या किसी प्राचीन कथा को भी किया जाता है, जिसमें दृश्यबन्ध, भाषा-मुहावरा, रंग-सामग्री और परिधान किसी और समय के हों आज के नहीं, तब भी सार्थक रंगानुभव होने के लिए आवश्यक है कि वह नाटक आज का हो—दर्शकों को आज और अभी का लगे। यह सर्वथा प्राचीन को सर्वथा अर्वाचीन बनाना, जो हो चुका हो उसे यों पेश करना मानो वह आज और अभी हो रहा है रंगमंच का कलाकर्तव्य ही है। लेकिन आज और अभी का होने का अर्थ आज का अख़बार होना नहीं है—वह मनुष्य के चरम प्रश्नों को यों पेश करना है कि उनकी चरमता ताकालिकता में प्रगट हो। जो चरम और सनातन है, फिर वह मनुष्य के जीवन का या इस समूचे ब्रह्माण्ड का अर्थ और रहस्य हो, हमारी नियति और अवस्थिति हो, उन्हें हम आज और अभी की उलझनों में अक्सर भूल जाते

हैं। कलाओं का एक काम, जिनमें रंगमंच प्रमुख है, हमें उनकी याद दिलाना है : हमें जिज्ञासा-प्रश्नाकुलता-रहस्य आदि की एक अटूट बिरादरी में शामिल करना है। हम नायकों और खलनायकों, भीड़ और कोरस में अपने को एकबारगी देख पाते हैं—उनकी नियति, उनके द्वन्द्व, उनका संघर्ष और आशा, उनकी व्यथा और निराशा में हम अपने को पहचानते हैं। हम देखते तो हैं रंगमंच पर हो रहा एक नाटक पर अकस्मात् वह नाटक भी यवनिका से बाहर आ जाता है जो हमारे जीवन, अस्तित्व और अन्तर्मन में घट रहा होता है और जिसे इस रंगस्फुरण के अभाव में हम शायद परदे के पीछे ही रहने देते। रंगमंच लगाव और अलगाव का एक धूपछाँही खेल होता है : एक ओर हम स्थितियों और चरित्रों से तदात्म होते हैं और दूसरी ओर उनसे अपनी भिन्नता का तीखा अहसास भी हमें घेरता है। हमारा मनोलोक मानो इस दुहरी प्रक्रिया से किसी अतिरेक या ध्रुवान्त से बचकर एक सन्तुलन पा लेता है। रंगमंच जीवन की एक फाँक हमें दिखाता है और हमें फिर जीवन में वापस भेज देता है अपना संघर्ष, अपनी चेष्टा, अपना मार्ग जारी रखने के लिए : पर हम वही नहीं होते—शायद हममें कुछ अधिक समझ, कुछ अधिक भावनात्मक और बौद्धिक तैयारी, कुछ अधिक संवेदना होती है। जीवन हम हमेशा अपूर्णता में ही जीते हैं हालाँकि पूर्णता का स्वप्न हमारा लगातार पीछा करता है। हम नाटक इसलिए भी देखते हैं कि उसमें जीवन की एक पूर्णता देखी जा सकती है जबकि स्वयं जीवन में वैसी पूर्णता सम्भव नहीं। हम वह पूर्णता नाटक में देखते हैं जो जीवन में नहीं देख पाते। नाटक हमारे लिए सच की तरह पूरा हुआ सपना है। जो स्वंय ज़िद कर अशुद्ध है वह हमें पूर्णता का उपहार देता है यह एक दिलचस्प अन्तर्विरोध है।

यथार्थ से हमारा रिश्ता किस तरह का है और उसकी कलात्मक अभिव्यक्तियों में किस तरह का हो सकता है, रंगमंच इसका दिलचस्प उदाहरण है। संगीत या नृत्य में सीधे-सीधे यथार्थ की माँग हम नहीं करते पर रंगमंच में इधर एकाध सौ साल से करने लगे हैं जैसे कि साहित्य और रूपंकर कलाओं से भी। पर रंगमंच में ही हमने इधर सबसे तीव्रता से पहचाना है कि हमारा अपने यथार्थ से रिश्ता बुनियादी तौर पर ग़ैर-यथार्थवादी है। पश्चिमी प्रभाव में हुबहू या लगभग हूबहू करने का जो उत्साह जागा था उसका खोखलापन जल्दी ही सामने आ गया। हूबहूपन भी अन्ततः एक नाटकीय युक्ति ही है और यथार्थ को व्यक्त करने की उसकी क्षमता अन्य नाटकीय युक्तियों से कम या ज़्यादा नहीं है। औपनिवेशिक आतंक के रहते, यह ध्यान रखने की बात है, हमें यह समझने में देर लगी। हमारा संगीत और नृत्य तो इस आतंक से पूरी तरह मुक्त रहा और साहित्य में भी इस आतंक को काफ़ी प्रतिरोध मिला। सिर्फ़ ललित कलाओं और रंगमंच पर यह आतंक बुरी तरह से और बहुत देर तक हावी रहा। ज़ाहिर है यह आतंक अधिकतर हमारे शहरी

रंगमंच पर ही सक्रिय रहा। लोक रंगमंच पर इस यथार्थवादिता का असर बहुत कम पड़ा—अपनी जड़ों से अपनी स्वाभाविक ऊर्जा ग्रहण करने वाली लोक धारा ने जो भी स्वीकार किया वह अपनी शर्तों पर। वैसे भी पश्चिमी सभ्यता ने हमारी शहरी सभ्यता को ही अधिक प्रभावित किया है और हमारी ग्रामीण व्यवस्था उससे अछूती तो नहीं पर उसके आतंक में नहीं रही है। हमारे शहरी रंगमंच ने अपने नक़लचीपन से ऊबकर या उसकी बुनियादी सृजन-अक्षमता पहचान कर जब अपनी जातीय परम्परा की ओर रुख़ किया तो यह लगभग अनिवार्य ही था कि वह उसके उत्स लोकधारा में ही पाता। यह कहना अतिशयोक्ति नहीं है कि हमारे रंगमंच ने अपनी जातीय अस्मिता और गहराई, मनुष्य के चरम प्रश्नों को अपने अनूठे ढंग से पूछने की क्षमता लोक रंगमंच की पारम्परिक निरन्तरता, उसकी विविधवर्णिता और उसकी देशकाल को लाँघकर स्वच्छन्द हो जाने की सहज साहसिकता से ही पाई है।

हमारे अपने पारम्परिक रंगमंच की, जिसमें संस्कृत का क्लैसिकी रंगमंच और लोक रंगमंच दोनों ही शामिल हैं, बुनियादी विशेषता यह रही है कि वह अपने यथार्थ को व्यक्त करने के लिए कल्पना का सहारा लेता है—बल्कि कहना यह चाहिए कि कल्पना को अपना मूलाधार बनाता है। कम-से-कम रंगसामग्री, अत्यन्त स्वल्प रंगाभिनिवेश से बड़े और गहरे यथार्थ को प्रभावशाली और मार्मिक ढंग से चरितार्थ करने का जो विलक्षण सामर्थ्य इस परम्परा में रहा है उसका मूल इस विश्वास में है कि मनुष्य, फिर वह रंगकर्मी हो या कि रंगरसिक, अभिनेता हो या कि दर्शक, अपने सच को जानने-पहचानने के लिए अपनी कल्पनाशक्ति पर स्वाभाविक रूप से आश्रित है। इस नैसर्गिक निर्भरता को हमारे पारम्परिक रंगमंच ने अपने समूचे रंग व्यापार में केन्द्रीय स्थान दिया है : मनुष्य की कल्पना में ऐसी गहरी, अटल और सक्रिय आस्था संसार के स्तर पर कदाचित् दुर्लभ ही है। एक साधारण-सी रंगक्रिया या कि गति, शब्दों का एक हलका-सा मोड़ समूचे दृश्य को अन्यत्र स्थानान्तरित कर देता है। यों तो रंगमंच की प्रक्रिया में एक बुनियादी अड़चन यह है कि उसमें बहुत कुछ को भौतिक रूप से हमारे सामने घटित होना होता है। अगर किसी चरित्र को दृश्य से या कि किसी स्थान से बाहर जाना हो तो उसे सचमुच हमारी आँखों के सामने मंच पर बाहर जाना होता है। पर दूसरी ओर, अनेक मनोव्यापार या अन्तःक्रियाएँ संकेतों और कुछ मुद्राओं से ही व्यक्त और सजीव हो जाती हैं। रंगमंच का एक मौखिक द्वन्द्व स्थूल और सूक्ष्म के बीच सन्तुलन का है : हमेशा ही यह समस्या रहती है कि कैसे स्थूल को सूक्ष्म किया जाए और कैसे सूक्ष्म को स्थूलता दी जा सके। इस द्वन्द्व में अक्सर कालिदास जैसे महाकवि के यहाँ, जैसे कि शेक्सपीयर के यहाँ भी, नाटकीय शब्द नहीं रह जाते : वे रंगशब्द बनकर एक ओर तो अपने चरित्र को चरितार्थ करते हैं—उसे अपनी

पहचान, अपना कर्म और अपना विशिष्ट अर्थ देते हैं और दूसरी ओर अपनी उत्कटता और रंगसघनता से मानो चरित्रमुक्त हो स्वयं ठोस और नाटकीय उपस्थिति बन जाते हैं। एक विशिष्ट नाटकीय स्थिति में वे अपनी प्रामाणिकता अर्जित करते हैं और फिर उस स्थिति की विशिष्टता से मुक्त होकर एक विश्वसनीय सामान्यीकरण भी बन जाते हैं। यह विशिष्टता और यह सामान्यीकरण लगभग एक साथ सम्प्रेषित होता है। शायद रंगार्थ की संश्लिष्ट जटिलता इस अनिवार्य अन्तर्विरोध में ही निवास करती है। यह दूसरों का माध्यम इसी जटिलता और अन्तर्विरोध से अपनी स्वाधीनता पाता है : वह दूसरे के दूसरेपन को स्वीकार करता है और इसी स्वीकार के क्षण उसे आत्मसात् भी कर लेता है।

यों तो नाटक लिखित साहित्य है और उसका रसास्वादन उस रूप में किया जा सकता है बल्कि किया ही जाता है। पर उसकी सार्थकता तो उसके रंगरूपान्तरण में ही है—बल्कि वहीं उसकी सही परिणति है। साहित्यिक या लिखित शब्द को सजीव-सक्रिय रंगशब्द में बदलने के लिए बहुत कुछ करना होता है। दरअसल रंगभाषा निरी शब्दभाषा नहीं है : उसमें शब्द पर उसके अपने अर्थ के अतिरिक्त अनेक अर्थों की तहें जमती हैं तब वह रंगशब्द हो पाता है। ये अर्थ की तहें और रंगतें अभिनय, उच्चारण, हावभाव, दृश्य, गतिसंचालन आदि अनेक कोणों से आती हैं। पर रंगमंच में वे आती ज़रूर हैं : उनके आए और लिखित शब्द से घुलेमिले और उसका रूप परिवर्तन किए बिना रंगभाषा नहीं बनती। बिना रंगभाषा के नाटक नहीं होता। साहित्य भाषा का एक रूप है तो रंगमंच दूसरा। दोनों में सम्बन्ध है पर दोनों में होने वाला रूपायन अलग-अलग है।

न सिर्फ हिन्दी बल्कि अधिकांश भारतीय भाषाओं के आधुनिक नाटक देखें तो लगेगा कि अक्सर हमारे नाटककारों के पास रंगभाषा की यह समझ नहीं है। अगर है भी तो कम-से-कम उनके नाटकों में प्रगट या प्रमाणित नहीं होती। शायद इसकी एक वजह यह है कि हमारी आधुनिक रंगकल्पना महाकाव्यात्मक नहीं है। शायद हम अपने यथार्थवादी चरण की कल्पनात्मक अल्पता से अभी तक पूरी तरह से मुक्त नहीं हो पाए हैं। हमारे नए नाटक मनुष्य की नियति, उसके अर्थ, मानवीय अस्तित्व के औचित्य, नश्वरता की अटलता और अनश्वरता के उतने ही अनिवार्य स्वप्न आदि बुनियादी प्रश्नों से हमारा आधुनिक नाटक मानो बचता रहा है। इस सन्दर्भ में यह दिलचस्प है कि महाकाव्यात्मक दृष्टि रखने वाले नाटक अपनी संस्कृत परम्परा, लोकधारा या कि ग्रीक ट्रैजेडी, शेक्सपीयर आदि से उधार लिए हैं। किसी हद तक 'अन्धा युग', 'हयवदन', 'तुगलक', 'शान्तता कोर्ट चालू आहे', 'बाकी इतिहास' आदि इसके अपवाद हैं पर वे इतने कम हैं कि उनसे आधुनिक समय में हमारे महाप्राण न हो पाने की रंग-असमर्थता की सचाई ही पुष्ट होती है। हमें अगर अक्सर महाकाव्यात्मक नाटक बाहर से अनुवाद कर उन्हें खेलना पड़ता है

तो यह इस बात का भी साक्ष्य है कि दर्शकों के रूप में हमें ऐसे नाटक चाहिए और इसका भी कि हमारा रंगमंच, उस पर सक्रिय रंगकल्पना और सामर्थ्य भी अपनी पूर्णता और सिद्धि के लिए ऐसे नाटक चाहती है। यह विडम्बना ही है कि हमारे आधुनिक नाटककार ऐसे नाटक नहीं हैं। इसकी क्षतिपूर्ति, जैसा कि ऊपर भी कहा गया, संस्कृत अथवा ग्रीक आदि के नाटकों या कि शेक्सपीयर, इब्सन, स्ट्रिंगबर्ग, ब्रेख़्त आदि के नाटकों के अनुवाद कर पाते हैं। इसका एक पक्ष यह भी है कि रंगमंच ही ऐसी विधा है जहाँ अनुवाद उसकी उपजीव्य सम्पदा का इतना महत्वपूर्ण अंग है। साहित्य में भी अनुवाद बहुतायत से होते हैं लेकिन चूँकि अनुवाद की हमारे यहाँ वैसी प्रतिष्ठा अभी तक नहीं है, जैसी कि उदाहरण के लिए पश्चिम में, अनुवाद हमारी साहित्यिक सम्पदा का वैसा महत्वपूर्ण हिस्सा नहीं हो पाया है जैसा कि रंगमंच में, जहाँ अनुवाद रंगसक्रियता को उकसाने और पोसने का आधार भी है।

हबीब तनवीर जैसे रंगकर्मी का, इस महाकाव्यात्मकता की खोज में, लोकधारा में जाने और अपना सारा समकालीन रंगकर्म उसके ढाँचे में और उसी के कलाकारों द्वारा करने का कार्य, इस सन्दर्भ में उल्लेखनीय है। वे अक्सर किसी लिखित नाटक को लिए बिना अपना रंगकर्म करते रहे हैं : उनके कई नाटक किसी लोक कथा या गाथा को लेकर स्वयं लोक-अभिनेताओं द्वारा अपने अभ्यास के दौरान विकसित नाटक हैं। कहीं-न-कहीं यह इस बात का स्वीकार भी है कि आधुनिक नाटक, कम-से-कम अपने लिखित रूप में, उनके काम का नहीं है—उसमें लोक-अभिनेताओं को वैसी मुक्ति का अवकाश नहीं है जो उनका अपना पारम्परिक महाकाव्यात्मक स्पेस देता है और जिसके हुए बिना उनकी रंगचेष्टा सार्थकता नहीं पा सकती। अगर हबीब तनवीर ने प्रायः अलिखित नाटक के अलावा शूद्रक, भवभूति, ब्रेख़्त आदि के नाटक किए हैं तो यह उनकी महाकाव्यात्मक ज़रूरत के अनुरूप ही है। बल्कि यह भी लक्ष्य किया जा सकता है कि तनवीर की ही परम्परा में ब.व. कारन्त, कावलम नारायण पणिक्कर और रतन थियम जैसे निर्देशकों का काम आता है : सिर्फ़ इस अर्थ में ही नहीं कि उसमें तनवीर जैसी स्थानीय परम्परा का कल्पनाशील इस्तेमाल करते हुए अधिक समावेशी टोटल रंगमंच करने की कोशिश है बल्कि इस अर्थ में भी कि ये सभी रंगनिर्देशक इसी लुप्त महाकाव्य की खोज में विकल रंगनायक जैसे हैं। उन्हें हम नवशास्त्रीयतावादी भी कह सकते हैं—उनके काम में हमारा पारम्परिक लिखित शास्त्र उतना नहीं जितना कि जीवित शास्त्रीय परम्पराएँ, फिर वे कथा-अभिप्राय की हों या संगीत-नृत्य की, केन्द्रीय भूमिका निभाती हैं। उनकी प्रस्तुतियाँ आज की समस्याओं को पेश नहीं करतीं और न ही तथाकथित सामाजिक यथार्थ को समूचा यथार्थ मानकर चलती हैं। वे अपनी गहरी शास्त्रीयता, इसी खोई महाकाव्यात्मकता को फिर से पा सकने की अपनी रंग-विकलता से अपनी

सच्ची भारतीयता और समकालीनता अर्जित करती हैं। यह भी स्पष्ट है कि पहले के यथार्थवादी मंच के मुक़ाबले उनके रंगकार्य में पश्चिम की आतंककारी या अलग से हस्तक्षेप लगती उपस्थिति नहीं है। पश्चिमी तत्व और युक्तियाँ उनके रंगरसायन में इस तरह घुल गए हैं कि उन्हें अलग से पहचानना मुश्किल और ग़ैरज़रूरी है। यही नहीं उनके काम में लोक और समकालीन के बीच की खाई नज़र नहीं आती। हबीब तनवीर अपना रंगकार्य प्रायः और ज्यादातर लोककलाकारों को लेकर करते रहे हैं जबकि बाद वाले वैसा ही कार्य ग़ैरलोक और सामान्य शहरी कलाकारों से कर रहे हैं और उसमें किसी तरह की विश्वसनीयता या प्रामाणिकता क़ा अभाव नहीं जान पड़ता।

जिस तरह से भारतीय रंगमंच पर लोकतत्व के पुनर्वास ने रंगकार्य और समकालीनता की चालू अवधारणाओं में मौलिक परिवर्तन किया है, उसी तरह शास्त्रीय तत्व के पुनराविष्कार ने परम्परा के साथ हमारे आज के रंगकार्य का सम्बन्ध अधिक ऑर्गेनिक बनाया है। पिछले दो-तीन दशकों में न केवल हमारे कई प्रमुख निर्देशकों ने संस्कृत के नाटक विभिन्न भारतीय भाषाओं में प्रस्तुत किए बल्कि स्वयं कावल नारायण पणिक्कर जैसे व्यक्तियों ने मूल संस्कृत में भी प्रस्तुतियाँ कर, उन्हें मात्र अकादेमिक प्रयोग न रहने देकर, उन्हें समकालीन रंगदृश्य का महत्वपूर्ण हिस्सा बनाया है। यह नोट करने की बात है कि आज लिखी जा रही संस्कृत कविता भारतीय काव्य-परिदृश्य का विचारणीय हिस्सा नहीं है जबकि संस्कृत में प्रस्तुत किए जाने वाले पणिक्कर, कमलेशदत्त त्रिपाठी आदि के निर्देशन में नाटक समकालीन रंगदृश्य का ध्यान देने योग्य हिस्सा हैं।

रंगमंच में दूसरे कलाओं और साहित्य की तुलना में प्रभाव का आभ्यन्तरीकरण इस तरह होता है कि उसमें प्रभाव दीखता भी है और आत्मसात् भी हो जाता है। शैली, कीट्स या इलियट का हमारे साहित्य पर कितना ही प्रभाव क्यों न हो, वे उसके सक्रिय दृश्य पर उपस्थिति नहीं हैं। पर रंगमंच पर शेक्सपीयर, इब्सन, चेख़व, ब्रेख़्त आदि सक्रिय और सजीव उपस्थितियाँ हैं—उनके नाटक, अनुवाद में या रूपान्तरण में, अनेक भाषाओं में खेले जाते हैं। अपनी निपट स्थानीयता के बावजूद, रंगमंच में अन्य कलाओं के शायद अधिक ग्रहणशीलता और खुलापन है। शायद इस अर्थ में रंगमंच हमारे संगीत का परम विलोम है। रंगसंसार कहने भर को संसार नहीं है—उसकी सम्पदा सचमुच संसारव्यापी है। हम यह तथ्य अनदेखा नहीं कर सकते कि शम्भु मित्र, इब्राहीम अलकाज़ी, ब.व. कारन्त आदि अनेक श्रेष्ठ रंगनिर्देशकों की श्रेष्ठ और नया मोड़ देने वाली प्रस्तुतियों में उनके द्वारा निर्देशित ग्रीक नाटक, शेक्सपीयर आदि की कृतियाँ शामिल हैं। रंगमंच इस दृष्टि से अधिक स्वतन्त्र कला है—उसे जो घर में नहीं है उसे बाहर से लाने की पूरी छूट है, जो कि अन्य कलाओं में इतनी बेहिचक और निस्संकोच सुलभ नहीं है।यह भी कह सकते हैं कि इस

मायने में रंगमंच अधिक प्रजातांत्रिक है—अपनी रुचि और दृष्टि दोनों में ही। शायद इसी कारण उसकी सरहदें सबसे तेजी से आगे खिसकती चलती हैं।

साहित्य के कोण से देखें तो वहाँ एक अखिल भारतीय परिप्रेक्ष्य विकसित करने और उसे सचमुच लागू करने में बहुत सारी अड़चनें रही हैं और ऐसा अब तक नहीं हो पाया है। पर ऐसी अखिल भारतीयता संगीत, नृत्य और रंगमंच को लगभग अनायास ही उपलब्ध है। साहित्य की ही तरह रंगमंच भी भाषा पर आधारित है पर वह उसकी अखिल भारतीयता में वैसे बाधा नहीं बनती जैसी कि साहित्य में। एक अच्छा नाटक किसी भी भारतीय भाषा में क्यों न लिखा जाए बहुत तेजी से भारतीय कीर्ति पा लेता है और बहुत जल्दी उसका अनुवाद भी हो जाता है। यहाँ तक हुआ है कि एकाध नाटक तो अपनी भाषा से पहले एक अनूदित भाषा में खेला गया है। किसी हद तक इसमें इस तथ्य का ज़रूर हाथ है कि अच्छे नए नाटकों का पूरे देश में अकाल-सा है और इसीलिए अगर कहीं अच्छा नया नाटक लिखा जाता है तो उसे लपकने के लिए रंगकर्मियों और मंडलियों में होड़-सी लग जाती है। यह भी उल्लेखनीय है कि हिन्दी ने इस क्षेत्र में सचमुच सम्पर्क भाषा की ऐतिहासिक भूमिका निभाई है। कई भाषाओं के नाटकों के हिन्दी अनुवाद से ही अन्य भाषाओं में अनुवाद सम्भव हुए हैं। यही नहीं सन् 1960 के आसपास भारतीय नाट्यलेखन में जो एक नया उन्मेष आया था उसके सभी नाटककारों को एक तरह की राष्ट्रीय कीर्ति तभी मिली जब उनके नाटकों के हिन्दी अनुवाद हुए और सफलतापूर्वक खेले गए। हिन्दी को इस बात पर कुछ सन्तोष हो सकता है कि बादल सरकार, गिरीश कर्नाड, विजय तेन्दुलकर,. महेश एलकुंचवार, चन्द्रशेखर कम्बार, गोविन्द पुरुषोत्तम देशपांडे आदि हिन्दीतर नाटककारों को राष्ट्रीय स्तर पर स्थापित करने और दरअसल रंगशीर्ष पर बैठाने में उसने महत्वपूर्ण रोल अदा किया है।

इसी सिलसिले में यह बात नोट करने की है कि हिन्दी के आधुनिक रंगमंच में ग़ैरहिन्दी मातृभाषी आयोजकों और निर्देशकों की लगभग प्राथमिकता-सी रही है। उन्नीसवीं शताब्दी के उत्तरार्द्ध और बीसवीं के पूर्वार्द्ध का पारसी रंगमंच हिन्दी का व्यावसायिक मंच था और वह, जैसा कि नाम से ही स्पष्ट है, पारसियों द्वारा नियोजित मंच था। हबीब तनवीर, सत्यदेव दुबे, रणजीत कपूर आदि कुछ नाम छोड़ दें तो अधिकांश हिन्दी के बड़े निर्देशक जैसे इब्राहीम अलकाजी, ब.व. कारन्त, राजिन्दरनाथ, बंसी कौल, एम.के. रैना, प्रसन्ना आदि हिन्दी के बाहर के व्यक्ति हैं जिन्होंने समकालीन हिन्दी रंगमंच को उसकी समृद्धि और पहचान दी है। अगर रंगमंच के दूसरों का माध्यम होने के अपनी आरम्भिक स्थापना को याद करें तो हम कह सकते हैं कि हिन्दी रंगमंच, इस अर्थ में, दूसरे भाषा-भाषियों का रंगमंच है! सिर्फ़ आधुनिक हिन्दी कविता में मुक्तिबोध का उदाहरण भर याद आता है

जिन्होंने मराठी भाषी होते हुए भी हिन्दी में उत्कृष्ट कविता की और केन्द्रीयता हासिल की। पर रंगमंच में तो यह लगभग नियम-सा ही है। यह भी ग़ौरतलब है कि इधर आधुनिक भारतीय रंगमंच का यह एक महत्वपूर्ण पक्ष है कि अनेक निर्देशक ऐसे हैं जिन्होंने एक से अधिक भाषा में रंगकार्य किया है। उनमें से कई ऐसे हैं जिनका काम दोनों ही भाषाओं में महत्वपूर्ण है जैसे सत्यदेव दुबे का हिन्दी और मराठी में, ब.व. कारन्त और प्रसन्ना का हिन्दी और कन्नड़ में। भषाओं के बीच आवाजाही रंगमंच पर जैसी सहज और निर्बाध रही है वैसी साहित्य में आज तक नहीं हो सकी है।

न केवल अच्छे नाटक, बल्कि नई नाट्यरूढ़ियाँ और युक्तियाँ भी बहुत तेजी से एक भाषा से दूसरी में जाती रही हैं। इसका एक कारण तो निश्चय ही रहा है कि अन्ततः सारे भारत में रंगपरम्परा और पद्धतियाँ भरत के नाट्यशास्त्र में समेकित समुच्चय से ही सम्बन्धित हैं और फिर उधर उन पर समान प्रभाव पश्चिम का पड़ा है : उन्होंने लगभग साथ ही साथ अपनी जड़ों की खोज में शास्त्रीय परम्परा और लोक धारा का अवगाहन करना शुरू किया। जैसा कि अन्य प्रदर्शनकारी कलाओं में, रंगमंच में भी हमें परम्परा किसी लिखित शास्त्र के आधार पर पुनर्रचित नहीं करनी पड़ी है हालाँकि इधर के वर्षों में भरत के नाट्य शास्त्र, विष्णु धर्मोत्तर पुराण आदि की ओर रंगकर्मियों ने ध्यान देना शुरू किया है। पर परम्परा अनेक रूपों में, जिनमें कुड़िआट्टम जैसे शास्त्रीय रूप से लेकर असंख्य लोक रूप शामिल हैं, आज भी सक्रिय और सजीव है और, बावजूद अनेक ऐतिहासिक परिवर्तनों और हस्तक्षेपों के, कुल मिलाकर विलक्षण ढंग से अटूट है। कुड़िआट्टम में आज भी भास के नाटक संस्कृत और मलयालम के मिले-जुले संस्करणों में खेले जाते हैं : रामायण, महाभारत और अन्य क्लैसिक्स के अनेक परिवर्तित-परिवर्द्धित या कि संशोधित रूप नौटंकी, भवई, स्वांग, जात्रा, यक्षगान आदि असंख्य लोकरूपों की सदा-सक्रिय रंगसम्पदा का अंग हैं और आज भी खेले जाते हैं। हज़ारों वर्ष की रंगपरम्परा अपनी समूची जीवन्त विविधता में पोथियों या दस्तावेज़ों में नहीं,. आज ही के रंगमंच पर अपनी सारी गतिशीलता के साथ मौजूद हो इसका दूसरा उदाहरण संसार में शायद ही किसी देश में मिले। शास्त्र और परम्परा का इस तरह समकालीनता के बिलकुल पड़ोस में होना भारतीय रंगमंच का अनूठा पक्ष है जिसके कारण सम्भावना और चुनौती का परिवेश निरन्तर बना रहता है। रंगकर्मी को परम्परा न तो खोजने कहीं जाना है और न ही उसे पुनःसर्जित करना है—अगर वह सजग हो और अपने पड़ोस की रौशनी में उसका भरोसा हो तो वह लगभग अनायास ही उस परम्परा में रहने लग सकता है—परम्परा में हो सकता है। शायद ही संसार में कोई आधुनिक समाज यों ही मानो सिर्फ़ टहलते हुए ही परम्परा में चले आने का वैसा अवकाश देता हो जैसा आज भी भारतीय समाज देता है। लेकिन इसके साथ यह बात भी

स्वीकार की जानी चाहिए कि जैसे अन्य क्षेत्रों में वैसे ही रंगमंच में भी एक तरह का दो नम्बरीपन भी मौजूद है। इधर जो रंग-विकास हुआ है उसमें रूप के स्तर पर बहुत मूल्यवान् नवप्रवर्तन हुआ है। इस प्रवर्तन में हमारी शास्त्रीयता और लोकधारा ने बड़ी महत्वपूर्ण भूमिका निभाई है यह बात पहले ही नोट कर चुके हैं, लेकिन रूप के प्रति यह आकर्षण अब एक रूढ़ि बन गया है और रंगमंच पर एक विचित्र तरह का रूपवाद हावी हो गया लगता है। कुछ नया करने के चक्कर में शास्त्रीयता या कि लोक परम्परा के कुछ तत्वों का कुछ भी जोड़-तोड़ बनाकर उसे चलाने की कोशिश भी बहुत व्यापक ढंग से हो रही है। यही हश्र सूत्रधार, या दर्शकों-अभिनेताओं के बीच की दूरी समाप्त करने की युक्तियों का भी हुआ है : हर तीसरा निर्देशक बिना ज़रूरत या कि उनके असली सम्प्रेष्य को समझे उनका इस्तेमाल कर रहा है जिससे अब दर्शकों को ऊब होना स्वाभाविक है। किसी भी रंग-शैली या रूपाकार या युक्ति का अपना महत्व है पर तभी जबकि उसके माध्यम से कुछ नया या मूल्यवान् या विचारोत्तेजक करने की कोशिश की जा रही हो। कई बार लगता है कि इधर रंगकर्मियों के पास कुछ नया या विचलित करने वाला कहने को तो है नहीं और वे इस अभाव की पूर्ति रंगरूप के तामझाम से करना चाह रहे हैं। जिनके पास कुछ कहने को नहीं है वे यह आशा कर रहे हैं कि रूप अपने आप ही कुछ काम का कह देगा। ऐसा भी है कि कथ्य बहुत सीमित या स्वरूप है और सारा रूपपरक तामझाम उसकी अल्पता को ढँकने का सुघर हालाँकि दयनीय यत्न भर है। शास्त्रीयता या लोकधर्मिता का छद्‌म या दो नम्बरीपन दर्शकों से छुप नहीं सकता, भले ही वह कितने ही चकाचौंध भरे आधुनिक आवरण में ढँका हो।

पश्चिम के जो विलम्बित औपनिवेशिक प्रभाव हम पर अभी भी बाक़ी हैं उनमें से एक है अभिनय की आधुनिक अवधारणा। भारतीय परम्परा में अभिनय की बड़ी विशिष्ट, जटिल और सूक्ष्म अवधारणाएँ, शास्त्र और व्यवहार दोनों में, रही हैं। यथार्थवादी आतंक में इन अवधारणाओं को विस्थापित कर पश्चिमी यथार्थवादी अभिनय की अवधारणा केन्द्र में रूढ़-सी हो गई है। इसके चलते अक्सर एक बेमेलपन तो यह उभरता है कि हम अपना कोई क्लैसिक करें या कि लोकरंग की रूढ़ियों का उपयोग करते हुए कोई नया नाटक, उसमें अभिनय यथार्थवादी या उसकी गहरी छाया में कुछ होता है। दूसरे, कम-से-कम हिन्दी में, अभिनेता पर केन्द्रित रंगमंच समाप्तप्रायः है। आज जब हम रंगमंच की बात हिन्दी में करते हैं तो वह निर्देशकों के इर्द-गिर्द घूमती है। हम शायद ही किसी महान् अभिनेता का नाम ले पाते हैं। यह बात सच्चे दुर्भाग्य की है कि शम्भु मित्र के अभिनय की सूक्ष्मता और काव्यस्फुरण की परम्परा आधुनिक रंगमंच पर केन्द्रीय नहीं बन पाई। इस समय अच्छे अभिनेता हैं तो ज़रूर पर कुल मिलाकर समकालीन भारतीय अभिनय का

ऐसा समग्र चित्र नहीं बन पाता जिसमें हमारे अन्य रंग व्यवहार की विविधता और अपार सूक्ष्मता केन्द्र में हो।

आधुनिकता ने हमारे रंगकार्य में नई बेचैनी तो दी ही है, साथ ही बेसब्री भी। लगता यह है कि हम इस बेसब्री को ठीक से आत्मसात् नहीं कर पाए हैं। हमारी शास्त्रीय और लोक दोनों ही परम्पराओं में भाव-प्रस्फुटन और उसकी अनेक सूक्ष्मताओं के लिए बहुत अवकाश और धीरज था। नया रंगमंच उनके इस पहलू से या तो बेख़बर है या अपनी नवार्जित बेसब्री के रहते उसके लिए उसका कोई उपयोग नहीं है।यह अकारण नहीं है कि नए नाटक में कोई सुविकसित चरित्र प्रायः नहीं होते और यह भी कि हमने रंगव्यापार में क्षिप्रता लाकर उसमें कालिदास जैसे नाटककार के स्मृति और धैर्य के नाटक को लगभग असम्भव बना दिया है। आजकल रंगमंच पर सब कुछ इतनी जल्दी-जल्दी होता है कि कुछ ठिठककर याद करने के लिए जगह या अवसर ही नहीं है। ज़ाहिर है कि यह स्थिति भारतीय रंगसम्पदा के एक बड़े हिस्से को हमारे आज के रंगकार्य के लिए पहले ही अप्रासंगिक या कम-से-कम अनुपयोज्य बना देती है। इस बेसब्री ने दर्शकों को भी एक तरह से क्षिप्रता से ही अभ्यस्त किया है और उन्हें दूसरे तरह के रंगव्यवहार से अपरिचित और इसलिए उसके लिए असहिष्णु बना दिया है। भास की एक नाटकीय उक्ति को लेकर उसकी घंटों तक चित्ताकर्षक व्याख्या करने की कुड़िआट्टम की केरल के चाक्यारों द्वारा अभी भी जीवन्त परम्परा इस रंगपरिदृश्य में बड़ी अटपटी लगती है। यह और बात है कि संसार भर में भारतीय रंगमंच में दिलचस्पी का केन्द्र कथकली और कुड़िआट्टम के अत्यन्त धीमे और धीरज वाले रंग प्रकार ही हैं, हमारा आधुनिक रंगमंच नहीं।

इस प्रसंग में यह बात ध्यान देने की है कि बावजूद शास्त्रीयता के प्रति नए रंग-झुकाव के, हम स्वयं अपने क्लैसिक्स विश्वसनीय ढंग से प्रस्तुत करने की कोई समावेशी रंग पद्धति विकसित नहीं कर पाए हैं। यह थोड़ा विचित्र इसलिए लगता है कि शेक्सपीयर या कि ग्रीक ट्रैजेडियों, ब्रेख्त आदि के नाटकों की हमने अनेक स्मरणीय प्रस्तुतियाँ की हैं। पर अपने क्लैसिक्स में शूद्रक का मृच्छकटिकम्, भगवदज्जुकीयम्, उरुभंगम् आदि कुछ गिने-चुने संस्कृत नाटक को छोड़कर हम उदाहरण के लिए कालिदास, भवभूति आदि को समकालीन रंगमंच बनाकर प्रस्तुत नहीं कर सके हैं। अभिज्ञानशाकुन्तलम् की ऐसी कोई प्रस्तुति नहीं है जो सम्बन्धित रंग-निर्देशक के उत्कृष्ट कार्य में शामिल की जा सके और उसे भारतीय रंगदृश्य की कोई उपलब्धि बताया जा सका हो। यों 'महाभारत' जैसा महाकाव्य हमारे अनेक शास्त्रीय और लोक नाट्य और नृत्य रूपों पर छाया हुआ है। लेकिन इस सन्दर्भ में यह विडम्बना ही है कि उस पर आधारित पहला पूरा आधुनिक नाटक एक ब्रिटिश रंगकर्मी पीटर ब्रुक ने पहले पहल फ्रेंच में प्रस्तुत किया जिसकी कुल अवधि

नौ घंटे की है। हमारे यहाँ महाभारत की किसी-न-किसी कथा को लेकर अनेक नाटक हैं और हाल में इब्राहीम अलकाज़ी का 'अन्धा युग' और रतन थियम का 'चक्रव्यूह' हमारे आधुनिक रंगयत्न के शिखर के रूप में सही मान्य हैं। पर हमने आज तक सम्पूर्ण महाभारत को एक महानाटक के रूप में प्रस्तुत करने का यत्न और साहस क्यों नहीं किया? कई बार सन्देह होता है कि हमारी नवशास्त्रीयता अपनी कल्पनाशील साहसिकता में, अपनी महत्वाकांक्षा में महाकाव्यात्मक नहीं है, भले ही उसका कभी-कभार नाट्य करती हो। यह सोचकर विचित्र लगता है कि मनुष्य के संघर्ष, उसकी हिंसा और युयुत्सा, उसके उत्सर्ग और लोभ, उसकी गरिमा और नीचता, उसके आचरण और चरित्र, उसकी अस्मिता और असम्भवता का सबसे समावेशी दस्तावेज़ 'महाभारत' हमारा गौरवग्रन्थ है और हमारी रंगचेष्टा और शक्ति उसे पूरी तरह से रंगायत्त करने के प्रति उदासीन या उसमें विफल रही है।

इधर एक अच्छी बात यह है कि रंगमंच की पूरी लोकधारा को हम रंगमंच की समकालीनता की अपनी अवधारणा और सम्पदा में शामिल करने लग गए हैं। सिर्फ़ शहरी को समकालीन मानने की औपनिवेशिक रूढ़ि से हम दूसरी कलाओं में अभी तक मुक्ति नहीं पा सके हैं हालाँकि उदाहरण के लिए आधुनिक रूपंकर कला के साथ-साथ गाँवों-जंगलों में रची-बनाई जाने वाली विशाल और विविध लोक और आदिवासी रूपंकर कला है और उसे समकालीन कला के अन्तर्गत लेने में हिचक है। रंगमंच में सौभाग्य से इसके विपरीत जो विकास हुआ है उसका ही नतीजा है कि रंगस्थान को बरतने को अनेक नई पद्धतियाँ हमारे रंगध्यान में आई हैं और सब कुछ प्रोसीनियम थिएटर या बन्द बक्से के थिएटर की दृष्टि से ही सोचने की अपनी विवशता से हमने मुक्ति पाई है। एक सुपरिणाम यह भी है कि बोलियों की जीवन्त ऊर्जा, बिम्बों और मुहावरों की सैकड़ों भंगिमाओं का हम अपने नए रंगमंच में अत्यन्त जीवनदायी और ऊर्जस्वित उपयोग कर पा रहे हैं। भाषाओं की जड़ता, अनाटकीयता और संकोच को बोलियों की गतिशीलता, नैसर्गिक नाटकीयता और बेबाकी ने अधिक्रमित कर नई सम्भावना पैदा की है।

नाट्यभाषा का प्रश्न निश्चय ही हिन्दी में रोज़मर्रा की भाषा और चिन्तन की भाषा, संस्कृतनिष्ठता और उर्दू से नजदीकी के छोरों के बीच झूलता रहता है। हिन्दी के साथ एक और कठिनाई उसका बढ़ता अख़बारीपन, घटती काव्यात्मकता और व्यापक इकहरापन भी है। यों भी यह माना जाता है कि जो प्रश्न या रुझान, जो चिन्ताएँ और उत्सुकताएँ कविता और इतर साहित्य में लगभग दो दशक पहले उठ चुके होते हैं वे बाद में नाटक में आते हैं : साहित्य के नए रूपों से नाटक इस मामले में पिछड़ा हुआ-सा है। नाट्यभाषा के लिए बोलचाल और उर्दू के नजदीक के मुहावरे की ही उपयुक्तता पर इधर भारतेन्दु और प्रसाद के नाटकों के उदाहरण के लिए ब.व. कारन्त के प्रदर्शन प्रश्नचिह्न लगा चुके हैं। 'अन्धा युग' आज भले

कुछ बासी और बनावटी लगे पर यह बात याद रखने की है कि उसने हिन्दी में ही नहीं, सभी भारतीय भाषाओं में काव्यनाटक की एक सर्वथा नई सम्भावना का मार्ग प्रशस्त किया था और यह दुस्संयोग है कि यह सम्भावना न तो हिन्दी में, न ही अन्यत्र किसी उत्कर्ष तक पहुँच सकी। अगर बोलियों से मिलने वाले सहज रचाव और ज़मीन के सीधेपन को छोड़ दें तो हिन्दी में अभी एक समावेशी नाट्यभाषा का विकास बाक़ी है। मुश्किल यह है कि हिन्दी नाटक ने अपनी समवर्ती हिन्दी कविता से बहुत कम लिया है—कविता हिन्दी में अनेक ऐसी जगहों और मुकामों पर, भाव और विचार की अनेकविध सूक्ष्मताओं और जटिलताओं में गई है और उसके इस संघर्ष से हिन्दी नाटक को सीखने के लिए बहुत है। अभाग्यवश इसका बहुत कम प्रमाण है कि नाटक अपने को कविता से प्रतिकृत होने दे रहा है। स्वयं पश्चिम में रंगमंच से कविता के लोप और कवि के अपसरण को अत्यन्त दुखद माना जा रहा है और हाल ही में डैरेक वाल्काट ने सितम्बर 1990 में दिए अपने बहुचर्चित रोनल्ड डंकन व्याख्यान का समापन इस आह्वान से किया है कि "आधुनिक कविता को फिर से रंगमंच पर चढ़ाई करना चाहिए, ममेरी बहिन की तरह फटीचर हाल में लॉबी में बाहर लटकने के बजाए।" हमारे यहाँ तो आज की कविता को अभी रंगदुर्ग पर पहला निर्णायक हमला बोलना भी बाक़ी है।

अलबत्ता कुछ उपन्यासों और कहानियों के नाट्यरूपान्तरण होते रहे हैं और उनमें से कई सफल भी हुए हैं। पर समकालीन कथा-साहित्य के प्रति यह आकर्षण बुनियादी रूप से नाटकों के अभाव से उपजा है, कथा और नाटक के बीच किसी सर्जनात्मक सम्बन्ध के सजग अहसास से नहीं। फिर भी, देवेन्द्र अंकुर जैसे निर्देशकों ने इस दिशा में जो रंग-प्रयोग किए हैं उनका महत्त्व है। भारतेन्दु और प्रसाद के अपवादों को छोड़ दें तो हिन्दी में मेजर प्रतिभा नाटक की ओर आकर्षित नहीं होती है : सिर्फ़ नाटककार के रूप में मोहन राकेश या धर्मवीर भारती अपने समकालीन कथाकारों और कवियों के समक्ष नहीं ठहरते। 'आषाढ़ का एक दिन' और 'अन्धायुग' को उसी दौरान लिखी गई महत्वपूर्ण कथा और काव्य कृतियों के समकक्ष नहीं रखा जा सकता।

हिन्दी में यह परिस्थिति इसके बावजूद है कि उसमें किसी तरह के व्यावसायिक रंगमंच का दबाव नहीं है और उसका अधिकांश शौकिया थिएटर ही है। व्यावसायिकता के लगभग अभाव ने जहाँ एक ओर कुछ ज़रूरी परिष्कार और सावधानियों—सतर्कताओ से हिन्दी रंगमंच को वंचित किया है और एक तरह के कामचलाऊपन को मान्यता-सी दे रखी है वहाँ दूसरी ओर हिन्दी रंगमंच भारत का सबसे ग्रहणशील और प्रयोगधर्मा रंगमंच है। उसमें कुछ भी निर्भीक और दुस्साहसिक करने का जितना अवकाश है उतना उन रंगमंचों पर नहीं है जिनके यहाँ व्यावसायिक और शौकीन के बीच स्पर्धा और तनाव रहता है। विशेषतः रूप और शैली के स्तर

पर हिन्दी में प्रयोगों का पिछले दो दशकों में एक लगातार सिलसिला चलता रहा है और उसका प्रभाव अन्य भाषाओं के रंगमंच पर भी पड़ता रहा है। यह दुखद है कि लचीलेपन और खुलेपन के इस निरन्तर मौजूद रंगपरिवेश के बावजूद हिन्दी में नाट्य लेखन अपनी सारी सम्भावनाओं और अवसरों का सदुपयोग करने में सफल और समर्थ नहीं रह सका है। रंगमंच पर मेजर विज़न के अभाव में कई बार हिन्दी की सारी प्रयोगशीलता कुछ-कुछ संदिग्ध लगने के अलावा, अनर्जित और सतही भी जान पड़ती है।

हमारी परम्परा में रंगमंच की जो समावेशी अवधारणा सिद्धान्त और व्यवहार में शुरू से आज तक रही है उसके चलते यह अनिवार्य और स्वाभाविक ही है कि उसमें संगीत की महत्वपूर्ण भूमिका हो। आधुनिक दौर में विशेषतः कम्पनी थिएटर, पारसी थिएटर और व्यावसायिक थिएटर में संगीत रंगमंच के केन्द्रीय तत्त्वों में ही था। मराठी में तो उसने ऐसी स्वायत्तता अर्जित कर ली कि नाटक के बाहर भी एक 'नाट्य संगीत' के नाम से प्रचलित और लोकप्रिय रहा और आज भी है। यथार्थवादी दौर में संगीत का उपयोग निरी पृष्ठभूमि के लिए किया जाता रहा और उसका कोई विशेष स्थान रंगकार्य में नहीं रह गया। पिछले बीस-पच्चीस बरसों में इस स्थिति में फिर परिवर्तन आया है और रंगमंच के अभिनय और नाटक के अलावा अन्य पक्षों पर ध्यान दिया गया है। संगीत, दृश्यबन्ध और प्रकाश-व्यवस्था इन सभी में बहुत परिष्कार, कल्पनाशीलता और सतर्कता आई है। उनमें विशेषज्ञता को महत्व मिला है और वे भी रंगप्रशिक्षण का ध्यान देने योग्य पक्ष माने जाने लगे हैं। स्वयं रंगस्थान के उपयोग के बारे में गहरा विचार और नए प्रयोग होते रहते हैं। प्रोसीनियम थिएटर से मुक्त कर रंगमंच को मुक्ताकाश ही नहीं बल्कि ऐतिहासिक स्मारकों, उद्यानों आदि में भी ले जाया गया है।

मुख्य रूप से रंगसंगीत के क्षेत्र में दो तरह की प्रवृत्ति इन दिनों है। पहली तो उन रंगनिर्देशकों के काम में है जो निर्देशन के अलावा स्वयं संगीत की अच्छी जानकारी रखते हैं और प्रायः अपने नाटकों में न केवल उसे प्रमुखता देते हैं बल्कि स्वयं रंगसंगीत की रचना करते हैं—जैसे कि हबीब तनवीर, ब.व. कारन्त, कावलम नारायण पणिक्कर। दूसरी ओर वे संगीतकार हैं जिन्होंने विशेष रूप से कई नाटकों के लिए रंगसंगीत रचा है जैसे वनराज भाटिया, भास्कर चन्दावरकर और ब.व. कारन्त। शायद अपनी बिल्कुल निराली पहचान बनाने में अभी देर है पर इतना कहा जा सकता है कि आधुनिक रंगमंच के साथ-साथ आधुनिक रंगसंगीत भी विकसित हुआ है। इस रंगमंच में शास्त्रीय और लोक संगीत, पाश्चात्य संगीत आदि के अलावा अनेक ध्वनियों और सामान्यतः मंच पर न सुने-देखे जाने वाले वाद्यों का संगीत भी शामिल है। रंगमंच की ही तरह रंग-संगीत अशुद्ध कला है : उसमें आग्रह शुद्धता या प्रमाणिकता पर नहीं रंगकार्य के लिए अनुकूलता पर है, अपनी

स्वतन्त्रता पर नहीं, रंगनिर्भरता पर।

कविता के नाट्यपाठ या प्रस्तुति का हमारे समय में थोड़ा विकास अवश्य हुआ है। एक ऐसे देश में जहाँ कवियों द्वारा स्वयं अपनी कविताओं के सार्वजनिक पाठ की लम्बी और लोकप्रिय परम्परा हो, रंगकर्मियों द्वारा कविताओं के पाठ और प्रस्तुति की तब तक सार्थकता और लोकप्रियता सम्भव नहीं है जब तक कि वे कविताओं के साथ ऐसा कुछ न करती हों जो कि स्वयं कवि या उसकी सजीव उपस्थिति न कर पाती हो। सौभाग्य से इस सिलसिले में कुछ रोचक काम हुआ है। एक ओर तो शम्भु मित्र द्वारा आधुनिक बंगला कवियों की रचनाओं का सहज स्फूर्त पर अत्यन्त संयमित और नाटकीय पाठ या कि पु.ल. देशपांडे द्वारा मर्ढेकर जैसे कठिन कवि की रचनाओं का अपनी पत्नी के साथ बिना किसी रंग-सज्जा के पाठ और उसकी लोकप्रियता है तो दूसरी ओर इब्राहीम अलकाज़ी, एम.के. रैना आदि द्वारा कविताओं की नाट्य प्रस्तुति है जिनमें बाक़ायदा नाट्य व्यापार हैं, भले ही कविताएँ उसका उपजीव्य हैं। इस प्रसंग में अलख नन्दन ने श्रीकान्त वर्मा की 'मगध' संग्रह की कुछ कविताओं की जो नाट्यप्रस्तुति की थी वह विशेष रूप से उल्लेखनीय है।

रंगभाषा की समावेशिता और सूक्ष्मता का ज़िक्र पहले भी किया गया है। उसमें न केवल शब्द बल्कि यति और लय, उच्चारण, शरीर के हावभाव आदि अनेक बातें मिल-जुड़कर अर्थमयता उपजाती हैं। सच्चा रंगाभिनय अत्यन्त संयमित मितव्ययिता की माँग करता है और इसलिए ख़ासा दुस्साध्य होता है, इधर हमने रंगमंच में शरीर के उपयोग और उसकी अपनी भाषा अर्थात् शरीर की मनोभाषा पर, एक तरह की मनोशारीरिक रंगशैली भी विकसित करने की चेष्टा की है। यों तो पारम्परिक नृत्यनाट्य कथकली और कुड़िआट्टम में इस तरह की भाषा का अत्यन्त सुचिन्तित और परिष्कृत-सूक्ष्म रूप सुलभ रहा है। पर उसकी उपस्थिति का समकालीन रंगदृश्य पर प्रभाव तब पड़ना शुरू हुआ जब ग्रोटोवस्की जैसे पोलिश रंगकर्मी ने अपने दरिद्र रंगमंच की शैली के लिए मूल प्रेरणा उनसे पाई। शरीर की अपनी निःशब्द अभिव्यक्ति को ही केन्द्र बनाकर नाट्यकार बादल सरकार ने 'तीसरा रंगमंच' नाम से जो नई शैली विकसित की है वह एक ओर तो समकालीन रंगमंच की शब्दबहुलता के विरुद्ध प्रतिक्रिया है पर दूसरी ओर उसकी सम्भावनाएँ सीमित ही हैं क्योंकि सब तरह के नाटक, अनेक क्लैसिक्स उसमें प्रस्तुत नहीं हो सकते। पर वह एक आकर्षक रंगविकल्प निश्चय ही पेश करती है।

शब्दबहुलता पर केन्द्रित और रंगमंच की सन्देशवाहक सामर्थ्य का अधिकतम उपयोग करते हुए इधर नुक्कड़ नाटकों का चलन भी बढ़ा है। उनके पीछे मूल कल्पना नाटक को शिक्षा या हथियार के रूप में उपयोग करने की है। दूसरी ओर स्थापित व्यवस्था पर प्रश्नचिह्न लगाने वाले, न्यस्त हितों को झकझोरने वाले और

अपनी विशिष्ट राजनैतिक दृष्टि का प्रचार करने वाले राजनैतिक रंगमंच का भी ख़ासा सक्रिय अस्तित्व है। यों तो कलाएँ मनुष्य के लिए सक्रिय एक तरह की स्थायी राजनीति हैं और इनमें रंगमंच निश्चय ही शामिल है। सभी महत्वपूर्ण कलाकर्म एक तरह से विचारोत्तेजक, स्थापित मूल्यव्यवहार के सन्दर्भ में आपत्तिजनक और इसलिए राजनैतिक होता ही है और उसे अलग से राजनैतिक होने की ज़रूरत न होना चाहिए। पर रंगमंच की सीधी प्रभावोत्पादकता के कारण उसके लिए अधिक खुले रूप में राजनैतिक होने का प्रलोभन कलाओं में सबसे अधिक सताता है। अक्सर वह ऐसा अपने माध्यम के मूल कारकों की सूक्ष्मता को अवमूल्यित कर ही कर पाता है। ज़रूरत से अधिक कह या कर जाने का खतरा सबसे प्रबल रंगमंच में ही है—अक्सर दर्शकों की अनुकूल प्रतिक्रिया कई बार रंगसंयम को अपनी मर्यादा से बाहर जाने के लिए उकसाती है। रंगमंच दूसरों का माध्यम है लेकिन इस बारे में बहुत सजग और चौकन्ना रहने की ज़रूरत है कि कहीं दूसरे उसे एक संवेदनशील और कलामाध्यम के रूप में बचे रहने से ही विरत न कर दें। कोई भी कला प्रथमतः और अन्ततः अपने भरोसे ही चल सकती है—दूसरों को इतना हस्तक्षेप या कि कहें रंगक्षेप करने की इजाज़त नहीं दी जा सकती है कि अपने पर भरोसा ही छूट जाए।

अनन्त जीवन-संगीत

बिटवीन द एबसर्ड एंड द एबसोल्यूट
दोज़ ट्विन्स
ही प्लेसेज ए परफेक्ट एपिल

—एलैं बोस्के

मल्लिकार्जुन मंसूर जैसे शुद्ध परम्परावादी के बारे में बात की शुरुआत किसी अन्तर्विरोध के ज़िक्र से की जाए यह थोड़ा विचित्र है। उनके बारे में यह बहुप्रचलित है कि संगीत के अलावा उनके जीवन का लगभग कोई और सरोकार नहीं था। मराठी रंगकर्मी पुल देशपांडे ने विस्तार से बताया है कि मंसूर संगीत में ही रहते थे—किसी शहर, बस्ती, मकान या समय में नहीं। दूसरे शब्दों में, उनके लिए जीने का अर्थ ही गाना था : जीवन और संगीत उनके यहाँ तदाकार थे। इसे शायद यों भी कहा जा सकता है कि जो उनके संगीत में था, वही उनके जीवन में भी था। इसका पलट भी उतना ही सही था। पर आख़िर वे एक नागरिक भी थे और उनके जीवन में उतार-चढ़ाव आते ही थे। लगता यह है कि उन्होंने शास्त्रीयता की अपने लिए एक ऐसी कठिन और दुर्लभ कसौटी बनाई थी कि उनकी भावदशाओं को उनके संगीत में हस्तक्षेप कर पाने की न तो अनुमति थी और न ही अवकाश। कला में आत्माभिव्यक्ति की रूमानी अवधारणा की मंसूर के यहाँ कोई जगह नहीं थी। हमें याद आता है कि एक बार वे भोपाल आए थे और अपनी एक पारिवारिक कठिनाई की वजह से बहुत दुखी और त्रस्त थे। वे अपनी निर्धारित संगीत-सभा शुरू होने के आधे घन्टे पहले तक बहुत देर अपनी व्यथा-कथा अन्तरंग भाव से बताते रहे। हम थोड़े सशंक हुए कि पता नहीं आज की शाम उनके संगीत में क्या हो? पर जब वे गाने बैठे तो उनके गाने पर उनकी व्यथा की ज़रा-सी भी छाया नहीं थी : हम चकित और विभोर उन्हें लगभग ढाई घंटे सुनते रहे। उनके संगीत में, हमेशा की तरह, सुरीलापन, असाधारण गहराई और अनथकापन था। उनके मन पर कितने ही बोझ रहे हों, मंसूर ने अपने संगीत को अपनी पीड़ा से सदा मुक्त रखा—उनके संगीत का संसार आराधना और पवित्रता का संसार

था—सुगठित, ऐन्द्रिक और उत्कृष्ट—जिसमें उनके निजी दुख-सुख की कोई प्रासंगिकता नहीं थी। इस अर्थ में उनके यहाँ इस्पात जैसी कठोर शास्त्रीयता थी—वे अद्वितीय और मूल अर्थ में क्लैसिकल थे।

यह नहीं कि उनके संगीत पर उनके व्यक्तित्व की छाप न हो। उन जैसी कठिन-जटिल गायकी के साधक बहुत बिरले ही थे कि जो संगीत को परम दृष्टि मानकर सारे संसार और मानव-व्यापार से अपना सम्बन्ध इसी दृष्टि से बनाते बदलते हैं। यह निरे आत्मविश्वास या कठिन अभ्यास का नतीजा नहीं था, उसमें परम्परा से प्राप्त, साधना से अर्जित और व्यक्तित्व की दृढ़ता से रूपान्तरित अविचल आस्था थी। कथ्य और शिल्प, अनुभव और माध्यम के द्वैत उनके यहाँ कोई अर्थ नहीं रखते थे। दरअसल वे जहाँ पहुँचे और इतने दीप्त थे वहाँ यह कहना अधिक सच होगा कि मल्लिकार्जुन मंसूर मल्लिकार्जुन मंसूर को गाते थे। यह सिर्फ़ रूपक नहीं है : हमारे शास्त्रीय संगीत में अपने को गाना बहुत दुष्कर है। सारा ढाँचा पहले से बना हुआ है और उसे तोड़ने या उससे बाहर जाने की अनुमति नहीं है। उसमें अपनी दृष्टि को प्रतिष्ठित या चरितार्थ करना आसान नहीं है। परम्परा ऐसे प्रतिष्ठापन को अवरोध नहीं देती बल्कि उसके लिए अनुकूलता बनाने को उत्सुक रहती है। पर ऐसा प्रतिष्ठापन करने की क्षमता वह बहुत कम में देखती है। मंसूर यह कर पाते थे क्योंकि उनके पास क्षमता थी पर उसका अहंकार नहीं। व्यक्तित्व था, आत्म-केन्द्रण नहीं। दृढ़ता और सच्चे विनय का दुर्लभ संयोग उनमें सहज था। वे अपने को गाकर एक ऐसे विश्व को रचते और हमारे लिए स्वायत्त करते थे कि हम आश्चर्य और आभार से पहचानते थे कि यह विश्व हमारा है। हालाँकि कितना अनोखा था, कितना अप्रत्याशित और फिर भी कितना अन्तरंग! आपाधापी की इस अधीर बीसवीं शताब्दी के उत्तरार्द्ध में मल्लिकार्जुन मंसूर मनुष्य और इस सृष्टि के अनन्त और अविनाशी होने के कालजयी गायक थे। उसके गायन को काल जैसे खरोंच भी नहीं लगा सकता।

मंसूर हमारी परम्परा के जिजीविषा और पुरुषार्थ के सबसे उज्ज्वल और निश्छल प्रतीक रहे हैं। वे आश्वस्त थे कि संसार का रहस्य और आशय परम्परा के समयसिद्ध लेकिन दुर्गम रास्ते से समझा जा सकता है। बयासी वर्ष की पकी उमर तक वे एक अथक सक्रिय गायक रहे, अपनी आवाज़ से एक अनोखा अर्थभरा और रससमृद्ध संसार रचते हुए, यही शायद हमारी जातीय अस्मिता का सबसे सजीव सत्यापन है। यह संसार वे लगभग अनायास ही हमारे सामने लगभग प्रजापति की तरह रचते और बसाते थे। हम देखते थे कि कैसे खेल-खेल में बच्चों जैसी सरलता, सृजनात्मकता और प्रसन्नता के साथ, हमारे सामने एक घर-संसार बनता था और सुघर-सघन जतन से उनमें अनेक वस्तुओं और भावों का विन्यास होता चलता है। मल्लिकार्जुन मंसूर को गाते सुनना जैसे सृष्टि के आद्यरूपक का पुनर्भव होते देखना

था। वह आदि का, आरम्भ का साक्षी होना था। वह आदि और अन्त को एक निरन्तरता में अनुभव करना था। वह होने का सहज स्वीकार था। मंसूर का संगीत जीवन के सम्पूर्ण स्वीकार का संगीत था। इसलिए वह अनन्त भी था। वह मानो बन्द हो जाता था पर समाप्त नहीं होता था। वे उसे बरबस रोक भर देते थे, कई बार स्वेच्छाचारी लगते हुए। वे जीवन की असमाप्यता के गायक थे। पंडित मंसूर अकसर अपने गायन को किसी परिपूर्णता पर ले जाकर समाप्त नहीं करते थे। उनका संगीत एक तरह से अनन्त था जिसे वे कई बार अप्रत्याशित रूप से समाप्त भर कर देते थे।

यों तो भारतीय बीसवीं शताब्दी के अधिकांश में मंसूर जी रहे और लगभग एक अर्द्धशती से अधिक उन्होंने गाया होगा। पर क्या इस शताब्दी को भी उन्होंने गाया? क्या हम कह सकते हैं कि उन्होंने अपने समय को गाया—वह समय जो नव जागरण से लेकर स्वतन्त्रता पाने, गांधी जी की हत्या से लेकर प्रजातन्त्र की स्थापना, नेहरू युग आदि को समेटता हुआ आज तक पहुँचा। उनसे पूछा जाता तो शायद वे जवाब देते कि मेरा काम संगीत गाना है, समय नहीं। उनके संगीत में उसके समवर्ती समय की कोई अनुगूँज, छाप या आभास दिखाई बल्कि सुनाई नहीं पड़ते। समय में रहकर समयातीत को गाना और अपने आसपास भयावह रूप से घिरते समय से उदासीन रहते हुए अपने माध्यम की शुद्धता को बरकरार रखना आसान बात नहीं है। हम समय की किसी फूहड़ या सतही अभिव्यक्ति की चर्चा नहीं कर रहे हैं। कोई चाहे तो मंसूर के समाज और समय को उनके संगीत से जोड़कर दिखा भी सकता है। पर ऐसा जोड़ प्रगट नहीं है और लगता है कि चारित्रिक भी नहीं होगा। मंसूर समय के पार गाते थे : वे उसे भुलाकर गाते थे। उनका सम्बोधन समय के प्रति था ही नहीं।

एक बार किसी ने पूछा था कि अगर कोई व्यक्ति सामने बैठे हुए ठीक वक्त पर ठीक दाद दे तो इससे उनके गाने में कोई फ़र्क पड़ता है? मंसूर ने कहा 'उन्हें इससे कोई फ़र्क पड़ता है? मेरा काम है गाना, दूसरों का सुनना। वे सुनें न सुनें, यह उनका मामला है।' उन्होंने यह भी जोड़ा था कि पहले तो उनके नाम की घोषणा होने पर हाल खाली हो जाता था पर वे लगभग निर्जन में भी गाते थे। दूसरे शब्दों में, मंसूर का संगीत अधिक-से-अधिक आत्मसम्बोधित था। अगर वह समय से बात नहीं करना चाहता था तो किसी और से भी नहीं। पर इस आत्मसम्बोधन में तनिक भी आत्मरति नहीं थी। शायद उसे सम्बोधन नहीं आत्मसंलाप कहना अधिक उपयुक्त होगा।

मंसूर ने अपने संगीत की आधी शताब्दी अपनी शर्तों पर ही जी और काटी और कभी किसी तरह का समझौता नहीं किया। बदलती रुचि ने मंसूर को कभी प्रभावित नहीं किया। बल्कि संगीत-जगत् की यह निराली घटना है कि मंसूर ने

अप्रभावित रहकर रुचि को ही अपनी ओर मुड़ने पर जैसे विवश किया। उन्होंने अपने युग को रिझाने के लिए न कोई रियायत दी, न कोई उद्यम किया। अपनी साधना और परम्परा में अटल रहकर उन्होंने गायकी की चालू रुचि की तानाशाही का प्रतिकार किया। उनका गायन अकसर बहुत पुराना लगता था। जैसे हम सदियों के पार की कोई आवाज़ सुन रहे हों। हम अपने ऊपर के रूपक को याद करें तो कह सकते हैं कि मंसूर किसी समय या सदी को नहीं गाते थे पर उनके गायन में कई सदियाँ, कई समय गाते थे। यह संगत हमें याद दिलाता था कि हमारा समय सिर्फ़ आज और अभी का समय नहीं है—वह उसके पहले और पार भी कई सदियों तक फैला है। उनका संगीत समय का नहीं, अनन्त का संगीत था।

क्लैसिकल और रोमैंटिक के पश्चिमी द्वैत का हमारे यहाँ भी खूब चलन है। कहने को तो हमारा शास्त्रीय संगीत क्लैसिकल है पर उसमें अनेक रोमैंटिक तत्त्व खोजे-पाए जा सकते हैं। हमने ऊपर मंसूर को मूल अर्थ में क्लैसिकल कहा है और इस अन्तर्विरोध का भी उल्लेख किया है कि उनमें कहीं स्वेच्छाचारिता भी थी। ऐसा माना जाता है कि क्लैसिकल का आग्रह विचार पर होता है जबकि रोमैंटिक का आधार अनुभूति है। भोपाल में एक बार किसी ने मंसूर से पूछा था कि कहते हैं कि पहले दीपक राग गाने से चिराग़ जल उठते थे। मंसूर ने तपाक से उत्तर दिया था : "विचार अच्छा, अपने अनुभव में नहीं।" यह अपने अनुभव पर टिके रहने का आग्रह और फिर भी रागरूप की शुद्धता और पारम्परिक संरचना यथावत् बनाए रखने पर बल मंसूर को एक ऐसा कुछ बनाते हैं कि क्लैसिकल रोमैंटिक का द्वैत या तो समाप्त ही हो जाता है या कि अप्रासंगिक।

देर से आई मान्यता और काफ़ी कठिन जिन्दगी के बावजूद पंडित मंसूर में कभी कटुता नहीं आई—कई बार लगता है कि उनमें गहरा विनोद-भाव या कि जीवन की विडम्बना को समझने की प्रवृत्ति थी। उनका स्वाभिमान और दूसरों से उपकृत न होने की जिद भी अद्भुत थे। अपने अन्तिम दिनों में बहुत बीमार होने के बावजूद उन्होंने सरकार और एक आत्म प्रदर्शन-प्रिय संगीतकार की सहायता स्वीकार नहीं की थी। जब पूछा गया कि क्यों, तो उन्होंने कहा कि उनके पास उनकी संगीत की रॉयल्टी का पैसा जो आ गया था, वे किसी की मेहरबानी का बोझ क्यों उठाएँ।

राजसत्ता के प्रति आसक्ति का भाव हमारे संगीतकारों में काफ़ी व्यापक रहा है। शायद राज्याश्रय की लम्बी परम्परा ने यह आदत डाली हो। मंसूर इस आसक्ति से काफ़ी दूर थे। उन्हें भोपाल में जब पहला कालिदास सम्मान दिया गया था तो वे तत्कालीन प्रधानमन्त्री इन्दिरा गांधी के बगल में बैठे थे। श्रीमती गांधी को दिल्ली लौटने की जल्दी थी और इसलिए मंसूर का बाक़ायदा पूरा गाना वे नहीं सुन पाईं। अलबत्ता उन्होंने मंसूर को निमन्त्रित किया कि वे अगली बार जब दिल्ली आएँ तो उनसे सम्पर्क करें ताकि वे उन्हें अपने घर बुलाकर मन-भर उनका गाना सुन

सकें। इस घटना के लगभग डेढ़ बरस बाद, जिस दौरान निश्चय ही मंसूर कई बार दिल्ली आए-गए थे, जब उनसे पूछा गया कि क्या उन्होंने श्रीमती गांधी से सम्पर्क किया। सन्त जैसी अपनी सरलता से उन्होंने जवाब दिया : "अरे नहीं, वे प्रधानमन्त्री हैं, बहुत व्यस्त रहती हैं। फिर हमको भी फुरसत कहाँ?"

मंसूर कई अर्थों में सन्त थे—सब कुछ को अपनी-अपनी परम्परा की निश्छल पारदर्शिता और सादेपन से वहन करते थे। शायद ही कोई और संगीतकार होगा जो उनकी तरह अपने आयोजकों के लिए इतना कम सिरदर्द रहा हो। लयकारी का गज़ब का काम करने के और किसी सर्वथा अपरिचित राग को उसका नामोल्लेख करते ही गाने की क्षमता रखने वाले मंसूर गाने के तुरन्त बाद या कि इंटरवल में अपनी बीड़ी सुलगाकर ठेठ देहाती की तरह सहज भाव से बैठ जाते थे। शायद ही कोई राग हो जो उन्हें याद न हो—हममें से कइयों ने अनेक राग जीवन में पहली और प्रायः अन्तिम बार मंसूर से ही अनायास सुने थे। कम्प्यूटर मशीन की ईजाद से बहुत पहले रागों-बंदिशों के अचूक और असमाप्य कोष थे।

एक ऐसे समय में जब दुरुपयोग से इस तरह के रूपक लगभग फूहड़ हो चले हैं, पूरी ईमानदारी से यह कहा जा सकता है कि मंसूर सच्चे तपस्वी थे—वैसे नहीं जो सब कुछ छोड़कर आत्मदृष्टि प्राप्त करते हैं पर ऐसे जो इसी संसार में रहकर पूरे गृहस्थ की आसक्ति और मोह के साथ, सबको साथ समेटते हुए अपनी साधना में लीन आत्मनिष्ठ थे। जो सिद्ध थे पर सिद्धि से विरक्त थे।

मंसूर को अपने समय से कोई शिकायत नहीं थी, भले ही वह उनके लिए अनर्गल समय था। उन्हें किसी संगीतकार के प्रति कटुता या ईर्ष्या से कुछ कहते भी किसी ने कभी नहीं सुना। वे निरपेक्ष थे—पूर्णता की उन्हें खोज नहीं थी। क्योंकि उन्हें पता हो या नहीं, वह उनके द्वार पर खड़ी थी। उनका संगीत समय से, उसकी अनर्गलता से, पूर्णता की आकांक्षा से भी अक्षत संगीत था। शायद ही इस सदी में उनके अलावा कोई और संगीतकार हुआ हो जो अस्सी पार करने के बाद भी उतने ही दम-खम से गाता रहा हो। उनका जीवन-संगीत लगता है अनन्त है—उसे हमेशा की तरह उन्होंने समाप्त भर कर दिया है। जब इस शताब्दी के सृजन का इतिहास लिखा जाएगा तब मल्लिकार्जुन मंसूर एक आश्चर्यपुरुष की तरह उभरेंगे। जब भी कुछ दुर्लभ होगा, हम अपनी परम्परा की जिजीविषा और सर्जनात्मकता के प्रमाण खोजेंगे, संगीत की पारदर्शिता और अपराजेयता की गाथा लिखी जाएगी पंडित मल्लिकार्जुन मंसूर एक हँसते हुए सूर्य की तरह याद आएँगे।

शब्द, स्मृति और संगीत

आधुनिकतावाद से ग्रस्त रहने और अतीत से सम्पूर्ण सम्बन्ध-विच्छेद के बावजूद अगर समकालीन साहित्य-जगत में कुमार गन्धर्व-जैसे शास्त्रीय संगीतकार की कला के प्रति प्रबल आकर्षण है तो यह बात किसी हद तक अचरज की होते हुए भी समझ में आने वाली है। दूसरे संगीतकारों के मुक़ाबले कुमार गन्धर्व ने निश्चय ही संगीत-संस्कृति को नई प्रासंगिकता दी है और परम्परा का ऐसा अनोखा पुनराविष्कार अपने यहाँ किया है कि शास्त्रीयता और समकालीनता का वह द्वैत, जो समकालीन साहित्य-रचना का लगभग स्थायी भाव है, ग़ायब हो जाता है और हम पहचान पाते हैं कि हमारी परम्परा में रचनात्मक जिज्ञासा, बौद्धिक खुलेपन, विचारशीलता और क्रान्तिकारी पहल के लिए पूरी गुंजायश है। और यह सब बिना परम्परा को क्षति पहुँचाए या उसकी अनुभवसम्पदा और गरिमा को निरुपयोगी बनाए सम्भव है। यह दिलचस्प है कि साहित्य में परम्परा और नई दृष्टि के बीच किसी तरह के सार्थक और अटूट सम्बन्ध को सृजनात्मक रूप से लगभग अव्यावहारिक मानकर हमने छोड़-सा दिया है और रचनात्मक कल्पना प्रायः इन दोनों के रासायनिक संयोजन को असम्भव या अनावश्यक मानती लगती है। इसके ठीक बरक्स कुमार गन्धर्व की संगीतकल्पना है जो समकालीन दबावों को नजरअन्दाज़ नहीं करती, लेकिन उन्हें अत्यन्त सहजता से पारम्परिक स्थायित्व देते हुए इस तरह चरितार्थ करती है कि परम्परा और नई दृष्टि सजग अनुभव में बदल जाते हैं। दूसरे शब्दों में, कुमार गन्धर्व के प्रति लेखकों और बुद्धिजीवियों का झुकाव इसलिए है कि वह एक अत्यन्त 'परिवर्तन और मरणशील माध्यम' में वह कर पा रहे हैं जो हमारी रचनात्मक चिन्ता के लिए केन्द्रीय है और जो साहित्य में अधिकतर सम्भव नहीं हो पाया।

अक्सर संस्कृति की चर्चा करते समय हम उस अंश की ही बात करते हैं जो दरअसल शब्द-संस्कृति है—बहुत हद तक साहित्य से निर्मित-नियमित क्षेत्र ही। चूँकि साहित्य में परम्परा की सृजनात्मकता का प्रश्न सुलझ न पाने के कारण अप्रासंगिक मान लिया गया है, इन दिनों संस्कृति के सन्दर्भ में भी परम्परा की बात कम ही होती है। अधिक-से-अधिक हम—अक्सर खेदपूर्वक ही—यह स्वीकार

करना काफी मान लेते हैं कि हमारे समाज में परम्परा की जकड़ अभी भी है। यह बात हम भूल जाते हैं कि प्रदर्शनकारी कलाओं में, विशेषतः संगीत और नृत्य में, .परम्परा केन्द्रीय तत्त्व है और उनमें कलात्मक सक्रियता का लगभग प्रमुख उद्गम है। इस तथ्य को यह कहकर टाला या समझाया नहीं जा सकता कि ये कलाएँ परम्पराधर्मी हैं क्योंकि उनकी सृजनात्मक ऊर्जा से इनकार करना मुमकिन नहीं है। अगर दूसरे माध्यमों में हमारे ही समय में परम्परा अर्थात् उससे प्राप्त दृष्टियाँ, शैलियाँ, युक्तियाँ प्रभावकारी और सार्थक रूप से सृजनक्षम और सक्रिय हैं तो हमें यह छूट नहीं है कि हम साहित्य में परम्परा को निरर्थक मानकर बैठ जाएँ। फिर भी, आज का बहुत-सा साहित्य अपने स्मृतिहीन होने को सुविधाजनक पाता है। लेकिन समूची संस्कृति में समाज की स्मृति को जीवन्त रखने का मूल्यवान् कार्य कुमार गन्धर्व जैसे कलाकार का संगीत कर रहा है।

अनेक कवियों और विशेषतः युवा पीढ़ी की रचनाएँ पढ़कर उनके सीमित संसार के अलावा किसी और की या पिछले कवियों की याद नहीं आती। वे अपने समय से सर्वथा सीमित अभिव्यक्तियाँ हैं—स्मृतिहीन संयोजन हैं : भले ही प्रभावशाली और ईमानदार, पर अन्ततः परिणतिहीन। लेकिन कुमार गन्धर्व का संगीत एक बिल्कुल दूसरा और अधिक समावेशी विकल्प है : उसे सुनना अपने को, अपने से पहले भी होने को याद करना है। यह कहना अतिशयोक्ति न होगी कि जब साहित्य हमें नितान्त समकालीनता के बाड़े में बाँधता लगता है, कुमार गन्धर्व नई मुक्ति देते हैं और पूरी परम्परा को हमारा घर बनाते हैं, उस सबको हमारे सीधे अनुभव के दायरे में लाते हैं जो हमारा उत्तराधिकार है। उनका संगीत हमें न केवल मुक्त करता है बल्कि हमें, हमारी अस्मिता और संस्कृति को विस्तार देता है। उनकी संगीत की जड़ों की खोज, उनका उत्खनन, कोई पुरातात्विक कार्रवाई न होकर उस उद्गम की खोज हो जाती है जो हमारे समूचे अस्तित्व का है, जो आज भी हमें पोसता है, .जो हमें अपना वह अद्वितीय चेहरा देता है जो सिर्फ़ हमारा है और मुखौटे लगाकर बदला नहीं जा सकता। अपनी परम्परा की रचनाशीलता को एक दूसरे माध्यम से पहचानना, नई सम्भावना प्रकट करना है और कल्पना को नई शक्ति देना भी है।

परम्परा का पुनराविष्कार कुमार गन्धर्व समकालीन सजगता के साथ करते हैं, अर्थात् वे उसमें उन तत्त्वों को केन्द्रीयता देते हैं जो हमारी आज की मानसिकता के अधिक अनुकूल हैं। लेकिन उनका महत्त्व और खूबी इसमें है कि वे इन तत्त्वों का ऐसा विन्यास करते हैं कि उनका अर्थ बहुत हद तक अप्रत्याशित और नया हो जाता है। अकेलापन, उदाहरण के लिए, आधुनिकता की एक बड़ी चारित्रिक विशेषता मानी जाती है और हमारा बहुत-सा साहित्य आदमी के अकेलेपन की रचनात्मक पड़ताल करता रहा है। कुमार गन्धर्व का संगीत भी सुरों के बीच के

मौन या कबीर-गायन में अकेलेपन की सृष्टि करता है। लेकिन अपनी पूरी विकलता और उत्कटता के बावजूद उनके यहाँ आदमी का अकेलापन निरी सम्बन्धहीनता का पर्याय नहीं बनता : उसमें आध्यात्मिक भराव भी है और सामुदायिकता की इच्छा का अत्यन्त विकल रचाव भी। वह अकेलापन थके, त्रस्त, अहंकेन्द्रित और सम्बन्ध-अक्षम व्यक्ति का अकेलापन नहीं रह जाता। वह मिट्टी के अन्धकार में धँसी जीवनदायी जड़ों का अकेलापन है जो कि गहरी रचनात्मक तन्मयता में अर्जित अकेलापन बन जाता है जिसमें मौन या नीरवता, उत्सुकता और इच्छाओं का निषेध नहीं, बल्कि समय जिजीविषा की अभिव्यक्ति है। वह एक ऐसा अकेलापन है जो बिना किसी हिचक या संशय के हमें समुदाय से भी जोड़ता है : एकान्त और समुदाय इस संगीत में सहज घुलमिल जाते हैं संगीत का जो नया सौन्दर्यशास्त्र कुमारजी ने विकसित किया है, उसमें मौन का एक अत्यन्त संवेदनशील और अर्थगर्भी उपयोग है। उनका अकेलापन समुदाय से जोड़ता है और अस्तित्व के एक गूँजते हुए समवेत में हमें शामिल करता है। उनका मौन हमें शब्द की ओर ले जाता है।

संयोगवश, कुमार गन्धर्व ने संगीत में शब्द को नई प्रतिष्ठा भी दी है—विशेषतः काव्य-शब्द को। लेखकों, विशेषतः कवियों के, उनके प्रति आकर्षण का एक कारण यह भी है। भक्तिकाव्य, विशेषतः कबीर, सूर, तुलसी, मीरा आदि के अनूठे पदों का कुमार गन्धर्व ने सिर्फ़ अपने गायन को अधिक आकर्षण बनाने के लिए आलंकारिक उपयोग नहीं किया है, बल्कि उनका गहरा सांगीतिक अन्वेषण किया है और ऐसी अभिव्यक्ति दी है जो उन कालजयी शब्दों का कवित्व उजागर करते हुए उनके अन्तर्वर्ती संगीत को ध्वनित करती है। कबीर जैसे क्रान्तिकारी कवि की रचनाएँ गाते समय कुमार गन्धर्व जिस शून्य का निर्माण करते हैं, और फिर जैसे उस शून्य को वस्तुओं से भर देते हैं, वह विस्मयकारी होने के साथ-साथ कविता की अपनी रचना-प्रक्रिया से बहुत मिलता-जुलता है। भक्तिकाव्य के प्रति एक समूची युवा पीढ़ी का ध्यान आकर्षित कर पाना और वह भी तब, जब सतही आधुनिकता के एकाधिपत्य के दौर में समूची नई सभ्यता के स्मृति-हीन हो जाने का खतरा हो, अपने-आप में ऐतिहासिक काम है। कुमार गन्धर्व का संगीत हमें अपनी यातना, अकेलेपन और विकलता को सर्वथा अद्वितीय और अभूतपूर्व होने की गलतफ़हमी में गिरफ्तार होने से बचाता है—हमें मनुष्य के सुख-दुख की शृंखला में 'लोकेट' करता है, आधुनिकता की चालू अनैतिहासिकता से मुक्त कर वह हमें 'ऐतिहासिक' बनाता है। इसके अतिरिक्त भक्तिकाव्य की रचनात्मक समृद्धि को हमारे लिए तात्कालिक बनाकर वह कलाओं की उस बुनियादी अन्तर्निर्भरता को उजागर भी करता है जो भारतीय परम्परा की उल्लेखनीय उपलब्धि थी और जिसे विशेषीकरण के अपने अन्धे उत्साह में हम खो चुके हैं और जिसे फिर से प्राप्त

करना हमारे लिए ज़रूरी है और बहुत मुश्किल भी। कविता और संगीत के बीच समृद्धिकारी सम्बन्ध की स्थापना और शब्द की अनन्त सम्भावनाओं में पुनर्विश्वास स्वयं साहित्यिक संस्कृति को लिए बहुत मूल्यवान् और, उम्मीद की जानी चाहिए, दूरगामी उपलब्धियाँ हैं। अभी पिछले दिनों कवि केदारनाथ सिंह ने भाषा की लापरवाह फ़िज़ूलखर्ची के विरुद्ध शब्दों की गरिमा की लेखकों द्वारा रक्षा की बात की है : यह विचित्र संयोग है कि किसी हद तक यह रक्षा कुमार गन्धर्व-जैसा संगीतकार कर रहा है।

हमारी परम्परा कितनी लचीली और ग्रहणशील है इसका एक दिलचस्प प्रमाण कुमार गन्धर्व द्वारा लोक-संगीत और शास्त्रीय संगीत के बीच स्थापित जीवन्त सौहार्द्र है। गहरे अर्थ में यह साधारण जन की सृजनात्मकता का स्वीकार भी है। सामान्यतः जब शास्त्रीय संगीत को अभिजात व्यापार माना जाता है और उसे विशिष्टों या भद्रलोक का विलास कहकर लांछित किया गया है, लोक-संगीत में उसके उद्गम की खोज और अद्वितीय प्रतिभावानों की बजाय नामहीन सामुदायिकता द्वारा जटिल सृजन की सम्भावना को सिद्ध करना सच्चा जनतान्त्रिक प्रयत्न भी है। भारतीय मनुष्य ने अपने जीवन-संघर्ष के चलते मनुष्य, प्रकृति और मनुष्येतर संसार में असंख्य रंगारंग रिश्ते खोजे हैं : उनमें से कुछ को अपने संगीत में कुमार गन्धर्व फिर से हमारे लिए ज़ाहिर करते हैं और हमें अपनी अस्मिता की कल्पनाशील पहचान देते हैं। उनके संगीत में बौद्धिक प्रखरता के साथ-साथ रंगारंग भराव और लोक-संगीत की जीवन्त ऊर्जा भी है। दरअसल वह सृजन होने के कारण इन अन्तर्विरोधों का धनी है जो उसे प्रामाणिक रूप से आधुनिक भी बनाता है। उसमें सुरों का दिगम्बरत्व और मौन है तो दूसरी ओर विविधवर्णी सामुदायिकता और फक्कड़पन भी। उसमें भक्ति का समर्पण और तदात्मता, विनयशीलता है तो व्यक्तित्व की दृढ़ता और आत्मबल भी। वह रसविभोर भी करता है और बौद्धिक रूप से विचलित भी। वह आत्मान्वेषण के लिए हमें अलग-अलग करता है और आत्म-विस्तार के लिए एकत्र भी। वह निराकार भी है और बिम्बबहुल और सुचित्रित भी। उसमें निर्भीक प्रयोगशीलता है और परम्परा की प्रामाणिकता भी। वह हमें सिर्फ़ भावात्मक शान्ति नहीं देता, हमारी बौद्धिक जिज्ञासा को भी उकसाता है।

सामान्यतः किसी कलाकार की सफलताओं में हमारी कोई दिलचस्पी नहीं होती। कुमार गन्धर्व हमेशा सफल होते हों, ऐसा भी नहीं है। लेकिन उनकी असफलताएँ भी हमारा ध्यान खींचती हैं, कयोंकि वह निर्भीक और दुर्दम्य रचनाशीलता द्वारा उठाए जाने वाले जोखिम की अनिवार्य असफलताएँ हैं : बहुत कुछ ग्रीक पुराणपक्षी आइकेरस जैसी, जिसने सूर्य को छूने का प्रयत्न किया था और इसीलिए जिसके पंख जल गए थे!

रज़ा का समय

समय तो ऐसा है

समय तो ऐसा है कि कहें कि पत्तियाँ झर रही हैं, रंग फीके पड़ रहे हैं, गूँज धीमी हो रही है, दृश्य धुँधला रहा है। समय तो ऐसा है कि कहें कि समय और जिजीविषा से, रंगक्षोभ और विकलता से अपसरण हो रहा है। समय तो ऐसा है कि कहें कि ढलान की थकान पैरों में है, क्रिया से दूर राहत की तलाश है—धीरे-धीरे ग़ैब में समा जाने की इच्छा है। पर ऐसा समय या उसके ऐसे ब्यौरे रज़ा का समय और उसके ब्यौरे नहीं हैं। हम अचरज से यह पहचानते हैं कि यह रज़ा-समय स्पन्दित और सघन है—उसमें अभी जीवट और हिम्मत का घर रसा-बसा है। उसमें अपसरण नहीं शिरकत है। हमारे सामने रंगों के चौगान हैं : अगर ग़ैब है तो अपनी सभी रंगतों के साथ। रंग कई बार अपनी ही तहों के ओट हो गए हैं, वे अपनी इस अनुपस्थिति से ही वहाँ हैं। उस चौगान में जो रंग नहीं हैं वे भी गूँजते हैं। होने और न होने के बीच एक प्रसन्न खेल है। वही है जो नहीं है।

अपने बचपन के कछार और जंगलों से लेकर रज़ा आज तक अपने कैनवसों पर पवित्र जगह की तलाश और एक तरह से प्राण-प्रतिष्ठा करते रहे हैं। उनके आशय इसलिए अपनी उच्छल रंग-ऐन्द्रियता के बावजूद बुनियादी और आध्यात्मिक हैं। उनमें स्मृति स्वयं पवित्रता का कारक है : रंग मानो उस स्पेस को, जो उनके चित्र अपने में बाँधते हैं, अभिमन्त्रित करते हैं। यह कोई नॉस्टैल्जिया नहीं है : यह स्मृतिलोक में शरण लेना भी नहीं है। पर यह याद करना है : अपने होने को उसकी सारी अन्तर्ध्वनियों में फिर से चित्र लिखना है। यह पाना और पहुँचना नहीं है बल्कि पहुँचने की उम्मीद में चलते जाना है।

पवित्रता की ठौर से आगे

रज़ा के यहाँ हमारे जाने-पहचाने समय के चिह्न प्रायः नहीं हैं। जो हो रहा है उससे उनका मानो कोई सरोकार नहीं है। वे जो होता आया है के चित्रकार हैं। वे राजनैतिक-सामाजिक उथल-पुथल और गहमागहमी में धँसे कलाकार नहीं हैं। उनका

दूसरा समय है—एक तरह का प्रतिसमय जिसमें स्फुरण और स्पन्दन है, अपने सारांश में सघन हुआ उल्लास है, अपनी सादगी में संपुंजित अवसाद है। उसमें धरती है, बीज है, वृक्ष हैं, संसार, सूर्य, नाग, नाद और बिन्दु हैं। उसमें आत्मा की शाश्वत ज्यामिति है : चेतना का स्थायी बीजगणित है। वह जो पीछे छूट गया उसे नबेरना नहीं है : वह जो बीत चुका उसे वापस लाना भी नहीं है। वह होने का अनुष्ठान है। वह एक जगह चुनकर उसे अभिमन्त्रित कर वहाँ मानों फूल-पत्ती, अक्षत-दूर्वा और देवचिह्न छोड़कर आगे जाना है। वह पवित्रता का एक ठौर पाना और फिर उस ठौर को उसकी पवित्रता के साथ तद्वत् रखकर नए ठौर के लिए चल देना है। कुछ छूटता है, पर छोड़ा नहीं जाता : नया ठौर पुराने ठौर की ही पंक्ति में है। उसमें नया रूपाकार विन्यस्त होता है : नया रहस्यालोक और फिर भी उन्हीं रंगों का एक पुनःसंयोजन। पवित्रता के अनेक रंग नहीं हैं पर वह किसी एक रंग या रूपाकार में सीमित भी नहीं है।

वृक्ष की पत्तियों की तरह रेखाएँ

पैरिस में अपने घर-स्टूडियो में रज़ा कह रहे थे कि उनकी ज्यामितिक आकारों के चित्रों में रेखाएँ सीधी नहीं, वृक्ष की पत्तियों की तरह हैं : उनमें उन पत्तियों की तरह की ही कँपकँपाहट है। रज़ा जैसे कलाकार की कृतियों को उनकी रेखाओं के लिए नहीं, रंगों के लिए जाना-पहचाना जाता है—यह रंग ही उनकी रेखा को उसका अचूक कम्पन देता है। वे रंग अपनी तहों में लिपटे-सोए रंग नहीं हैं : वे सक्रिय, उच्छल, क्रिया-विकल रंग हैं। इधर उनमें पहले का घमासान, धात-प्रतिघात अगर समाप्त नहीं तो शान्त हो चुका है—उनमें अब एक सादगी है जो वक्तव्य के स्तर पर आत्मानुभूत जटिल स्पष्टता भी है। जैसे बहुलता की उलझन खत्म हो चुकी : स्पन्दित एकाग्रता है। रेखाओं में पत्तियों जैसी वक्रता है—ध्यान में देखने पर ही वह नज़र आती है। उनमें पत्तियों जैसा ही रसायन और जीवन है।

रज़ा कह रहे थे कि मैं शुद्ध ज्यामिति की ओर, सफ़ेद कैनवस की ओर आ रहा हूँ : सारी लीला काले और सफ़ेद के बीच है। सादगी की ओर यह वापसी, मौलिक रूपाकार अर्जित करने की यह चेष्टा, यह आसानी से न दीखने वाला पत्तियों जैसा कम्पन रज़ा किसी दार्शनिक प्रतिबद्धता की तहत नहीं करते : यह उनका अपना चित्रार्जन, चित्रदर्शन है। उनके कैनवस से स्मृतियाँ और छबियाँ, उनकी छापें लगता है कि अब हट चुके हैं। जैसे उनका आवरण उतारकर रंग सिर्फ़ अपनी इयत्ता में आलोकित हैं—जैसे उन्हें कुछ और नहीं अपने को ही कहना है, कुछ और नहीं अपने को ही याद करना है। पर यह रंगरति नहीं है : रंगप्रार्थना है। अगर रंगों का काम होता है तो उनका अध्यात्म भी। अब भी रंग अनासक्त नहीं हैं पर यह रंगाध्यात्म है। रंग प्रकृति या पदार्थों के रंग

नहीं हैं, आत्मा की अपनी रंगत हैं।

रज़ा कह रहे थे कि उनकी गहरी इच्छा अकेले होने की है पर अकेला होना बहुत कठिन है। उनकी इधर की कलाकृतियों में एकान्त है : न सिर्फ़ रंग और रेखाएँ बल्कि स्वयं चित्रकार भी अपने ही सामने है—अब 'दूसरो न कोई'। पर यह दूसरे का, अन्यता का अस्वीकार नहीं है—यह दूसरे से आगे जाना है, अन्यथा की हद पार करने की हिम्मत करना है, पर इस हिम्मत में कोई नाटकीयता नहीं है—सच्चा और गहरा विनय है। साहस के रंग और विनय की सादगी। उसमें दूसरे की हार अपनी जीत नहीं : बल्कि तदाकारिता का एक पवित्र-सा बोध कि कोई दूसरा नहीं है।

रज़ा ऊर्जा के कवि हैं। उनके यहाँ शून्य है पर वह ऊर्जा से अपसरण नहीं, उसका विकिरण है। उसमें मुक्तिबोध के शब्दों में 'जगत् समीक्षा' है। यह उपसंहार नहीं है : पर वह सारतत्व का निरलंकार अंकन है। रघुवीर सहाय ने कहा है, "भूसी का कबिरा क्या करता/तत्त्व-तत्त्व सब लिया पछोर।" रज़ा अपने इस चरण में यही तत्त्व पछोर रहे हैं। जो अतिरिक्त है वह छूट रहा है। अतिरेक की अब कोई ज़रूरत ही नहीं रह गई है : न दृष्टि को, न रूपाकार को। ऊर्जा में अब क्षोभ नहीं है—आवेग है। उसमें अकेले पड़ जाने का खेद नहीं, अकेले हो जाने की इच्छा है। ऊर्जा का उद्‌गम अब स्वीकार में है। अज्ञेय ने कहा था : "सभी सर्जन केवल आँचल पसारकर लेना।"

अपना सारांश बन गई चट्टान

हम दूर आ गए हैं
क्षोभ और सलवटों से
विकलता की गलियों के धधकते सुनसान से
पवित्रता से अछूती जगहों की भीड़भाड़ से

हम दूर आ गए हैं...

सदियों ने समय को घिस-घिसकर चपटा कर दिया है
अविरल जलप्रवाह में घुलकर चट्टान अपना सारांश बन गई है
आँगन में पड़ती धूप गुनगुना रही है हरियाली को
एक पुराने राग की तरह

हम दूर आ गए हैं
जो कुछ हो चुका बीत और झर चुका
जो कुछ पास से चला गया

जो कुछ रिसते-रिसते रीत गया
वह सब अब अस्थिर है
अंजलि में
पंखुरी की तरह
समय की तरह
शब्द की तरह

हम दूर आ गए हैं

हम पुकार रहे हैं उसे जो नहीं है
हम छू रहे हैं उसे जो कभी आगे होगा
हम खोज रहे हैं उसे जो हमारी आत्मा में बसा है

हम दूर आ गए हैं

कोई झरोखा नहीं है जिससे झाँकना हो
कोई सीढ़ियाँ नहीं हैं जो कहीं ले जाएँगी
कोई दरवाज़ा नहीं है जिस पर दस्तक देना हो

हम दूर आ गए हैं

हम पास आ गए हैं
क्योंकि दूर आना पास आना है दूरी के
क्योंकि ओझल होना ग़ैब के पास जाना है
क्योंकि नाम खोजना आवाज़ का रंग पहचानना है

हम पास आ गए हैं पवित्र नाद के
हम निकट खड़े हैं बिन्दु के
हम किसी शून्य त्रिभुज में आवृत्त है

निकटता के इस सुदूर स्थापत्य में
बीज के पड़ोस में
तहों में
स्फुरित होता सीधा-सरल सच

सच जिसकी आकृति नहीं
सिर्फ़ आकार है…

दूर आ गए हैं
पास आ गए हैं
हम आ गए हैं

हम हैं
न आए हैं
न गए हैं…

विस्तार में पड़ी सलवट

हर चित्र अपनी कुछ जगह घेरता है। रज़ा के चित्र भी ऐसा करते हैं। पर इस घेरे से बाहर जो रह जाता है या कि छोड़ दिया जाता है अनघिरा, वह भी, अदृश्य पर अचूक, चित्र-प्रवेश करता है। हम किसी भी चित्र को सिर्फ़ उस जगह की ही तरह नहीं देखते जो कि अकाट्य रूप से वह है। पर उस जगह की तरह भी देखते हैं जो कि वह नहीं है। चित्र का अर्थ उस जगह और उस नाजगह के बीच की आवाजाही में कहीं उपजता है। जो स्पेस चित्रित है वह चेष्टा को एकाग्र करने के लिए है, उसे बाँधकर बाकी को, जो कि अचित्रित है, भुलाने या तजने के लिए नहीं। स्पेस की निरन्तरता में, उसके अटूट तारतम्य में चित्रकृति एक हस्तक्षेप है जो निरन्तरता को विभाजित करने के लिए नहीं बल्कि प्रायः इसलिए किया जाता है कि हम निरन्तरता को इस क्षेप द्वारा देख सकें। विस्तार देख सकें क्योंकि उसमें यह सलवट पड़ी है। इसलिए कई बार रूपाकारों में आवृत्ति है—घूम-फिरकर रंग-रेखाओं का एक तरह संयोजन है जिस पर रज़ा बार-बार लौटते हैं जैसे अनन्त को तरह-तरह के समयों में ढाला और रूपंकृत किया जा रहा है : आवृत्ति इस संस्करण की छाप है—वह उसकी प्रक्रिया और लक्ष्य को दुहराती चलती है जिससे कि हम निरन्तरता के बजाए हस्तक्षेप में न बिलम जाएँ या कि अनन्त के बजाए समय में न उलझ जाएँ। वही रेखा अपनी एक बाँक से वृक्ष बनती है, दूसरी बाँक से सूर्य की तरह दीप्त होती है, तीसरी बाँक से नाग की तरह लयबिद्ध और चौथी से बीज की ओर, धरती की ओर लौट जाती है। अपने जीवन और कला में रज़ा जिस मुकाम पर पहुँचे हैं वहाँ से वे अपनी रंगभाषा को जैसे चाहें वैसा झुकाकर, उसके बुनियादी मुहावरे में अपनी बात कह सकने में सर्वथा समर्थ हैं। उनके वक्तव्य में कोई उलझाव या जटिलता नहीं है : वे बहुत सीधी-सरल बातें कह रहे हैं—कि धरती की तहें हैं, कि बीज का स्फुरण है, कि वृक्ष का कम्पन है, कि नाद के वृत्त

हैं, कि बिन्दु का विवर्त है, कि सूर्य को नमस्कार है, कि लय का न आरम्भ है न अन्त···

नाद का रंगदृश्य

अभी भी परिसर बहुत बड़ा है—''छोतहिं ते उपजे सब संसारा।'' सिर्फ़ संसार ही नहीं रंग भी स्पर्श से ही उपजते हैं। वह स्पर्श कहीं बहुत गहरा और विपुल है कि लगता है कि रंगों का घमासान है—रंगो में अधीरता है जो अँट नहीं पा रही है। रंगों का तुमुल कोलाहल है पर उनमें कोई कलह या मुठभेड़ नहीं है। कहीं वह स्पर्श बहुत हलका है मानों रंग आवाज़ की तरह झीने, लगभग ओझल, हो रहे हों। हम उनके अदृश्य होने के पहले रंगों को एक शान्त-धीर क्षण में देख पा रहे हैं। रज़ा की दुनिया में अभी भी हम क्षोभ से लेकर अपसरण की पूरी रंग-प्रक्रिया घटते देख सकते हैं।

यह संसार अचूक संयम और परिष्कृत कौशल से रचा गया परिसर है। उसमें अब कोई अनिश्चय या संशय नहीं है। बल्कि एक तरह का सविनय आत्मविश्वास है—आत्मा और बाहरी संसार के बीच, रंग और निजी अध्यात्म की बीच एक सहज संवाद है : एक तरह की तनावहीन बातचीत जिसमें परस्पर भरोसा है। रज़ा के यहाँ बिन्दु अपनी लघुता में नहीं अपनी विराट् ऊर्जा में प्रगट है। वह केन्द्र है जहाँ से सृजन और शक्ति, अर्थ और विस्तार विकीर्ण होते हैं। रज़ा नाद सुनते हैं : उनके रूपाकार इस सुनने को रंगदृश्यता देते हैं। हम नाद को देखते-सुनते हैं—बल्कि देखने से सुनते हैं। आवाज़ का अपना रंग है : आवाज़ देखी जा सकती है।

जब संसार अपनी दृश्यावली में रोज़-ब-रोज़ इतनी तेज़ी से, इतने अप्रत्याशित ढंग से बदल रहा है और हम इस बदलाव की असंख्य छबियों से लगातार आक्रान्त हैं, इस बदलाव के लिए रूपकों की खोज में सम्भ्रमित से हैं, तब रज़ा एक अद्वितीय दृश्य-संसार गढ़ रहे हैं। वे हमें आवाज़ दे रहे हैं : एक ऐसी आवाज़ जो उदात्त है, जिसमें प्रार्थना जैसी सादगी और प्रेम जैसी विकलता है, जिसमें होने की प्रसन्नता भी है और उसका चकित रहस्य भी। इस आवाज़ का सुनना जीवनासक्ति के एक अत्यन्त प्राचीन उत्सव में शामिल होना है जहाँ जीवन और कला के बीच कोई फाँक नहीं है : दोनों ही होने के निःसंकोच अनुष्ठान हैं।

अब आगे कोई मोड़ नहीं। जैसे पथ दूर तक दिखाई देते हुए एक बिन्दु में घनीभूत हो जाए। जैसे लगे कि उसी बिन्दु से यह हमारी ओर आ रहा है। सुखद अचरज यही है कि यह बिन्दु रज़ा है, यह पथ भी रज़ा है और आँख भी रज़ा ही है जो बिन्दु से पथ और पथ से बिन्दु को निहार रही है।

परदेसी नहीं, लेकिन इन्सान

इन दिनों चल रहे उत्तर-आधुनिक माहौल में सलमान रुशदी के नए उपन्यास 'दि मूअर्स लास्ट साइ' को कई ढंग से पढ़ा जा सकता है। वह समकालीन भारत और उसके सामाजिक-सांस्कृतिक संकट की गाथा है। बारहवीं सदी के तिब्बत के लामा-कवि मिलारेपा से शब्द लेकर कहें तो उसे 'चतुर सुजानों और सुजानियों के लिए विवेक-ग्रन्थ' के रूप में पढ़ा जा सकता है। एक फ़तवे के तहत लगभग क़ैद की ज़िन्दगी बसर कर रहे एक लेखक के उत्तर औपनिवेशिक पूर्वग्रह उसमें खोदकर निकाले जा सकते हैं। इस सदी की भारतीय राजनीति की कुछ प्रमुख हस्तियों पर खुल्लम-खुल्ला हमले के रूप में वह पढ़ा जा सकता है—एक राजनीतिक देवनिन्दा जो आपत्तिजनक और खिल्ली उड़ाती टिप्पणियों से भरी पड़ी है—अभद्रता से लेकर अश्लीलता की हद तक। वह ज़िन्दगी की दुखी दास्तान है, ''जिन्दगी ख़ुद खासा सूली पर चढ़ना है।'' अपने विस्तार में—देश और काल दोनों में ही—वह बड़ा उपन्यास है एक सदी से अधिक पर फैला हुआ, भारत, भारत में पुर्तगाल, स्पेन और लोगों की कई पीढ़ियों और परिवारों और कोचीन, मुम्बई आदि कई शहरों को समेटता हुआ। अगर ज्वायस के एक वाक्य का सहारा लें, जो कि खुद रुशदी ने भी उपन्यास में उद्धृत किया है, तो कह सकते हैं यह अपनी जाति के अनबने अन्तःकरण को अपनी आत्मा के लुहारखाने में गढ़ने की एक महाकाव्यात्मक चेष्टा है।

एक और दूसरे स्तर पर वह सचाई की अनिश्चितता, उसकी अन्तर्निहित हिंसा और मरणान्तक स्पर्श का उपन्यास है। रुशदी एक ऐसी दुनिया रचते हैं जो सचाई और फैंटेसी दोनों से बनी है पर जिसका सच एक ऐसी जगह में सन्निहित है जो इन दोनों से परे हैं। मैं इस उपन्यास को, जार्ज पैरेक के वजन पर, इस्तेमाल करने वाले ने नज़दीक, कला के लिए, ज़िन्दगी के गुटके की तरह पढ़ना चाहता हूँ। उपन्यास में शिल्पतथ्य तथ्यों का पूर्वानुमान, पूर्वकथन और नियति-निर्धारण करते हैं। कल्पना कल्पसृष्टि करती है—कल्पना रचना है : कल्पना सचाई रचती है। न सिर्फ़ रुशदी की औपन्यासिक कल्पना जो उपन्यास की कथासचाई रचती है पर वह मातृ-कलाकार भी, जो उसे चित्रित करती चलती है जो उसके चैम्बर

और कैनवासों से बाहर होने जा रहा है। मानो कि शिल्पतथ्य तथ्य की जननी है। इसके अलावा भी, रुशदी ने अरोरा के चित्रों को ऐसे विशिष्ट ब्यौरों में कल्पित किया है कि वे 'दृश्य' का लगभग शब्द-चित्रण करते हैं। शब्दों के माध्यम से चित्रकृतियों की एक पूरी शृंखला रची जाती और अकाट्य सचाई का सतर पा लेती है। शायद पहली बार आप पहचानते हैं कि अपने लगभग अक्षय भाषाई संसाधनों और कौशल के बावजूद रुशदी की कल्पना, गहरे अर्थ में, दृश्य-कल्पना लगभग चित्रकल्पना है। वे लिखते नहीं, चित्र लिखते हैं। उनकी दुनिया में शब्द लगभग दृश्य हैं। चीज़ों, घटनाओं, शारीरिक रूपों, चेहरों, भंगिमाओं आदि का बखान करने की उनकी शक्ति अपार है। यह नहीं कि जब और जहाँ ज़रूरी हो तो वे सामान्यीकरण नहीं करते। पर वे हमेशा विशिष्ट में गहरे जमे रहते हैं। वे अपने चित्रण को एक तरह की ऐन्द्रिक मौजूदगी और कुछ-कुछ विडम्बना-भरा अस्तित्व देते हैं। "जो तुम देखते हो वही है जो है...इस दुनिया के अलावा कोई दुनिया नहीं है।" उपन्यास को, जिस दुनिया में हम रहते हैं उसकी पार्थिवता के अनुष्ठान के रूप में भी, पढ़ा जा सकता है—कई बार अपने अभिप्राय में और कभी-कभार अपनी परिणति में प्रहसन जैसा।

फिर भी दुनिया, हमारा उससे जो भी भौतिक और आधिभौतिक अभिप्राय हो, ठीक-ठीक कथाकल्पित होने की प्रतीक्षा नहीं कर रही है। कवि की ही तरह, उपन्यासकार भी शायद कुछ नहीं से अपनी दुनिया रचता है। रुशदी के उपन्यास का कथा-नायक अन्त की ओर कहता है : "मैं कहीं नहीं से नाचीज़ था, कुछ नहीं के कोई नहीं की तरह।" उपन्यास की मूल समस्या एक ऐसी आत्मप्रमाणित दुनिया बनाने की है जिसमें नाचीज़ और कोई नहीं कुछ चीज और कोई हो सके, कहीं नहीं कहीं और कुछ नहीं कुछ—अरोरा के चित्रों की तरह, जो शून्य से अस्तित्व में आते हैं ओर फिर जगह और ध्यान घेरते हैं। बखान के एक अत्यन्त निजी मुहावरे से, जो अंग्रेज़ी भाषा को बड़े उछाह से सबवर्ट करता चलता है, एक ऐसी शब्द-दृश्य दुनिया रची जाती है जो उस दुनिया को लगातार छूती चलती है जिसे हम अन्यथा जानते हैं। अपने औपन्यासिक साँचे से बाहर की दुनिया से रुशदी का रिश्ता चिढ़ाने और हवा निकालने वाला लेकिन अन्ततः यन्त्रणाभरा है। "आह आह भर नहीं है। हम दुनिया को कश की तरह अन्दर खींचते हैं और अर्थ को साँस की तरह छोड़ते हैं। जब तक कर सकें। जब तक कर सकें।" कला जीवन को अर्थ देती है पर जीवन के बिना न तो कला, न ही अर्थ सम्भव है।

अच्छी बात यह है कि पाँच वर्षों के दौरान साहस और सघनता से लिखा गया यह उपन्यास एक ठोस रचना है। बुरी बात यह है कि इसके पहले कि आप उसे पढ़ें अनेक कुपाठ और अपढ़ विवाद आप तक पहुँच चुके हैं। अच्छी बात यह है कि ईरानी फ़तवे की वजह से लगभग हिरासत में रहते हुए भी रुशदी की

रचनात्मकता सही-सलामत है और वे हमारे समय के केन्द्रीय और इसलिए विवादास्पद मसलों से जूझना जारी रखे हुए हैं। बुरी बात यह है कि उनका यह सरोकार एक तरह की सनसनीख़ेज व्यावसायिकता समझा जा रहा है। अकसर हम यह भूल जाते हैं कि हर हालत में सत्य बहुत अनिश्चित है और अकसर सामाजिक-राजनीतिक, विचारधारात्मक या आध्यात्मिक व्यवस्थाओं की चालू संरचनाओं और समझ के सिलसिले में सत्य गन्दा और अपवित्र ही लगता है। समकालीन सचाई का रुशदी संस्करण, पर्याप्त आन्तरिक साक्ष्य के आधार पर, एक ऐसी दुनिया के लिए शोकगीत के रूप में भी देखा जा सकता है जो कि 'सिर्फ़ दुनिया है' और जहाँ 'कोई ईश्वर नहीं...कोई आध्यात्मिक जीवन नहीं।' एक सदी से अधिक के आरपार फैले रुशदी के क़िस्से के लोग अतिक्रमण, अतिचार करते हैं, मारते हैं, धोखा देते हैं, मरते हैं, हमला बोलते हैं, बिना पश्चाताप, अपराध-बोध या नैतिक संयम के। "हम भी हवाएँ रोपते हैं और तूफ़ानों के चैतुए हैं। हमारे बीच ऐसे हैं—परदेसी नहीं लेकिन इन्सान—जो तबाही भकोसते हैं, जो, अंगभंग की नियमित सप्लाई के बिना, पनप नहीं सकते।"

रुशदी की विख्यात कॉमिकल दृष्टि में कई ट्रैजिक रेशे हैं।

"हम किसी ट्रैजिक हैसियत के न थे और न ही इस क़ाबिल कि हमें उस हैसियत का सोचा जाए। ट्रैजेडी हमारे स्वभाव में नहीं थी। यह सही है कि एक ट्रैजेडी घट रही थी, व्यापक पैमाने पर एक राष्ट्रीय ट्रैजेडी पर हममें से जो लोग अपनी भूमिका निभा रहे थे वे मसखरे थे—मसखरे, भड़ुए विदूषक जो महान् व्यक्तियों के अभाव में इतिहास की रंगस्थली पर लाए गए हैं। सचमुच पहले हमारे रंगमंच पर महान् लोग थे पर इस युगान्त पर इतिहास की देवी को जो भी मिल सके उसी से काम चलाना चाहिए। इन बाद के दिनों में, जवाहरलाल एक भुसभरे कुत्ते भर का नाम है।"

रुशदी ने भारत के अल्पसंख्यकों के बारे में, जिन्हें कुछ राजनैतिक शक्तियाँ असमर्थनीय रूप से परदेसी कह रही हैं, उन्हें इन्सान की तरह सजीव बनाते हुए लिखा है। उनका उपन्यास, उन्हीं के एक विचित्र रूपक का प्रयोग कर कहें, 'इन्सानसूप' है। आप उसे निगलना चाहें तो वह आपको यह पहचानने के लिए भड़काता है कि "ज़िन्दगी में सब कुछ इतना विविध, इतना विरोधी और इतना अस्पष्ट है कि हम किसी सच के बारे में असंदिग्ध नहीं हो सकते हैं।" न सिर्फ़ माने हुए सचों पर बल्कि स्वयं अपने रचे औपन्यासिक सच पर उपन्यास लगातार प्रश्नचिह्न लगाता चलता है। और यहीं पर एक अन्यथा महाकाव्यात्मक कल्पना की आध्यात्मिक व्यग्रता सामने आती है। अगर सच के बारे में ऐसी परेशान करनेवाली अनिश्चितता हो तो क्या आप एक महाकाव्य या गाथा लिखने की कोशिश कर सकते हैं? जो अर्थ आप साँस की तरह छोड़ते हैं वह उतना ही शंकास्पद

है जितनी वह दुनिया जिसे आप कश की तरह अन्दर खींचते हैं। इसी सिलसिले में समकालीन राजनैतिक हस्तियों और घटनाओं पर उपन्यास में दिए गए सीधे फ़ैसले अपनी निश्चयात्मकता में कुछ बेमेल लगते हैं। पर किसी और वजह से उन पर आपत्ति करना रुशदी प्रोजेक्ट के पूरे डिजाइन को समझने में असफल होना है। वह एक उत्तर-ट्रैजिक दुनिया में जो मसखरों और विदूषकों से अँटी पड़ी है, अर्थ पाना है—छुटभैयों की ट्रेजेडी, या कि कहें पैथोडी, जिन्हें महान् चीजों का बोझ उठाना पड़ रहा है। और यह तुच्छता, जैसे कि भव्य कला, इस प्रोजेक्ट में हमने रची है—हम जो 'इन्सान' हैं, 'परदेसी' नहीं। इस पैथोडी का दूसरा पहलू यह है कि हम झगड़ते हैं, ज़हर उगलते हैं, हारा-पिटा महसूस करते हैं बिना यह महसूस किए कि ये हमही हैं जिन्होंने यह सब किया है। और इस 'हम' में महान् नेता, महानुभाव, बाद के मेंढक और बौने सब शामिल हैं। यह हमारा किया-धरा है। और रुशदी इसे बहुत मज़ाहिया ढंग से पर अचूक दर्द के साथ कह रहे हैं। बहुलता और उस पर इन दिनों हो रहे हमलों को लेकर उनकी चिन्ता मानवीय और कलात्मक दोनों ही है। चीज़ों, लोगों, गन्धों, मुदाओं, भंगिमाओं और उक्तियों की बहुलता के बिना उपन्यास की दुनिया झीनी होगी, जैसे हमारी इन्सानी दुनिया भी। सत्य अनिश्चित हो सकता है और हो सकता है कि हो ही नहीं, पर हमें जीने के लिए, इन्सान बने रहने के लिए और अर्थ पाने के लिए सचाई की, उसकी उलझनों और गड्डमड्ड के बावजूद, ज़रूरत है। रुशदी कामयाब हैं हमें कुछ और इन्सान बनने के लिए मदद करने में। ऐसे इन्सान, जो हास्यास्पद और दयनीय एक साथ हैं, अपनी उस 'इन्सानियत' पर दर्द और व्यग्रता के साथ अचरज करते हुए, जो कि ट्रैजेडी और प्रहसन दोनों के परे हैं। अन्त में कला जीवन से लम्बी है। वह बच पाती है तभी जब कि कैनवास को 'जीवन का लहू' धुँधला करता है। प्रोजेक्ट के समापन पर कला और जीवन का विलय होता है : तथ्य स्वयं शिल्पतथ्य हो जाता है।

[मूलतः अंग्रेजी में लिखी समीक्षा का लेखक द्वारा हिन्दी रूपान्तर]

कुहरे में रास्ते

पुस्तक दरवाज़े पर एक दस्तक है। वह खिड़की पर आ गई अचानक चिड़िया है। वह हरी पत्तियों में मुश्किल से सुनी जा सकनेवाली सरसराहट है। वह घर में लगे धूल-भरी पुसतकों के ढेर में हलचल है। पुस्तक घर की दूसरी चीज़ों द्वारा बिल्कुल नोटिस में न ली जाती हुई आती है। मेज़, कुरसी, बिस्तर, अपने केस में बन्द टाइपराइटर और कई भाषाओं की दूसरी पुस्तकें उसके आगमन को दर्ज़ नहीं करतीं। आप पुस्तक पढ़ना शुरू करते हैं और चूँकि संयोग से चार दिनों की लगातार छुट्टी पड़ जाती है आप उसे पूरा पढ़ पाते हैं। अब आप उस पुस्तक को शायद आध्यात्मिक रूप से स्वायत्त कर चुके हैं। लगभग अदृश्य ढंग से वह आपका हिस्सा बन जाती है और फिर अपने बिल्कुल सफेद कवर के साथ अनेक पुस्तकों में से एक पुस्तक बनी रहती है जो जल्दी ही किसी रैक में या अन्यत्र अपनी जगह पा लेगी। आप अगर पश्चिमी संगीत जानते होते तो शायद इस पुस्तक का कुछ भाग आपने सुना होता—अगर आपको स्वरलिपि और संगीत के इतिहास का कुछ पता होता। आपकी अपर्याप्तता आपको पूरा तर्क समझ पाने से रोकती है। आप कुहरे में रास्ते पर चलते हैं। आप टहलते हैं पुराने बगीचों में, सँकरी और बिसरा दी गई गलियों में, उजाड़ बस्तियों और भीड़-भरे पड़ोस में। आप लगभग एक पुराने शहर में हैं—पुराना और फिर भी एक साथ आज का—कुछ दिनों के लिए। कभी अतीत के एक कैफ़े में चुस्कियाँ लेते हुए और कभी चौक पर जीवन की मौज मनाते हुए। यह यूरोपीय उपन्यास का महाकाव्यात्मक शहर है। कभी तेज धूप पड़ती है और कभी दोपहर में भी अँधेरा। अँधेरा भगाने के लिए रौशनियाँ हैं। आप पथरीले रास्तों पर चलते हैं कहीं न पहुँचते हुए, बल्कि बार-बार शहर में ही पलटते हुए। आप शहर से कहीं और के लिए नहीं जा सकते। शहर में ऐसा कुछ नहीं है जो शहर से बाहर या कहीं और जानेवाले रास्तों का संकेत करता हो। इस शहर को लगभग यह पता ही नहीं है कि और भी शहर हैं। उसे ऐसा कोई सन्देश या संकेत नहीं मिलता। उसकी डाक पूरी तरह से अन्तर्देशीय है। वह अविश्वसनीय रूप से बन्द सर्किट है। आप 'कुहरे में रास्तों पर चलते हैं।' 'रास्ते कभी ख़त्म नहीं होते और उन्हें किसी मंज़िल का पता नहीं।'

हमारे समय के मूर्धन्य उपन्यासकार मिलान कुन्देरा की उपन्यास पर यह दूसरी पुस्तक है : **टैस्टामैंट्स बिट्रेड**। वह सिर्फ़ उपन्यास की समझदारी के बारे में ही नहीं—जो समझदारी संसार के बारे में अनन्य उपन्यास ही एकत्र और विन्यस्त करता है—बल्कि पश्चिमी गोलार्ध और यूरोपीय सभ्यता में उपन्यास के इतिहास और उसकी जगह के बारे में भी विचार करते हैं। महाकाव्य की नैतिक निश्चयात्मकता के बरक्स वे उपन्यास की विधा के केन्द्र में बैठे नैतिक अनिश्चय को विलक्षणता से खोजते हैं। उपन्यास ऐसा 'क्षेत्र है जहाँ नैतिक निर्णय निलंबित होता है।' कुन्देरा यह भी रेखांकित करते हैं कि यूरोप में उपन्यास का सार उसके विनोद और विडम्बना के अचूक बोध में है। उपन्यास की समझदारी किसी दार्शनिक या सोच-विचार की सरणी से नहीं बल्कि उसकी अपने विडम्बनात्मक सम्बन्धों से फलित होती है। यह समझदारी विरासत में मिले या जीवन और अन्य अनुशासनों, दर्शन, विचारधारा आदि से प्राप्त या प्रदत्त विचारों से गढ़ी-बुनी नहीं जाती। यह समझदारी उस मानवीय स्थिति में अन्तर्भूत होती है जिसे उपन्यास रचता है, उन सम्बन्धों में, जिन्हें उपन्यास गढ़ता, उजागर करता है। वह हमेशा ही सुभेद्य, अनिश्चित, असमंजस-भरी और फिर भी रौशन करनेवाली होती है। बिना उपन्यास के वह न पाई, न ही कही जा सकती है। सच कथा में ही अन्तःस्थापित है—न उससे परे, न उसके बाहर। कुन्देरा के अनुसार उपन्यास सोचता है और आपको सोचने के लिए उकसाता है, पर आपको उसकी निश्चयात्मकता या कि किसी दार्शनिक, राजनीतिक या आधिभौतिक समझदारी से समता खोजने से थामता या संयमित करता है। कोई भी उपन्यास, जो अपना सच पहले से ही जानता है, अपने सफ़र में कहीं नहीं पहुँचता क्योंकि वह उपन्यास होने में ही असफल रहता है। उपन्यास में एक सुप्रकाशित रास्ता आपको कहीं नहीं ले जाता। आप उपन्यास की अनन्य समझदारी तक तभी पहुँच सकते हैं अगर आप कुहरे में चल रहे हों। सच तक आप मानो विमार्गी होकर ही पहुँच सकते हैं—अँधेरे और मुबहम में भटकते हुए, भूल-भुलैया से और टेढ़े-मेढ़े रास्तों पर। पवित्रता अब न देवालय में पाई या बचाई जा सकती है। ''जहाँ तक उपन्यास के वातावरण में अदृश्य रूप से हँसी छाई रहती है, उपन्यास द्वारा किया गया दूषण सबसे बुरा होता है। क्योंकि धर्म और विनोद परस्पर विरोधी हैं।'' यहूदियों की एक कहावत है : ईश्वर के सामने रोओ, मनुष्य के सामने हँसो। कुन्देरा की नज़र में उपन्यास मनुष्य के सामने हँसना है। जो हँसता है, मनुष्य तक पहुँचता है और हो सकता है ईश्वर भी उपन्यास के द्वारा मनुष्य पर हँसता है। उपन्यास पुराण की पृथ्वी 'वसुधा' की तरह है जो कि शेषनाग के फन पर खतरनाक ढंग से सन्तुलित है—सदा अस्थिर, अनिश्चित और क़तई स्खलनशील। 'ब्यौरों के षड्यन्त्र' से उपन्यास पारदर्शिता और अर्थ के अपने क्षण पाता है—सर्वथा साधारण, सर्वथा अप्रत्याशित और सर्वथा अननुमेय से।

कुन्देरा सलमान रुशदी से एक पद 'अतिरेक की संस्कृति' लेते हैं और उसका उपयोग उपन्यास की प्रवृत्ति का बखान करने में करते हैं : "अपने आधुनिकतावाद के अन्तिम (चरण में) यूरोप में : अपने चरम तक साधारण का उपयोग, धूसर पर धूसर की परिष्कृत व्याख्या, यूरोप से बाहर : अत्यन्त असाधारणता संयोगों का अम्बार, रंगों पर रंग। खतरे : यूरोप में धूसर की ऊब, यूरोप से बाहर विलक्षण की एकरसता।" यह पुस्तक नौ भागों मे एक लम्बा निबन्ध है जिसमें अनेक उपन्यासकारों और उपन्यासो की दुर्लभ अन्तर्दृष्टि और तीक्ष्णता के साथ चर्चा है जिनमें रैबले, सरवान्तीस, काफ़्का, म्यूज़िल, ब्रोच, गाम्ब्रोविज़, टॉमस मान, फिलिप सोलेस, हेमिंग्वे, टॉल्सटाय, सेलीन, सलमान रुशदी आदि शामिल हैं। वे गहराई में और विस्तार से पश्चिमी संसार में संगीत और उसके कई संगीत-सर्जकों जैसे स्ट्राविन्स्की, बाख़, मोत्ज़ार्ट, बारतोक, बीथोवन, जानासेक आदि की और नीत्शे, अडोर्नो और आन्द्रे ब्रेताँ आदि के विचारों की भी चर्चा करते हैं। परिधि बहुत व्यापक है। जो अन्तःसम्बन्ध, संयोग और अनुरूपता कुन्देरा स्थापित करते हैं वह विस्मयकारी है पर अचूक ढंग से रौशनी देनेवाला भी है। उपन्यास के आलोचक और सिद्धान्तकार के रूप में कुन्देरा के पास ऐन्द्रिक ब्यौरे के लिए नज़र है और एक ऐसी दृष्टि जो केन्द्रीय रूप से यूरोपीय संस्कृति और उसके सांगीतिक, दार्शनिक और सर्जनात्मक विरासत में रची-बसी है। वे कथा और संगीत के शिल्पतथ्यों को, यूरोपीय विचार के आधिभौतिक प्रबोधन और सामाजिक-राजनीतिक परिवेश को कुशल और आश्चर्यजनक ढंग से समझ और जोड़ पाते हैं। इस पुस्तक-भर लम्बे निबन्ध में वे पारदर्शी और जीवन्त गद्य लिखते हैं। उनका विश्लेषण कभी भी उबाऊ या बोझिल नहीं होता सिवाय उन अंशों के जहाँ हमें अपने पश्चिमी संगीत के अज्ञान के कारण वह कहीं-कहीं ऐसा लगता है। वे अपनी दृष्टि प्रक्रिया की पारदर्शिता द्वारा अर्जित करते हैं, हम पर थोपते नहीं हैं। उपन्यास के इतिहास और पश्चिमी संगीत के इतिहास को जोड़ना एक रोमांचक प्रोजेक्ट है। वह ऐसी समझ देता है, ऐसे पक्ष उभारता है, ऐसे आग्रह सामने लाता है जिनके बारे में हमने सोचा भी नहीं था पर जो कुन्देरा के प्रस्ताव में सर्वथा विश्वसनीय और सचमुच सहायक सिद्ध होते हैं। जनान्तिक के तौर पर यह नोट किया जा सकता है कि कुन्देरा का संगीत का ज्ञान इतना गहरा और उनका उससे जुड़ाव इतना उत्कट है कि हम याद कर सकते हैं कि "सांगीतिक संरचना का बोध उनके यहाँ अधिक स्वायत्तता प्राप्त करता है और वे अपने उपन्यासों में वेरिएशन, इंटरवल, काउंटरपार्ट आदि संगीत-पदों का संरचनात्मक प्रविधियों के रूप में उपयोग करते हैं।" कलाओं में सबसे अधिक संगीत ही है जो 'संसार को सरलीकृत करने की चेष्टा नहीं करता' और, संगीत की तरह, उपन्यास को, कुन्देरा के शब्दों में (जो उन्होंने 1987 में दिए एक इंटरव्यू में कहे थे) "उसे उसकी पूरी जटिलता, उसकी बुनियादी अनेकार्थिता में पकड़ना चाहिए।"

2

पिछले कुछ बरसों कुन्देरा के खुद स्वीकार किए गए 'उपन्यास की प्रगीतात्मकता से प्रेम' के बारे में काफ़ी कुछ कहा गया है। दरअसल उनके उपन्यस 'लाइफ़ इज़ एल्सव्हेअर' को 'शायद कविता के विरुद्ध लिखी गई सबसे कठोर रचना' कहा गया है। ''कविता, स्वीकार, उत्तेजना और 'प्रामाणिकता' के विशेषाधिकृत स्पेस के रूप में। कविता, ईश्वर की आखिरी माँद के रूप में।''—(फ्रांसिस रिकार)। कुन्देरा कविता पर शक करते हैं क्योंकि उन्होंने आतंक के समय में, गीतात्मक विमूढ़ता को अहम भूमिका निभाते देखा था जो कि मेरे लिए ऐसा समय था जबकि जल्लाद के साथ कवि के हाथों में बागडोर थी (लाइफ़ इज़ एल्सव्हेअर) मैं तब मायकोवस्की के बारे में सोचता था : ''रूसी क्रान्ति के लिए उनकी प्रतिभा उतनी ही अनिवार्य थी जितनी कि ज़ेरसिज़न्सकी की पुलिस। गीतात्मकता, गीतीकरण, गीतात्मक बातचीत, गीतात्मक उत्साह उस संसार को पूर्णता देनेवाले हैं जिसे सर्वसत्तात्मक संसार कहा जाता है। वह संसार यों तो गुलाग नहीं है पर वह गुलाग है जिसकी बाहरी दीवारों पर कविताओं का पलस्तर चढ़ा है और जिसके आगे लोग नाच रहे हैं।'' कुन्देरा आन्द्रे ब्रेताँ के इस आक्षेप को कि उपन्यास 'उत्कृष्ट अ-कविता' है गम्भीरता से लेते हैं। वे अपना बचाव उस ऐतिहासिक अनुभव पर आधारित करते हैं जिसमें कि 'आतंक से अधिक, आतंक के गीतीकरण सदमा था।' 'सारे गीतात्मक प्रलोभनों' के विरुद्ध कुन्देरा उपन्यास को सिर्फ़ एक साहित्यिक विधा के रूप में नहीं अपनाते, बल्कि 'एक दृष्टिकोण, एक समझदारी, एक रुख़ के रूप में भी।' वह एक रुख़ है जो कि 'उग्र ग़ैर-तादात्म्य का है, पलायन या निष्क्रियता के रूप में सोचा हुआ नहीं, बल्कि अवरोध, ललकार और विद्रोह की तरह।' यह वह रुख है जिसके चलते कुन्देरा यह दावा कर पाते हैं कि वे न तो कम्युनिस्ट हैं और न ही असन्तुष्ट, न वामपन्थी न ही दक्षिणपन्थी, लेकिर 'मैं एक उपन्यासकार हूँ।' यहीं हम यह याद कर सकते हैं कि कुन्देरा के एक इंटरव्यूकार क्रिश्चियन सालमन ने कुन्देरा की उपन्यास की अवधारणा को परिभाषित करते हुए कहा है कि वह 'अस्तित्व पर एक काव्यात्मक चिन्तन है।' और कुन्देरा ने हाइडेगर से एक पद लेते हुए अस्तित्व को 'संसार-में-अस्ति' के रूप में स्पष्ट किया है। अस्तित्व सम्भावनाओं का क्षेत्र है। और उपन्यास एक तरीका है 'उस संसार में सम्भावनाएँ खोजने का जो कि एक जंजाल बन गया है।' उस संसार के 'सच का समग्रीकरण' सम्भव नहीं है जैसा कि टैरी ईगलटन ने कुन्देरा पर विचार करते हुए कहा है। और स्वयं कुन्देरा कहते हैं : ''लोगों की नासमझी हर चीज़ का उत्तर होने से निकलती है। उपन्यास की समझदारी आती है हर चीज़ के लिए एक प्रश्न होने से।''

यह कुन्देरा का फ़ैसला देने से ज़िद्दी इनकार और उनकी समझने की कोशिश

है जो बीसवीं सदी के कुछ मूर्धन्यों को उनकी राजनीतिक भूलों के लिए कचरे की टोकरी में फेंकने की हिमाकत से हमें रोकते हैं फिर उन भूलों का सम्बन्ध फासीवाद, नाज़ीवाद, लेनिनवाद या अन्य सर्वसत्तावादी व्यवस्थाओं के समर्थन से क्यों न हो। जो लोग लेनिन, यूरोप आदि के बारे में अपना रुख़ बदलते हैं वे कुन्देरा के अनुसार अपनी व्यक्तित्वहीनता का ही इज़हार करते हैं। वे कहते हैं : "यह परिवर्तन न तो उनकी अपनी रचना है और न ही उनका अपना आविष्कार, न ही सनक या अचरज या विचार या पागलपन; उसमें कोई कविता नहीं; वह इतिहास के बदलते आशय के साथ एक निहायत गद्यात्मक समायोजन है।" असल में कुन्देरा का आत्मशंकालू मन उन्हें ले जाता है एक डरावने विचार की ओर : क्या हो अगर हमारे विद्रोह आन्तरिक मुक्ति, साहस द्वारा उत्प्रेरित होने के बजाय उस दूसरे ट्राइब्यूनल को प्रसन्न करने की इच्छा से हों जो फ़ैसला देने के लिए पहले से ही अँधेरे में, तैयारी कर रहा है? कुन्देरा दावा करते हैं कि कई बार 'उपन्यासकार दार्शनिकों के पूर्ववर्ती हुए हैं' और पाते हैं कि 'काफ़्का ने आधुनिक संसार को समझने के लिए सर्वथा अपरिहार्य कम-से-कम दो धारणात्मक शब्द हमें सौंपे हैं : कचहरी और मुकदमा : ट्राइब्यूनल और ट्रायल।' वे आगे कहते हैं कि इस शताब्दी के महान् कलाकारों में से कई प्रतिवादी हैं और यह भी कि "लगभग सत्तर वर्ष तक यूरोप मुकदमई शासन—ट्रायल रेजीम के तहत रहा है।" लेकिन कुन्देरा उन लोगों के प्रति दयाभाव नहीं रखते जिन्होंने ग़लतियाँ कीं। वे सिर्फ़ उन्हें समझने और शायद उनके माध्यम में स्वयं को ही समझने की चेष्टा कर रहे हैं :

> "आदमी कुहरे में आगे बढ़ता है। जब वह पीछे मुड़कर अतीत के लोगों पर फ़ैसला देता है तो उसे उनके रास्तों पर कोई कुहरा नज़र नहीं आता। अपने वर्तमान से, जो कि उनका दूरस्थ भविष्य था, उसे उनका रास्ता बिलकुल स्पष्ट दिखाई देता है, सारे रास्ते बढ़िया दृष्टिगोचरता। पीछे देखने पर उसे रास्ता, आगे बढ़ते हुए लोग दीखते हैं, दीखती हैं उनकी भूल-ग़लतियाँ, उनका कुहरा नहीं। और फिर भी वे सभी—हाइडेगर, मायकोवस्की, अरागाँ, एज़रा पाउंड गोर्की, गाटफ्रीड बैन, सैं जाँ पर्स, ज़िओनो—कुहरे में चल रहे थे। यह अटकल लगाना चाहिए : कौन अधिक अन्धा है? मायकोवस्की, जिन्होंने लेनिन पर कविता लिखी और जो नहीं जानते थे कि लेनिनवाद किधर ले जाएगा? या कि हम, जो दशकों बाद उन पर फ़ैसला दे रहे हैं और उस कुहरे को नहीं देखते जो उन्हें निगल गया था?
>
> मायकोवस्की की विमूढ़ता शाश्वत मानवीय स्थिति की हिस्सा है। पर हमारा मायकोवस्की के रास्ते पर कुहरे को न देख पाना यह भूलना है कि मनुष्य क्या है, यह भूलना है कि हम स्वयं क्या हैं।"

फिर कुन्देरा में 'याद करना भूलने का निषेध नहीं है। याद करना भूलने का ही एक प्रकार है।' कुन्देरा याद करते हैं और इस तरह भूल जाते हैं। उन्होंने अपने एक उपन्यास की भूमिका में हाइडेगर का एक उद्धरण दिया है : "मनुष्य का सार एक प्रश्न का रूप लेता है।" यह लम्बा निबन्ध, अपनी पर्याप्त पारदर्शिता के बावजूद, उलझन पैदा करता है क्योंकि अन्ततः वह, उपन्यास की कुन्देराई व्याख्या की ही तरह, कई प्रश्नचिह्न छोड़ जाता है। इतालो काल्वीनो (सिक्स मीमोज़ फ़ार दि नैक्स्ट मिलेनियम), अम्बर्तो इको (सिक्स वाक्स इन द वुड ऑव् फ़िक्शन) और इलेन सियू (थ्री स्टैप्स आन द लैडर ऑव् राइटिंग) के साथ ही मिलान कुन्देरा उन समकालीन विभूतियों में से हैं जिन्होंने आनन्ददायी विश्लेषण, ऐन्द्रिय और भावप्रवण ग़द्य में हमें यूरोपीय उपन्यास के केन्द्रीय सरोकार और उसकी आध्यात्मिक चिन्ताओं को बेहतर समझने में मदद की है। जब आप कथासाहित्य पर अनगिनत उबाऊ आलोचनात्मक ग्रन्थों के मृतप्राय गद्य से तंग आ चुके हों तो कुन्देरा का मुहावरा, विडम्बना का उनका सूक्ष्म और अचूक बोध, उनकी 'शिल्पित समझ-बूझ' बहुत रस और दृष्टि देती है। हम सत्य तक न पहुँचें पर अपने उलझे समय में अस्तित्व के मानवीय आशय का थोड़ा स्पष्टतर बोध हमें हो पाता है। कुहरा निगलता है और फिर भी हम चलना चाहते हैं क्योंकि रास्ते निमन्त्रण दे रहे हैं।

[मूलतः अंग्रेजी में लिखी गई समीक्षा का लेखक द्वारा हिन्दी रूपान्तर]

साहित्य के प्रति अनुराग को मनुष्य के प्रति अनुराग के विरुद्ध और जीवन-विमुख दृष्टि के रूप में नहीं देखा जाना चाहिए

विनोदकुमार शुक्ल, प्रभात त्रिपाठी, उदयन वाजपेयी, मदन सोनी और पुरुषोत्तम अग्रवाल से बातचीत

विनोकुमार शुक्ल : अशोकजी, आपने कविता लिखने की शुरुआत कैसे की?

अशोक वाजपेयी : विनोदजी, बहुत याद तो नहीं है, मुझे ऐसा ख़याल आता है कि जब मैं छठी कक्षा में था तो शायद पहला गणतन्त्र दिवस इसी वर्ष पड़ा था, यानी 1950। उस उपलक्ष्य में कोई चार पंक्तियाँ या तुकबन्दियाँ मैंने लिखी थीं। लेकिन इसको कविता की शुरुआत कहना हास्यास्पद-सी बात है। ये बालसुलभ तुकबन्दियाँ थीं। बाद में जब मैं आठवीं कक्षा में पहुँचा तो मैंने कुछ गद्य-काव्य जैसा लिखा जो कि ग्वालियर से हरिहर निवास द्विवेदी की पत्रिका 'भारती' में छपा। जहाँ तक पहली कविता का सवाल है वह, यदि मुझे ठीक याद है तो, द्वारिका प्रसाद मिश्र की पत्रिका 'सारथी' में छपी थी। इस पत्रिका में उन दिनों मुक्तिबोध, श्रीकान्त वर्मा जैसे लोगों की रचनाएँ छपती थीं। इसी के आसपास, यानी जब मैं 13 वर्ष का था तो मेरी एक कविता बम्बई के साप्ताहिक 'धर्मयुग' में छपी थी। बाद में जब मैं दसवीं कक्षा में आया तो मैं स्कूल से निकलने वाली पत्रिका 'अनामिका' का सम्पादक बना। यह पत्रिका पहले हस्तलिखित रूप में निकलती थी लेकिन मेरे सम्पादकत्व के साथ इसका छपकर प्रकाशित होना तय हुआ। इसके

पहले अंक में—जो कि उसका एकमात्र अंक था—मैंने दो कविताएँ, एक नाटक और एक निबन्ध लिखा। सामग्री का अभाव था इसलिए छद्म नाम से भी कुछ-कुछ लिखा। फिर हरिशंकर परसाई और रामेश्वर गुरु के सम्पादन में जबलपुर से 'वसुधा' पत्रिका आरम्भ हुई और मैंने उसमें छन्द में ही कुछ आरम्भिक कविताएँ लिखीं। बहुत चित्ताकर्षक छन्दमयता उनकी नहीं थी...

प्रभात त्रिपाठी : परम्परागत छन्द?

अ.वा. : हाँ, जो छन्द उन दिनों चलन में था। मुक्त छन्द में लिखी गई मेरी पहली कविता 'वसुधा' में ही छपी थी। परसाई जी पान की एक दुकान पर देर-देर तक बैठे रहते। 'वसुधा' का सम्पादन लगभग उस पान की दुकान से होता था, वहाँ से वे चिट्ठियाँ वग़ैरह लिख दिया करते थे। मैंने अपना पता लिखा लिफ़ाफ़ा कविताओं के साथ भेजा था जिसमें मुझे बीड़ी के खाकी काग़ज़ पर, जिस पर कत्थे के दाग़ थे, स्लिप प्राप्त हुई जिस पर लिखा था, 'शाबाश, अगले अंक में दे रहे हैं'। यह करीब 56 की बात है।

उदयन वाजपेयी : कविताएँ सबसे पहले किसे दिखाते थे?

अ.वा. : उन दिनों कोई देखने वाला नहीं था, सिर्फ़ दो मित्र थे—प्रभुदयाल गुप्त और रमेशदत्त दुबे। हाँ, मेरे एक गुरु थे, लक्ष्मीधर आचार्य जिन्होंने इस सबका संस्कार दिया, कभी-कभी उन्हें ज़रूर दिखाता था। वह कुछ इस्लाह भी कर दिया करते थे : यह शब्द ठीक नहीं है, इसको काट दो...लेकिन वे आरम्भिक दिन थे।

बाद में 1957 में 'कल्पना', 'ज्ञानोदय', 'सुप्रभात', 'राष्ट्रवाणी' और 'युग चेतना' आदि प्रसिद्ध पत्रिकाओं में कविताएँ छपीं—बहुत ही ख़राब, निन्दनीय कविताएँ। 1958 में रघुवीर सहाय 'कल्पना' के सम्पादक थे तो उसके दो अंकों में मेरी तीन कविताएँ छपीं, जिसमें से केवल एक 'शहर अब भी सम्भावना है' में संकलित है...

मदन सोनी : वे कौन-सी ऐसी चीज़ें रहीं जिनने आपको तमाम दूसरी तरह के कामों के बीच कविता लिखने के लिए प्रेरित किया? संक्षेप में यह कि आपकी कविता का संस्कार कैसे बना?

अ.वा. : एक तो मेरा संस्कार डाला लक्ष्मीधर आचार्य ने। उन्होंने मेरे मन में कविता के प्रति आदर और गरिमा का भाव पैदा किया। उन्होंने उत्तर प्रदेश के हमारे पैतृक गाँव में मेरे जनेऊ के मौके पर पिता के हाथों पुस्तकों का एक उपहार भेजा था जिसमें 'हरी घास पर क्षण भर, 'स्वर्ण धूलि', 'गुंजन', 'शेखर : एक जीवनी', और 'गीतांजलि' का अंग्रेज़ी अनुवाद थे। मैं तब दसवीं कक्षा में प्रवेश कर रहा था। गर्मी की छुट्टी में मैंने जब यह संग्रह पढ़ा तो लगा, कविता एक बहुत ही अद्‌भुत चीज़ है; शायद तभी से शब्दों से खेलने की कुछ इच्छा जागी होगी। हमारे परिवार में भी इसकी थोड़ी-बहुत परम्परा थी। हमारे ताऊ निराला जी के घनिष्ठ मित्र थे। उनकी पहली पत्नी की मृत्यु पर निराला जी ने उन्हें एक पत्र लिखा था—बहुत मार्मिक पत्र। कहते हैं कि हमारे एक और चाचा थे जिनकी शायद यक्ष्मा से मृत्यु हुई थी। उन्होंने हमारे ताऊ, आनन्द मोहन वाजपेयी, को अपनी मृत्यु-शय्या से एक लम्बा पत्र कविता में लिखा था। फिर मेरे ताऊ थे जो रामचन्द्र शुक्ल के बड़े प्रिय शिष्य थे; बनारस हिन्दू विश्वविद्यालय में एम.ए. में उनके परसेंटेज का कई वर्षों तक एक रिकार्ड रहा। उनके हाथों से लिखी कुछ चीज़ें थीं। वे अकसर रामचरितमानस के अंशों की हस्तलिखित प्रतियाँ तैयार करते थे। वे रायगढ़ में वहाँ के नरेश चक्रधर सिंह के एकाउंटेंट जनरल होकर गए (उनको गणित बहुत अच्छी आती थी)। कहते हैं कि चक्रधर सिंह के नाम से प्रकाशित अलकापुरी आदि उपन्यास हमारे ताऊ के लिखे हुए ही हैं।

शायद इन तमाम चीज़ों का भी संस्कार रहा होगा। पिछले पैंतीस वर्षों में मुझे न तो कविता से ऊब हुई, न अरुचि, न ही उसकी अपर्याप्तता का कोई बोध। मुझे लगता है कि कविता में हर चीज़ सम्भव है—गद्य भी। इधर मैं कुछ ऐसा गद्य लिखने की कोशिश कर रहा हूँ जो कविता ही है।

प्र.त्रि. : कविता और गद्य के बीच एकदम धारणात्मक विभाजन-रेखा खींच सकना कठिन है। हर गद्य में कविता सम्भव है और

हर कविता में गद्य; कविता और गद्य के आपसी सम्बन्ध के बारे में कुछ कहें?

अ.वा. : यह बहुत पुरानी धारणा नहीं है। जिसे हम हिन्दी गद्य कहते हैं, आख़िर उसकी ज़िन्दगी अभी शायद 100 वर्ष की भी नहीं है। दूसरा प्रश्न यह है कि गद्य और कविता के बीच एक पारम्परिक अन्तर माना जाता है : कविता में कुछ अधिक सूक्ष्मता, वाक् संक्षेप, संयम, लयात्मकता और गद्य में कुछ अधिक विस्तार, खुलापन और व्यापकता इत्यादि। आप चाहें तो ये तत्त्व कविताओं में भी खोज सकते हैं और उन्हें गद्य के तत्त्व कह सकते हैं, पर पहले ऐसा नहीं माना जाता था। हमारे शास्त्रों ने गद्य को कवि का निकष कहा है। ज़ाहिर है कि तब से ही गद्य को एक अलग चीज़ माना जाता है।

लेकिन स्वयं मुझे गद्य लिखने का कोई ख़ास उत्साह नहीं रहा। शुरू में मैंने थोड़ा बहुत गद्य लिखा, एकाध कहानी भी। जब 9वीं या 10वीं कक्षा में पढ़ता था तब आत्मकथा भी लिखनी शुरू की थी, लेकिन मूर्खतापूर्ण...ज़िन्दगी ही क्या थी जिसकी कथा लिखी जाती...

प्र.त्रि. : बाद में तो आपने प्रभूत मात्रा में आलोचनात्मक गद्य लिखा...

अ.वा. : हाँ। आलोचना लिखने के पीछे दो कारण थे। एक तो उस समय, यानी 1956-57 के आसपास, हिन्दी में नए साहित्य का संघर्ष अपने शिखर पर था। वह युद्ध की तरह लड़ा जा रहा था और छोटे-से-छोटे शहरों से भी अगर कोई नए साहित्य और साहित्यिक मूल्यों की दिशा में कुछ प्रयत्न करता था तो सब लोग उसके साथ हो जाते थे। हम लोगों ने 'समवेत' निकाला। 'कल्पना', 'राष्ट्रवाणी', 'युग-चेतना' आदि कुछ पत्रिकाओं में प्रकाशित कुछ कविताओं को छोड़कर हम लोग सर्वथा अज्ञात कुलशील थे। लेकिन इसके बावजूद हमें तमाम बड़े लेखकों का—उन तमाम बड़े लेखकों का जो पिछले 35 वर्षों से हिन्दी साहित्य में सक्रिय हैं—सहयोग मिला; उन्होंने 'समवेत' के दो अंकों में लिखा। इन लेखकों में अज्ञेय

भी शामिल थे। हमारी यह लड़ाई बहुत बौद्धिक भी थी। हम सागर विश्वविद्यालय में थे जहाँ हिन्दी विभाग में नन्ददुलारे वाजपेयी अध्यक्ष थे। यह बड़ा विभाग था और पूरा का पूरा नए साहित्य के विरुद्ध था। हमें बौद्धिक मुठभेड़ करना ज़रूरी था जो सिर्फ़ कविता लिखकर नहीं की जा सकती थी। फिर, उन्हीं दिनों नामवर सिंह एक वर्ष के लिए वहाँ अध्यापक होकर आए। हम लोगों ने एक संस्था बनाई। इस संस्था में प्रतिबद्धता के मसले पर विचार-विमर्श के लिए मैंने एक लेख लिखा था। लेखक की स्वतन्त्रता पर, यह मेरा पहला निबन्ध था (यह निबन्ध बाद में 'कृति' में छपा)। इसके अलावा 'कल्पना' के लिए कुछ कहानियों की—जिनमें मार्कंडेय का 'भूदान' शामिल है—तथा अजित कुमार के 'अकेले कंठ की पुकार' की समीक्षा मैंने लिखी थी।

लेकिन तब भी ऐसा नहीं सोचा था कि मैं बहुत गम्भीरता से आलोचना लिखने जा रहा हूँ। दिल्ली आने पर देवीशंकर अवस्थी से घनिष्ठता हुई। नामवर सिंह से भी बीच-बीच में भेंट होती रहती थी। निर्मल वर्मा भी अभी-अभी लौटे थे। श्रीकान्त वर्मा थे। इस तरह एक बौद्धिक सम्प्रदाय बना। हमने अनुभव किया कि हमारी पीढ़ी में आलोचक नहीं हैं और तब आलोचना के प्रति निष्ठा और एकाग्रता विकसित हुई। देखा जाए तो इस तरह हम इस पीढ़ी में पहले आलोचक थे; रमेशचन्द्र शाह और विष्णु खरे ने थोड़ा बाद में लिखना शुरू किया।

पुरुषोत्तम अग्रवाल : यह जो नए साहित्य का संघर्ष था इसमें ज़ाहिर है कि एक प्रतिपक्ष हिन्दी विभाग था। मुझे ऐसा लगता है कि यह स्थिति कमोबेश अब भी बनी हुई है। यदि दो-तीन विश्वविद्यालयों को छोड़ दें तो नए साहित्य की स्वीकृति का वातावरण हमारे हिन्दी विभागों में नहीं है। इसका क्या कारण है—क्या इसके पीछे व्यक्तियों की सनक या कि उनकी अकादेमिक ट्रेनिंग भर है या साहित्य के विभाग और साहित्य के सर्जनात्मक कर्म के बीच कोई अनिवार्य अन्तर्विरोध है?

अ.वा. : अव्वल तो यह हिन्दी का ही मामला नहीं है। आधुनिक

अंग्रेज़ी कविता ने भी कैम्ब्रिज और ऑक्सफ़ोर्ड में बहुत बाद में प्रवेश पाया। यदि एफ.आर. लिविस नहीं होते तो मसलन इलियट और लारेंस कैम्ब्रिज में प्रवेश न कर पाते। दरअसल साहित्य के इन विभागों में एक तरह की दक़ियानूसी या कि आर्थोडॉक्सी होती है; उनमें मूलतः निर्णय की क्षमता नहीं होती; यह निर्णय कोई और करता है।

पु.अ. : तो हम इसको मूल्यान्धता की स्थिति कह सकते हैं···

अ.वा. : हाँ, ज़रूर।

पु.आ. : मेरा सवाल यह है कि यह केवल कुछ व्यक्तियों के चलते···

अ.वा. : नहीं···

पु.आ. : तब फिर इनका सांस्कृतिक कारण आपको क्या लगता है—यह स्थिति अंग्रेज़ी में है या अन्य भाषाओं में है या कि वह सार्वदेशिक समस्या है,. यह तो ठीक है पर एक कवि के रूप में आपके अनुभव-जगत में इस समस्या के कौन-से विशिष्ट पहलू उभरकर आते हैं?

अ.वा. : शायद हिन्दी क्षेत्र में विश्वविद्यालयों की वैचारिक भूमिका अपने आपमें ही संदिग्ध है। यह विश्वविद्यालय नामक संस्था की वैचारिक भूमिका का प्रश्न है। आख़िर क्या कारण है कि अर्थशास्त्र या मनोविज्ञान या दर्शन आदि क्षेत्रों में भी कोई वैचारिक ऊर्जा नहीं है। यह हिन्दी की दूसरी समस्या भी है कि इस भाषा में औपचारिक तौर पर कोई विचार होता ही नहीं। वह अधिक-से-अधिक साहित्य विचार ही है। इक्के-दुक्के लोग हैं जिन्होंने थोड़ा बहुत काम किया है—एक पूरनचन्द जोशी या एक यशदेव शल्य आदि···

प्र.त्रि. : जबकि इसकी परम्परा महावीरप्रसाद द्विवेदी के समय से है; स्वयं महावीरप्रसाद द्विवेदी ने साहित्येतर विषयों पर चिन्तन किया है···

अ.वा. : लेकिन यह परम्परा बन नहीं पाई। जब परम्पराएँ बनती हैं तो अच्छा-बुरा एक विपुल साहित्य होता है, जैसी अच्छी-बुरी बहुत सारी कविता है, ज़्यादातर बुरा और थोड़ा-सा अच्छा गद्य है; लेकिन साहित्येतर चिन्तन में ही

यह अभाव क्यों है?

पु.अ. : मुझे यह लगता है कि जिसे त्रिपाठी जी साहित्येतर चिन्तन की चेष्टा कह रहे हैं, वह असल में साहित्येतर सूचना को हिन्दी के माध्यम से पाठक तक पहुँचाने की चेष्टा ज़्यादा थी। उसको मैं चिन्तन की चेष्टा नहीं मानूँगा—न तो महावीरप्रसाद द्विवेदी के काम को, न उनके पहले के काम को।

उ.वा. : तुम ये कह रहे थे कि विश्वविद्यालयों में मूल्यविवेक नहीं है, लेकिन जो कविताएँ इन विश्वविद्यालयों में पढ़ाई जाती हैं, वे बड़े ही निश्चित मूल्यबोध वाली कविताएँ होती हैं। जो प्रतिबद्ध कविताएँ हैं या साहित्य है उसमें बड़ा निश्चित मूल्यबोध है; वहाँ साहित्य का लक्ष्य ही एक निश्चित नैतिकी (ईथिक्स) को आरोपित करना है न कि नैतिकी की खोज करना। साहित्य में तो नैतिकी की खोज होती है, उसका आरोपण नहीं होता। इन संस्थाओं में प्रतिबद्ध कविताओं और साहित्य की चर्चा ही ज़्यादा होती है। प्रेमचन्द पर भी उसी तरह के प्रगतिवाद को, लेकर पर्याप्त शोध-प्रबन्ध आपको मिलेंगे। हम कह सकते हैं कि एक निश्चित मूल्यबोध के साहित्य का हमेशा ही ऐसे संस्थानों में प्रवेश आसान होता है।

अ.वा. : हाँ, ठीक है।

उ.वा. : लेकिन जो साहित्य अपने में अनिश्चित मूल्यबोध का वहन करता है, वह कभी भी सांस्थानिक संरचना के बीच में सहज नहीं हो पाता। वहाँ उसकी स्थिति हमेशा ही अटपटी हो जाया करती है।

म.सो. : संस्थान से जुड़ी एक अटकल मेरे मन में उभरती है। इसका परिप्रेक्ष्य यूँ हो सकता है कि हमारे यहाँ विश्वविद्यालयीय अध्ययन-अध्यापन और विश्वविद्यालयों के बाहर हो रहे साहित्य-कर्म के बीच जो असम्बद्धता है, वैसी असम्बद्धता अमेरिका और पश्चिम के देशों में कम-से-कम आज तो नहीं है : वहाँ का ज़्यादातर साहित्य चिन्तन और अन्य साहित्यिक गतिविधियाँ वहाँ के शिक्षा-संस्थानों से जुड़ी हुई हैं। इस परिप्रेक्ष्य को दृष्टिगत रखते हुए यह अटकल विचारणीय हो सकती है कि कहीं

ऐसा तो नहीं है कि हिन्दुस्तान में साहित्य के अध्ययन-अध्यापन का कोई बहुत दृढ़ सांस्थानिक रूप चूँकि कभी नहीं रहा—साहित्य की प्रकृति एक मुक्त और अनौपचारिक वातावरण पर विश्वविद्यालय की एक अवधारणा आरोपित कर दी और इसीलिए साहित्य-चिन्तन के विकास की सहज प्रक्रिया हमारे यहाँ अवरुद्ध हुई? यदि एक ओर इन विश्वविद्यालयों में निश्चित मूल्यबोध का साहित्य ही ज़्यादातर विचारणीय होता है तो दूसरी ओर, जो ज़्यादा बड़ा ख़तरा है, वह इन संस्थानों के निश्चित मूल्यबोध के फ्रेम में उस साहित्य का सरलीकरण भी है जो साहित्य अपने में निश्चित मूल्यबोध का साहित्य नहीं है : मसलन श्रीकान्त वर्मा या कि निर्मल वर्मा या कि शमशेर जैसे लेखकों का साहित्य इन विश्वविद्यालयों में अपने अवमूल्यन के ख़तरों से अधिक जुड़ा हुआ है।

प्र.त्रि. : यह निश्चय ही विडम्बनापूर्ण स्थिति है। मैं अपनी पिछली बात के सन्दर्भ में यह भी सोच रहा था कि जहाँ पहले साहित्य के माध्यम से ज्ञान-विज्ञान के दूसरे पक्षों पर विचार की हमारे यहाँ परम्परा रही, वहाँ अब आधुनिक काल के पिछले भाग चालीस-पचास सालों में यह प्रक्रिया उलट गई लगती है : अब विचार दूसरी चीज़ों के सहारे लाए जा रहे हैं और उन्हें साहित्य के केन्द्रीय आधार के रूप में उस पर आरोपित किया जा रहा है।

उ.वा. : क्या तुम यह मानोगे कि जिस लड़ाई को अकादेमिकों के ज़माने में, प्रगतिशील आन्दोलन के लोग और तुम्हारे जैसे आलोचक, जिनको प्रगतिशील आन्दोलन का नहीं कहा जा सकता है, लड़ रहे थे, उसका रूप अब बदल गया है? क्योंकि आज सांस्थानिक चिन्तन और प्रगतिशील आन्दोलन किसी एक जगह पर मिल गए हैं। दोनों ही जगह उनके अपने चिन्तन में निश्चित मूल्यबोध हैं और यह संयोग नहीं है कि 'निश्चित' शब्द नामवर जी को बहुत प्रिय है; दोनों ही जगह इस निश्चित मूल्यबोध के होने के कारण प्रगतिवाद और अकादेमिकता एक ही जगह आ गए हैं। इस परिप्रेक्ष्य में जो सृजनात्मक आलोचना तुम कर रहे थे, तुम्हारी दृष्टि में उसकी भूमिका क्या है?

अ.वा. : जब हम लोगों ने लिखना शुरू किया उस समय एक बड़ी दिक़्क़त ऐसी बहुत सारी कृतियों और लेखकों के अलक्षित होने की थी जो विचारोत्तेजक थे लेकिन जिन पर, उपयुक्त औज़ारों के अभाव में न तो विश्वविद्यालय के विभाग ध्यान दे सकते थे और न दूसरे लोग। हमारी कोशिश इस छटपटाहट से शुरू हुई और यह कोशिश औज़ारों को विकसित करने की थी। धूमिल, कमलेश या विनोदकुमार शुक्ल जिन पर मैंने लिखा, उस समय इन पर पूरे-पूरे लेख लिखना एक तरह से जोखिम-भरी बात थी। ये हमारे समवयसी थे और आलोचनात्मक उद्यम आमतौर से प्रसाद, निराला, पन्त, अज्ञेय, मुक्तिबोध और शमशेर जैसे या तो अपेक्षाकृत वरिष्ठ या सिद्ध मान लिए गए लेखकों पर ही केन्द्रित किया जाता था। दूसरी बात यह थी कि तब भी जो आलोचना थी, उसमें भी एक तरह का चौखटा निश्चित था—वह चौखटा चाहे संस्थागत हो, चाहे विचारधारागत, चाहे दृष्टि का। यानी ऐसी आलोचना जिसे सब कुछ पता है, जो निश्चित है और निश्चिन्त है। उस समय यह सवाल कि धूमिल, कमलेश और विनोदकुमार शुक्ल जैसे कवियों (जिनमें से एक सर्वथा प्रतिबद्ध कवि थे, दूसरे भी समाजवादी दृष्टि के कवि थे और तीसरे जिनकी प्रतिबद्धता एक तरह से विवादास्पद रही है) को एक साथ लेकर किस तरह विचार किया जाए। इसके लिए एक खुलेपन की आवश्यकता थी—एक ऐसी आलोचना दृष्टि की जो इन या ऐसे विविध कवियों को एक साथ समाविष्ट कर सके और जिसमें यह उत्सुकता हो कि कविता में क्या हो रहा है या क्या होने जा रहा है।

इस तरह तब एक ऐसे साहित्य के लिए जगह बनाना अधिक मुश्किल था जो अनाश्वस्त, अनिश्चित, अपरिभाषित और परिभाषा से बचने वाला साहित्य था। यह मुश्किल आज भी है : अगर आप पक्ष में नहीं हैं तो विपक्ष में हैं! यह एक ढाँचा तय करता है कि हम कहाँ हैं; तय आप नहीं करते। लोग मुझसे कहते हैं कि कलावाद-प्रगतिवाद का झगड़ा अब ख़त्म हो गया, तुम उस पर टिप्पणी क्यों करते हो! मैं कहता हूँ कि मैं यह

लड़ाई बीस वर्ष से लड़ रहा हूँ और यह मानकर कि दूसरा पक्ष हार गया है, यह लड़ाई लड़ना मैं नहीं छोड़ सकता, क्योंकि वह ढाँचा अभी भी बना हुआ है।

पु.अ. : माना कि वह लड़ाई अभी भी जारी है और आप वह लड़ाई लड़ रहे हैं, लेकिन यह मानना उचित नहीं है कि आज सिर्फ़ वही लड़ाई बची हुई है क्योंकि न केवल साहित्य में बल्कि साहित्य के बाहर एकदम नए और अप्रत्याशित सवाल, अप्रत्याशित पहचानों के सवालात पैदा हो गए हैं। यही कारण है कि न वह प्रतिबद्धता वाला ढाँचा चल पा रहा है ओर न अप्रतिबद्धता वाला ढाँचा।

मैं पुनः अपने मूल प्रश्न पर लौटता हूँ। हम विश्वविद्यालयों की चर्चा कर रहे थे जिस पर मदन ने टिप्पणी की थी कि यूरोप में विश्वविद्यालय बौद्धिक उत्तेजना के केन्द्र हैं जबकि हिन्दुस्तान में ऐसा नहीं है, ख़ासकर हिन्दी में विश्वविद्यालयों को आरोपित किया गया। हम याद करें, जब हिन्दी विभाग शुरू हुए थे, तब बनारस हिन्दू विश्वविद्यालय में भी हिन्दी विभाग शुरू करने के लिए हिन्दी बुद्धिजीवियों को संघर्ष करना पड़ा था। मदन मोहन मालवीय नहीं चाहते थे कि हिन्दी विभाग हो; संस्कृत हो, अंग्रेज़ी हो, लेकिन हिन्दी विभाग नहीं। लड़-झगड़कर जब हिन्दी विभाग वहाँ शुरू हुआ, तो अनेक व्यावहारिक झंझटें जिन्हें आप ख़ारिज नहीं कर सकते, शुरू हुईं। नतीजा यह हुआ कि निबन्ध के प्रश्नपत्र के लिए शुक्ल जी अपनी ओर से निबन्ध लिख रहे थे, ताकि स्नातकोत्तर विद्यार्थी निबन्ध पढ़ सकें। क्या आपको नहीं लगता कि इन समस्याओं का सीधा सम्बन्ध उस प्रक्रिया से है, जिसमें इस सदी के आरम्भ में एक ओर हिन्दी की पहचान गढ़ी जा रही थी और दूसरी हिन्दी का बुद्धिजीवी अपने बौद्धिक कर्म के प्रति आश्वस्त नहीं था कि वह सर्जनात्मक साहित्य के साथ एक खुलेपन का सम्बन्ध बना सके। जिस निश्चित मूल्यबोध की बात हम कर रहे हैं वह केवल प्रगतिशील आन्दोलन का प्रगतिशील सोच-विचार के कर्म का परिणाम नहीं है बल्कि वह हिन्दी बुद्धिजीवी की अस्तित्वगत मजबूरी का परिणाम है : उसे

कहीं-न-कहीं एक निश्चितता की खोज करनी है। यह गड़बड़ बीसवीं सदी के एकदम आरम्भ से ही शुरू हुई

मैं यह चाहता हूँ कि जब आप लोग यह संघर्ष कर रहे थे, जिसे आपने एक बहुत महत्त्वपूर्ण शब्द—नए साहित्य का संघर्ष कहा तो यह संघर्ष करते समय क्या ये सारी बातें परिप्रेक्ष्य में होती थीं; या केवल बेचैनी भर थी कि हमारे समवयसियों के लेखन को विश्वविद्यालय मान्यता क्यों नहीं देते?

अ.वा. : उस समय एक तरफ हमारी लड़ाई स्पष्ट तौर पर सीधे-सीधे नन्ददुलारे वाजपेयी, नगेन्द्र इत्यादि से थी और दूसरी तरफ धर्मयुग जैसी लोकप्रिय पत्रिकाओं से। बहुत पढ़ा-लिखा तो हम लोगों ने नहीं था लेकिन 'पार्टीजन रिव्यू' जैसी पत्रिकाएँ और रिल्के, काफ़्का, कामू और सार्त्र आदि की किताबें तथा इन सबसे जुड़ी हुई बहसों और विवादों से हम परिचित थे। हमें लगता था कि हम अपनी भाषा में इस तरह की बहसें क्यों नहीं कर सकते? यदि काफ़्का अपने आपको एक 'सबह्यूमन लेखक' कह सकते थे, तो यह हिम्मत या कि यह जोखिम हम क्यों नहीं उठा सकते? हमें लगता था (और यह बात आज भी मेरे दिमाग़ से नहीं गई) कि बौद्धिक चेतना का जो अन्तर्राष्ट्रीय विश्व है, हम उसमें अपनी भाषा के माध्यम से, सिर्फ़ सर्जनात्मकता के स्तर पर नहीं बल्कि विचार के स्तर पर भी, भागीदार क्यों नहीं हो सकते!

यह आत्मविश्वास, जो चाहे व्यर्थ और निराधार ही हो, मेरे भीतर सत्रह-अठारह बरस की उम्र से बराबर रहा है कि मैं अपने समकालीनो से कमतर नहीं हूँ, उनसे समान स्तर पर बात करने में सक्षम हूँ। अगर आप ध्यान दें तो मैं उन आलोचकों में से हूँ जो लिखते-लिखते हेराल्ड राज़ेनबर्ग, या कि टॉमसान या कि ईव वान्फुआ और रिल्के आदि लेखकों का ज़िक्र करता रहता है। इसके पीछे एक छोटे शहर के पढ़े-लिखे युवक का दूसरे लोगों पर रौब ग़ालिब करने का इरादा नहीं है। कहीं-न-कहीं यह आत्मविश्वास है कि हम अपने भारत में संसार के तमाम लेखकों से बात कर सकते हैं।

म.सो. : सृजनात्मक आलोचना के बारे में जिसके प्रवर्तन और समर्थन में आपकी अग्रणी भूमिका है, दो आरोप प्रायः लगाए जाते रहे हैं। पहला आरोप इस आलोचना का 'समकालीनता' पर ज़ोर देने का है; जैसा कि रमेशचन्द्र शाह ने अपने एक निबन्ध में इसे 'समकालीनता की चहारदीवारी' कहते हुए आलोचना के लिए एक ख़तरनाक स्थिति के रूप में इसे देखा है। दूसरा आरोप इस आलोचना के पीछे किसी ठोस सैद्धान्तिक भूमि के अभाव का है। यह आलोचना प्रायः रचना में घटित के प्रति रसिक और सहृदय का भाव लेकर प्रवेश करती है। रचना में उसका प्रवेश एक जंगल में उसके प्रवेश की तरह है, जिसके भूगोल के बारे में उसे कोई ख़ास ज्ञान नहीं है। इसीलिए इस आलोचना में 'एडवेंचर्स', भटकनें और अप्रत्यशित का भाव अधिक होता है। यह अनायास नहीं कि इस सर्जनात्मक आलोचना के भीतर से पिछले बीस वर्षों की अवधि के बावजूद कोई सौन्दर्यशास्त्र या कि मूल्य या कि प्रतिमान नहीं उभर सके। जिस नए साहित्य की बात आप कर रहे हैं। उसका कोई काव्य-शास्त्र इस आलोचना से नहीं उपज सका। इन आरोपों पर आपकी क्या टिप्पणी होगी?

उ.वा. : उसमें शास्त्रीय प्रणाली की चेतना थी भी या नहीं?

पु.अ. : मुझे लगता है कि उस तथाकथित सर्जनात्मक आलोचना में ऐसा नहीं हो पाया तो अच्छा ही हुआ, अन्यथा एक संस्थान के ख़िलाफ़ दूसरा संस्थान...

उ.वा. : हाँ...

पु.अ. : यदि ऐसा हुआ है तो यह कुछ इस तरह की बात कही जाएगी कि जाति-व्यवस्था के महन्तों के ख़िलाफ़ लड़ते-लड़ते आप स्वयं एक पन्थ के महन्त बन गए। मुझे नहीं लगता कि वाजपेयी जी अपने आलोचनात्मक अतीत को इस तरह देखेंगे।

अ.वा. : मदन के प्रश्न के सन्दर्भ में दो-तीन बातें : यह सही है कि समकालीनता सृजनात्मक आलोचना का एक पूर्वग्रह बना। इसके पीछे रणनीतिपरक कारण भी था; जिन संस्थानों से अलग होकर आप कुछ कर रहे थे, उन संस्थानों

में प्राचीनों का ही वर्चस्व था। यह ध्यान देने की बात है कि समकालीनता अपने में एक चहारदीवारी है, यह प्रश्न दूसरों ने नहीं हमीं ने उठाया था (यह विषय मैंने ही चुना था जिस पर रमेशचन्द्र शाह से लिखने का आग्रह मैंने किया था)।

जहाँ तक शास्त्र बनने की चिन्ता का प्रश्न है, सृजनात्मक आलोचना की चिन्ताओं में यह शामिल नहीं थी। इसके विपरीत हमारा उद्देश्य ही एक ऐसी तरल स्थिति को बनाए रखने का था, जिसमें किसी तरह की जड़ता पैदा न हो। हम नहीं चाहते थे कि कोई स्थायी शाश्वत मूल्य निकलें, क्योंकि ऐसे मूल्य निकल सकते हैं, इसमें हमें सन्देह है। यदि कोई मूल्य पैदा होते हैं, तो वह उतने ही प्रासंगिक-अप्रासंगिक होंगे, जितने कि दूसरे शाश्वत मूल्य रहे हैं। हमारी कोशिश 'टेंटेटिव' मूल्यों की एक शृंखला बनाते चलते की थी जिसमें अन्तर्विरोध भी हों और प्रत्याख्यान भी हों। एक तरह की वेध्यता हम चाहते थे। सृजनात्मक आलोचना भी तमाम दूसरी पद्धतियों की तरह रचना को देखने का एक ढंग है। महत्त्वपूर्ण यह था कि जिस कोण से आप रचना को देख रहे हैं, क्या स्वयं उस कोण को भी आप अपनी वेध्यता के दायरे में लगातार लाते रह सकते हैं। यह तथाकथित सृजनात्मक आलोचना का बुनियादी मूल्य था, इसीलिए उसमें शामिल लेखकों की तरह-तरह की दृष्टियाँ थीं : आखिर रमेशचन्द्र शाह और मेरी दृष्टि में क्या समानता है या फिर निर्मल वर्मा और कुँवर नारायण की दृष्टि में या मलयज और इन सबकी दृष्टि में क्या समानता है? यह एक तरह से दृष्टि की तानाशाही के विरुद्ध आस्वाद और आलोचनात्मक प्रतिक्रिया की अराजकता या बहुलता या लगभग अराजक बहुलता है।

म.सो. : यह सृजनात्मक आलोचना का सकारात्मक पक्ष कहा जा सकता है; यानी जिस चीज़ के लिए उसकी शुरुआत हुई थी, उसे उसने प्राप्त किया था। मेरा प्रश्न उसकी असफलता को लेकर है। यह ठीक है कि दृष्टि के चौखटे न बनें, दृष्टि की तानाशाही न हो या कि सृजनात्मक

लेखन की कल्पनादृष्टि और नैतिक दृष्टि को बाधित करने वाली काव्यशास्त्रीय रूढ़ियाँ न बनें, लेकिन यदि कृतियों के साथ संवाद-विवाद और रसास्वाद की प्रक्रिया में साहित्य-विमर्श या साहित्य-चिन्तन का कोई ठोस वैचारिक वातावरण नहीं बन पाता है तो यह आलोचना की परम्परा के लिए क्या ठीक स्थिति कही जा सकती है? हम भले ही भविष्य में उन्हें तोड़ने जा रहे हों पर ऐसे वैचारिक सूत्र और प्रत्यय तो आलोचना प्रक्रिया में उभरना ही चाहिए, जो साहित्य-चिन्तन की परम्परा से प्रतिश्रुत हों और जिनकी प्रतिश्रुति की सम्भावना भविष्य की आलोचना में हो।

इस दृष्टि से सर्जनात्मक आलोचना के सम्प्रदाय के ही एक आलोचक मलयज का हम उदाहरण ले सकते हैं : यह ठीक है कि उनकी आलोचना, 'कविता से साक्षात्कार' की प्रक्रिया में उपजती है, लेकिन इस आलोचना में 'भीतर-बाहर', 'खंड-खंड की सर्जनात्मकता', 'अन्तर्निष्ठता', 'तनाव' जैसे अनेक प्रत्यय उभरते हैं। सामान्य तौर पर सृजनात्मक आलोचना में साहित्य-विचार या साहित्य-चिन्तन का ऐसा ठोस वातावरण बनाने की स्थिति नहीं आ सकी।

विश्वविद्यालयीय या अकादमिक आलोचना, जिसकी प्रतिक्रिया में इस आलोचना का जन्म हुआ, के प्रति भी कोई सकारात्मक बहस सृजनात्मक आलोचना में दिखाई नहीं देती; उसमें उसके प्रति महज़ उदासीनता भर है। वह अकादेमिक ढाँचे को तोड़कर उसे सृजनशीलता या कि विचारशीलता की ओर उन्मुख करने में भी सफल नहीं हुई।

अ.वा. : शायद तुम्हारी बात ठीक हो, पर मुझे लगता है कि मलयज के प्रत्ययों की ही भाँति तथाकथित सृजनात्मक आलोचना के अन्य प्रमुख आलोचकों में से हरेक में ऐसे अवधारणात्मक या युक्तिपरक प्रत्यय मिल सकते हैं जिनके आधार पर आप इस आलोचना के साहित्य-विचार का शास्त्र गढ़ सकें। महत्त्वपूर्ण बात यह है कि इन लोगों ने ऐसा नहीं किया। स्वयं इन्होंने अपना ऐसा कोई ढाँचा

नहीं बनाया।

जहाँ तक अकादमिक आलोचना से इसकी मुठभेड़ का प्रश्न है, यह सही है कि यह मुठभेड़ उसने नहीं की। इसके पीछे एक कारण वह भय भी है, जिसका उल्लेख अभी पुरुषोत्तम कर रहे थे—एक संस्थान के विरुद्ध दूसरे संस्थान के बनने का भय। दूसरा कारण यह है कि इनमें से बहुतों के पास आलोचना के अलावा भी कुछ करने को था—कुँवर नारायण को अपनी कविताएँ लिखनी थीं, रमेशचन्द्र शाह को अपनी कहानी या उपन्यास लिखने थे, मुझे भी अपनी अच्छी-बुरी कविताएँ लिखनी थीं, आदि। यह महत्त्वपूर्ण है कि इस आलोचना ने एक बड़े और विजड़ित ढाँचे में घुसपैठ की, जिसके चलते उस ढाँचे में कुछ दरारें पड़ीं—वे दरारें इतनी विकराल न सही कि उनमें पीपल का पेड़ उग आता। इन दरारों का संकेत विश्वविद्यालयों की आज की गोष्ठियों के उन विषयों में देख सकते हैं, जिनमें साहित्य की समकालीन बहसों की छायाएँ और दबाव मौजूद हैं।

पु.अ. : आपका एक वाक्य बहुत चर्चित हुआ (उसकी निन्दा और प्रशंसा दोनों हुईं); आपने कहा है कि साहित्य और समाज के सम्बन्ध की बात हिन्दी में हम लोग पिछले एक सौ साल से ही करने लगे हैं। आपने यह भी कहा है कि इसके फलस्वरूप नितान्त समकालीनता का प्रभाव साहित्य पर बहुत पड़ा है और सत्य की अवधारणा बड़े स्थूल अर्थ में समकालीन होकर रह गई है। अभी हाल ही में मैनेजर पांडे की भक्ति काव्य पर जो पुस्तक आई है, उसका भी पहला ही वाक्य ऐसी चिन्ता को व्यंजित करता है। उनका भी कहना है कि हिन्दी आलोचना के सरोकार नितान्त समकालीन हो गए हैं।

उनकी उद्विग्नता है कि समकालीन साहित्य पर लिखने वाला कोई भी आलोचक आज पारम्परिक साहित्य से जुड़ना नहीं चाहता और इससे कुल मिलाकर आलोचना दरिद्र हुई है।

मैं जानना चाहता हूँ कि इस तथाकथित सर्जनात्मक आलोचना को या कि व्यक्तिगत रूप से आपको कभी

ऐसी ज़रूरत क्यों अनुभव नहीं हुई कि भक्ति कवि या रीतिकाल के कवि या कि किसी भी ऐसे कवि पर आप लिखें, जो इस शब्द के नितान्त शाब्दिक अर्थों में आपका 'समकालीन' नहीं है?

अ.वा. : अव्वल तो कुछ व्यावहारिक पक्ष भी हैं। मसलन जितने भी तथाकथित सर्जनात्मक आलोचक हैं, वे सब अपनी जीविका के लिए अधिकांशतः अकादेमिक ढाँचे से बाहर के लोग हैं। इनके लिए आलोचना इस अर्थ में व्यवसाय नहीं हो पाया कि वह उनका एक पूर्णकालिक काम हो। उनके लिए यह एक तरह का आपद्‌धर्म है।

दूसरा हम यह भूल जाते हैं कि समकालीनता की इस लड़ाई को अभी बीस-पचीस बरस भी नहीं हुए हैं। ज़ाहिर है कि यह बहुत कम समय है जिसमें यह सब एक साथ हो जाता कि यह लड़ाई भी आप जीत लेते और फिर समकालीनता से उसे मुक्त कर परम्परा पर ध्यान केन्द्रित करते। जहाँ तक मेरा प्रश्न है, परम्परा के एक अधिक जीवित प्रवाह ने मेरा ध्यान आकर्षित किया। मैं संगीत और नृत्य जैसी कलाओं से भी सम्बद्ध रहा जिनकी एक सजीव परम्परा है। इसीलिए मुझे परम्परा को 'शब्द' के माध्यम में प्राप्त करना उतना आवश्यक नहीं रहा। हमारे समाज में परम्परा के सिर्फ लिखित रूप ही नहीं हैं। इस मामले में हमारे समाज का दूसरे समाजों से बुनियादी भेद है। फ्रांस में आपसे कहा जाएगा कि यह चौदहवीं या सत्रहवीं शताब्दी की संगीत है लेकिन हमारे यहाँ यह कहकर संगीत पेश नहीं किया जाता, वह सीधे गाया जाता है।

पु.अ. : एक सातत्य है…

अ.वा. : हाँ। और एक-दूसरे स्तर पर भी हमने परम्परा से सम्बन्ध बनाने की कोशिश की। यदि आप ध्यान दें तो हम लोगों ने 'पूर्वग्रह' में मैथिलीशरण गुप्त, जयशंकर प्रसाद, जैनेन्द्र कुमार, हजारी प्रसाद द्विवेदी, रेणु और अज्ञेय आदि पर विचार की शुरुआत की। यह शुरुआत निरी समकालीनता से अपने को मुक्त करने की भी थी।

पु.अ. : लेकिन आपकी सफ़ाई की एक दुष्ट व्याख्या भी की जा

सकती है : एक ओर आप परम्परा से अपने संवेदना-विच्छेद को, अपने रचनाकर्म के सन्दर्भ में, स्वीकार कर रहे हैं और दूसरी ओर आप कह रहे हैं कि परम्परा के मूल्यांकन की ज़रूरत आपको इसलिए नहीं थी कि आप शब्देतर माध्यमों में उपलब्ध परम्परा से ज़्यादा गहराई से जुड़े हुए हैं। क्या यह अपने आप में यह 'समग्र दृष्टि' का एक अन्तर्विरोध नहीं है, जो कि आपकी बहुत पसन्दीदा अवधारणा रही है? क्या यह समग्र दृष्टि कही जाएगी कि अपनी जीवन्त परम्परा में दिलचस्पी के चलते एक ओर तो आप नृत्य और संगीत से जुड़े हुए हैं और दूसरी ओर बतौर आलोचक के, मसलन भक्तिकाल या रीतिकाल पर न लिखकर काम चला लेंगे? और ऊपर से आप यह भी कह रहे हैं कि भारत भवन के कर्ताधर्ता के रूप में जैनेन्द्र और अज्ञेय से जुड़ने की कोशिश में परम्परा से आपका जुड़ाव पूरा हो गया! यह तो 'डिसोसियेशन ऑफ सेंसिबिलिटी' जैसी बात हुई!

अ.वा. : नहीं, मैं यह नहीं कह रहा हूँ। मैं सिर्फ़ इतना कह रहा हूँ कि यह सब बातें ध्यान में रखने की हैं। पर सृजनात्मक आलोचना का मैं ही एकमात्र आलोचक नहीं हूँ। रमेशचन्द्र शाह ने छायावाद पर पूरी पुस्तक लिखी और उसके पूरे होने में मेरे उकसावे का भी योगदान है। मलयज ने निराला और रामचन्द्र शुक्ल पर काम किया। कुँवर नारायण ने भी अपने वरिष्ठों पर लिखा...

प्र.त्रि. : हमें यह भी देखना चाहिए कि इन आलोचकों ने भले ही समकालीनों पर लिखा हो पर समकालीनता के प्रति इनकी दृष्टि में एक गहरा परम्पराबोध है। एक आयोजक के निमित्त से ही सही, लेकिन एक सम्पादक के रूप में अशोक ने जो किया, उसमें भी परम्पराबोध है... । इसलिए इस दृष्टि को समकालीनता में क़ैद नहीं कहा जा सकता; बल्कि अशोक ने तो कई बार आधुनिक रचना और आलोचना को अपनी टिप्पणियों में समकालीनता के आतंक से ग्रस्त कहा है।

पु.अ. : मैंने तो अपने सवाल की शुरुआत ही वाजपेयी जी के उस बहुउद्धृत वाक्य से की है कि साहित्य और समाज के रिश्ते

की चर्चा हमारे यहाँ कुछ इस ढंग से होती है कि सारा साहित्य-विमर्श समकालीनता में क़ैद होकर रह जाता है। प्रश्न यह है कि यदि समस्या के रूप में यह बात सही है, तो इसका प्रतिवाद आपके आलोचना-कर्म में क्यों नहीं हुआ? कवि-कर्म में वह कुछ हद तक है...

अ.वा. : हाँ, यह ठीक है। मुझे अपनी कविता बारे में दावे करने का अभ्यास नहीं है, पर अपने अधेड़पन का फ़ायदा उठाते हुए यदि थोड़ा-सा दावा किया जाए, तो कह सकता हूँ कि मैं अपने समय का, कम-से-कम अपने समवयस्कों में, सबसे अधिक परम्परावादी कवि हूँ। परम्परावादी यानी अगर कविता की परम्परा का अर्थ कविता के अपने ढाँचे से है, उसकी अपनी भाषा से है, उसकी अपनी सृष्टि से है। विष्णु खरे या विनोदकुमार शुक्ल की कविता उस तरह की परम्परावादी कविता नहीं है। यह नहीं कि इन कवियों के लिए परम्परा का अस्तित्व नहीं है, लेकिन इनके लिए वह उतनी 'स्पेसिफ़िक' नहीं है। यह अपनी-अपनी कवि संवेदना का अन्तर है; अपने में कोई अच्छी या बुरी बात नहीं है या अगर बुरी बात होगी, तो शायद मेरे मामले में हो, लेकिन कम-से-कम मुझे पिछले पन्द्रह वर्षों में यह बात समझ में आई (और मैं स्वीकार करूँ कि पंडित कुमार गन्धर्व और पंडित मल्लिकार्जुन मंसूर जैसे संगीतकारों को सुनते हुए समझ में आई) कि पहले भी शब्द थे। ठीक उसी तरह जैसे पहले भी बंदिशें थीं, आवाज़ें थीं, स्वर नियोजन था; लेकिन जैसा मल्लिकार्जुन मंसूर गाते थे, वैसा पहले कोई गायक नहीं गाता था। हम ऐसा क्यों नहीं कर सकते? मैंने अभी फ्रांस में वासकसज्जा और अभिसारिका पर कविताएँ लिखीं। ये एक साथ शास्त्रीय कविताएँ भी हैं और समकालीन भी और उसी अर्थ में, जिसमें मैं मल्लिकार्जुन मंसूर या कुमार गन्धर्व की शास्त्रीयता और समकालीनता की बात कर रहा हूँ।

म.सो. : मैं नहीं समझता कि इस विचार के पीछे कोई गहरा आधार है कि यदि आप तुलसीदास या कबीर या कालिदास पर लिख रहे हैं तो आप बहुत बड़े परम्परा-साधक हैं और यदि अपने समवयसी कवियों पर लिख रहे हैं तो परम्परा

के प्रति उदासीन। परम्पराबोध इस उद्यम में भी देखा जा सकता है कि हम अपने समकालीन कवियों पर लिखते हुए भी उनकी कविता में अपनी जातीय स्मृतियों को खोजने या पहचानने की कोशिश करें। इसके विपरीत प्राचीनों पर लिखते हुए विचारधारात्मक या सांवेदनिक स्तर पर कोई आलोचक निरा समकालीन भी बना रह सकता है। मलिक मोहम्मद जायसी पर लिखी गई विजयदेवनारायण साही की आलोचना एक हद तक समकालीनता की शिकार ऐसी ही आलोचना कही जा सकती है, जिसे वागीश शुक्ल ने बहुत सुन्दर ढंग से डी-कन्सट्रक्ट करते हुए, विजयदेव नारायण साही द्वारा आरोपित सन्त और कवि के बीच की भेद-दृष्टि को डी-कन्सट्रक्ट करते हुए, अपने परम्पराबोध का परिचय दिया। संक्षेप में यह कि समकालीनता के ईंट-गारे का इस्तेमाल करने मात्र से कोई आलोचना समकालीनता की चहारदीवारी में क़ैद नहीं हो जाती।

पु.अ. : सवाल यह नहीं है कि यदि कोई आलोचक कबीर, जायसी या कालिदास पर लिख रहा है, तो वह परम्परासाधक है; बल्कि कहीं-न-कहीं वह अपने सरोकारों के प्रमाण परम्पराओं में खोजने की कोशिश कर रहा है। दूसरी स्थिति वह है, जहाँ आप अपनी आलोचनात्मक रणनीति के हित में परम्परा को एप्रोप्रिएट करने की कोशिश करते हैं।

म.सो. : लेकिन एक परिणाम यह भी सम्भावित है कि वह चाहे-अनचाहे समकालीनता को भी परम्परा से अधिप्रमाणित कर रहा हो; यानी एक मूल्य के रूप में समकालीनता को परम्परिक सिद्ध कर रहा हो।

पु.अ. : हाँ, यह बिलकुल सम्भव है और आमतौर से ऐसा होता भी है कि आप किसी पारम्परिक पाठ को उस तरह पढ़ते हैं, जैसे उसे आप पढ़ना चाहते हैं; उस तरह नहीं जिस तरह पढ़ने के लिए वह लिखा गया था या जिस एक अन्तश्चेतना—एक बौद्धिक और नैतिक अन्तश्चेतना—में उसे लिखा गया था। रचनाकार इसी अन्तश्चेतनता में होता है। यही कारण है कि रामचरितमानस का जो अर्थ मेरे लिए या आपके लिए है, ठीक-ठीक वही अर्थ उस

पाठक के लिए आज नहीं है, जो कहीं-न-कहीं रामचरितमानस को उस नैतिक अन्तश्चेतना में पढ़ रहा है। यह एक बड़ा प्रश्न है और मैं नहीं समझता कि…

उ.वा. : लेकिन एक उतना ही बड़ा प्रश्न यह भी है कि क्या हिन्दुस्तान में एक समय में जो बौद्धिक अन्तश्चेतना रही थी, वह आज नहीं है…मुझे लगता है कि इसमें परम्परा का दोनों किस्म का दुर्विनियोजन है; इसमें ऐसा प्रतीत होता है मानो आप यह मान रहे हैं कि तुलसीदास के समय में उनकी कविता को पढ़ने का कोई एक आधार था और आज वे आधार बहुत से हो गए हैं। आधुनिकतावादी विचार यही है : परम्परा अपने में बन्द होती है और हम उसे खोल रहे हैं; पढ़ने की एकवचनात्मकता को हमने तोड़ दिया है और हम बहुवचनात्मक पठन ला रहे हैं!

पु. अ. : नहीं मुझे नहीं लगता। जो बात आप पहले कह रहे थे, वह ज़्यादा सही थी। मुझे नहीं लगता कि किसी भी परम्परा में, कम-से-कम हिन्दुस्तानी परम्परा में तो निश्चय ही, रचना के सन्दर्भ में किसी तरह की निश्चितता रही हो। हम चाहे तुलसीदास को ले लें या किसी दूसरे प्राचीन कवि को, उनको लेकर विवाद भी है और उनको पढ़ने के ढंग में बहुलता भी है…

म. सो. : अशोक जी, आपकी कविता को लेकर कुछ प्रश्न! मुझे ऐसा लगता है कि मुक्तिबोध और अज्ञेय के बाद की समूची पीढ़ी में आप एकमात्र ऐसे कवि हैं जिसकी कविता में बहुत गहरे स्तर पर एक तरह की शृंगारिक संवेदना है। यह शृंगारिक संवेदना केवल इस बात से प्रमाणित नहीं है कि आपने अनेक शृंगारिक कविताएँ लिखी है। जब मैं संवेदना शब्द का इस्तेमाल कर रहा हूँ, तो कुछ-कुछ उसी अर्थ में जिस अर्थ में मैं यह कह सकता हूँ कि शमशेर की कविता बहुत गहरे स्तर पर चाक्षुष-संवेदन सबसे अधिक सक्रिय, प्रवण और वध्य हो जाता है, उसी तरह आपकी कविता हमारे स्पर्श-संवेदन को सक्रिय और वध्य बनाती है। स्पर्श उसकी ऐन्द्रिकता का केन्द्र या 'लोकस'

है। एक दूसरे रूपक के सहारे कहें तो वह इन कविताओं का 'सम' है।

इस सिलसिले में मैं दो-तीन प्रश्न। अपनी कविता में इस विशिष्ट संवेदना की आत्यन्तिक उपस्थिति के बारे में आप क्या कहना चाहेंगे? समकालीन हिन्दी कविता में श्रृंगार कुछ इस तरह अनुपस्थित है मानो वह अनुपस्थिति समकालीन काव्य-औचित्य का एक अनिवार्य हिस्सा है। ऐसी स्थिति में औचित्य के इस मौजूदा प्रतिमान से आपकी कविताओं की श्रृंगारिकता क्या प्रकृति-विपर्यय नहीं है?

प्र. त्रि. : ये श्रृंगारिक प्रतिध्वनियाँ अशोक की कविता में शुरू से ही हैं; 'आसन्न प्रसवा माँ के लिए तीन गीत' जैसी कविता में भी। यह एक महत्त्वपूर्ण बात है कि अशोक जहाँ निर्वैयक्तिक भी होते हैं, वहाँ भी निजता की यह ऊष्मा उनकी उन कविताओं में विशेष रूप से रेखांकित की जा सकती है जहाँ वे परिवार को उसमें ले आते हैं। जो सच्ची मूलगामी चीज़ है, वह तो परिवार ही है, समाज तो उनके सामने अमूर्तन ही है। यह मूलगामी संघर्ष अशोक की हर दौर की कविता में मौजूद है—चाहे वह 'कलयुग' वाली कविता हो, चाहे 'वह दिगम्बरा आकाश की शय्या' पर जैसी कविताएँ हों। इसी के साथ, अशोक चाहे इसे भले न मानें पर यह मूलगामिता हिन्दी कविता की यथास्थिति के विरुद्ध संघर्ष के प्रति भी एक आवेगपूर्ण सरोकार की तरह इन कविताओं में उभरती है।

उ. वा. : क्या तुम इस श्रृंगारिक संवेदना को इस अर्थ में प्रतिक्रियाधर्मी मानते हो?

अ. वा. : कविता लिखने का मेरा बुनियादी संवेदन संसार को छूने का है। कुमार गन्धर्व के बारे में मैंने लिखा था कि जब हम उनका गाना सुनते हैं, तो ऐसा लगता है जैसे हम संसार के रहस्य को छू-सा रहे हैं। स्पर्श मुझे बहुत आकर्षित करता है और उसके प्रति मैं बहुत चौकन्ना भी हूँ। मुझे लगता है कि आधुनिकता ने कविता की ऐन्द्रिकता को अवरुद्ध और क्षत-विक्षत किया है, उसे व्यर्थ साबित करने की कोशिश की है। ईलियट में बीच-बीच

में शृंगारिक क्षण आते हैं पर कुल मिलाकर संसार के साथ आधुनिकतावादी कवियों का सम्बन्ध बहुत ऐन्द्रिक नहीं है। यह सही है कि मैंने इस आधुनिकतावादी प्रवृत्ति के प्रति बहुत सजग होकर अपनी कविता का रास्ता नहीं चुना; मैंने यह लगातार अनुभव किया कि आधुनिक हिन्दी कविता ने ज़्यादातर आधुनिकता का यही रास्ता अपनाया है : हम संसार से जो सम्बन्ध बनाएँ वह बौद्धिक हो, उसमें ऐन्द्रिकता का जब-तब, जहाँ-तहाँ प्रकाश भले होता चले लेकिन उसकी आभा कविता पर छाई हो, ऐसी स्थिति न बने। यह एक रास्ता है। मैंने दुर्भाग्य से जो रास्ता चुना वह दूसरा रास्ता है।यह रास्ता ऐन्द्रिकता के खुले स्वीकार का रास्ता है। मैं एक व्यक्ति हूँ और मैं संसार को छूना चाहता हूँ और कविता में छूने की एकमात्र विधि उसे ऐन्द्रिक स्तर पर पाने की है—यह ऐन्द्रिकता चाहे प्रेम की हो चाहे मृत्यु की।

पर ऐन्द्रिकता न तो प्रेम कविताएँ लिखकर सिद्ध होती है, न मृत्यु पर कविताएँ लिखकर, वह किसी भी वस्तु के साथ उस बुनियादी सम्बन्ध से सिद्ध होती है, जिसे हम ऐन्द्रिक सम्बन्ध कहते हैं।

प्र. त्रि. : तुम्हारी कविता से जो संसार बनता है वह ऐन्द्रिकता के बावजूद ऐन्द्रिक फुरफुरी का संसार नहीं है। ऐन्द्रिकता वहाँ एक निविड़ आत्मिक भाव के साथ उपस्थित है।

एक दूसरी चीज़ तुम्हारी कविताओं में है, जिसे हम 'टोपोग्राफी ऑफ दि बॉडी' जैसा कह सकते हैं। एक ऐसी जगह जहाँ हम ईश्वर के साथ गुफ़्तगू करते हुए अपने को अनुभव करते हैं। यह आध्यात्मिकता की एक निश्चित मात्रा इन कविताओं की ऐन्द्रिकता को एक नई तरह की समृद्धि देती है। इसका कारण शायद तुम्हारे बचपन के साधारण जीवन की वे स्मृतियाँ हैं, जो तुम्हारी कविताओं में बार-बार लौटकर आती हैं। बचपन के इस व्यापक मनुष्य-समुदाय से तुम कल्पना के स्तर पर अभी-भी अलग नहीं हुए हो तुम्हारी अभी हाल की फ्रांस वाली कविताओं में भी तुम्हारे मोहल्ले की, तुम्हारे घर की यादें बनी हुई हैं। मुझे लगता है कि इन निजी स्मृतियों

के तत्त्व को समेटती कविताओं को तुम्हारी शृंगारिक संवेदना के साथ एक जैविक सम्बन्ध में देखा जाना चाहिए।

उ. वा. : नामवर सिंह ने एक प्रश्न उठाया था, तुम्हारी कविता के बारे में। उन्होंने कहा था कि अशोक कविता में विचारा की बात बहुत करते हैं, लेकिन स्वयं उनकी कविता में विचार नहीं है। मुझे ऐसा लगता है कि इसमें यह बात पहले से मान ली गई है कि विचार क्या है? 'सैवेज़ माइंड' के लेखक लेवी स्त्रॉस ने लिखा है कि हिन्दुस्तानी मन दर्शन के योग्य नहीं हैं, वह चिन्तन कर ही नहीं सकता। इसका कारण उन्होंने यह माना कि हिन्दुस्तानी के पास दर्शन को लेकर ऐसी कोई पद्धति नहीं है। नामवर सिंह की आपत्ति में भी मुझे यही लेवी स्त्रॉस वाली साम्राज्यवादी प्रवृत्ति दिखाई देती है, जहाँ 'विचार' के अर्थ को आपने पहले से परिभाषित मान लिया है।

नामवर सिंह की इस आपत्ति को लेकर तुम क्या प्रतिक्रिया करना चाहोगे?

म. सो. : जहाँ तक मुझे लगता है, आपकी कविताओं के इस शृंगारिक पक्ष के पीछे कवि का कोई वैचारिक नियोजन तो नहीं है, गोकि कोई अवैचारिक नियोजन भी उसमें नहीं है। वह स्वभाव का प्रश्न है। पर मैं इधर एक दूसरी बात कहना चाहता हूँ। आपकी कविताओं में मनुष्य का समाज, मानवीय समाज लगभग नहीं है। संयोगवश अपनी आलोचना में जिस समकालीनता के आप बहुत बड़े हिमायती हैं, आपकी कविता में वह समकालीनता इस अर्थ में बिलकुल नहीं है। मानो समकालीनता के सरोकारों और उद्विग्नताओं से अपनी आलोचना में निबटकर आप अपनी कविता में कहीं अधिक एकाग्र भाव से, अपेक्षाकृत शाश्वत, मूलगामी, आध्यात्मिक सम्बन्धों, आवेगों और प्रश्नों पर केन्द्रित होते हैं। फिर भी समकालीन मनुष्य की अनुपस्थिति, उसके दैनन्दिन जीवन के स्पन्दनों की अनुपस्थिति, कुल मिलाकर मानवीय अनुपस्थिति से जो क्षति आपकी कविता में पैदा होती है, उस क्षति की बहुत ठोस स्तर पर पूर्ति आपकी कविता के शृंगारिक संवेदन

से होती है। दूसरे शब्दों में कहें तो मनुष्य की भौतिक अनुपस्थिति से पैदा होने वाली क्षति को आप उसकी तात्त्विक उपस्थिति से पूरा करते हैं। क्या हम इसमें एक वैचारिक मूलगामिता नहीं देख सकते? (ज़ाहिर है कि यह प्रश्न अशोकजी से नहीं है।)

प्र. त्रि. : अव्वल तो मानवीय अनुपस्थिति की बात अशोक की समूची कविताओं के सन्दर्भ में कहना ठीक नहीं है। विशेषकर आरम्भिक कविताओं में मनुष्य और मानवीय सम्बन्ध उसमें व्यापक हैं। इसके अलावा अशोक की भाषा की पहुँच और पकड़ दोनों ही मानवीय हैं। यह बात ज़रूर है कि बाद के दौर की कविताएँ उस तरह मनुष्य-आक्रान्त कविताएँ नहीं हैं, जिस तरह हिन्दी की अधिकांश कविताएँ हैं। मनुष्य ही श्रेष्ठ है और मनुष्य की श्रेष्ठ प्रतिमा गढ़ना, आधुनिक भौतिकी के ज़माने में शुरू हुआ और अब उत्तर-आधुनिक भौतिकी के ज़माने में ख़त्म हो रहा है।

पु. अ. : मदन की बात में मुझे फिर वहीं गड़बड़ी दीखती है जिसकी ओर उदयन ने इशारा किया था कि पहले आपने मान लिया कि मानवीय अनुपस्थिति क्या है और फिर उसे कविता पर लागू कर दिया। इसमें मानवीय उपस्थिति को एक दार्शनिक धरातल पर, एक ख़ास तरह से गढ़ लिया गया है। मैं प्रभात जी की बात से एकदम सहमत हूँ कि अशोक जी की कविताओं के सरोकार और पाठक पर पड़ने वाले उनके सम्भावित प्रभाव दोनों ही मानवीय उपस्थित के हैं। इसके अलावा मानवीय आक्रान्तता के विरुद्ध होना भी अपने में मानवीय उपस्थिति का एक प्रमाण है।

म. सो. : मेरा आक्षेप यह नहीं है, बल्कि मैं आक्षेप की भाषा में बात कर भी नहीं रहा हूँ। मैंने स्वयं—और मुझे संकोच है कि मैं स्वयं को उद्धरित कर रहा हूँ—जब इन कविताओं पर लिखा था, तो उसमें इस तथाकथित मनुष्यविहीनता का मूलगामी तर्क इन कविताओं में खोजा था। मैंने लिखा है कि यह कविता किस तरह नृतत्व-केन्द्रीयता के आग्रह को तोड़कर वास्तविक मनुष्य की प्रतिष्ठा उसमें करती है। बहरहाल।

श्रृंगारिकता के अलावा आपकी कविता का एक दूसरा पक्ष उसका भाषा पर, बल्कि कहना चाहिए कि शब्द पर, आत्यन्तिक विश्वास है। आपकी कविता की एक पंक्ति है, जिस पर नामवर सिंह ने आक्षेप किया था, कि 'सबसे सुन्दर और सबसे भयानक बात यही है कि शब्द का अर्थ शब्द ही थे'। इससे ऐसा लगता है कि आपकी कविता अर्थ का और इस तरह दुनिया से जुड़े हुए अर्थ का प्रतिकार करती है। वह एक तरह की अर्थहीनता को उपजा रही है, जैसाकि नामवर सिंह ने व्यंग्य करते हुए कहा भी था, कि आपकी कविता में शब्द का अर्थ शब्द ही है। इस बारे में आप क्या कहना चाहेंगे?

उ. वा. : इसमें मान लिया गया काव्यात्मक मूल्य यह है कि कविता वही है जिसका अर्थ शब्द से बाहर हो, जिसका अर्थ सामाजिक कर्म में और अन्ततः राजनीतिक कर्म में हो।

म. सो. : शब्द के प्रति आपके इस आत्यन्तिक आग्रह के साथ-साथ आपके एक ख़ास क़िस्म के भाषा व्यवहार का उल्लेख भी यहाँ आवश्यक है। आपने सामान्यतः तत्सम शब्दावली को अपनी कविता में लिया है—एक ऐसी शब्दावली जिसका सम्बन्ध एक ओर कविता की क्लासिक परम्परा से है और दूसरी ओर दर्शन और अध्यात्म की आभा और छायाएँ भी उनमें मौजूद हैं। शब्दों को बरतने का भी आपका अपना एक ढंग है जो कि समकालीन कविता के ढंग से बहुत भिन्न है। इस परिप्रेक्ष्य में शब्द के प्रति आपके इस विशिष्ट आग्रह को लेकर आप क्या कहना चाहेंगे?

अ. वा. : जो लोग मुझे निकट से जानते हैं, वे जानते हैं कि मैं पहले प्रारूप का कवि हूँ; मेरी अधिकांश कविताएँ एक झटके में लिखी जाती हैं और उनमें बहुत कम फेरबदल होता है। इसे आप चाहें तो शब्द के प्रति लापरवाही भी कह सकते हैं। यह बात मैं तुम्हारी उस बात के सन्दर्भ में कह रहा हूँ जिससे प्रगट होता है कि मैं शब्द के प्रति अत्यन्त सजग कवि हूँ।

दूसरी बात यह है कि मैं शब्द को मनुष्य का महानतम आविष्कार मानता हूँ। शब्द अजेय और अक्षत है। वह पहले भी था और बना रहेगा—उसका इस्तेमाल

आप करें या न करें। हिन्दी की ज़्यादातर कविताएँ क़रीब-क़रीब पाँच-छह हज़ार शब्दों की कविताएँ हैं, जबकि मात्र हिन्दी के शब्दसागर में एक लाख से अधिक शब्द संगृहीत हैं। तो मुझे मानवीय उपस्थिति का शब्द के अलावा कोई और साक्ष्य या प्रतिमान देना आवश्यक जान नहीं पड़ता है। शब्द एकमात्र अकाट्य मानवीय उपस्थिति है।

जिसे हम शब्देतर कहते हैं, उसे भी शब्द में कहते हैं; शब्द के अलावा उसे जानने का हमारे पास क्या तरीक़ा है? अर्थ शब्द की रचना है। वह शब्द में ही अन्तर्भूत है। तुम जिस कविता का ज़िक्र कर रहे हो, उस कविता में भी यही विचार है और यह एक मायने में भयानक बात है कि शब्द से बाहर कुछ नहीं है।

मैं जटिलता का बहुत पक्षधर रहा हूँ और जटिलता मुझे बहुत पसन्द है। सम्प्रेषणीयता को मैं थोड़ी शक की नज़र से देखता रहा हूँ। अपनी कविता की सम्प्रेषणीयता के बारे मे मैंने कोई विशेष जतन कभी नही किया। मेरी अधिकांश कविताएँ दरअसल व्यक्तियों को सम्बोधित हैं। कुछ व्यक्तियों को। उन पत्रों की तरह जिन्हें मैं भेज नहीं पाया। लगभग सारी कविताएँ इस मामले में 'आकेज़ंड' हैं। जहाँ तक मानवीय उपस्थिति का प्रश्न है मैं कभी भी निरे निपट सुनसान और एकान्त में लिख नहीं सकता : मुझे शोरगुल चाहिए, आसपास के लोगों की आवाज़ें चाहिए और यदि ये न भी हों तो मेरा मन अपनी स्मृति से ऐसी आवाज़ें रचता है। लोग शिल्प इत्यादि को बहुत महत्त्व देते हैं, पर मेरी कविता का शिल्प कैसे बन गया, इसका मुझे कोई ख़ास अन्दाज़ नहीं है। एक अर्थ में ये सारी की सारी कविताएँ 'स्पांटेनियस' हैं। यह इनकी अपने में एक समस्या हो सकती है, लेकिन पैंतीस वर्षों तक लगातार इस 'स्पांटेनिटी' पर अपनी पकड़ बनाए रखना, जैसे कि इस यथार्थ पर अपनी ऐन्द्रिक पकड़ बनाए रखना अपने में एक समस्या…

म. सो. : आपकी जिस कविता पंक्ति को उद्धृत करते हुए मैंने नामवर सिंह के आक्षेप का उल्लेख किया था, उन पंक्तियों

के साथ मुझे शमशेर की एक कविता की कुछ पंक्तियाँ याद आती हैं, जिसमें त्रिलोचन जी का सन्दर्भ है (मुझे कविता का शीर्षक याद नहीं) वे पंक्तियाँ कुछ इस तरह हैं कि "फिर मैंने उसे अपनी कविताएँ दिखाईं/उसने पूछा कि इन कविताओं का क्या अर्थ है/मैंने कहा शब्द..."

अभी आप शब्द को मानवीय उपस्थिति का सबसे बड़ा साक्ष्य कह रहे थे, ऐसी स्थिति में किसी के मन में यह प्रश्न उठ सकता है कि आप किस तरह के शब्दों का प्रयोग करते हैं, क्योंकि शब्दों की प्रकृति, कम-से-कम ऐसी स्थिति में, मानवीय उपस्थिति की प्रकृति का भी प्रमाण होगी। इस दृष्टि से आपकी कविता की तत्सम-बहुत शब्दावली को देखकर कोई यह कह सकता है कि इस शब्दावली की प्राचीनता आपको मौजूदा संसार से दूर रखने में मदद करती है, क्योंकि यह शब्दावली वह सामान्य भाषा नहीं है, जिसे समकालीन जीवन के तनावों की भाषा कहा जा सके। अपनी प्रकृति में यह भाषा अपेक्षाकृत आध्यात्मिक, अपेक्षाकृत काव्य-परम्पराधर्मी है...

अ. वा. : निश्चय ही। यदि कोई इस तरह आपत्ति करे, तो ठीक ही होगी, क्योंकि मानवीय उपस्थिति की मेरी अवधारणा अपने समय तक सीमित नहीं है। मेरे लिए पुरखे भी वर्तमान हैं। मैं सिर्फ़ इतना जानता हूँ कि जीवन के प्रति एक गहरी आसक्ति है, जो मेरी कविता की उत्प्रेरणा है। स्पर्श जिसका तुम उल्लेख कर रहे थे, वह इसी आसक्ति का रूपक है। यह आसक्ति अपने रूपाकार खोजती है—कहाँ और किस समय में खोजती है, यह मुझे ठीक से मालूम नहीं और न, जहाँ तक मैं समझता हूँ, इससे कोई फ़र्क पड़ता है। मैं अनुपस्थिति और उपस्थिति दोनों का कवि हूँ और सच तो यह है कि इनमें से किसी एक स्थिति का कवि हुआ ही नहीं जा सकता।

म. सो. : यह तो ठीक है पर यह जो तत्सम शब्दालवी आपकी कविता की है, जो कि मेरी दृष्टि में इन कविताओं का सबसे सुन्दर पक्ष है, इस शब्दावली का चुनाव, ऐसा प्रतीत होता है कि एक विशेष आग्रह के चलते है। आपने अपने एक संग्रह की भूमिका में इसे 'तद्भव के आतंक के

विरुद्ध तत्सम की प्रतिष्ठा का प्रयत्न' जैसा कुछ भी कहा है। इस दृष्टि से यह आकस्मिक बात न होकर एक सुविचारित चुनाव है—कोई गहरी आकांक्षा, कोई गहरा भाव, कोई गहरा विचार…

अ. वा. : एक तो मुझे यह लगता है कि इस समय हमें कविता की जो भाषा मिली हुई है, वह अन्तर्ध्वनियों से रहित भाषा है। दूसरी बात इन दोनों के बीच कोई द्वन्द्व नहीं है, यह द्वन्द्व बनाया गया है : यदि आपने लक्ष्य किया हो, तो जब मैंने तत्सम पर ज़ोर देना शुरू किया, तभी से नामवर सिंह ने तद्भव पर ज़्यादा ज़ोर दिया। तत्सम और तद्भव के बीच इस तरह का विलोम भाव देखना आलोचनात्मक दृष्टि से शायद सम्भव हो, पर कविता की दृष्टि से हास्यास्पद है। मैंने तद्भव के बरक़्स तत्सम की विनम्र उपस्थिति का ज़िक्र किया है। स्वयं मैंने अनगिन तद्भव क्रियापदों का इस्तेमाल किया है। बहरहाल मैं यह कहूँगा कि मेरी कोशिश अपनी कविता में भाषा को याद करने की है। यह सिर्फ़ जातीय स्मृति के आग्रह के चलते नहीं है, बल्कि वह अपने होने के अनेक रूपों को भी याद करना है।

मैं सोच-विचार कर शब्दों को इस्तेमाल नहीं करता, मेरी कविता के शब्द मेरी स्मृति का अंग हैं। मैं संस्कृत का अध्येता नहीं हूँ, पर फिर भी मुझे कभी-कभी कोई शब्द एकाएक कौंधता है। वह कहाँ से आता है, यह मैं खुद नहीं जानता। कभी-कभी शब्द मैं गढ़ता अवश्य हूँ। मुझे लगता है कि शब्द एक रहस्य भी है, एक वरदान भी है, एक बाधा भी है और एक सहूलियत भी है। कवि का बुनियादी काम अन्ततः शब्द से जूझना है।

म. सो. : हिन्दी के दो महत्त्वपूर्ण कवि आपके प्रिय कवि रहे हैं। 'फिलहाल' में ऐसे तीन निबन्ध हैं, जिनमें से दो अज्ञेय पर हैं और एक मुक्तिबोध पर है। अज्ञेय पर लिखे गए इन दोनों निबन्धों में से एक उनकी कविता को 'एप्रिशियेट' करता है जबकि दूसरे में उनकी कविताओं की बहुत तीखी आलोचना है। चूँकि 'फ़िलहाल' में यह दूसरा निबन्ध अधिक प्रभावी उपस्थिति है—आलोचक के

पक्ष से भी और इस निबन्ध के पाठकों के पक्ष से भी—इसीलिए अज्ञेय फ़िलहाल के प्रतिनायक के रूप में उभरते हैं। इसी के साथ मुक्तिबोध पर आपका निबन्ध उनकी कविता को बहुत 'सेलिब्रेट' करता हुआ निबन्ध है। एक तरह से देखा जाए, तो वे फ़िलहाल के नायक हैं। इस परिप्रेक्ष्य में यदि आपकी कविता के सरोकारों और काव्य-भाषा का अज्ञेय और मुक्तिबोध से सम्बन्ध खोजने की कोई गुंजाइश निकाली जाए, तो ऐसा प्रतीत होता है कि आपकी कविता की पहुँच, उसकी लय, अज्ञेय के अधिक क़रीब है, मुक्तिबोध के नहीं। संक्षेप में यह कि आलोचना में यदि आपके नायक मुक्तिबोध हैं, तो आपकी कविता में आपके नायक अज्ञेय लगते हैं। इस विपर्यास का क्या कारण है?

अ. वा. : यह सही है कि कविता का संस्कार मुझे अज्ञेय से ही मिला, मुक्तिबोध से नहीं। जब मैंने लिखना शुरू किया, तब अज्ञेय एक बड़ी उपस्थिति थे। मुक्तिबोध को हम उतना जानते भी नहीं थे। जहाँ तक मुक्तिबोध पर लिखे गए निबन्ध का प्रश्न है, उसका एक निश्चित सन्दर्भ है। वह एक विशेष ऐतिहासिक सन्दर्भ में लिखा गया था, जिसमें मुक्तिबोध सबसे प्रस्फुटित रूप में उपस्थित हुए थे।

प्र. त्रि. : फिर आप ऐसी बहुत सारी चीज़ों की प्रशंसा कर सकते हैं, जो स्वयं आपके लिए बहुत आदर्श न हो...

अ. वा. : निश्चय ही एक आलोचक बहुत सारी ऐसी चीज़ें पसन्द करता है, जो ज़रूरी नहीं कि स्वयं उसकी कविता के आदर्श हों—अगर वह स्वयं कवि है तो। मैंने कभी मुक्तिबोध की तरह कविता लिखने की कोशिश नहीं की और यह सौभाग्य क़ी बात है कि किसी और ने भी नहीं की। मुक्तिबोध एक असम्भव तरह के कवि हैं, जिनके अनुयायी नहीं हो सकते। मुक्तिबोध ने जो किया, वह उनके लिए, उनकी अपनी कविता के लक्ष्यों के लिए ठीक रहा हो सकता है, पर वह ज़रूरी नहीं कि दूसरों के लिए भी ठीक होता। मुक्तिबोध को जीवन को 'सेलिब्रेट' करने का अवसर बहुत कम मिला था। मेरी कविता में जीवन

का उत्सव मनाना एक बुनियादी सरोकार है। अज्ञेय में जीवन के उत्सव का यह तत्त्व है।

प्र. त्रि. : पर 'धर्मयुग' में अज्ञेय पर जो तुम्हारा निबन्ध था, वह इसी उत्सवधर्मिता के विरुद्ध था।

अ. वा. : मदन उसी का ज़िक्र कर रहे हैं, पर वह 'सेलिब्रेशन' के विरुद्ध नहीं, वह उस ढंग के विरुद्ध है, जो उन कविताओं में है, जिन पर वह निबन्ध लिखा गया।

म. सो. : एक 'पॉलिमेकल' क़िस्म का सवाल। लगभग पन्द्रह-बीस वर्ष तक अज्ञेय के साथ आपका बहुत गहरा मतभेद रहा। सम्भव है, इसके कुछ निजी कारण रहे हों। इस पूरे दौर के साहित्यिक वातावरण में और साहित्य के स्तर पर फलित हुए शीतयुद्ध के वातावरण पर भी यह मतभेद विरोधाभासी क़िस्म की छायाएँ डालता रहा है। निजी तौर पर इस गहरे मतभेद (जो कि लगभग अबोलेपन के स्तर पर बना रहा) के साथ-साथ कविता के स्तर पर अज्ञेय के प्रति आपमें एक गहरा रागभाव प्रेम और घृणा के उस मनोविज्ञान की ओर इंगित करता है, जिसमें, जिससे आप बहुत अधिक प्रेम करते हैं, उसके प्रति कभी-कभी एक संघर्ष और द्वन्द्व का भाव भी रखते हैं। अज्ञेय के साथ आपका यह सम्बन्ध आपकी अपनी सौन्दर्याभिरुचि के साथ संघर्ष के प्रतिबिम्ब के रूप में भी देखा जा सकता है। इस पर कुछ प्रकाश डालें।

अ. वा. : जहाँ तक मतभेद का प्रश्न है, इसकी शुरुआत 'धर्मयुग' वाले उसी निबन्ध से हुई। मैं यह सोचता था कि अज्ञेय जिस तरह से लेखकीय स्वतन्त्रता के पक्षधर है, उसके चलते उन्हें अपनी कविता की आलोचना के प्रति सहिष्णु होना चाहिए। दुर्भाग्य से ऐसा नहीं हुआ। फिर मेरे संस्कृति-कर्म की शुरुआत हुई जिसमें 'पहचान सीरिज़' और 'पूर्वग्रह' आदि का प्रकाशन और कला परिषद् के माध्यम से चलने वाली कला, संगीत और साहित्य की गतिविधियाँ शामिल थीं। उनके प्रति अज्ञेय ने एक बेरुख़ी और आक्षेप का भाव अपनाया। वे इसे संस्कृति में सत्ता के हस्तक्षेप की तरह देखते रहे। मैं यह अपेक्षा करता था कि वे एक लेखक के रूप में मुझे जानने के नाते मेरे

संस्कृति-कर्म को उसी प्रज्ञा के साथ देखते। उन्होंने कोई सहभागिता नहीं की, हमारे निमन्त्रणों को बार-बार ठुकराया। इसके बावजूद 'पूर्वग्रह' एकमात्र ऐसी पत्रिका रही, जिसमें इस पूरे दौर में प्रकाशित अज्ञेय की पुस्तकों की नियमित समीक्षा हुई।

दूसरे, क़रीब-क़रीब उसी समय मुक्तिबोध को जो महत्त्व मिला वह सम्भवतः अज्ञेय की दृष्टि में अनुचित या अपेक्षाकृत अधिक था और सम्भवतः अज्ञेय के मन में यह बात थी कि मुक्तिबोध को मिल रहे इस महत्त्व के पीछे ज़िम्मेदार लोगों में मैं भी शामिल था।

एक तीसरी चीज़, जो कुछ फूहड़ ढंग से बड़े स्तर पर धर्मवीर भारती के बारे में भी सही है, यह है कि अज्ञेय के मन में स्वयं को हिन्दी साहित्य का चौधरी मानने का भाव था : यदि कुछ गम्भीर और महत्त्वपूर्ण किया जाता है, तो उनके सलाह-मशविरे से किया जाना चाहिए। संयोग से हमने अपनी सांस्कृतिक गतिविधियों में उनसे ऐसा मशविरा नहीं लिया था। इससे भी शायद वे खिन्न रहे हों। चौथे, शायद नामवर सिंह से मेरी मित्रता और घनिष्ठता भी उनके असन्तोष का कारण रही हो।

लेकिन इस सबके बावजूद मैंने यह मानना कभी नहीं छोड़ा कि अज्ञेय एक 'मेज़र' लेखक हैं। इस नाते उन्हें जो सम्मान दिया जाना चाहिए था, हमने उसमें कोई कमी नहीं रखी। और शायद यह इसी का सुफल था कि अन्ततः हमको उनके सान्निध्य का लाभ मिला। अज्ञेय ने अपने जीवन के अन्तिम दिनों में शायद पुनर्विचार किया और वे भारत भवन के हमारे आयोजनों में भी शामिल हुए।

म. सो. : क्या आप ऐसा सोचते हैं कि आठवें दशक और नवें दशक के पूर्वार्द्ध में अज्ञेय को प्रतिरोध देने की जो 'पॉलिमिक्स' हिन्दी में चली, उसमें आपके और अज्ञेय के बीच के असंवाद की इस स्थिति का चाहे-अनचाह एक गहरा योगदान रहा?

अ. वा. : हाँ, यह सही है। यह सही है और यह बात शायद अज्ञेय के मन में भी रही होगी। मैं यह भी मानता हूँ कि अज्ञेय का सच्चा, गहरा और ज़िम्मेदार आकलन नहीं हुआ।

अपने लगभग हर भाषण में, हर वक्तव्य में अज्ञेय पर छींटाकशी करने वाले नामवर सिंह ने भी आज तक यह हिम्मत नहीं की कि वे अज्ञेय पर एक पूरा निबन्ध लिखकर उनका प्रतिवाद करें। यह एक विचित्र विडम्बना है कि हिन्दी में विवाद के इस क़दर केन्द्र में रहने वाले एक इतने महत्त्वपूर्ण लेखक पर कोई ज़िम्मेदार आलोचनात्मक चेष्टा नहीं की गई। अज्ञेय मनुष्यता के कुछ कम पक्षधर नहीं थे। कम-से-कम इसे सिद्ध तो नहीं ही किया जा सका। यह भी सिद्ध नहीं किया जा सका कि अज्ञेय ने कुछ कम सामाजिक सक्रियता दिखाई। वे हमारे समय के बड़बोले क्रान्तिकारियों से ज़्यादा क्रान्तिकारी रहे, उन्होंने राजनीतिक जोखिम उठाए, जेल गए, बम बनाया इत्यादि-इत्यादि। यदि क्रान्तिकारिता के यह प्रमाण हैं, तो यह अज्ञेय के पक्ष में जाते हैं। उन्होंने बहुत सारे ऐसे काम किए, जो बहुतों ने नहीं किए और मेरा यह मानना है कि वे बीसवीं शताब्दी में हिन्दी साहित्य के दो-तीन प्रमुख स्थपतियों में एक होंगे।

म. सो. : दूसरे कौन होंगे?

अ. वा. : मसलन निराला होंगे, उनसे पहले शायद भारतेन्दु हरिश्चन्द्र होंगे—ऐसे लोग जिनके होने से सिर्फ़ किसी एक पक्ष में, किसी एक विधा में, किसी एक दायरे में नहीं, बल्कि एक पूरी साहित्यिक संस्कृति में बुनियादी अन्तर पैदा हुआ। इन स्थपतियों में मुक्तिबोध और शमशेर नहीं होंगे, भले ही वे हममें से कुछ लोगों को अज्ञेय से बेहतर कवि लगते हों।

प्र. त्रि. : लेकिन क्या तुमको नहीं लगता कि एक सच्ची साहित्यिक संस्कृति में इस तरह की स्वीकृतियों का कोई अर्थ नहीं होता। आख़िर ऐसे बहुत से कवि हैं, जिन्हें ऐसी ऐतिहासिक स्वीकृति नहीं मिली!

अ. वा. : जैसे कि तुम!

प्र.त्रि : मैं जो प्रश्न कर रहा हूँ, वह इस अर्थ में थोड़ा गम्भीर है कि इस समाज में कविता की स्वीकृति ही नहीं है—कम-से-कम एक क्रियाशील शक्ति के रूप में।

म. सो. : आपकी कविता के सन्दर्भ में एक सवाल। आपने अभी

अनुपस्थिति एवं उपस्थिति की बात उठाई थी। इस दृष्टि से देखें तो आपकी कविता की शृंगारिक संवेदना एक गहरे अर्थ में उपस्थिति का संकेत है। इस शृंगारिक संवेदना के साथ-साथ दूसरी चीज़ मृत्यु है जिसके बिम्ब और संकेत आपकी कविता में उतने ही प्रमुख हैं इसे हम अनुपस्थिति के संकेत के रूप में देख सकते हैं। इस तरह ये दोनों, शृंगार और मृत्यु, होने और न होने के दो आत्यंतिक पक्ष हैं आपकी कविता में। इसके बारे में आप क्या कहना चाहेंगे?

अ. वा. : असल में आत्यंतिकता या पराकाष्ठा के प्रति मेरा बड़ा आकर्षण है। काफ़्का ने कहा कि 'देयर इज़ ए पॉइन्ट फ्राम विच देयर इज़ नो टर्निंग बैक, दैट इज़ द पाइन्ट विच मस्ट बी रीच्ड'। तो एक तरफ़ यह कहा जा सकता है कि प्रेम और मृत्यु दोनों ही दो पराकाष्ठाएँ हैं और दोनों ही 'पाइन्ट्स ऑफ़ नो रिटर्न' हैं। दूसरे इसके पीछे शायद इन दोनों ही चीज़ों में निहित जटिलता का आकर्षण भी है। प्रेम की संसक्ति में मृत्यु का अवसाद होता है और मृत्यु के एकान्त में जिजीविषा की आवाज़ें। कई बार मुझे लगता है कि चीज़ों को इस तरह देखना चाहिए मानो आप नहीं हैं : आपके बिना यह दुनिया, इसकी चीज़ें किस तरह से दिखाई देती हैं। यह थोड़ा कठिन है। कभी-कभी हो पाता है, कभी नहीं भी हो पाता है। पर आकांक्षा यह है : कवि की अचूक अनुपस्थिति की, उसके अनस्तित्व की; मानो भाषा का उपयोग कवि नहीं कर रहा है बल्कि वह स्वयं उपयुक्त हो रहो है—लगभग अपने आप...

म. सो. : मृत्यु और शृंगार के इन आवेगों के पीछे क्या आपके निजी जीवन की भी कोई विशेष स्मृतियाँ हैं?

अ. वा. : मृत्यु का मुझे विशेष अनुभव नहीं है—माँ बताती थी कि बचपन में मेरी बीमारी के दिनों में दो-एक बार ऐसा हुआ कि मुझे मृतप्राय मानकर ज़मीन पर लिटा दिया गया। अपने जीवन में मैंने पहली मृत्यु मुक्तिबोध की देखी और दूसरी मृत्यु अपने पिता की। इस दृष्टि से मृत्यु का कोई विशेष निजी अनुभव मुझे नहीं है। पर नश्वरता और मृत्यु हमारे बुनियादी सरोकारों में से हैं और मैं कई बार इस

हद तक मानने को उद्यत हुआ हूँ कि प्रेम और मृत्यु से किसी गहरे स्तर पर जूझे बग़ैर कोई भी कवि बड़ा कवि नहीं हो सकता।

म. सो. : इस दृष्टि से आप मुक्तिबोध के बारे में क्या कहना चाहेंगे?

अ. वा. : मुक्तिबोध मृत्यु की प्रतीक्षा करने वाले कवि नहीं हैं। मृत्यु का कोई बहुत आध्यात्मिक अवबोध भी सम्भवतः उनमें नहीं है। विनाश का, चीज़ों का तहस-नहस होते जाना, इसका बोध काफ़ी गहरे उनमें है। उनकी कविता में जितनी गोलियाँ चली हैं, धाँय-धाँय हुई है, उतनी हिन्दी कविता में अन्यत्र नहीं है। इसी के साथ उनमें अपने अपराधी होने का अपने पकड़े जाने का, अन्ततः मार दिए जाने का भी भाव है। यह बहुत प्रबल है और हम चाहें तो इन्हें मृत्यु की थीम के पहलू कह सकते हैं।

म. सो. : मृत्यु के साथ आपकी कविता का सम्बन्ध मुक्तिबोध से बहुत भिन्न है। मुक्तिबोध की दुनिया में मृत्यु की उपस्थिति एक भयानकता लिए हुए है; वह भयास्पद प्रभाव छोड़ती है, लेकिन आपकी कविता में इसके विपरीत मृत्यु के प्रति एक स्पृहणीयता का भाव है। आपकी कविताओं में जो कवि-चेतना है उसका बहुत निजी और आत्मीय-सा सम्बन्ध है मृत्यु के प्रति। वह कोई बहुत बड़ी या दुर्दान्त उपस्थिति नहीं, बल्कि एक तरह के निजी बिम्बों में वह प्रकट होती है। हम चाहें तो इसे मृत्यु के अनुभव का निजीकरण और एक आत्मीय उपस्थिति में रूपान्तरण जैसा कुछ कह सकते हैं। इससे अधिक मैं यह भी कहूँगा कि आपकी कविता में मृत्यु अकसर सौन्दर्यात्मक बिम्बों में ढलकर आती है और हम कह सकते हैं कि आपने अपनी कविताओं में मृत्यु का सुन्दरीकरण किया है। आप क्या कहना चाहेंगे?

अ. वा. : शायद मैं 'स्वीकार' का कवि हूँ, अस्वीकार का नहीं। निषेध, फिर वह मृत्यु का ही क्यों न हो, मुझे मंजूर नहीं। यह तो मैं नहीं जानता कि मैंने मृत्यु का सुन्दरीकरण किया है या नहीं, लेकिन मृत्यु को लेकर किसी तरह की रुग्णता या आतंक का भाव कम-से-कम मुझमें नहीं है। असल में मृत्यु वाली कविताएँ मेरी जीवनासक्ति की एक विलोम

रूपक द्वारा अभिव्यक्ति हैं। मुझे लगता है कि बुनियादी चीज़ मरना नहीं, जीना है और चूँकि मरना है तो मरते हुए भी जीते रहना है। इसे ही शायद अनन्त आदि के नज़रिए से व्यक्त किया गया है। कविता हमारे जीने का, जीते रहने का ही प्रमाण हो सकती है। वह हमारी मृत्यु का साक्ष्य क्या बनेगी?

म. सो. : आपकी कविता में उत्सव का तत्त्व भी ध्यानाकर्षी है : अनेक कविताएँ हैं जिनमें प्रकृति और अन्य जीव-जगत् को उत्सवरत या उत्सवधर्मी रूपकों में व्यक्त किया गया है। अपने संस्कृति-कर्म के दौरान भी आप अपने वक्तव्यों में अकसर यह कहते रहे हैं कि हम अपने समय की महान् कलात्मक प्रतिभाओं का प्रशस्तिगान करना चाहते हैं, उनकी उपस्थिति का जश्न मनाना चाहते हैं। यह उत्सवधर्मिता आपकी कुल मनीषा के सन्दर्भ में कुछ-कुछ आनन्दवाद की ओर उन्मुख दिखाई देती है। आनन्दवाद के जो फलितार्थ हैं, उन्हें दृष्टिगत रखते हुए क्या आप स्वयं को आनन्दवादी मानेंगे?

अ. वा. : यह कहना मुश्किल है कि मैं आनन्दवादी या सुखवादी नहीं हूँ; हूँ तो मैं नहीं जानता। लेकिन यदि इसका आशय यह है कि तमाम कठिनाइयों, संघर्षों, असमानताओं और अन्यायों के बावजूद मुझे जीवन जश्न के योग्य लगता है तो यह सही है। मेरी कविता दुर्भाग्य से या संयोग से इन सबके बावजूद बचे हुए जीवन पर अपनी दृष्टि एकाग्र करती है।

दूसरा कारण शायद यह है कि मुझमें बहुत हड़बड़ी है : समय बीतने का एक बहुत ही तीखा अहसास। शायद इसके चलते भी एक उत्सवी पक्ष प्रकट होता है।

और तीसरा यह है कि मैं उन लोगों से सहमत नहीं हूँ जो ज़िन्दगी को लेकर प्रायः नाखुश, परेशान और बेचैन बने रहते हैं। मुझे लगता है कि ज़िन्दगी इतनी बुरी नहीं है, इसमें बहुत कुछ सुन्दर भी है। मैं अपनी ओर से दुःख, अवसाद और नश्वरता को अलक्षित नहीं करता। पर जब आप जानते हैं कि आप अन्ततः नश्वर हैं, आप अनश्वरता का उत्सव मनाते हैं।

प्र.त्रि. : बहुत पहले मैंने एक समीक्षा में अशोक की कविता को साधारण आदमी के आस्तिक संस्कार की कविता कहा था। अशोक आलोचक भले हैं, मगर उनकी कविताएँ आलोचनात्मक नहीं है। वे शुरू से ही प्रेम के कवि रहे हैं। हम ग़ौर करें तो पायेंगे कि साधारण आदमी की व्यावहारिकता इन कविताओं में है। यह व्यावहारिकता मृत्यु को भी सहज भाव से लेती है। फिर इसका एक सांस्कृतिक महत्त्व भी है : जिस तरह से प्रौद्योगिक और प्राविधिक सभ्यता आ रही है उसके बरक्स अगर जीवन की यह सुन्दर छवि हम नहीं प्रस्तुत कर सकते तो एकसेपन के बीच जीना मुश्किल हो जाएगा।

इसलिए मैं इसे आस्तिक संस्कार अधिक कहना पसन्द करूँगा बजाय उत्सव-धर्मिता के। इन कविताओं में ऐसा नहीं कि दुःख नहीं है; सुख की कविता में भी गहरा दुःख है...

म. सो. : नहीं, दुःख नहीं है, यह मैं नहीं कह रहा हूँ; मैं यह भी नहीं कह रहा हूँ कि उसमें दुनिया की तथाकथित निषेधात्मक चीज़ें नहीं हैं; मैं उस कवि-स्वाभाव की बात कर रहा हूँ, जो संसार को एक खिलते हुए फूल की तरह देखता है; जो संसार के शुभ पक्ष को ही देखता है। यह प्रवृत्ति विशेषकर हमारी बहुत सारी समकालीन और प्रगतिशील कही जाने वाली उस कविदृष्टि के परिप्रेक्ष्य में उल्लेखनीय है, जो इसी संसार में ज़्यादातर तनाव, अशिव और अशुभ को, असुन्दर को ही लक्ष्य करती है। अशोक जी की कविता में कीड़े भी जश्न मनाते दिखाई देते हैं। यह संसार की हर गतिविधि को सौन्दर्योन्मुखी रूप में देखना! मैं इसकी बात कर रहा हूँ। उत्सवधर्मिता को थोड़े संकोचपूर्वक चुना है।

प्र. त्रि. : वह बुनियादी रूप से आकांक्षा और मृत्यु का कवि है। रमाकान्त रथ भी ऐसे ही कवि हैं। ये दोनों ही चीज़ें किसी भी कवि के संसार को बहुत स्थूल अर्थ में भी व्यापक और गहरा बनाती हैं; वे शुद्ध शब्दप्रयोग के लिहाज़ से भी इस संसार को विस्मृत करती है और मैं समझता हूँ कि हमें इस पर अपने सामूहिक विनाश के दृश्य के

परिप्रेक्ष्य में बात करनी चाहिए।

वि. कु. शु. : हम इस पर ग़ौर करें कि अशोक जी 'होने' और 'न होने' के बीच की स्थिति की बात करते हैं। इस सन्दर्भ में हम 'पिता के जूते' कविता को देखें या कुमार गन्धर्व पर लिखी गई कविताओं को देखें, इन कविताओं में 'न होने' के ख़ालीपन की रचनात्मकता को प्रगट किया गया है। मृत्यु का भय नहीं है, यह तो ठीक है, लेकिन उसके कारण जो अनुपस्थिति है। वह एक रचनात्मक उपस्थिति को जन्म देती है। अशोक जी की कविता जिस तरह किसी के होने से जुड़ी है, वैसे ही वह उसके न होने के अहसास से भी जुड़ी है। मैं कुमार गन्धर्व पर लिखी गई एक कविता की ओर संकेत करूँ—'जो जाता है, थोड़ा-थोड़ा हमको भी ले जाता है।' यह थोड़े-थोड़े कम होने का अहसास ही होने की समग्रता का अहसास है और इसी के साथ जो बचा हुआ है, उसे अधिक-से-अधिक समेट लेने का भाव भी एक रचनात्मक तीव्रता के साथ मौजूद है। पर उसे 'सेलिब्रेशन' जैसे शब्द से पकड़ना ठीक नहीं है; इसमें उसका अर्थ हल्का हो जाता है। उनकी कविता में किसी तरह का हल्कापन नहीं है।

प्र. त्रि. : इस अर्थ में वह विशिष्ट मानवीय दुःख के प्रति प्रतिश्रुति की कविता है। इस कविता की कल्पनाशीलता की ऊँचाई कितनी है और वह कितने दिनों तक जाएगी और इसी के चलते यह कवि कितना बड़ा कहलाएगा, यह एक अलग प्रश्न है। लेकिन यही महत्त्वपूर्ण है कि अपने इस स्वभाव के प्रति उसमें अन्तर्निष्ठता है।

म. सो. : अशोक जी, आपकी इधर की कुछ कविताओं में, ख़ासकर 'कहीं नहीं वहीं' के अन्त में आई बहुत सारी कविताओं में अमूर्तन पर बहुत अधिक बल है। अनादि-अनन्त, आगे-पीछे, दाएँ-बाएँ जैसे अनेक प्रत्यय या कि अभिप्राय इन कविताओं में हैं। ये प्रत्यय या अभिप्राय भले ही अपने में अमूर्त न हों, पर इन कविताओं में है। ये प्रत्यय का अभिप्राय भले ही अपने में अमूर्त न हों, पर इन कविताओं में इन्हें एक अमूर्तन के स्तर पर लेने का प्रयत्न दिखाई देता है। एक तरह के सम्पूर्ण अमूर्तन में से कविता को

सम्भव करने की कोशिश। इस क्रीड़ा के पीछे क्या विचार है?

अ. वा. : अव्वल तो सौभाग्य से इसके पीछे कोई एक विचार नहीं है। सिर्फ़ विचार हो, यह ज़रूरी भी नहीं है। पिछले दिनों मुझे यह लगा कि ऐसी बहुत सारी अवधारणाएँ या दार्शनिक प्रत्यय या कि दाएँ-बाएँ आगे-पीछे जैसी स्थितियाँ आदि अन्ततः कवि के सामने ऐसी सामग्री हैं, जिनसे वह खेल सकता है। निश्चय ही क्रीड़ा-भाव इन कविताओं में प्रमुख है। खेलने के भाव को मैं बहुत अच्छा मानता हूँ। मैं कभी खिलाड़ी नहीं रहा, पर शायद इसीलिए खेल के प्रति मेरा अधिक आकर्षण है। मेरी कविताओं में यह बहुत है। बच्चे पतंग उड़ाते हैं, पूर्वजों के साथ खेलते हैं, आदि। तो इस तरह इन अवधारणाओं और दार्शनिक प्रत्ययों के साथ खेला जा सकता है और इनकी शुद्ध अमूर्तता को इतना सघन और उत्कट किया जा सकता है कि वे मूर्त हो जाएँ। अनादि और अनन्त की अवधारणाएँ बहुत कॉस्मिक क़िस्म की अवधारणाएँ हैं, पर जब आप कहते हैं कि अनादि के पीछे अनन्त के पीछे अनादि के पीछे अनन्त तो यह बहुत ही घरेलू और पालतू-सी अवधारणाएँ बन जाती है। कविता का एक काम इस कॉस्मास को खिड़की में ले आना है। यह इसी तरह का प्रयत्न है। यह प्रयत्न कितना सफल या असफल है, यह अलग बात है।

कविता की एक समस्या हर स्थिति के अपने अनुभव के, हर घटना के एकदम विशिष्ट और अद्वितीय ब्योरों और देशों के, विशिष्ट भूगोल को पकड़ने की है। कविता की बुनियादी ऐन्द्रिकता इसीं से पैदा होती है। उसकी दूसरी समस्या इन्हीं ब्योरों और रेशों के भीतर से कुछ तात्त्विक पाने की है। इस ऐन्द्रिकता और तात्त्विकता में से किसी एक को पा लेने से काम नहीं चलता। असल में एक की रोशनी दूसरी पर गिरती है और कवि को दोनों को देख सकना चाहिए। यह प्रयत्न हर कविता में होता है; कुछ में वह साफ़ नज़र आ जाता है और कुछ में ओझल हो जाता है, कुछ में असफल भी होता होगा। इस तरह

से होने के शुद्ध नाटक की परम स्थितियाँ हैं आगे-पीछे, ऊपर-नीचे, अगल-बगल, आने-जाने की, प्रत्याशा करने की, हाथ बढ़ाने की, छूने की, देखने की। हम आमतौर पर इन स्थितियों में होते हैं और उन्हें देखते हैं, लेकिन कविता में यह देखना साधरण नहीं रह जाता। मुझे रोज़मर्रा का बहुत आकर्षण है, क्योंकि मुझे लगता है कि इसी में सब कुछ है—यह जो उबा देनेवाली दिनचर्या है, इसी रोज़मर्रा को थोड़ा-सा हटके, ठिठक के देखने पर हम इसमें कविता देख सकते हैं।

हमने इस पर अभी बात नहीं की है, लेकिन मैं अपनी कविता का एक ज़रूरी पक्ष उसके पवित्रता-बोध को भी मानता हूँ—एक ऐसी पवित्रता, जिसे छेड़ा न जाए, जिसके सामने सवाल न पूछा जाए। यह पवित्रता बुनियादी तौर पर मुझे रोज़मर्रा में ही बसी नज़र आती है। यह ठीक है कि मुझे एकान्त चाहिए, लेकिन इस तरह का एकान्त भी नहीं कि 'रहिए अब ऐसी जगह चलकर, जहाँ कोई न हो'। मुझे तो भरा-पूरा, चीख़ता-पुकारता और शोर मचाता आसपास चाहिए। मेरा एकान्त उसी में बनता है।

एक पवित्रता-बोध के मेरे यहाँ दो कारक हैं : एक तो उसका यह 'लोकेल' है, जिसका मैं ज़िक्र कर रहा हूँ और दूसरा है सम्बन्ध—वह सम्बन्ध चाहे किसी व्यक्ति से हो, चाहे किसी शब्द से हो या कि किसी वस्तु से। निस्सम्बन्ध पवित्रता में मेरी दिलचस्पी नहीं है।

प्र. त्रि. : इससे मुझे याद आया कि अशोक ने अपने क्रियापदों के इस्तेमाल का ज़िक्र किया था। इनमें जो सम्बन्ध-कारकों का इस्तेमाल है, वह अशोक की सम्बन्ध वाली बात से जुड़ती है।

जहाँ तक अमूर्तन का सवाल है, मुझे इन कविताओं के सन्दर्भ में यह शब्द बहुत उपयुक्त नहीं लगता। इसके विपरीत इसमें, जैसाकि अशोक ने संकेत किया, एक खेल का भाव है।

उ. वा. : यह होने और न होने के सायुज्य के सन्दर्भ में, सम्बन्धों में जिस पवित्रता-बोध को देखने की बात है उसके बारे में मुझे ऐसा प्रतीत होता है कि असल में जब होना प्रकट

हो रहा होता है तो न होने का बोध—यह बोध कि यह एक दिन नहीं होगा—एक पवित्रता-बोध की तरह उसमें प्रवेश करता है। दूसरे शब्दों में यह कि इस जीवन के खुलने की प्रक्रिया में मृत्यु उसमें अचानक पवित्रता की तरह प्रकट हो जाती है। हर सम्बन्ध अपने में नाज़ुक होता है और यही सम्बन्धों की ख़ूबसूरती है। प्रेम-सम्बन्ध में भी सबसे सुन्दर बात मुझे यही लगती है; वह बिल्कुल अनिश्चित है। प्रेम हमेशा स्वयं को मृत्यु की देहरी पर रखता है—वह कब ख़त्म हो जाएगा इसका कोई ठिकाना नहीं। मार्ख़्वेज़ की एक कहानी है जिसमें एक लड़की सड़क पार कर रही है और उसका प्रेमी उसके पीछे-पीछे जा रहा है। अचानक वह उसे मुड़कर देखती है और उसके मन में लड़के के प्रति जो प्रेम होता है वह एकदम झर जाता है। तुम्हारी कविता में यह बोध बार-बार है कि एक दिन यह सम्बन्ध नहीं रहेंगे। जिसे तुम समय के गुज़रने का बोध कर रहे हो। वह मृत्यु का ही आभास है और यह आभास हर सम्बन्ध में मौजूद है।

अ. वा. : हाँ, यह 'सेन्स ऑफ फ्रेज़िलिटी' है। खिलने का समय मुरझाने के समय से बहुत छोटा है। यह जो लिखने में पड़ी हुई मुरझाने की छाया है इसे ही मैं पवित्रता कह रहा हूँ। खिलने और मुरझाने के बीच हम विलोम का सम्बन्ध न देखें तो वह एक ही संघटना का विवरण है। मैं यही कोशिश करता रहा हूँ। हम सिर्फ़ यह न देखें कि जब हम नहीं रहेंगे तो वह जगह भी नहीं रहेगी जहाँ हम थे, हम इस तरह देखें कि होना और उस जगह का होना भी जारी रहेगा। इस समूची प्रक्रिया को हम होने के सिलसिले में क्यों न देखें?

यह, आप चाहें तो नामवर जी के उस तथाकथित विचारहीनता के आरोप का जवाब भी है। कविता अपने ढंग से सोचती हैं और उस ढंग से आवश्यक नहीं कि कोई दार्शनिक प्रत्यय या अवधारणाएँ शामिल हों। अकसर वह क्रियाओं में सोचती है। नामवर जी शायद विचार की कल्पना संज्ञापरक अर्थ में कर रहे हैं; मेरी चेष्टा परिभाषा की नहीं बल्कि भाषा की है—विवरण की, बखान की,

क्रियापद की, क्रिया की; परिणाम की नहीं बल्कि प्रक्रिया की।

म. सो. : बजाय कथन के, वह 'आर्टीकुलेशन' अधिक है?

अ. वा. : हाँ।

म. सो. : इस अर्थ में कि बहुत सारी कविताएँ अकसर ज़्यादातर विषयों के बारे में निर्धारित कथनों का पुनर्कथन है, वह अकसर उन विषयों का 'आर्टीकुलेशन' नहीं है।

अ. वा. : हाँ। एक तरीक़ा है कि किसी चीज़ के बारे में आप एक वक्तव्य दें और दूसरा तरीक़ा यह है कि आप उसे छुएँ। वक्तव्य और आर्टीकुलेशन का भेद शायद यही है। वक्तव्य उस चीज़ को, वह चीज़ 'होने' से मुक्त भी कर सकता है। वह उस चीज़ से स्वयं भी स्वतन्त्र हो जा सकता है। मेरी चिन्ता चीज़ के 'होने' को पूरी तरह से स्वीकार करने की है और मेरी कोशिश यह है कि मैं सिर्फ़ उस चीज़ को छू सकूँ, वह स्पर्श ऐसा न हो कि वह चीज़ को बदल दे।

म. सो. : आपकी पिछली कविताओं में अनन्त, स्वर्ग का ऐश्वर्य, आकाश आदि बार-बार लौटते रहे अभिप्राय हैं। इधर की ताज़ा कविताओं में भी 'शुभश्रवा' और 'ब्रह्मारण्य' जैसी कल्पित चीज़ें प्रकट हुई हैं। इस सबके चलते क्या आपकी कविता पर यह आरोप नहीं किया जा सकता कि यह सारा अभिप्राय आपकी कविता में कुछ ऐसा 'लोकेल' रचता है जहाँ यह कवि अपने समय के राजनीति और सामाजिक आपाधापी के समय से भागकर शरण लेना चाहता है?

अ. वा. : असल में हम जिसे अपना राजनीतिक समय कहते हैं, मेरी कविता को आप उस समय की एक पुष्टिकारक रीडिंग के बजाय एक अपुष्टिकारक मिस-रीडिंग की तरह देख सकते हैं। जैसाकि प्रभात ने संकेत किया था हम चाहें तो अनन्त, शुभश्रवा, ब्रह्मारण्य और स्वर्ग जैसी चीज़ों के इस्तेमाल को इस राजनीतिक समय और उसके आतंक की एक बुनियादी मीमांसा भी कह सकते हैं। फिर राजनीतिक समय भी एक कल्पसृष्टि है; कम-से-कम एक गढ़ी गई सृष्टि, बिलकुल उसी तरह जिस तरह ब्रह्मारण्य और शुभश्रवा है। मेरी कविता में एक ऐसी जगह की,

एक ऐसे भूगोल की तलाश है जो मेरे गृह-नगर सागर के गोपालगंज का भूगोल है; बकौली, कठचन्दन के मुहल्ले का भूगोल। इसी के साथ उसमें समूचे ब्रह्माण्ड का भूगोल भी समाया हुआ हैं मुझे अपनी कविता में ये दोनों असम्भव लगते भूगोल सम्भव होते लगते है। मुझे यह समय भी चाहिए पर इसी के पड़ोस में अपना अतीत भी चाहिए। पड़ोस की कल्पना मेरी कविता के भूगोल का एक अनिवार्य हिस्सा है।

म. सो. : आपकी इस बात को अगर दूसरे तरह से कहने की कोशिश करें तो शुभश्रवा और ब्रह्मारण्य जैसे अभिप्राय कविता में एक विशिष्ट भूगोल को पाने की आपकी आकांक्षा के ही रूपक है, वे कविता के भीतर कविता की आकांक्षाएँ हैं, "अगर इन शब्दों में वह स्मृति अन्तरित करना सम्भव है तो हम वहाँ भी नहीं पहुँचे। सबकुछ पीछे छोड़कर गँवाकर सिर्फ़ शब्द लिये पता नहीं हम कहाँ पहुँचे। जहाँ पहुँचे वह ब्रह्म का अरण्य नहीं था। जब तक शब्द है ब्रह्मारण्य तक नहीं पहुँचा जा सकता। हमने यह शब्दों में ही जाना, जब तक शब्द हैं ब्रह्म कहाँ, अरण्य कहाँ।" यह कविता उन कविताओं के बारे में भी एक कविता है जिनमें से एक कविता यह स्वयं है।

अ. वा. : हाँ, बिलकुल ठीक है।

प्र. त्रि. : असल में इस भूगोल को अलगाना मुझे अपने आप में विचित्र-सा लगता है। जो कविता तुमने पढ़ी उसमें यह बोध भी है कि इस समय से छुटकारा नहीं है और यह बोध भी है कि इसी समय में धँसकर ही इससे ऊपर उठा जा सकता है। मुझे लगता है कि अशोक के यहाँ ये दोनों समय, ये दोनों भूगोल संश्लिष्ट हो पाते हैं। बहरहाल इस लौकिक विकरालता और उस अलौकिक दुनिया के बीच सम्बन्ध बनाने की इस कोशिश में तुम क्या खुद को सफल महसूस करते हो?

अ. वा. : अव्वल तो यह असम्भव है कि आप एक कविता या तीन कविताओं में कोई ऐसी हिकमत पा लें कि आप ऐसा जोड़ बैठा सकें। अगर यह होना है तो इसे बार-बार होना होगा, तरह-तरह से होना होगा, अनेक नए-नए सन्दर्भों

में होना होगा। मेरी कविता में यह नहीं हो पाया है, ऐसा मुझे नहीं लगता पर कई बार होने के बाद भी वह एक तरह से अनहुई रहती है।

प्र. त्रि. : मेरा मतलब रोज़मर्रा के 'कॉस्मिक विज़न' की कविता से है। उसमें दोनों ही हैं—रोज़मर्रा भी और अलौकिकता भी…

उ. वा. : उसमें एक चीज़ और है—मृत्यु के 'ट्रिवियल डिटेल्स'; मसलन लकड़ी, आग आदि। मृत्यु महज़ एक अमूर्त अनुभव नहीं है, उसके साथ यह सब भी जुड़ा हुआ है—जलाने के लिए लकड़ी ख़रीदना, चिता बनाना, दाह-संस्कार आदि…

म. सो. : इन सब चीज़ों को देखकर यह कहा जा सकता है कि मृत्यु से जुड़ा हुआ यह कर्मकाण्ड, ये सारी क्रियाएँ और वस्तुएँ, ये सब एक तरह से मृत्यु नामक संघटना की सामग्री का हिस्सा है। वह मृत्यु से जुड़ी हुई एक दुनिया है। इन विवरणों के साथ मृत्यु को याद करना, मृत्यु को जीवन की गतिशीलता के बीच देखना और याद करना है।

उ. वा. : लेकिन कुमार गन्धर्व वाली इन कविताओं को लिखते हुए क्या तुम्हारे दिमाग़ में 'ड्यूनो एलेजीज़' थीं?

अ. वा. : नहीं, बहुत सचेत रूप में तो नहीं। मैंने तो यह भी नहीं सोचा था कि वे ये इतनी सारी कविताएँ हो जाएँगी। ये सब एक रौ में लिखी गईं; उसी क्रम में जिसमें वे प्रकाशित हैं। लिखने के बाद मुझे यह ख़याल आया कि इनमें 'ड्यूनो एलेजीज़' जैसा कुछ बनता है; हालाँकि इन कविताओं की दुनिया अलग है।

इन कविताओं का बुनियादी संघर्ष अनुपस्थिति को—बहुत ही गहरी अनुपस्थिति को एक उपस्थिति के रूप में सम्भव बनाने का है। यह संघर्ष मेरी कविता का एक आब्सेशन है। मेरी अनेक कविताओं का शीर्षक भी इससे आब्सेस्ड है। यह अनुपस्थिति एक ओर व्यक्ति की अनुपस्थिति है, तो दूसरी ओर, एक दार्शनिक स्तर पर, ईश्वर की अनुपस्थिति भी है। ईश्वर का न होना या ईश्वर का नहीं हो सकना यह चीज़ मुझे हमेशा परेशान करती रही है। 'शहर अब भी सम्भावना है' में एक कविता है

'अनुपस्थिति'। उसमें पहले का एक मन्दिर-सा दिखाई देता है, जो अब नहीं रहा। बस इतना-सा संकेत उसमें है। बाद में अन्यत्र जार्ज स्टाइनर ने एक पूरी व्याख्या की है, जो कहती है कि शब्द और अर्थ के बीच जो सम्बन्ध-विच्छेद हुआ है, वह दैवीय अनुपस्थिति के कारण है। मेरी कविता 1965 में लिखी गई थी :

नई बनती इमारतों के पीछे
दिखनेवाला पुराना मन्दिर
अब नहीं रहा।

यह एकमात्र संकेत है। आप चाहें तो इसे इस संकेत के बिना भी पढ़ सकते हैं, लेकिन वह कविता अनुपस्थिति के बारे में है। जहाँ तक 'बहुरि अकेला' का सवाल है, यह उस अर्थ में दैवीय अनुपस्थिति से सरोकार रखती कविता नहीं है; वह अनुपस्थिति से सरोकार रखती कविता है—अपने अन्तिम रूप में दार्शनिक अर्थ में, अनुपस्थिति से सरोकार रखती कविता।

उ. वा. : शब्दार्थ सम्बन्ध में विच्छेद और दैवीय अनुपस्थिति के बीच के जिस सम्बन्ध की वह बात कर रहा था वह महज़ सिद्धान्त बनाने की दृष्टि से नहीं है। वह इसके विपरीत, 'डेथ ऑफ़ गॉड' की स्थिति को भाषाशास्त्रीय मानकों में पकड़ने की कोशिश कर रहा था। यदि शब्द और अर्थ का सम्बन्ध यादृच्छिक है, तब तो यह दुनिया भयानक हो जाएगी। यदि किसी का भी सम्बन्ध किसी से भी हो सकता है, तब फिर वह रूपक ईश्वर के न होने या नहीं हो सकने का बन जाता है। इसीलिए जैसाकि मदन ने संकेत किया था कि 'शब्द का अर्थ शब्द ही थे' में जो भयानक बात है, उसमें इस विच्छेद की पीड़ा है। बहरहाल।

'बहुरि अकेला' और 'ड्यूनो एलेजीज़' में एक और साम्य भी है, संयोगवश 'ड्यूनो एलेजीज़' बहुत जल्दी लिखी गई थी; रिल्के ने शायद तीन-चार सप्ताह में सारी कविताएँ लिख डाली थीं; सम्भवतः 'बहुरि अकेला' भी कुछ ऐसे ही तेज़ी से लिखा गया संग्रह है।

अ. वा. : हाँ, 16 जनवरी को लिखना शुरू हुआ या 22 और 23 फ़रवरी को ख़त्म। 16 जनवरी को मेरा जन्मदिन था। (संयोग से इसके पहले के जन्मदिन पर 16 जनवरी को ही भोपाल में आयोजित 'तत्पुरुष' समारोह के अवसर पर कुमार गन्धर्व आए थे)।

पु. अ. : मुझे मानवीय अनुपस्थिति जैसे पदों के साथ बड़ी उलझन होती है। जैसाकि मैंने पहले भी हस्तक्षेप किया था, वह एक तरह का कन्सट्रक्ट है और चाहे आप उसके पक्ष में हो या प्रतिपक्ष में, जब आप ऐसे किसी कन्सट्रक्ट को अपना प्रस्थान-बिन्दु बना लेते हैं, तो गड़बड़ी वहीं से शुरू हो जाती है। इसी तरह अभी प्रभातजी जब कह रहे थे कि अशोक वाजपेयी की कविताएँ सामाजिक चेतना से युक्त हैं, तो कहीं-न-कहीं ऐसा मानकर चल रहे हैं कि कुछ लोगों की दृष्टि में से कविताएँ सामाजिक चेतना-युक्त नहीं है। सवाल यह है कि यह सामाजिक चेतना क्या होती है? जैसाकि अशोक जी ने खुद ही अपनी कविता में रोज़मर्रा के जीवन की उपस्थिति की ओर संकेत किया था कि राजनीति को मनुष्य की नियति को परिभाषित करने वाले एक अत्यन्त प्रमुख तत्त्व के रूप में स्वीकृति दी, तब फिर उसके बाद सामाजिक चेतना की कविता होने के लिए क्या किसी पार्टी का ठप्पा ज़रूरी है?

प्र. त्रि. : नहीं, यह ज़रूरी नहीं है।

पु. अ. : तो फिर इस बातचीत को एक कवि को सृजनात्मक दुनिया की पड़ताल का साधन बनाने की बजाय एक 'पॉलिमिकल' बातचीत बनाना भी क्यों ज़रूरी है...? यह जो कविता है 'बूढ़ा मुसलमान' हम इस पर ग़ौर करें। वह कोई भी बूढ़ा नहीं है, बल्कि मुसलमान है; यह अपने आप में एक वक्तव्य बन जाता है। मैं फ़िलहाल कविता की संरचना की बात नहीं कर रहा हूँ, लेकिन स्वयं कविता का शीर्षक भी अपने आप में एक निश्चित चेतना का संकेत करता है—एक निश्चित समकालीन स्थिति के प्रति, एक निश्चित सामाजिक चेतना का संकेत। इस पर मुझे (और यदि आप मुझे प्रगतिशील चेतना का प्रतिनिधि मानकर चल रहे हैं, तो भी) किसी तरह का ठप्पा लगाना आवश्यक

नहीं लगता। गैस त्रासदी पर लिखी बहुत सारी कविताएँ हैं, लेकिन कोई कवि यदि उस दुर्घटना से विचलित हो रहा है, तो यह कौन-सी चेतना है।

मुझे लगता है कि इन शब्दों से जो विशेष सरलीकरण इन दिनों जुड़ गया है, उनसे यदि चिढ़ है, तो वह जायज़ चिढ़ हो सकती है। यदि कोई सोचे कि कविता की परिणति अन्ततः झंडे में न हुई, तो उसकी सामाजिकता संदिग्ध हो जाएगी, तो ऐसी सामाजिकता से किसी को भी चिढ़ हो जाएगी।

प्र. त्रि. : मेरा मतलब कुछ आगे का था जब मैं अशोक की कविता में सामाजिकता की बात कर रहा था...

उ. वा. : यानी वह राजनीति वाली बात...

प्र. त्रि. : मैंने 'आर्किटाइपल' अर्थ में कहा था। 'समास' के पहले अंक में मैंने अपने निबन्ध में मेलफ्रेड हालपर्न का एक उद्धरण दिया था कि हम राजनीति ही कर सकते हैं और हमें राजनीति ही करनी चाहिए। हालपर्न ने जिस व्यापक अर्थ में राजनीति को लिया था, उसमें राजनीति मनुष्य के विनाशकारी आद्यरूप और पोषणकारी आद्यरूप दोनों को, मनुष्य की पूरी इन्सानियत या प्रकृति में निहित सृजन या संहार के दोनों पक्षी को संगृहीत करने, उनका स्वरूप निर्धारित करने तथा उनकी दिशा तय करने की एक शक्ति है। यह शक्ति संगठित राजनीति में है, राजसत्ता में है और अब उससे बढ़कर 'कार्पोरेट सेक्टर' में है। यह राजनीति कला के लिए, कलाकार के लिए एक बहुत ही वध्य स्थिति पैदा कर रही है। इसीलिए इससे दरकिनार हो सकना, बौद्धिक रूप से इससे अलग हो सकना असम्भव हो रहा है। इस स्थिति में शब्दों के दुरुपयोग को छोड़कर उनके एक सार्थक पुनर्वास की चेष्टा ज़रूरी है। इसमें ऐसे ही कवियों या विचारकों का योगदान होगा, जो इस ब्रह्माण्ड की विराटता के सन्दर्भ में अपने 'होने' की तुच्छता को भी जानते हैं और यह भी जानते हैं कि 'होना' ही सर्वाधिक अर्थपूर्ण है। सामाजिक चेतना और राजनीति जैसे पदों के इस्तेमाल में निहित बुराई की ओर मैं इसी सन्दर्भ में संकेत कर रहा था। मेरे लिए इसलिए

यह एक 'रेडिकल' कवि लगता है—'रेडिकल पोएट इन आलमोस्ट आर्थोडाक्स मार्क्सिस्ट टर्म्स'।

उ. वा. : प्रभात, क्या तुम यह कह रहे हो कि तुम अब यह नहीं कहते कि, जैसाकि कहा गया है, 'इन अवर सेंचुरी ह्यूमन डेस्टिनी प्रेज़ेण्ट्स इटसेल्फ़ इन टर्म्स ऑफ़ पॉलिटिक्स'? क्या तुम अभी भी यही सोचते हों या कि जैसे कि 1910 में वर्जीनिया वुल्फ़ ने अपने एक निबन्ध में कहा था कि 'ह्यूमन नेचर इज़ चेंज्ड'; जहाँ टॉमस मान के वक्तव्य की स्थिति समाप्त हो गई है?

अ. वा. : टॉमस मान ने राजनीति का इस्तेमाल जिस अर्थ में किया था, वह अर्थ यदि बदल न भी गया हो, तो भी अब बहुत नाकाफ़ी हो गया है। टॉमस मान ने यह बात 19वीं शताब्दी के सन्दर्भ में कही थी, तब उस शताब्दी को राजनीति की शताब्दी नहीं माना जाता था। बीसवीं शताब्दी के सन्दर्भ में यह विरोधाभास महत्त्वपूर्ण है कि जहाँ इस शताब्दी में एक ओर समृद्धि में हिस्सेदारी, समानता और स्वतन्त्रता की बात सबसे अधिक हुई, वहीं दूसरी ओर सबसे बड़े जनसंहार और दैत्याकार व्यवस्थाओं का निर्माण भी इसी शताब्दी में हुआ। बीसवीं शताब्दी में इसीलिए यह धारणा परिवर्तित हुई कि संगठित राजनीति ही एकमात्र सफल राजनीति होगी। आख़िरकार सोवियत रूस और पूर्वी यूरोपीय देशों की राजनीति कम संगठित नहीं थी।

राजनीति एक महत्त्वपूर्ण माध्यम है, लेकिन मनुष्य के पास यह एकमात्र माध्यम नहीं है। उदाहरण के लिए टेक्नालॉजी और सूचना-तन्त्र अब मनुष्य के हाथ में नई शक्तियाँ हैं। समाजवादी व्यवस्थाएँ अब नहीं रहीं, लेकिन वह सपना अभी बना हुआ है, जो इन व्यवस्थाओं का आधार था—समता, वर्गहीन समाज, न्याय। इस सपने का दावा करनेवाला तन्त्र, उस पर एकाधिकार का दावा करने वाली व्यवस्था अब समाप्त हुई, इस तन्त्र और व्यवस्था से जुड़ी हुई विचार व्यवस्था भी समाप्त होने को है, पर वह सपना बना हुआ है। और इसीलिए एक व्यापक अर्थ में राजनीतिक कर्म की ज़रूरत भी बनी रहेगी, लेकिन यह

राजनीतिक कर्म ज़रूरी नहीं कि वैसा हो, जैसा अब तक रहा है। इधर पर्यावरण, मानवाधिकार जैसे अनेक मसले प्रमुखता से उभरे हैं। ये अन्तर्राष्ट्रीय राजनीति में बहुत मूल्य रखते हैं, पर हम ग़ौर से देखें तो इन मसलों को किसी अन्तर्राष्ट्रीय स्तर पर संगठित, व्यवस्थाबद्ध राजनीति ने नहीं उठाया, बल्कि छोटे-छोटे समूहों ने उठाया है। यह इस बात का संकेत है कि अब मानवीय नियति अपने को संगठित राजनीति की बजाय ऐसे छोटे-छोटे रूपों और पदों में व्यक्त कर रही है, जो उस अर्थ में राजनीति नहीं हैं।

पु. अ. : निश्चय ही। 'रेडिकल' का मतलब केवल राजनीतिक सत्तातन्त्र के सन्दर्भ में 'रेडिकल' होना नहीं होता। यह ज़रूरी नहीं है कि शक्ति के एक रूप के आने पर दूसरा रूप समाप्त हो जाए—मसलन हम भारतीय समाज को ही ले, जहाँ आधुनिक राज्य व्यवस्था के बावजूद वर्णाश्रम का रूप न केवल समाप्त नहीं हुआ, बल्कि अपने सबसे प्रचण्ड रूप में हमारे सामने है। इस स्थिति में हम किसी कवि की राजनीतिक को कहाँ खोजेंगे? मैं कवि की राजनीतिक को वहाँ खोजूँगा, जहाँ कि वह भाषा के संसार में व्यक्त होने वाले अन्यायपूर्ण शक्ति-विमर्श को चुनौती देता है। आज राजनीति का यह रूप मुझे महत्त्वपूर्ण है। पिछले दिनों युवा कवि बद्रीनारायण की एक कविता—'प्रेमपत्र' बहुत चर्चित हुई। कविता में कुछ इस तरह की बात है कि जब दुनिया रोम बचाएगी, सोना बचाएगी, चाँदी बचाएगी, मक्का बचाएगी, तो मैं अकेला कैसे बचाऊँगा, तुम्हारा प्रेमपत्र। प्रेमपत्र बचाया जा सकेगा या नहीं, यह मेरी चिन्ता नहीं, मेरी चिन्ता यह है कि यह जो बचनेवाला है, अकेला है—'मैं'। यानी मेरा काम उसे बचाना नहीं है, जो प्रेमपत्र लिख रहा या लिख रही है, मेरा काम प्रेमपत्र को बचाना है। यह राजनीति है। स्त्री जहाँ एक आब्जेक्स की स्थिति में है, उसे वहाँ से हटाकर प्रेम का सब्जेक्ट मान लिया गया है। सूरदास की गोपियों से प्रेम किया ही नहीं जाता, वे प्रेम करती भी हैं। प्रेम करने का जोखिक उठाती है और इस जोखिम की प्रक्रिया में पंडित और योगी

सबको उनकी जगह बता देती है। उनमें आप किसे 'रेडिकल' कवि कहेंगे जो वल्लभपुरी है उसे या जो मार्क्सपुरी है उसे?

मैं वाजपेयी जी की बात से मौटे तौर पर सहमत हूँ, लेकिन मैं यह कहना चाहूँगा कि आज की स्थिति में भी मानवीय नियति अपने को राजनीति में ही अभिव्यक्त करती है। फ़र्क सिर्फ़ इतना है कि इस राजनीति की अब एक नई शब्दावली विकसित हुई है। निश्चय ही अब कोई वैश्विक मॉडल राजनीति का नहीं बचा है...वर्ग के मॉडल या कि आधुनिकीकरण के मॉडल से आज की दुनिया के समाजों के तमाम शक्ति-विमर्शों के बारे में एक बना-बनाया फ़ार्मूला निकाल पाना अब सम्भव नहीं है।

प्र. त्रि. : आधुनिकतावादी तो अभी भी शक्तिमान है। निश्चय ही वे आज के 'कार्पोरेट सेक्टर' की तुलना में कम प्रभावशाली है, पर राजनीति-शास्त्र का एक साधारण-सा विद्यार्थी भी इस बात को जानता है कि तीसरी दुनिया में आज भी राज्य एक असीम शक्तिमान रूप में मौजूद है, जिसके अभिजनों को दुर्विनियोजित करने की लगातार कोशिशें जारी हैं। इसीलिए यह सोचना कि राजसत्ता बिलकुल ही अप्रासंगिक हो गई है, मैं समझता हूँ...

पु. अ. : नहीं-नहीं, मैं बिलकुल नहीं कह रहा हूँ कि राजसत्ता अप्रासंगिक हो गई है, लेकिन जहाँ तक आधुनिक राज्य की शक्ति का प्रश्न है मैं एक उदाहरण देता हूँ। जब भाखड़ा-नंगल बाँध बना था, तब किसी को न तो यह सवाल उठाने की ज़रूरत थी, न यह विचार था और न यह हिम्मत ही थी कि इतने बड़े बाँध बनाने चाहिए या नहीं। लेकिन आधुनिक राज्य आज कितना ही शक्तिशाली क्यों न हो, वह दूसरा सरदार सरोवर नहीं बना सकता। यह प्रतिरोध आदिवासियों की दुनिया में पैदा हुआ है, जिसे बुद्धिजीवियों ने 'आर्टिकुलेट' किया है। इसीलिए मैं यह नहीं मानता कि आधुनिक राज्य अब उतना शक्तिशाली है। उसकी शक्ति भयानक रूप से घट गई है—अन्तर्राष्ट्रीय स्तर पर और एक...

उ. वा. : आक्टेवियो पॉज़ ने अपने एक निबन्ध 'पोएट इन दि

मार्केट प्लेस' में कहा था कि पिछले लगभग चालीस साल से कोई नया राजनीतिक विचार नहीं आया। यह तुम्हारी उस बात के क़रीब है कि आज मानव नियति अपने आपको राजनीति में व्यक्त नहीं कर सकती। एक कवि के रूप में तुम राजनीति के साथ अपने सम्बन्ध के सन्दर्भ में और मानवीय नियति के सन्दर्भ में अपने आपको कहाँ देखते हो?

अ. वा. : एक कवि की जगह।

म. सो. : मुझे यह बात ठीक नहीं लगती कि संगठित राजनीति का युग बीत गया है या कि उसका ह्रास हुआ है; आख़िर दक्षिण अफ्रीका की हाल ही में हुई मुक्ति या कि फ़िलिस्तीनियों की स्वायत्तता और पुनर्वास की दिशा में हो रही प्रगति जैसी बड़ी घटनाएँ संगठित राजनीति में ही सुफल है। मैं समझता हूँ कि संसार के उन तमाम हिस्सों में जहाँ अन्याय के परम्परागत रूप अभी भी मौजूद हैं, उनके विरुद्ध सारा संघर्ष संगठित राजनीति के चलते ही सम्भव हो पा रहा है। राज्य की अपनी भी एक राजनीति होती है और यदि सरदार सरोवर जैसा आन्दोलन एक तरह की राजनीति की मौजदूगी का उदाहरण है, तो इस आन्दोलन को प्रतिरोध देनेवाली राज्य की राजनीति संगठित राजनीति की मौजूदगी का उदाहरण है। यही नहीं, जो राजनीति दूसरे सरदार सरोवर की सम्भावना को प्रतिरोध देती दीख रही है, वह भी असंगठित राजनीति नहीं; उसकी न केवल एक सांस्थानिक संरचना है, बल्कि उसे मिल रहा अन्तर्राष्ट्रीय बल भी उसके संगठित होने का सुफल है।

लेकिन मैं एक दूसरी बात कहना चाहता हूँ, वह हमारी दुनिया में राजनीति की आत्यन्तिक उपस्थिति की है। इस आत्यन्तिक उपस्थिति को हम अपनी भाषा के उस 'होमोजेनाइज़ेशन' में देख सकते हैं, जिसने भाषा के समूचे वैविध्य को लील लिया है और यह जो 'होमोजेनाइज़्ड' मुहावरा उत्पन्न हुआ है, वह पूरी तरह राजनीतिक होने की दिशा में बढ़ रहा है। जैसाकि मैंने संकेत किया, इसने भाषा की बहुवाचकता को नष्ट किया है और इसका सबसे भयानक पक्ष कविता या साहित्य की अन्य विधाओं में

उसका बढ़ता हुआ प्रभाव है। इसके चलते कुछ ऐसा हो गया है कि जब तक हम अपने सामाजिक, सांस्कृतिक विनिमय या प्रस्तुतियों में इस राजनीतिक मुहावरे का इस्तेमाल नहीं करते, तब तक हमारा कोई भी विनिमय, कोई भी प्रस्तुति, कोई भी कथन 'रियेलिटी इफ़ेक्ट' दे पाने में सक्षम नहीं लगता।

अ. वा. : यह सही है, लेकिन दूसरी तरफ एक दूसरा मुहावरा भी विकसित हो रहा है, जो 'रियेलिटी इफेक्ट' को कम निर्धारित करनेवाला नहीं है। मेरा संकेत जनसंचार माध्यमों से उभरते मुहावरे की ओर है। यह संकट हिन्दी पर कुछ अधिक ही है, क्योंकि हिन्दी इन माध्यमों की चपेट में सबसे अधिक है। हमारा साहित्य समाज में अपना ठीक स्थान बनाए, इसके पहले ही उस स्थान पर एक ऐसी भाषा और उसकी संरचनाएँ जगह बना लेती हैं, जो न तो हमारी हैं, न जिनमें हमारा कोई पारम्परिक बोध बोलता है (और अगर कोई अन्तर्ध्वनियाँ उत्पन्न होती भी है, तो वे उदाहरण के लिए राष्ट्रीय स्वयंसेवक-संघवादी ही होती हैं) धीरे-धीरे दुनिया में एक नया स्वप्नलोक घर करता जा रहा है, जिसमें भाषा एक विकराल अनुभव बनती जा रही है। कल जब कुछ स्कूल की बच्चियाँ मेरे दस्तख़त ले रही थीं, तो उनकी अध्यापिका मुझे लक्ष्य करते हुए उनसे कह रही थी कि 'देखो ये कितनी अच्छी हिन्दी बोलते हैं।' इस अध्यापिका पर पड़े प्रभाव को ध्वस्त करने के लिए मैंने आख़िरकार बहुत ही ख़ालिस अंग्रेज़ी में कहा कि मैं असल में अंग्रेज़ी का आदमी हूँ; अंग्रेज़ी पढ़ाता रहा हूँ; लेकिन अपनी मातृभाषा में लिखता रहा हूँ और बोलता रहा हूँ; चूँकि तुम नहीं बोलती इसलिए तुमको हिन्दी नहीं आती। यह बोलना बहुत कम हो रहा है ओर यह कमी दिल्ली और भोपाल तक ही सीमित नहीं है, अब सागर जैसे क़स्बों में भी इस मध्यवर्ग का विस्तार हुआ है।

वि. कु. शु. : अब तो गाँवों में भी लोग पूछते हैं कि 'यह रोड कहाँ जाता है?'

पु. अ. : लेकिन विनोद जी, यह अलग बात है। अंग्रेज़ी के शब्दों का हिन्दी में आना—समस्या यह नहीं है। समस्या यह

है कि यदि आप किसी से पूछें कि आप आज रात क्या खा रहे हैं तो दिल्ली में बहुत सारे लोगों के लिए यह शुद्ध हिन्दी है। दिल्ली की भाषा में यह सवाल इस तरह होगा कि आप आज डिनर में क्या ले रहे हैं। यह एक अवधारणात्मक भेद है। अब स्थिति यह है कि हम हिन्दी के वाक्य भी अंग्रेज़ी की तरह बोलते हैं।

अ. वा. : हिन्दी का एक दुर्भाग्य यह भी है कि इसका कोई एक प्रदेश नहीं है। इसीलिए इसके प्रति कोई निश्चित वफ़ादारी भी हमारी नहीं है। साक्षरता भले बढ़ जाए, लेकिन मातृभाषा का क्षरण कम-से-कम अभी तो जारी है। हम दूरदर्शन को लें तो इस बात को लेकर वहाँ बहुत सावधानी है कि अंग्रेज़ी में कोई अशुद्धि न हो, पर हिन्दी में हज़ारों ग़लतियाँ चल सकती हैं। शमशेरबहादुर सिंह की मृत्यु की ख़बर दिल्ली के किसी अंग्रेज़ी अख़बार ने नहीं छापी। जो पुरस्कार मुझे दिया गया उसका एक पूरे पृष्ठ का विज्ञापन टाइम्स ऑफ इंडिया में था, पर इस पुरस्कार समारोह की कोई ख़बर उसी अख़बार में नहीं मिली; उस अख़बार में अमिताभ बच्चन को पुरस्कार दिए जाने की ख़बर थी।

पु. अ. : इसका एक विशिष्ट पहलू है। हम जिस सूचना तकनीकी की बात कर रहे थे, उसके चलते होना तो यह चाहिए था कि भाषा का विस्तार होता, पर यहाँ तो कुएँ में ही भाँग पड़ी हुई है। आप देखेंगे कि हिन्दी में टेलीविज़न पर कोई गम्भीर किस्म की बौद्धिक बातचीत होती ही नहीं। हिन्दी में होने वाली एक स्टैंडर्ड बहस है कि कल से संसद का सत्र शुरू होने वाला है, तो उस सत्र में क्या होगा। अन्यथा चाहे पर्यावरण हो, चाहे साम्प्रदायिकता हो, चाहे अर्थनीति हो, चाहे विकास का मसला हो, दूरदर्शन पर सारी बातचीत अंग्रेज़ी में होती है। हिन्दी में गाना-बजाना और अंग्रेज़ी में विचार! हिन्दी विचार की भाषा नहीं है। मुझे किसी एक धारावाहिक का एक वाक्य याद है, जिसमें एक पात्र दूसरे पात्र से पूछता है कि आपने अमुक को किस दफ़ा के 'नीचे' गिरफ़्तार किया है। अगर अंग्रेज़ी सीरियल में कोई पात्र ख़राब अंग्रेज़ी बोलता है,

तो निश्चय ही वह पात्र अपने पहनावे आदि से देहाती बताया जाएगा, जोकि उसके द्वारा बोली गई ख़राब अंग्रेज़ी का जस्टिफिकेशन होगा, लेकिन हिन्दी के जिस सम्वाद का मैं उल्लेख कर रहा हूँ, वह या वैसे संवाद बोलने वाला व्यक्ति एक भ्रद, सभ्य और पढ़े-लिखे क़िस्म का पात्र होगा।

बहरहाल मैं अशोक जी से यह सवाल करना चाहता हूँ कि हिन्दी में विचार की दरिद्रता को दूर करने की दिशा में हम लोगों ने क्या किया है?

प्र. त्रि. : हिन्दी में विचार बिलकुल नहीं है। हम लोग बार-बार चिन्तन की दरिद्रता की बात करते रहे हैं और 'सांस्कृतिक दिवालियापन' तो अशोक का प्रिय शब्द रहा ही है। अन्यों की छोड़ें, तो खुद हम लोगों को अंग्रेज़ी की शरण में जाना पड़ता है। इस स्थिति में क्या सोचा जा सकता है?

म. सो. : मैं जिस राजनीतिक मुहावरे (पॉलिटिकल ईडियम) की बात कर रहा था, यह भी उसी का परिणाम है कि हमारे संचार माध्यम अंग्रेज़ी तहज़ीब और अंग्रेज़ी विचार के प्रति हिन्दी के मुक़ाबले में अधिक निष्ठावान हैं। यह अंग्रेज़ी के प्रभुत्व को बनाए रखने की कोशिश, उस वृहद् राजनीति का ही एक हिस्सा है, जिसे एडवर्ड सईद सांस्कृतिक साम्राज्यवाद के एक घटक के रूप में देखते हैं। आप सारा विचार, सारा कारोबार न केवल अंग्रेज़ी में करें, बल्कि यह मानकर चलें कि यह सब हिन्दी में सम्भव नहीं है। यह विचार कि हिन्दी में कोई मौलिक सोच-विचार सम्भव नहीं है, यह एक राजनीतिक मुहावरे में उत्पन्न धारणा है।

पु. अ. : ज़ाहिर है, इस बात को दोहराने की ज़रूरत नहीं है कि यह एक साम्राज्यवादी निर्मिति है। लेकिन हम जिस तरह की सूचनाधर्मी प्रविधि के ज़माने में रह रहे हैं, उसमें यदि इन निर्मिति को हम बार-बार दोहराते रहे और हिन्दी की चेतना से सम्बद्ध लोग यदि इसका सक्रिय प्रतिरोध न कर सके, तो कोई बड़ी बात नहीं होगी कि बीस साल बाद यह निर्मिति निर्मिति न रहकर एक तथ्य बन जाए। भाषा दिनोंदिन दरिद्र हो रही है, यह वास्तविकता है। अन्ततः स्थिति यह कि हम ज़रा भी चिन्तनपरक लिखने

की कोशिश करते हैं तो हमें ही लगने लगता है कि हम अंग्रेज़ी का अनुवाद कर रहे हैं। हम सोच अंग्रेज़ी में रहे हैं और लिख हिन्दी में, एक हद तक इसमें कोई अटपटी बात नहीं है। मैं जिस भाषा में सौ किताबे पढ़ता हूँ उसका असर स्वभावतः मेरे मुहावरे पर पड़ेगा। लेकिन मुझे लगता है कि बहुत जल्दी ही वह स्थिति बनने वाली है कि अभी जो वाक्यविन्यास अंग्रेज़ी से प्रभावित है, वह पूरी तरह मेरा अपना न रह जाए। यह स्थिति अनेक समाजों में इस पाश्चात्य सांस्कृतिक साम्राज्यवाद में हुई है। अगर इसका बहुत सचेत प्रतिरोध नहीं किया गया, तो दस-पन्द्रह सालों में हमारी भी यही स्थिति हो जाएगी कि हम हिन्दी में गाना-बजाना करेंगे, मनोरंजन करेंगे और अंग्रेज़ी में विचार करेंगे। ज़ी. टी.वी. घोषित रूप से हिन्दी के लिए शुरू हुआ था, लेकिन जब वे इस टेलीविज़न पर शेयर बाज़ार की चर्चा करते हैं या कि राजनीतिक तन्त्र की चर्चा करते हैं, तो वह सब अंग्रेज़ी में होती है। यानी उनके हिसाब से भी हिन्दी केवल फ़िल्मी गानों की या कि लोकप्रिय सोप-ऑपेरा की भाषा है और इन्हीं चीज़ों की हो सकती है। पर जैसाकि मैंने कहा इसे हम साम्राज्यवाद की एक और चाल कहकर यदि एक नैतिक सन्तोष प्राप्त कर लें, तो उससे बात बनेगी नहीं।

म. सो. : मैं आत्मसन्तोष के लिए यह बात नहीं कर रहा हूँ। मुझे लगता है कि जिन निर्मितियों के सहारे यह साम्राज्यवाद जारी है, हम उन निर्मितियों को 'नोटिस' में लें और उन्हें तोड़ने की कोशिश करें, उनका मिथक भंग करें, उनकी व्याख्या करने की कोशिश करें। और इससे पहले थोड़े समय के लिए यह शुद्धत्तावादी रवैया छोड़ दें कि हिन्दी लेखकों का (या हिन्दुस्तानी लेखकों) का मुहावरा अंग्रेज़ी से प्रभावित है। इस रवैये को छोड़ने की ज़रूरत इसलिए भी है, क्योंकि हम प्रविधि, संचार और कम्प्यूटर की जिस नई दुनिया में रह रहे हैं, उस दुनिया की इन तमाम चीज़ों के कारण जो नई अवधारणाएँ और नई शब्द-व्यवस्था तैयार हो रही है, उस सबके देसी समरूप खोजना सम्भव नहीं है। आप सिर्फ़ यह कर सकते हैं कि अपनी भाषा में इन

अवधारणाओं के इर्द-गिर्द के शब्द गढ़ें—ज़ाहिर है कि यह ध्यान रखते हुए कि गढ़े शब्द का और जिस अवधारणा के लिए यह शब्द गढ़े जा रहे हैं उनका निरुक्त, उनकी अर्थध्वनियों हम लेखे में लेते चलें।

प्र. त्रि. : मैंने बातचीत के शुरू में अशोक वाजपेयी के आलोचनात्मक गद्य का ज़िक्र किया था और कहा था कि उसमें तुरन्त प्रभावित करने की क्षमता है और वह क्षमता इसलिए है कि उस गद्य में निहित आवेग में एक देसी प्रवाह है। यह बात नहीं कि उसके सोच-विचार को पश्चिमी ज्ञान ने प्रभावित नहीं किया है, लेकिन यदि वह अपने परिवेश में प्रभावशील बन पाता है, तो इसलिए कि उसकी अभिव्यक्ति एक 'पैशन' में होती है। उसमें कल्पनाशीलता है, जिसके चलते उसमें एक नानार्थता पैदा होती है। इसी तरह वागीश शुक्ल जिस तरह का सिद्धान्तीकरण करने की कोशिश कर रहे हैं, वह हिन्दी में एक महत्त्वपूर्ण चिन्तन की दिशा लाने की कोशिश लगती है। यही एक तरीक़ा है—शब्दों के पुनर्वास का—चाहे वह सर्जनात्मक शब्द हो, चाहे आलोचनात्मक। पश्चिम में भागना सम्भव नहीं है, न ही उसे त्यागना। यह इच्छित चिन्तन अब सम्भव नहीं है।

उ. वा. : लेकिन पश्चिम से एक और चीज़ भी आ रही है—यह चीज़ है प्रश्न। सुधीश पचौरी आदि के निबन्ध पढ़ते हुए अब मुझे यह लगता है कि हिन्दी का बौद्धिक अब प्रश्न भी पश्चिम से ले रहा है। यानी अब आप अपने को इस मामले में भी अक्षम पा रहे हैं कि अपनी तकलीफ़ों से ताल्लुक़ रखनेवाले प्रश्न भी आप स्वयं पैदा कर सकें। यह एक दुखद स्थिति हैं इसका एक बड़ा सामान्य कारण है। मेरे एक अमेरिकी दोस्त है—डेनियल प्राइज़। वे कहते हैं कि अमेरिका में डि-कांस्ट्रक्शन भी है और बहुत ईमानदार आलोचक भी डि-कांस्ट्रक्शन के हैं, लेकिन इसी के साथ वहाँ एक डि-कांस्ट्रक्शन फैक्ट्री भी है। मुझे लगता है कि सुधीश पचौरी जैसे हमारे लेखक इस फैक्ट्री के असर में अधिक हैं। लियोतार या देरिदा का अपना चिन्तन वहाँ के दर्द से, वहाँ की यातनाओं से पैदा हुआ है। ये दर्द

और यातनाएँ वहीं नहीं हैं, जो हमें घेरे हुए हैं। हमारा दुख वही नहीं है, जो उनका है।

म. सो. : जिन दिनों राजनीति में शीतयुद्ध का दौर चल रहा था, तब एक आलोचक के रूप में और एक आयोजक के रूप में भी शीतयुद्ध के उसे पूरे वातावरण में...

अ. वा. : हम लोग तो गुटनिरपेक्षता वाले हैं।

म. सो. : ...आपकी आलोचना और आयोजन पर इस शीतयुद्ध की छायाएँ पड़ती रही हैं; आपके और नामवर जी के बीच शिखर-वार्ताएँ भी होती रही हैं और होती रहती हैं। मेरा प्रश्न यह है कि शीतयुद्ध के समाप्त हो जाने के बाद क्या हिन्दी की विचारधारात्मक शास्त्रार्थ की स्थिति इस नई परिस्थिति से प्रभावित हुई है? एक आलोचक के रूप में और एक सम्पादक के रूप में भी इस नई विचारधारात्मक व्यवस्था के बीच आप स्वयं को किस जगह देखते हैं?

अ. वा. : हिन्दी में कोई बहुत बुनियादी परिवर्तन आया हो, ऐसा मुझे नहीं लगता। कुछ लोग बूढ़े हो रहे हैं, कुछ अधेड़ हो रहे हैं, इसीलिए अब उतनी गर्मी नहीं है। इसका कारण शीतयुद्ध की समाप्ति नहीं है, बल्कि रक्त की ऊष्मता के घट जाने से है। बुनियादी मतभेद कुछ धारणाओं को लेकर और कुछ लेखकों को लेकर रहा है। इन धारणाओं और लेखकों के पुनराकलन का कोई प्रयत्न हो रहा हो, ऐसा मुझे नहीं लगता। मुझे नहीं मालूम कि उनके अन्दर क्या चल रहा है, पर प्रगट रूप से एक निराशा तो दिखाई देती ही है। जिन लोगों से हमारी बात होती थी, पुरुषोत्तम अग्रवाल जैसे लोग जो सम्वाद-उत्सुक थे, उनसे अब भी बात होती है। जिनसे पहले बात नहीं होती थी, उनसे अब भी नहीं होती। नमस्कार वग़ैरह होता है, लेकिन कोई सार्थक संवाद नहीं। लगता है कि उन्हें कोई नए प्रश्न व्यापते नहीं। चूँकि प्रश्न भी नए नहीं हैं, इसलिए उनके उत्तर भी क्योंकर नए होंगे? लेकिन अपने लिए उस बहस में उस हद तक पड़ना अब ज़रूरी नहीं रह गया, क्योंकि वह बहस किसी नतीजे पर पहुँचे बिना अब शिथिल पड़ गई है।

दूसरी तरफ मुझे यह लगता है कि हमारे अपने प्रश्न अब कुछ भिन्न तरह के होने लगे हैं—साहित्य विचार का प्रश्न या कि साहित्य पर विचार के उपनिवेशवाद का प्रश्न, साहित्य के अपने जनपद का प्रश्न आदि। इन प्रश्नों को छोड़ने की विशेष ज़रूरत मैं नहीं समझता। ये प्रश्न तब तक बने रहेंगे, जब तक इनके क्षेत्र में कोई बड़ा परिवर्तन नहीं हो जाता। इधर शायद मेरी कुछ दुर्दशा पर दया करते हुए, मुझे ऐसा लगता है कि मुझे लेकर उतना निषेध नहीं रहा, मेरे काम की थोड़ी बहुत स्वीकृति भी है; एक तरह की रियायत।

पु. अ. : मैं उदयन के प्रश्न पर लौटना चाहता हूँ जिसमें उन्होंने यह कहा कि हमारे प्रश्न भी विदेशों से आ रहे हैं। मैं सिर्फ़ इतना कहना चाहूँगा कि पक्ष और प्रतिपक्ष दोनों के ही प्रश्न विदेश से ही आते रहे हैं। इसमें कोई हर्ज न होता, यदि इन प्रश्नों में हमारे अपने सामाजिक अनुभव, हमारी अपनी पारम्परिक समस्याएँ, उनका बोध और उनकी अनुगूँजें होतीं। इस सन्दर्भ में और शीतयुद्ध आदि की जो बात कही गई, उसके सन्दर्भ में भी, एक कवि और एक आलोचक के रूप में क्या आपको इस बात की ज़रूरत महसूस होती है कि हम अपने समूचे सांस्कृतिक-सामाजिक अनुभव और सृजनात्मक उपस्थिति को नए सिरे से पुनर्परिभाषित करें?

अ. वा. : हाँ।

पु. अ. : क्या एक आलोचक के रूप में आपके मन में कोई युक्ति है या कि एक कवि के रूप में एक बड़ी सृजनात्मक स्मृति है?

अ. वा. : युक्ति तो मैं नहीं जानता कि क्या है। 'तारसप्तक' को लगभग पचास साल हो गए। शीतयुद्ध को भी बीस-पचीस साल हो गए। इस पूरी अवधि में यह कहना कि सारे सवाल बाहर से ही आए, ठीक नहीं है। बहुत सारी लड़ाई बहुत 'पैशन' सही या ग़लत जैसा भी रहा हो। यह शायद इस लड़ाई की अनिवार्यता थी कि न्याय-बुद्धि के अभाव में 'सेंस ऑफ़ फ़ेयर प्ले' शिथिल पड़ता गया। अन्ततः तो यह होने लगा कि अगर कोई एक पक्ष के आयोजन

में चला गया तो उसकी निष्ठा पर सन्देह किया जाने लगा। यह दिलचस्प बात है कि इस लड़ाई के अनेक प्रमुख योद्धा और प्रवक्ता सृजनात्मक रूप से विशेष सक्रिय लोग नहीं हैं; उनका सृजनात्मक ज़िन्दगी में भी बहुत सक्रिय योगदान नहीं है। यदि किसी का है भी, तो बीस-पचीस साल पुराना है। यदि मैं दूसरी तरफ़ होता तो यह करता कि कला और सर्जनात्मकता के प्रश्नों को, कृति और लेखक को केन्द्र में रखकर बात करता। फिर भले ही नतीजे क़रीब-क़रीब वही होते, जो उस पक्ष के लोगों ने निकाले। दिक़्क़त यह है कि लेखकों को लेकर कोई विशेष असहमति नहीं रही। हम भी और वे भी मुक्तिबोध और शमशेर को या कि रघुवीर सहाय को बड़ा लेखक मानते हैं। शायद हम दोनों ही कमला प्रसाद और धनंजय वर्मा को रमेशचन्द्र शाह और मलयज के मुक़ाबले आलोचक नहीं मान सकते। बड़े लेखकों को लेकर कोई झगड़ा नहीं हैं। व्यक्तिगत रुचि की बात और है और यह व्यक्तिगत रुचि या उसकी विकृति हो सकती है कि मैं त्रिलोचन या मुक्तिबोध या शमशेर को नागार्जुन से बड़ा लेखक मानता हूँ। महत्त्वपूर्ण बात यह है कि जिन लेखकों में हमारा विश्वास है, उन्हें हम किन औज़ारों के सहारे पढ़ते हैं।

मुझे लगता है कि अब शायद यह जरूरी है कि हम एक-दूसरे के औज़ारों का उपयोग करते हुए पढ़ें।

मैं पिछले लगभग 25 सालों से यह मानता और कहता रहा हूँ कि साहित्य के प्रति अनुराग को मनुष्य के प्रति अनुराग के विरुद्ध नहीं माना जाना चाहिए उसे कलावाद या जीवन-विमुख दृष्टि के रूप में नहीं देखा जाना चाहिए। यह बात दिलचस्प है कि पिछले दिनों जो हिन्दूवादी साम्प्रदायिक सरकारें आईं, उन्होंने सबसे ज़्यादा हमले हम तथाकथित कलावादियों पर ही किए, तथाकथित प्रगतिवादियों पर नहीं। किन लोगों को परेशान किया गया—मदन सोनी, ध्रुव शुक्ल, उदयन वाजपेयी, अखिलेश को या कमला प्रसाद और ज्ञानरंजन को?

पु. अ. : आप जो कह रहे हैं, वह अपने में महत्त्वपूर्ण बात हो सकती

है, लेकिन मेरा सवाल यह नहीं था। मैं उदयन की उस टिप्पणी के सन्दर्भ में बात कर रहा था कि हिन्दी में, ख़ासकर साहित्य के सम्बन्ध में होनेवाली अधिकांश बहसें, उनके सवाल और जवाब अपनी जड़ों से कटे हुए और अप्रमाणित हैं। मेरी आपत्ति इन सवालों या जवाबों के बाहर से आने पर नहीं है, उनके अपनी जड़ों से कटे होने पर है : आप ग़ौर करेंगे, और मैंने व्यक्तिगत बातचीत में एक बार आपसे कहा भी था कि हिन्दी या किसी भी भारतीय भाषा में लिखी जाने वाली कोई औपन्यासिक कृति भारत की वर्णाश्रम व्यवस्था को लेखे में लिये बग़ैर महत्त्वपूर्ण नहीं हो सकती। यह दुर्भाग्यपूर्ण है कि हमारी भाषाओं की आलोचना इस तथ्य पर कभी ध्यान नहीं देती। 'गोदान' और 'मैला आँचल' के सैकड़ों अध्ययन हुए हैं, पर जहाँ तक मेरी जानकारी है, इन अध्ययनों में इस पर कोई टिप्पणी नहीं है। यह आलोचना का अपनी जड़ों से कटे होने का और विदेशी प्रतिमानों से संचालित-प्रभावित होने का प्रमाण है। मैं प्रगतिशीलों और ग़ैर-प्रगतिशीलों के घपलों की बहस में नहीं जाना चाहता। मुझे लगता है कि हम सभी को थोड़ा ठहरकर यह ग़ौर करने की आवश्यकता है कि हिन्दी में सर्जनात्मक और आलोचनात्मक दोनों ही स्तरों पर हम अपने परिवेश के प्रामाणिक सवाल किस तरह उठाएँ। आपसे मेरा प्रश्न यही था कि इसको लेकर आपके मन में कोई युक्ति है? क्या आप इस स्थिति को लेकर कोई चुनौती अनुभव करते हैं?

अ. वा. : मैं आपके सवाल का जवाब थोड़े दूसरे ढंग से दे रहा था। मेरा कहना यह था कि यदि हमारा आशय यह है कि यह कहना कि पिछले दो दशकों के आलोचनात्मक और सर्जनात्मक सरोकार जड़ों से कटे हुए हैं, यह एक क़िस्म का प्रपोज़ीशन हो सकता है पर दूसरे क़िस्म या प्रपोज़ीशन यह भी हो सकता है कि हमारा सृजनात्मक लेखन तो अपनी जड़ों से जुड़ा हुआ है, पर हमारी आलोचना में यह बोध नहीं है।

मुझे लगता है कि अब वह समय है कि जब आलोचना अपनी ज़मीन से जुड़ी हुई इस सर्जनात्मकता

पर अपना ध्यान एकाग्र करे। अगर हम इस तरह की कृति-केन्द्रित आलोचना पर ध्यान एकाग्र करेंगे, तो हमारे अपने परिवेश के प्रश्न स्वतःस्फूर्त भाव से उठेंगे। इसके लिये हमें विचारधारात्मक ढाँचों को छोड़ना होगा। इन विचारधारात्मक ढाँचों को—चाहे वे अकादेमिक हों, चाहे तार्किक—छोड़े बगैर हम इन स्वतःस्फूर्त प्रश्नों को नहीं पहचान पाएँगे।

भले ही हम कहते रहें—मसलन 'नौकर की कमीज़' को पढ़ते हुए हमारे मन में उठे ये प्रश्न ज़मीन से जुड़े हुए हैं, जबकि वे पूरी तरह से आरोपित हों। यह एक विचित्र विडम्बना है कि हिन्दी का समाज और इसमें हिन्दी लेखकों का समाज शामिल है—साम्प्रदायिकता के विरुद्ध लड़ने का दावा करता है, पर सबसे अधिक साम्प्रदायिकता स्वयं हिन्दी समाज में ही है। हम इन प्रश्नों से क्यों नहीं दो-चार होते कि जबकि हमारा साहित्य और हमारी भाषा साम्प्रदायिक नहीं है, सबसे ज़्यादा साम्प्रदायिकता इसी भाषा के जनपद में क्यों है। मेरा सुझाव है कि हम सैद्धान्तिक बहस करना फ़िलहाल बन्द कर दें। सिद्धान्त पर सहमति की सम्भावनाएँ बहुत कम होती है। मेरे अध्यापक बालचन्द्र राजन् कहा करते थे कि यदि 'जजमेंट' के 'एरिया' को 'रिस्ट्रिक्ट' कर दिया जाए और 'डिस्क्रिप्शन' के 'एरिया' को बढ़ा दिया जाए, तो संवाद की गुंजाइश बढ़ेगी। इसीलिए मैं कह रहा हूँ कि हमारी सहमति इस बात पर आसानी से हो सकती है यदि हम यह देखें कि अमुक उपन्यास में क्या घट रहा है। श्री राजन् कहा करते थे कि एक आलोचक का काम इस बात के वर्णन में है कि एक कलाकृति में बुनियादी रूप से क्या घटित हो रहा है; जो हो रहा है उसे परखने का, उस पर मूल्य-निर्णय देने का नहीं।

मैं जानता हूँ कि ऐसे कृति-केन्द्रित विवरण में भी एक मूल्यबोध निहित होता है, पर मैं समझता हूँ कि इस मूल्यबोध को छुपाने की बजाय आलोचक को उसे उजागर करना चाहिए। एक बार महेन्द्र भल्ला मुझसे कह रहे थे कि तुम मुक्तिबोध और शमशेर की कविता कैसे पढ़ पाते

हो! इसमें यह भाव निहित था कि इन कवियों की कविताएँ अपठनीय है। मेरा संकेत यह है कि हमारे यहाँ 'ओपिनियन्स' का एक संसार बना हुआ है—अपरीक्षित, अप्रमाणित और अव्याख्यायित 'ओपिनियन्स' का संसार। 'नौकर की कमीज़' के बारे में एक 'ओपिनियन' है और इस पर मतैक्य है कि यह हिन्दी के पिछले 20 साल के महत्त्वपूर्ण उपन्यासों में से एक है। आप मुझे कोई ऐसा एक निबन्ध बताइए, जो इस उपन्यास के बारे में इस 'ओपिनियन' को प्रमाणित करता हो। 'नौकर की कमीज़' को छोड़िए। प्रेमचन्द, निराला, अज्ञेय, शमशेर और नागार्जुन पर भी लिखे गए किन्हीं ऐसे आलोचनात्मक निबन्धों का नाम बताएँ, जो इन लेखकों के बारे में प्रचारित मतैक्यपूर्ण धारणाओं को प्रमाणित करते हों।

मैं बहुत ज़्यादा आलोचना लिखना नहीं चाहता, पर यदि मुझे फुरसत मिली, तो मैं स्वयं भी ऐसे कृति-केन्द्रित आलोचना उद्यम पर अपना ध्यान केन्द्रित करना चाहता हूँ। समकालीन रचना मुझे बहुत उत्साहित नहीं करती। इधर की कविता में मुझे कुछ ख़ास नज़र नहीं आता। वह बहुत 'व्यक्त' कविता है। उसकी आलोचना व्यर्थ है, क्योंकि उसका सारा अर्थ खुला हुआ खिड़की पर रखा है।

साक्षात्कार, 1995

हँसता हुआ नूरानी चेहरा...

अशोक वाजपेयी से सुधीश पचौरी की बातचीत

सु. प.—अशोकजी आपके चेहरे पर ये जो स्थाई हँसी रहती है। इसकी वजह क्या है?

अ. वा.—*(हँसते हुए)* इसका कारण एक तो यह है कि इस जीवन और संसार के प्रति मेरे मन में एक मोहभाव है। दूसरा तो यह है कि जीवन में हर पल कोई-न-कोई विडम्बना होती है, इसका मुझे एक विचित्र आह्लाद का भाव रहता है और तीसरा यह कि मुझे खुद भी बहुत हँसी आती रहती है। तो दूसरों पर हँसी के बहाने मैं अपने पर हँसता रहता हूँ। जैसे मैं किसी सभा में बैठ हूँ। मुख पर कोई आक्रमण हो रहा या प्रशंसा ही हो रही है तो हमेशा एक शैतानी का-सा भाव मेरी आँखों में रहता है। मुझे इसमें बहुत मज़ा आता है।

सु. प.—ये जो आपके मन में शैतानी का-सा भाव है या मज़ा लेने का भाव है एक्जेक्टली यहा कहाँ से आपको मिला है। मसलन कि यह मानें यह आपके मिज़ाज़ में बचपन से है तो यह कुछ-कुछ कस्बाई किस्म का भाव है, जो अपनी मस्ती में रहता है, अपनी दुनिया में रहता है। तो यह चीज़ आपको कहाँ से मिली?

अ. वा.—हालाँकि मेरे पिता बड़े गुस्सैल थे। लेकिन उनका एक अपना विनोद-भाव था। उनका एक अपना 'सेंस ऑफ ह्यूमर' था, जो कई बार बड़ा तीखा भी होता था, जो मेरे मामले में भी हो जाता है। मतलब कि मैं अपने सुभाषितों के लिए विख्यात नहीं हूँ, जितना अपनी कटुक्तियों के लिए कुख्यात हूँ। कुछ तो शायद उधर से आया हो। दूसरे हम एक छोटे शहर के रहने वाले थे। अब जैसी जिन्दगी मिली थी सो मिली थी। और यह मुझे बहुत सही समझ में आ गया था कि जो भी करना है उसको ख़ूब लगन से करो, 'पैसन' से करो, लेकिन होगा क्या अन्ततः ये ज़रा कहना मुश्किल है। इसीलिए

इसमें बहुत ज्यादा लिप्त होना, दुखी अनुभव करना, कातर होना इत्यादि-इत्यादि बेकार की बातें हैं। दूसरा यह है कि कहीं-न-कहीं मुझे अपनी 'प्राइवेसी' की बहुत गहरी चिन्ता रही है। मतलब ये कि अपना एक गोपन एकान्त है, जिसमें किसी को झाँकने नहीं देना चाहिए और वह इससे बच जाता है। हँसी एक पर्दे का काम करती है।

सु. प.—आपके जीवन में ऐसा क्या गोपनीय है, जिसे आप छुपाना चाहें। अभी मैं पिछले दिनों इस पुस्तक को 'रीड' कहता रहा, उसमें मुझे 'खुला खेल फरुख्खावादी' वाला मामला आपका ज्यादा दिखता है। आप ताल ठोंककर लड़ भी जाते हैं, अड़ जाते हैं और इस तरह का आदमी बड़ा बेध्य होता है। आप जो ज्यादातर नज़रों में रहे हैं, बेध्य रहे हैं। ऐसे में ऐसा क्या आपने अपना 'लोक' बनाया हुआ है।

अ. वा.—असल में ऐसा कोई जिसे आप कहें गोपनीय सम्बन्ध (मैंने तो सम्बन्धों के बारे में भी खुले ढंग से कविता में लिखा है), ऐसा तो कोई नहीं है। असल मेरे मन में एक गहरा अवसाद है।

सु. प.—मैं मंगलेशजी से बातचीत करते हुए यह बात उनको कह चुका हूँ कि समूचे आनन्द में (मंगलेश जी ने कहा कि अशोक जी आनन्दवादी ही हैं), वे 'सप्रेस्ड' हैं, वे 'टैक्टिकली सप्रेस्ड' हैं या आदतन 'सप्रेस्ड' हैं, वह बात दूसरी है। लेकिन यह आदमी दुखी है। तो वो जो आपने बात कही है कि गहरे दुख हैं, उसको छुपाने के लिए हँसी को एक अस्त्र की तरह इस्तेमाल करते हैं।

अ. वा.—मतलब जानबूझकर तो ऐसा नहीं किया था। स्वभाव बन गया। लेकिन बाद में यह काम में आने लगा। एक युक्ति जिसका मैं खूब इस्तेमाल करता हूँ। अक्सर बोलते हुए मैं अपने किसी उदाहरण का, निजी अनुभव का ज़िक्र करता हूँ। उससे बात को एक तो निजी सत्यापन मिल जाता है, लेकिन उससे एक झाँसा भी हो जाता है, झाँसा यह हो जाता है कि जरूरत से ज्यादा अपने बारे में बताने की ज़रूरत नहीं पड़ती, थोड़े में ही एक युक्ति की तरह इस्तेमाल हो जाता है कि लोगों को लगता है कि भई देखिए, उन्होंने अपने मन की बात बताई है और प्रामाणिकता भी उससे मिल जाती है। मतलब मैं बचपन में बड़ा बीमार रहा हूँ। 18 बरस की उम्र तक ऐसा कोई रोग ही नहीं है जो न हुआ हो। मतलब उस समय के जितने राजरोग थे—हैजा, प्लेग, टायफायड, मलेरिया, चेचक, ड्राई प्लूरेसी—ये सब हुआ। फिर पेट का दर्द, दाँत का दर्द, कान का दर्द, सारे दर्द। बचपन में एक बार लगभग मृत मानकर लिटा दिया गया। तो ये कहीं-न-कहीं अन्दर घर कर गए। मेरी माँ

का मुझ पर बहुत प्रभाव था एक मायने में। और पिता का एक आतंक था, वे किसी का रोब नहीं मानते थे। वो कुछ-कुछ मुझमें भी आ गया कि मैं किसी अच्छे खाँ का रोब नहीं मानता। तो इन सब बातों ने एक ऐसा समुच्चय बनाया है, जिसके बहुत सारे ऐसे पक्ष है, जिनको ऐसा नहीं कहना चाहिए अपनी थाती है। और हर चीज़ को दूसरों से 'शेयर' करना अगर वांछनीय हो भी तब भी मुमकिन कहाँ होता है। मतलब ऐसी चीज़ें जिनको दूसरों से साझा आप कर सकते हैं। कहीं-न-कहीं कुछ-न-कुछ एक 'इंट्रेक्टेबुल' रह जाता है, जिसे आप न तो कविता में साझा कर सकते हैं, न जीवन में साझा कर सकते हैं। तो वह बना रहता है, तो एक किस्म का दुखद एकान्त है वो। कोई बड़ा सुखद एकान्त नहीं है। जिसमें आप मगन रहें, ऐसा वो नहीं है। करता तो अन्ततः त्रस्त है, लेकिन है।

सु. प.—आपके मित्र के.जी. वर्मा ने आप पर जो टिप्पणी लिखी है, उसमें एक जगह उन्होंने बताया है कि आपने अफ़सरी चुनी (यद्यपि ये शब्द उनके नहीं हैं, मेरे हैं।) अध्यापकी नहीं चुनी। आपने सुरक्षित मार्ग चुना, असुरक्षित मार्ग नहीं चुना। आप अध्यापक थे दि.वि. में, आप वैसे बने रह सकते थे। तो ये जो चुनाव आपने किया, इसकी वज़ह क्या है। मतलब अध्यापकी छोड़कर, यानी ज्यादा स्वातन्त्र्य छोड़कर आप अफ़सरी की तरफ गए, इसकी वज़ह क्या है?

अ. वा.—देखिए, वैसे तो इसकी तीन वज़हें थी। एक तो यह था कि मैं आया ही दिल्ली सागर से इस मध्यवर्गीय महत्त्वाकांक्षा के चलते मुझे यहाँ से आई. ए.एस. में होना है। पिताजी किसान के बेटे थे, डिप्टी रजिस्ट्रार बने, बड़ा रोब था। तो वे चाहते थे कि उनका बेटा और आगे जाए। तो इसी के लिए मैं आया था। दूसरा ये था कि आध्यापकी जब मैं कर रहा था, वो कोई बड़ा प्रीतिकर अनुभव नहीं था। तीसरा यह था कि अपने पिता को फोन करके मैंने कहा था कि मैं नहीं जाना चाहता, बल्कि आई.एफ.एस. में नहीं गया, आई.एफ.एस. भी मैंने कर लिया था। पहले वो छोड़ा। फिर मुझे उत्तर प्रदेश मिला जा रहा था क्योंकि मेरा नाम काफ़ी ऊपर था। पहला 'प्रिफ़रैंस' मेरा उत्तर प्रदेश था, तो वो भी मैंने छोड़ा। क्योंकि मैं उ.प्र. नहीं जाना चाहता था।

सु. प.—उ.प्र. में ही आपने शादी की।

अ. वा.—उ.प्र. के ही थे। ये था कि जाना ही है तो विदेश जाएँ। इसका मुझे खेद नहीं है, रत्ती-भर खेद नहीं है। मैं समझता हूँ कि मैंने यह समझदारी की कि...

सु. प.–अध्यापक नहीं बना।

अ. वा.–नहीं बना। न कहके मतलब यह कि मैं वहाँ गया जहाँ मैं गया। क्योंकि जो मेरे जीवन में कुछ और होने को था वो अध्यापक रहते न होता।

सु. प.–*(हँसते हुए)* आप अध्यपकों के बारे में इस तरह की बातें…

अ. वा.–नहीं-नहीं, मेरा मतलब यह था कि जिस तरह की संस्थाएँ मैं बनाना चाहता था, वो शायद अध्यापक रहते न हो पाता।

सु. प.–ये नक्शा आपके मन में पहले से था।

अ. वा.–मेरे अन्दर योजनाधर्मी व्यक्ति शुरू से था। मतलब अब 17 वर्ष की उम्र में हम लोग 'समवेद' नाम की पत्रिका निकालते थे। 18-20 की उम्र में सागर, वि.वि. में 'रचना' नाम की संस्था चलाते थे। जिसमें अज्ञेय, मुक्तिबोध, नन्ददुलारे वाजपेयी इनके वक्तव्य हुए थे। तो एक योजनाधर्मी दिमाग जो था वो पहले से था। और इसलिए बाद में अफ़सरी के जो ऐसे तत्त्व हैं, जैसे व्यर्थ का रोब-दाब, दूसरों के पैसे पर ऐय्याशी, हो सके तो बेईमानी, चापलूसी, राजनीतिक दाँव-पेंच। इससे मैं अलग ही रहा क्योंकि जो रास्ता चुना था वह इन सबसे अलग था। और वो रास्ता मुझे न मिलता। ऐसा मुझे लगता है। वैसे हो सकता है, अध्यापक अगर रहते तब भी कुछ करते ही।

सु. प.–नहीं, आप अध्यापक अगर होते तो न तो इतनी परेशानियाँ आपको उठानी पड़तीं। आपने काफी कंटकों वाला मार्ग चुना। एक चीज मेरे दिमाग में हमेशा रही है कि वह जो आदमी है, वो एक ऐसी मुकम्मिल 'टेक्स्ट' है, जिसके अनेक 'सब टेक्स्ट' निकलते रहते हैं। तो आपके द्वारा अब तक जो लिखा गया है, उसके कई चरण मैंने पढ़ते हैं। ये जो अभी आपने बताया है योजनाधर्मी आप रहे हैं। आप योजना बनाते हैं, योजना को 'एक्जीक्यूट' करते हैं। इसके लिए ये सुविधा आपको लगी कि अगर मैं इसमें जाता हूँ तो इसको कर पाऊँगा। तब आपके दिमाग में 'एक्जेक्टली' क्या था नक्शा कि मैं जाऊँगा, तो मैं संस्कृति को चुनूँगा अपने कार्यक्षेत्र के रूप में। एक ऑफिसर के रूप में भी, एक बुद्धिजीवी के रूप में भी क्या था?

अ. वा.–असल में देखिए, हमारे परिवार में प्रशासन पहले से था। हमारे मामा भारतीय प्रशासनिक सेवा में आए और मध्यप्रदेश के गृहसचिव और बाद में चुनाव आयुक्त होकर रिटायर हुए। और भी बहुत सारे लोग परिवार के किसी-न-किसी ढंग से प्रशासन से जुड़े हुए थे। तो कुछ मुझे अंदाज़ था

कि प्रशासन में क्या कुछ हो सकता है। तब पूरी तरह से यह अंदाज़ नहीं था कि अगर आप चाहें तो एक अलग रास्ता चुन सकते हैं। सरकार को भी उस रास्ते पर ला सकते हैं। बाद में तो यह सैद्धान्तिक चिन्तन तो बहुत सारे लोगों ने किया है कि राज्य और सत्ता का, रूप और कांग्रेस का, रूप और अशोक वाजपेयी की सांस्कृतिक पहल इन सबमें बड़ा संघर्ष खोजा गया है। असल बात ये है कि जब मैं महासमुन्द में एस.डी.एम. था, यह बात मेरे मसूरी के ट्रेनिंग के समाप्त करने के एक साल बाद की है, यानी तब मेरी नौकरी के दो साल हुए थे। मैंने एक युवालेखन शिविर का आयोजन करवाया। जिसमें नेमिजी आए थे। शानी आए थे। कमलेश्वर आए थे और छत्तीसगढ़ के तमाम युवा लेखक एकत्र हुए थे। तब मुझे यह समझ में आया कि यह जो सुविधाएँ आपको मिलती हैं, यह जो रोब-दाब आपका है, उसका आप ऐसा भी इस्तेमाल कर सकते हैं। फिर जब सीधी पहुँचे, कलेक्टर बनकर पहुँचे तो हमने पहचान निकाली। पहचान दो तरह से। एक तो यह कि हमारी पीढ़ी के जो प्रतिभाशाली लोग हैं उनके संग्रह ही नहीं निकलते थे, तो उनके छोटे-छोटे संग्रह हमने निकाले। पहचान के पहले चार अंकों में पन्द्रह कवियों के कविता संग्रह हैं जो आज के प्रतिष्ठित कवि हैं। लेकिन उसके पीछे जो दूसरा अविवक्षित कारण था वह यह था कि सीधी जैसी जगह में साहित्य से मेरा सम्बन्ध ही टूट जाएगा। यह सब अभी व्यक्तिगत स्तर पर हो रहा था। तो सीधी में ही यह बात मेरे दिगाम में आना शुरू हुआ कि आखिर यह प्रजातान्त्रिक राज्य है, कल्याणकारी राज्य है, यह दुनियाभर के क्षेत्रों में सक्रिय है तो संस्कृति में क्यों नहीं? कुछ इसलिए भी कि मध्यप्रदेश में गैरसरकारी पहल किसी भी क्षेत्र में बहुत सीमित थी। आज भी है। आज भी नर्मदा बचाओ, आन्दोलन को मेधा पाटेकर, बाबा आम्टे बाहर से आयात करना पड़ता है। तो मुझे लगा कि राज्य की इस तरह की भूमिका क्यों नहीं? तो मैं उन दिनों कभी-कभी अर्जुन सिंह, वे वहाँ के विधायक थे, उस जिले के विधायक नहीं थे, बगल के जिले से थे, आते थे, पढ़े-लिखे आदमी थे, पुस्तकों इत्यादि में रुचि थी, लिखते बहुत अच्छा थे, उनसे कभी-कभी बात होती थी। मैं उनसे कहता था कि मुझे समझ में नहीं आता कि सरकार इस क्षेत्र में क्यों कुछ नहीं करती। गप्पबाज़ी के तौर पर यह बात कही जाती थी। उसके बाद मैं सरगुजा गया। सीधी में एक लेखक शिविर भी किया, फिर सरगुजा में भी एक लेखक शिविर किया। उसमें शमशेरजी भी आए थे, भारत भूषण अग्रवाल, ज्ञानरंजन। ज्ञानरंजन की अन्तिम कहानी उसी में पढ़ी गई थी। उसके बाद उन्होंने कभी कहानी लिखी ही नहीं।

सु. प.—कहीं ऐसा तो नहीं कि आपने उनको बुलाना बन्द कर दिया, इसलिए उन्होंने लिखना बन्द कर दिया।

अ. वा.—नहीं-नहीं, बुलाया तो उसके बाद भी उन्होंने आना ही बन्द कर दिया। उनकी कहानी, 'बहिर्गमन', जो 'पहचान' में छपी थी, उनकी आखिरी कहानी है। वह वहीं पढ़ी गई थी और श्रीकान्तजी की उपस्थिति में पढ़ी गई थी, जबकि माना जाता है कि वह श्रीकान्तजी पर ही लिखी गई थी, इत्यादि। तो ये सरगुजा में हुआ। सरगुजा से जब मैं उपसचिव होकर भोपाल आया। यानी तब मेरी नौकरी के कुल सात साल हुए थे। तब संयोग ऐसा हुआ कि जिस दिन मैं आया, उसके चार दिन बाद अर्जुन सिंह शिक्षामन्त्री होकर आ गए।

सु. प.—*(हँसते हुए)* मतलब ये जान-बूझकर नहीं हुआ।

अ. वा.—मेरा एक सिद्धान्त रहा है कि कोई आपका परिचित किसी बड़े स्थान पर पहुँच जाए तो उनसे दूर रहना चाहिए। उसकी ज़रूरत हो तो बुलाए। तो दो-तीन महीने तक कोई सम्बन्ध उनसे नहीं रहा। एक दिन किसी अधिकारी के यहाँ मैं गया था और निकल रहा था, सामने से अर्जुन सिंह जी भी निकल रहे थे। कहने लगे, अरे कहाँ है आप? मैं आपको दो-तीन दिनों से ढूँढ़ रहा था, आइए कल। कहने लगे आप बहुत कहते थे कि संस्कृति के क्षेत्र में कुछ करना चाहिए। अब मेरे पास जो मन्त्रालय है इसमें संस्कृति का भी कुछ है, अब बताइए क्या करेंगे आप। तो ऐसा एक संयोग बना। चूँकि उनकी कुछ समझ थी कि कुछ करना चाहिए। कुछ करना चाहिए, ऐसा भी उनकी बात से इसलिए निकल रहा था कि मैंने उनको उलाहना दे रखा था कि सरकार संस्कृति के क्षेत्र में कुछ क्यों नहीं करती?

दूसरी तरफ मध्यप्रदेश का होने के नाते। मध्यप्रदेश कतरनों का प्रदेश था, कुछ इधर से छूट गया, जो महाराष्ट्र में नहीं जा सका जो उत्तर प्रदेश से छूट गया उन सबको जोड़कर मध्यप्रदेश बना था। इसलिए उसकी अपनी कोई सांस्कृतिक पहचान नहीं बनती थी। यद्यपि वहाँ बहुत सारे लोग हैं जिन्होंने अद्भुत काम किया है। तो मध्यप्रदेश की पहचान का प्रोजेक्ट है यह।

सु. प.—आप मध्यप्रदेश के हैं तो कहीं इसमें एक खास किस्म का 'सन ऑफ सॉइलिज्म' तो नहीं काम कर रहा है। यद्यपि ये अगर कार्य कर रहा है तो ये अच्छा है कि आप जिस जगह के हैं, उस जगह का एक अभिमान होता है, अकड़ होती है और ये अकड़ आपमें काफी है। भगवान की दुआ से ज़रूरत से ज्यादा हैं तो ऐसा तो नहीं कि 'सबकांशस' में यह

बात रही हो कि अपने इस उपेक्षित प्रदेश के लिए मुझे...

अ. वा.—न केवल यह बात मेरे अवचेतन में थी, काफी हद तक मेरी चेतना में भी थी कि हम लोग एक पिछड़े हुए प्रदेश के लोग हैं, हम लोग कहीं के नहीं माने जाते। जब कुछ कहा जाएगा तो उ.प्र. या बिहार, राजस्थान का अपना वैभव है पुराना। यहाँ सबकुछ है बस इनको गूँथने वाली कोई चीज़ नहीं है। और ख़ुद यहाँ के लोग ही इस बात को नहीं जानते हैं कि उनके पास क्या है। तो ये बात मेरे दिमाग में बिलकुल साफ थी कि मैं यहाँ का हूँ और यहाँ ये सबकुछ है। उस ज़माने में 'लिंक' में मैंने लेख लिखा था, 71-72 की बात है, 25 साल आज़ादी के हुए थे, तो विशेषांक निकला था कुछ। तो मैंने म.प्र. पर जो लेख लिखा था, उनका शीर्षक था 'दि प्रोटेस्टेंट आर्म ऑफ हिन्दी चर्च'। मेरा कहना यह था, दो तरह की चीज़ें थी कि मध्यप्रदेश का हमेशा जो रास्ता है, ढर्रा है, उससे हटकर कुछ काम किया। आखिर यह आकस्मिक थोड़े ही है कि पहले दो सप्तकों में इतने सारे कवि म.प्र. के हों। फिर व्यंग्य-धारा के जो बड़े लोग थे वे वहीं के थे, फिर पत्रकारिता, संगीत में, एक तरफ ग्वालियर घराना जैसा विख्यात और सम्मत परिशुद्ध घराना और दूसरी तरफ विलक्षण प्रयोगशीलता कुमार गन्धर्व के देवास में। दोनों म.प्र.। तो ये जो रेंज था, फिर दूसरा यह था कि म.प्र. का खुलापन बहुत था। यानी उसमें दोनों चीज़ें एक साथ थी। एक तो यह था कि स्थानीय गौरव था लेकिन दूसरी तरफ खुलापन। क्योंकि म.प्र. में बरसों तक तो मध्यवर्ग ही नहीं था। आख़िर हम जिस ज़माने में पढ़ते थे उस ज़माने में अध्यापक, इंजीनियर, डॉक्टर ये सब बाहर से आते थे। क्योंकि म.प्र. की अपनी जो स्थिति थी, उसमें यह मध्यवर्ग था। यह जो विलम्बित मध्यवर्ग विकास है इसने एक दूसरी चीज़ पैदा की थी कि हमारे पास सात राज्य हैं पड़ोसी जोकि किसी और प्रदेश के नहीं हैं। तो उनकी भाषाओं का, उनकी संस्कृतियों का भी असर म.प्र. के अपने उस पर था। एक मानी में वह एक ऐसा बहुलता का रूपक था, भौगोलिक रूपक, जो मुझे बहुत आकर्षित करता था। बोलियाँ भी थीं मालवी, निमाड़ी इत्यादि। तो 'रिचनेस' बहुत था, समृद्ध और जीवन्त और उथल-पुथल वाला। इसको बाँधकर और फिर भी खुला रखने के हिकमत की ज़रूरत थी, किसी हद तक यह एक चेष्टा है। दूसरी तरफ यह भी था कि मैं दिल्ली में जब पढ़ता था, तो एक तो मैं छोटे शहर से आया था तो शास्त्रीय संगीत, शास्त्रीय नृत्य, चित्रकला, प्रदर्शनियाँ सागर में ये सब कहाँ होता था। यहाँ जब मैं पाँच साल रहा तो मैंने अपने लिए एक अनौपचारिक स्कूल बना लिया था। ऐसा कुछ नहीं हुआ, 60-65 के बीच जो मैंने देखा न हो। कई बार पैसे उधार लेकर, बीयर की बोतलें बेचकर

कमला नगर में पैसे लेकर अशोक वाजपेयी को आज नाटक देखने जाना है। एक दीवानापन था। अब ये मुझे लगा कि यहाँ सबकुछ है, इससे शुरू हुआ। दूसरा ये कि रसिकता का जो हिन्दी क्षेत्र में, मतलब शास्त्रीय संगीत के अगर श्रोता हैं तो उनकी चित्रकला से कुछ लेन-देना नहीं है, चित्रकला वालों को उसकी ख़बर नहीं है कि कविता में क्या है, कवियों के लिए बाकी कलाएँ शूद्र हैं, कविता ब्राह्मण है। तो एक मेरी चिन्ता थी कि कोई एक ऐसी समावेशी किस्म की रसिकता विकसित होनी चाहिए जो हर चीज़ में मज़ा ले।

सु. प.—कहीं ऐसा तो नहीं है कि आप एक 'रेनेसां मैन' को खोज रहे थे, जो आपके अन्दर जिसे कहते हैं 'टोटल' आदमी, एक ऐसा आदमी जो 'कांप्रिहेंसिव' है। 'इन्क्लूसिव' है, 'इनकारपोरेटिव' है बहुत ज्यादा और चीज़ों को नए सिरे से इकट्ठा यानी समावेशी जिसे आप कह रहे हैं, वह आपके प्रयासों में नज़र तो आता ही है। मैं इस चीज़ को समझना चाहता हूँ कि क्या वाकई आपके छात्र-जीवन में यह भाव रहा होगा कि चीज़ों को नए सिरे से एक बार फिर बनाया जा सकता है कि यानी 'पोस्ट रेनेसां पीरियड' में एक 'रेनेसां मैन' मैं हो सकता हूँ। मैं उसके छोटे अर्थ में जा रहा हूँ, बड़े अर्थ में नहीं।

अ. वा.—देखिए मेरे पहली कविता संग्रह में ही, जो 1966 में निकला था, उसमें ज्यादातर कविताएँ जो हैं उसके पहले की लिखी हैं। उनमें से अली अकबर के सरोद वादन, हुसैन के चित्र, खजुराहो के स्थापत्य, शमशेर बहादुर सिंह के कविता-संग्रह इन सब पर कविताएँ मैंने तब लिखी थीं जब मेरे मन में कोई ऐसी बात नहीं थी। पर मेरे मन में एक बात थी कि इन सब कलाओं में कोई सम्बन्ध है जिसे हमने खो दिया है, उसे जोड़ना ज़रूरी है। वो खोज़ जब मौका मिला, शुरू की कि क्या ऐसा हो सकता है कि लोग कविता में भी आनन्द लें, विचार-विनोद भी हो, संगीत का भी विनोद हो। फिर इन सब अलग-अलग माध्यमों की अलग-अलग शर्तों का भी ख़याल रखा जाए। लेकिन अन्ततः जो एक बात सबमें निकलती है अपने बारे में और दूसरों के बारे में जान रहे हैं, सब माध्यम में। तो सब ऐसा करें। शायद मुझे लगता है कि कुछ हद तक, जितना हुआ उसी हद तक। शायद कुछ लोगों को कम भी लग सकती है, पर ऐसा एक वर्ग बना, जो इस बात को समझ पाया कि ध्रुपद के आलाप में जो अमूर्तन है और रज़ा के चित्रों में जो अमूर्तन है और विनोद कुमार शुक्ल की कविताओं में जो अमूर्तन है, इनमें कोई सम्बन्ध है। ये भी कि हम इससे उस तक जा सकते हैं, वर्ना परस्पर बेख़बरी

का आमतौर पर समूचे देश में जो हालत है उसमें यह है कि ध्रुपद गायक जो है, अपनी आवाज़ का जो संसार में सम्भवतः सबसे विलक्षण अमूर्तन करता है। बिना शब्द के 45 मिनट ईंट-दर-ईंट आपके सामने इमारत तामीर कर देता है और फिर उसको हटा देता है, लेकिन वह 'एब्सट्रेक्ट' पेंटिंग के सामने हतप्रभ रहता है। वह यह नहीं देख पाता कि रंग और रेखाओं से यह आदमी वही कर रही है, जो मैं आवाज़ से करता हूँ। ये जो सामर्थ्य का अभाव है, और दूसरा यह है कि मेरी एक पुरानी थ्योरी रही है कि हम लोग अपनी कला के बारे में तो बड़े 'रेडिकल' होते हैं और हर दूसरी कला के बारे में 'कंजरवेटिव' होते हैं। एक बार दिलीप से बहस हो रही थी मणि कौल की फिल्मों को लेकर, तो मैंने उनसे कहा कि हम अपनी कविता में तो अपार 'एब्सट्रेक्शन' बर्दाश्त करेंगे लेकिन फिल्म में कोई ऐसा करे तो आप कहेंगे—समझ में नहीं आती, तो आपकी कविता कैसे समझ में आएगी। फिर इससे जो प्रश्न निकालते हैं, मतलब कि जो सामाजिक संरचना है उसमें इस तरह की समावेशिता का, इस तरह की रसिकता का धीरे-धीरे विकास हो तो उससे क्या उसके प्रतिफल होंगे। मध्यप्रदेश में यकायक इतना विस्फोट कैसे हुआ। मैं सिर्फ गतिविधियों की बात नहीं कर रहा। वो लोग भी जो उससे लड़े-झगड़े, असहमत थे, उनके लिए एक सन्दर्भ था न जिससे वे लड़ सकते थे। अगर वे इस पर शक भी करते तो उस ढंग से, उस असहमति से भी एक ऊर्जा मिलती थी। तभी इतनी बड़ी संख्या में छोटी पत्रिकाएँ, नाटक तमाम हुआ। उस सबके पीछे कुल मिलाकर इसका दबाव था।

सु. प.—आपको 'डिफाईन' करते हुए मुझे लग रहा है कि 'इंडेपेंडेंस मूवमेंट' के दौरान एक 'रेनेसां पीरियड' था जिसमें चीज़ें पनपी थीं। आज़ादी के बाद ये बनना खत्म हो गया। 'इंस्टीट्यूशन लाईज' हो गए, अलग से कुछ नहीं हुआ। तो छूटे हुए क्षेत्रों में जो रेनेसां की आहटें उनको आपने छूने की कोशिश की, उनको एक मंच देने की कोशिश की। वो मंच सफलतापूर्वक दिया। अभी जो आपने इसमें सामाजिक सन्दर्भ की बात की, यद्यपि मैं इससे पहले एक प्रश्न और पूछना चाहता हूँ और उससे शायद यह 'रिलेट' हो जाएगा, इस सामाजिक सन्दर्भ से बार-बार यह लगता है कि आपके मन में कोई सामाजिक सन्दर्भ हमेशा स्पष्ट रहा होगा। लेकिन आपके व्यवहार में, आपके लिखने में जिसे कहते हैं साक्षात् 'पॉलिटिकल डिस्कोर्स' उसके गहरे अर्थों में आप पॉलिटिकल आदमी है, आप करते भी रहे हैं। लेकिन एक बहुत बड़ी 'इम्यूनिटी' सी नज़र आती है यानी कई चीज़ों से काँट-छाँटकर कला को एक ख़ास

प्रारूप में ढाल ले जाते हैं। ये जो आपका 'पोस्ट रेनेसा रेनेसां' है, जोकि बहुत 'इंपोर्टेंट' है, मैं उसको कम नहीं मानता। अनेक लोग यह मानते हैं। इस पर मैं चाहता हूँ, आप बताएँ।

अ. वा.—इसमें तीन तरह की समस्याएँ थीं। एक समस्या तो यह थी कि इस देश में कोई इस तरह का सामाजिक आन्दोलन नहीं था जिससे आप बांधकर, कुछ रस लेकर, प्राणवत्ता लेकर इस तरह की चेष्टा कर सकते। दूसरी तरफ अपनी बेख़बरी में, अपनी नासमझी में और अपने 'अनकसर्न' में जो कुछ प्रगट शक्तियाँ मध्यवर्ग की थीं भी वो सब इस तरह की चीज़ों के विरुद्ध ही थी, मतलब उसके पक्ष में तो नहीं ही थीं और उनको इसका कुछ विशेष महत्त्व भी समझ में नहीं आता था। और किसी हद तक इस मॉडल के बनने में कुछ एक सुरक्षा चाहिए। मतलब कुछ वक़्फ़े के लिए, एक अरसे के लिए। मतलब यह कि हमारे यहाँ जो हिन्दी का आम नक्शा है मतलब कार्यक्रम देर से शुरू हों, कुछ-कुछ पूर्ण ढंग से निपट जाएँ, माइक खाँसेगा, खखारेगा, कुछ भी हो जाए। कहीं कोई व्यवस्था होगी। ये सब हमने बन्द कर दिया। हमारे कार्यक्रम ठीक समय पर शुरू हों और सुरुचिपूर्ण ढंग से शुरू हों और हमने कहा कि किसी और व्यक्ति को इसमें महत्त्व नहीं दिया जाए। केन्द्र में या तो लेखक हो या कलाकार। इसका आगे जाकर राजनीतिक दुष्परिणाम मेरे साथ हुआ, उसका बहुत कुछ ख़ामियाज़ा मुझे इसलिए भुगतना पड़ा क्योंकि मन्त्री को उद्घाटन करने के लिए मैंने नहीं बुलाया। मल्लिकार्जुन मंसूर उद्घाटन करें। कुमार गन्धर्व, गिरीश कर्नाड। ये सब लेकिन उसी सोचे-समझे अभियान का अंग थे कि एक ऐसे समाज में जिसमें इन लोगों की जगह रह ही नहीं गई है उनको अगर जगह देना है तो तभी देंगे जब दूसरे किसी को उस जगह पर···

सु. प.—**मैं समझता हूँ कि यह सबसे कम सराहा गया प्वाइंट है। चूँकि हमारे यहाँ क्रान्तिकारिता कुछ ज्यादा है बिना किसी क्रान्ति के इसलिए भी इस प्वाइंट पर ध्यान नहीं दिया जाता। जिन दिनों राजनीति हर एरिया को अपवित्र कर रही हो, वहाँ आपने 'रचना' को केन्द्र में लाने की कोशिश की और इनको मार्जिन पर डालने की कोशिश की।**

अ. वा.—ये अपने आपमें राजनीति है।

सु. प.—**यही मैं कह रहा था। एक तरह की राजनीति है। लेकिन बड़े सटल किस्म की। एक बात पूछना चाहता हूँ मसलन आप अकेले ऐसे लेखक हैं जिसके वक्तव्य अपने वक्त की राजनीति घटनाओं पर बहुत कम उपलब्ध हैं। इसकी एक वज़ह तो हो सकती है कि आप ऑफिसर**

हैं, आप राजनीति के बारे में बोल नहीं सकते। दूसरी वज़ह यह भी हो सकती है कि आप बोलना ही ना चाहें। यानी ये आपकी समझ और राजनीति ये हो कि न बोलकर ही राजनीति की जाए। मगर जो कुछ व्यवहार के प्रमाण मिलते हैं, जैसेकि आप साम्प्रदायिक शक्तियों के पक्ष में बिलकुल नहीं हैं। आप कला का जो संसार बनाते हैं, वह सेक्यूलर ही बनता है। सत्य की जो खोज है वह एक सेक्यूलर एरिया की खोज है। तो आपके विचारों का जो क्षेत्र है वह सब तो निकलकर आता है जिसे पढ़ा जा सकता है। लेकिन ये जो एक प्रकार की दूरी, राजनीतिक घटनाओं के 'विज़ाविज़' लगातार दूरी अनेक लोगों के लिए या तो पहेली रही, न समझे जाने योग्य तत्त्व रहा था लोगों ने यह माना, आपके पढ़ने वालों ने यह माना कि आप सत्ता के पक्ष के व्यक्ति हैं, तो ज़रा इस पर कुछ…

अ. वा.—मुझे यह लगता रहा है कि पिछले तीस-पैंतीस वर्षों में, खासकर जिस अवधि की सक्रियता की हम लोग बात कर रहे हैं ये बात उसी तर्क से निकलती है जिससे राजनीति हर चीज़ पर हावी है। आप अगर म.प्र. में जाकर कभी इस बात का आकलन करें तो वहाँ के अख़बारों में भी, राजनेता मरे, या कोई दुर्घटना हो जाए तो ख़बर है, लेकिन कोई बहुत बड़ा कलाकार मर जाए तो ख़बर ही न छपे। शमशेर बहादुर सिंह के मृत्यु की ख़बर दिल्ली के किसी अंग्रेजी अख़बार ने नहीं छापी थी। तो मेरे मन में यह बहुत स्पष्ट था कि राजनीति घटना भी अन्ततः उस पर वक्तव्य देकर लेखक एक अधिक आसान रास्ता चुनते हैं। दूसरा ये है कि मेरे लिए उस्ताद अमीर खाँ का मरना एक बड़ी घटना है और मान लीजिए कि कोई बहुत बड़ी राजनीतिक उथल-पुथल हो जाए वो मेरे लिए उतना नहीं।

सु. प.—यह माना जा सकता है कि आपके लिखने से कि साहित्य को आपने राजनीति से ज्यादा बड़ी राजनीति माना और रचनाकार को सेंटर में लाना, रचना की जो सेंटरिंग है, ये शायद आपके दिमाग में थी। इसमें आपने कोई समझौता नहीं किया। मैंने अनेक लोगों को देखा है कि राजनेता को बुला लिया, फीता काटने के लिए बुला लिया। ये जो विश्वविद्यालय का काम आप देख रहे हैं वी.सी. के रूप में तो इसके सेमिनारों के उद्घाटन में नेता ही आता अगर कोई और वी.सी. होता। तो ये तो मैं समझ रहा हूँ। एक चीज़ मैं इसमें और जोड़ना चाहता हूँ कि ये जो 'पोस्ट रेनेसां रेनेसां' है, आपके द्वारा दो काम नज़र आते हैं, एक तो बहुत 'एक्टिविटीज़' नज़र आती हैं, मैं आपको 'कल्चरल

एक्टिविस्ट' मानता हूँ। एक्टिविटीज़ से जो वातावरण बना और जिस तरह से रचना को सेंटर में लाने की कोशिश की, आपने उसमें जो चीज़ बनी उसमें एक ख़ास किस्म का एलीट फार्मेशन, जिस समाज में कोई एलीट फार्मेशन ही न हो उसमें यह हुआ। अब इसमें जो सीडिंग की, आपने वह बाहर के एलीट से लोकल एलीट को 'बडिंग एलिट' को रिलेट करके की आपने जो अब उपलब्ध स्थिति है, मध्यप्रदेश के हिन्दी एलीट की। क्या आप उससे सन्तुष्ट हैं?

अ. वा.—दो स्तरों पर इसको देखा जा सकता है। एक तो उस तरह की गतिविधियों का जो विस्तार था वो अब थम गया है। उसके कई कारण है, साधनों का अभाव हो गया, लोग नहीं रहे जो करें इत्यादि-इत्यादि। अब आपको अक्सर सुनने में मिलेगा कि वो जलवा नहीं है। देखिए उस समय क्या होता था। मतलब नॉस्टेलजिया का एलीमेंट वहाँ ऑपरेट करता है। दूसरे स्तर पर वह नॉस्टेलजिया भी इसलिए होता है कि कुछ था ओर कुछ होने की इच्छा अभी भी कि अगर ऐसा कुछ हो तो फिर भी करने लायक या बढ़ने लायक है।

सु. प.—सबसे ख़राब अख़बार आपको कौन-सा लगता है?

अ. वा.—नवभारत टाइम्स।

सु. प.—सबसे ख़राब अभिनेता आपको कौन लगता है, लोकप्रिय फिल्मों में?

अ. वा.—बरसों से मैंने फिल्में देखी ही नहीं लोकप्रिय किस्म की, पर कभी-कभी टेलीविजन पर जो देखता हूँ, अमिताभ बच्चन मुझे बहुत ख़राब लगता है।

सु. प.—सबसे अच्छा अभिनेता आपको पॉपूलर फिल्मों में कौन लगता है?

अ. वा.—उन दिनों तो दिलीप कुमार, फिर किशोर कुमार मुझे बहुत अच्छा लगता था।

सु. प.—कहीं मध्य प्रदेश वाला चक्कर तो नहीं है?

अ. वा.—नहीं-नहीं, मैं खुद जो नहीं करता वो सब उसमें था, एकदम विलोम।

सु. प.—यानी आप पॉपूलर कल्चर के उतने बड़े दुश्मन नहीं हैं, जितना मैं समझता था।

अ. वा.—नहीं-नहीं, बिलकुल नहीं।

सु. प.—पॉपूलर कल्चर में कौन ऐसा हीरो है जोकि आपको लगता है हिट हीरो है।

अ. वा.—इस मामले में मेरी रुचियाँ पुरानी है, फिर भी दिलीप कुमार।

सु. प.–दिलीप कुमार तो नहीं है, इन दिनों उनकी जगह कौन है?

अ. वा.–मुझे जानकारी नहीं है।

सु. प.–हिन्दी में श्रेष्ठ आलोचक आपको कौन लगता है? इन दिनों जो लिख रहे हैं।

अ. वा.–मैं कहूँगा निर्मल वर्मा। इसलिए कि उनमें एक सीरियस कल्सर्न है, जिसकी मैं बड़ी कद्र करता हूँ और अवसरवादिता नहीं है। मुझे हिन्दी में हालाँकि वे आलोचक नहीं है, सबसे नापसन्द जिनकी आलोचना हैं वे राजेन्द्र यादव हैं।

सु. प.–एक कथाकार के रूप में भी वे आपको पसन्द नहीं है।

अ. वा.–नहीं-नहीं, ऐसा नहीं है। वे तो आजकल लिखते भी नहीं है।

सु. प.–अच्छा ये बतलाइए बिलकुल जो आपसे नवतर कवि हैं, उनमें कौन आपको ज्यादा पसन्द है?

अ. वा.–असल में कोई नहीं।

सु. प.–और जो आपको सर्वाधिक पसन्द कवि हैं जो जीवित हैं।

अ. वा.–मेरे सर्वाधिक पसन्द कवि जो जीवित है, असल में तो मेरे सारे प्रिय कवि दिवंगत ही हो गए। लेकिन जीवित कवियों में दो कवि ऐसे हैं–एक तो विनोदकुमार शुक्ल, दूसरे मुझे त्रिलोचन बहुत प्रिय हैं। त्रिलोलचन में ये है कि उन्होंने बहुत उत्कृष्ट ऊँचाई शायद बहुत कम हासिल की हों, लेकिन एक जो सफाई उनकी है वो मुझे पसन्द है।

सु. प.–अच्छा जो उनकी क्लासिकी है।

अ. वा.–जी-जी! इन्फैक्ट मुझे लगता है प्रगतिशीलों में सबसे क्लासिकल कवि त्रिलोचन ही हैं।

सु. प.–आपको कथाकारों में।

अ. वा.–असल में मैं कथा-वथा कम पढ़ता हूँ, आप जानते हैं।

सु. प.–नहीं-नहीं, आप पढ़ते हैं, मैं नहीं मानता।

अ. वा.–इधर जो चीजें निकली है, मुझे कृष्ण बलदेव वैद बहुत पसन्द हैं। मुझे निर्मल वर्मा की कहानियाँ उनके उपन्यासों से अधिक पसन्द हैं। मुझे कृष्णा सोबती बहुत पसन्द हैं। इधर जो किताबें निकली है उसमें विनोदकुमार शुक्ल की 'दीवार में एक खिड़की रहती थी', एक 'कलिकथा : बाईपास' मुझे अच्छा लगा।

सु. प.—ये बताइए, अकादमी में चेयरमैन का चुनाव आपने लड़ा। आपको कम वोट मिले। इस पर क्या आप 'फील' करते हैं?

अ. वा.—चुनाव आप लड़ते हैं तो यह तो जीतते हैं या तो हारते हैं। कोई और जीत गया, मैं हार गया। तो मुझे जो दुख है सिर्फ अपने मित्रों और विशेषतः हिन्दी लेखकों के किए गए विश्वासघात पर है।

सु. प.—किस-किसने विश्वासघात किया?

अ. वा.—बहुतों ने किया। नामवर सिंह, केदारनाथ सिंह। विजयदान देथा में कम-से-कम इतनी ईमानदारी थी कि वे कहकर गए थे कि वे मेरा विरोध करेंगे। यद्यपि वे कहकर गए थे कि मैं सहमत हूँ कि आप बेहतर होते पर चूँकि मैं वचन दे चुका हूँ। बाकी और जो लोग रहे होंगे, मैं तो उनके नाम भूल गया हूँ कौन-कौन थे?

सु. प.—अगर आप अकादमी के चेयरमैन हो गए होते तो क्या नक्शा देते आप उसका?

अ. वा.—अब नक्शा तो···

सु. प.—अगर मान लें कि ऐसा है।

अ. वा.—मेरा ख़याल है कि तीन दिशाओं में—एक तो मैं समझता कि अकादमी को युवतर पीढ़ियों के लिए खुलना ज़रूरी है। ये बहुत अधेड़ों और बूढ़ों का मदरसा बन गया है। दूसरा यह कि उसका जो अकादमिक ढाँचा है, उस पर अध्यापकों का बहुत कब्ज़ा है, उसको कम किया जाए। तीसरा मैं समझता हूँ कि अन्तर्राष्ट्रीय जगत् में भारतीय भाषाओं को प्रोजेक्ट करने के लिए कुछ अधिक आक्रामक कार्यक्रम बनाने की ज़रूरत है, वो मैं चाहता कि बने। चौथा ये कि अकादमी में भी, मतलब हर संस्था के साथ हो जाता है ये कि अकादमी का अस्तित्व दिल्ली या कुछ और चुनी हुई जगहों में ही है। इसने ऐसे कोई कार्यक्रम अब तक नहीं चलाए या कि राज्य सरकारों पर इस तरह का दबाव नहीं डाला है या इस तरह के कार्यक्रमों के लिए उनको प्रेरित नहीं किया है। मतलब अकादमी के पुस्तकों की दुकानों नहीं हैं, अब वे सीधे-सीधे तो अकादमी का काम नहीं है, लेकिन अगर कोई सहयोग नहीं दे रहा है तो यह साहित्य अकादमी का ही काम होना चाहिए। साहित्य अकादमी ने लेखकों को साहित्य के अध्ययन में हस्तक्षेप करने की जुगत बनाने की कोई कोशिश नहीं की। पुरस्कार आप देते हैं, लेकिन मैं समझता हूँ काफी बड़ी संख्या में फेलोशिप होनी चाहिए, जो हम युवतर लोगों को दें। फिर, अनुवाद की जो पद्धति है वह काफी बासी पड़ चुकी है। अनुवाद

की जो तमाम नई तकनीक विकसित हुई, उसका कोई उपयोग हम नहीं कर रहे। ये सब करने का प्रयास करता। नहीं हुआ। ये भी नहीं है कि फिर, स्वयं साहित्य अकादमी रवीन्द्र भवन में है, दो और अकादमियाँ हैं, आपस में वे बोले ही नहीं। इसमें कुछ पहल होनी चाहिए। मतलब ऐसा आयोजन क्यों नहीं हो सकता जिसमें चित्रकार, मूर्तिकार, नर्तकियाँ कवि सब शामिल हों। ऐसा सोच सकते हैं। ऐसी बहुत सारी चीज़ें की जा सकती हैं। छोटी पत्रिकाओं की हालत बहुत ख़राब है, हर भाषा में। तो हम क्यों नहीं एक ऐसी योजना बना सकते हैं जिसमें थोड़ी-बहुत सपोर्ट हम सबकी कर सकें। ये जो पूरा साहित्य-चिन्तन है, पिछले पचास सालों में जो साहित्य-चिन्तन देश में हुआ है उसकी क्या स्थिति है? उससे क्या निकलता है? उसी की एन्थोलॉजी हम निकालते हैं।

सु. प.—आप होते तो अकादमी में कुछ छेड़छाड़ ज्यादा ही करते, इसीलिए आपको लोगों ने पसन्द नहीं किया।

अ. वा.—लोगों ने बेहतर चुना। ठीक ही है।

सु. प.—लोगों ने नहीं चाहा कि आप कोई बहुत बड़ा बदलाव लाएँ।

अ. वा.—बदलाव आता होगा हमें क्या पता।

सु. प.—भोपाल की एक्टिविटीज का नक्शा बनाएँ...

अ. वा.—कहीं शास्त्रीय संगीत का कार्यक्रम हो रहा है। कोई कला-प्रदर्शनी है, कोई नृत्य का कार्यक्रम है, किसी दिन कविता-पाठ है, किसी दिन कोई बातचीत है। किसी ज़माने में तो भारत-भवन में दो सौ दिन कुछ हुआ।

सु. प.—वर्ष में 200 दिन लगातार।

अ. वा.—फिर लोग बहुत आते थे। मतलब कि 200 दिन तक कोई कार्यक्रम होगा तो संस्कृति विभाग की समितियाँ थीं—पुरस्कार समितियाँ, चयन समितियाँ। उसमें लोग आते थे। कुछ-न-कुछ उनके साथ गप्पबाज़ी हो रही है। यही सही।

सु. प.—भोपाल आपके पहुँचने से पहले एक सोता हुआ शहर था। साहित्य के लिहाज़ से नितान्त 'नॉन एक्जिस्टेंट' शहर। साहित्य के मैप पर। भोपाल शहर तो था मगर कोई बहुत बड़ा निशान नहीं था। तो इतनी 'हाईपर एक्टिविटी' तो उससे जो सोते हुए लोग थे उनको खासी परेशानी हुई होगी और एक वज़ह शायद विरोध की यह भी रही होगी।

अ. वा.—एक वजह यह कि भोपाल जैसा सोता-सा शहर यह ससुरा कहाँ से सिर उठा रहा है। हम इलाहाबाद हैं, हम बम्बई हैं, हम दिल्ली हैं, हम बनारस

हैं, ये भोपाल क्या। इससे कुछ चिढ़ होती थी। मतलब इतना सारा सहा कैसे जाए? वहाँ के लोगों में दो तरह की दुविधाएँ थीं, विशेषकर वहाँ का जो लेखक-कलाकार समुदाय था कि भई सुबह से शाम तक हम यही करते हैं। कितना साहित्य हो, कितनी कला हो। ये तो हद है। तीसरा ये होता था कि ये सब हो रहा है और सरकार में रहकर हो रहा है। होता सरकार की तरफ से है, सरकार के समर्थन से लेकिन सरकार कहीं नहीं है। फिर हमारे यहाँ तो सुरुचि भी तो एक दुर्गुण है न। ये कैसे कि कार्यक्रम समय पर शुरू हो गया, चीज़ें नफ़ासत से लगी हैं। ये सब आभिजात्य के गुण मान लिए गए। मेरे जैसा निपट निम्नमध्यवर्गीय व्यक्ति मुझमें कहाँ का आभिजात्य कहाँ से आ गया।

सु. प.—मतलब साहित्य या संस्कृति के कार्यक्रमों का जो न्यूनतम अनुष्ठान न्यूनतम शोभा होती है, वह आपने पैदा की। इससे लोगों को परेशानी हुई।

अ. वा.—हाँ-हाँ, इससे भी परेशानी हुई। यानी वक्त पर आना। मतलब आप 6. 30 बजे नहीं पहुँचे तो कार्यक्रम शुरू हो जाएगा। कहने को तो लोग अपने को बड़ा प्रजातान्त्रिक कहते हैं। लेकिन जगह न मिलना या सामने जगह न मिलना ये सब भी उनकी परेशानी का कारण बनी। और ये कि हर धान बाईस पसेरी है कि बड़ा आदमी आए तो भी ठीक है, छोटा आए तो भी ठीक है। इस तरह के तरह-तरह के कारण बनते थे। एक कारण यह भी बनता था कि मैं थकता ही नहीं हूँ। थकान मुझे नहीं होती।

सु. प.—*(हँसते हुए)* नज़र न लगे आपको।

अ. वा.—हर दूसरे दिन एक स्पष्टीकरण देना पड़ता था। लगभग 1000 स्पष्टीकरण लिखे होंगे मैंने सरकार में सरकार से बाहर। मतलब अख़बार में निकला तो अख़बार के कतरन आए, उस पर टिप्पणी अगर उसका प्रतिरोध करना है तो उसी दिन उस पर लिखना।

सु. प.—भोपाल में एक दिन आपका कैसे शुरू होकर कैसे ख़त्म होता था। माने औसत दिन कैसे बीतता था?

अ. वा.—औसत दिन। मैं उठता था पाँच बजे। घूमने गए, 6 बजे लौटे। तब तक अख़बार आ गए। आधे घंटे में अख़बार पढ़ा, 6.30-6.45 में चाय-वाय पी। मतलब दफ़्तर हमारा साढ़े नौ बजे खुलता था, उसके पहले सुबह, चूँकि हमारे पास अनेक संस्थाएँ थीं। मैं अपने शासकीय विभागों का कोई बस्ता घर काम करने के लिए नहीं लाता था। लेकिन कला परिषद् इनके कागज़ात आते

थे। वे एकाध घंटे में निबटा दिए। यदि कुछ लिखना-विखना, हुआ, ऐसा था वहाँ एक ज़माने में कि लिखने वाले ही नहीं थे। मतलब कुमार गन्धर्व पर कार्यक्रम हुआ, मल्लिकार्जुन मंसूर पर हुआ। कोई लिखने वाला ही नहीं है। अख़बार वाले कहते थे, आप लिखवाकर भिजवा दीजिए। तो मैं बैठकर सुबह, यद्यपि थोड़ा अनैतिक-सा कार्य था, टाइपराइटर पर एक हिन्दी में उसकी समीक्षा लिखूँ। चूँकि उन दिनों वहाँ से एक-दो अंग्रेजी अख़बार भी निकलने लगे तो एक अंग्रेजी में भी लिखूँ। या कुछ और लिखना-पढ़ना हो तो भी सब सुबह में ही। वक्त मेरे पास इतना होता था कि करीब साढ़े सात बजे में तैयार, साढ़े सात से सवा नौ तक ये सारे काम करता था। सवा नौ बजे खाने बैठ गए। मैं पूरा खाना सुबह खा लेता हूँ। अभी भी करता हूँ। मैं नाश्ता करता ही नहीं। साढ़े नौ बजे मैं दफ़्तर ठीक पहुँच जाता था। यानी मैं उन थोड़े से मूर्ख अफसरों में रहा हूँ जो यह मानते हैं कि दफ़्तर खुला ही तब माना जाएगा जब अफसर आए। मतलब कलेक्टेरियट कैसे खुलेगी अगर कलेक्टर न हो। जब मैं सरगुज़ा और सीधी में था तो मेरी गाड़ी देखकर लोग घड़ी मिलाते थे। तो ये मैंने भोपाल में भी ज़ारी रखा। अब होता ये था कि दफ़्तर साढ़े नौ बजे पहुँचे वहाँ थोड़ा-बहुत काम जो होता था किया। भारत-भवन जब बन गया तो अक्सर 12-12.30 बजे मैं भारत-भवन आता था। तो वहाँ स्वामीनाथन, कारन्त, विजयमोहन सिंह इत्यादि सब होते थे। उनसे कुछ गपशप हुई। भारत-भवन का काम हुआ। चूँकि मैं तो खाना-वाना खा चुका होता था, लेकिन ये लोग तो भूखे होते थे, तो कभी विजय मोहन सिंह के यहाँ, कभी स्वामीनाथन के यहाँ ये लोग खाते थे, मैं भी रहता था। फिर दो-ढाई बजे दफ़्तर। दफ़्तर में कुछ-न-कुछ चलता रहता था काम-वाम। उस बीच ये सब भी होता रहता था। कभी ये भी होता था कि दफ़्तर में कोई टिप्पणी लिखनी है। क्योंकि हमने तो एक हड़बड़ी का काव्यशास्त्र अपने लिए बनाया क्योंकि और कोई तरीका नहीं था। साढ़े पाँच, पौने छह बजे दफ़्तर से चले। वापस पहुँचे। एक प्याला चाय पीकर स्नैक्स। तब तक साढ़े छह बजे के कार्यक्रम का समय हो गया। कुछ-न-कुछ हो ही रहा है अक्सर। अक्सर वैसे कार्यक्रम दो-ढाई-तीन घंटे चलते थे। उसके बाद जो कलाकार हैं, कुछ वक्त उनके पास गुज़ारें, या तो वे हमारे घर आ जाएँ या कहीं और। तो करीब ये सब करते-धरते साढ़े दस-ग्यारह बज गए। उस ज़माने में मुझे नींद फौरन आती थी, तकिए पर सिर रखा कि नींद आई और मैं अखंड नींद सोता था।

सु. प.—लोग कहते हैं कि इतना साहित्य होगा तो वो ऊब भी जाएगा अपने

कार्य से। वही-वही चेहरे, वही-वही लोग। ऐसा कभी हुआ।

अ. वा.—नहीं ऐसा नहीं। अव्वल तो हमने वही-वही लोग नहीं चुने।

सु. प.—मतलब जो 'रुटीन' है।

अ. वा.—अगर सिर्फ साहित्य होता तो ऊब हो जाती। वहाँ तो एक दिन साहित्य, दूसरे दिन नृत्य है, शास्त्रीय गायन है, चौथे दिन चित्रकला, पाँचवें दिन रंगमंच, छठे दिन कोई वैचारिक उद्यम है। एक तो विविधता बहुत थी। दूसरा सिर्फ हिन्दी का साहित्यकार ही नहीं था। बल्कि हुआ ये कि मेरा घर भी उस ज़माने में और भारत भवन और अन्य संस्थाएँ तो थी हीं, बहुत सारे लोगों के ज़िन्दगी में पहली बार मिलने का अवसर बना और उनमें बड़े-बड़े लोग शामिल थे और कई लोग आख़िरी बार वहाँ मिले। जैसे तृप्ति मित्र, प्रख्यात बंगला अभिनेत्री थीं, उनसे रविशंकर की अन्तिम मुलाक़ात भोपाल में हुई। ये रविशंकर ने तृप्ति मित्र पर प्रकाशित एक पुस्तक में लिखा है। ऐसे भी बहुत सारे अवसर बने। ऐसे अनेक युवा कलाकार थे जो पहली बार मिले। एक ज़माने में मैं यह कहता था कि मेरा कार्यक्रम एक सांस्कृतिक साक्षरता अभियान है। मतलब लोगों को पता लगे कि संस्कृति में क्या हो रहा है। लेकिन एक-दूसरे स्तर पर सांस्कृतिक साक्षरता गैर-कलाकारों के लिए ही उद्दिष्ट नहीं थी, स्वयं उनके लिए भी थी कि एक शास्त्रीय गायक को पता लगे कि चित्रकला में क्या हो रहा है, चित्रकार को पता चले कविता में क्या हो रहा है, कवियों को कुछ ध्यान में आए कि भई गायन भी कुछ होता है। इसका भी बहुत बड़ा एक मामला बना। कोई मेरे अनुराग को न देख पाए, न समझ पाए, यद्यपि बहुत परेशानी उठानी पड़ती थी। लोग मुझसे हमारे विचार से तुम असहमत, तुम्हारे विचार से हम असहमत इसमें क्या दिक्कत है? एक ज़माने में ज्ञान रंजन ने यह कहा कि मैं विदेशों के कवियों को इसलिए बुला रहा हूँ ताकि मैं विदेश जा सकूँ। इत्यादि।

सु. प.—आपके आदर्श कौन रहे?

अ. वा.—देखिए, मुझे लगता है कि इस मायने में मेरा कोई आदर्श है तो वो अज्ञेय है और किसी हद तक नेमिजी। आप देखिए कि नेमिजी की उम्र अब 80 की होने वाली है। मैंने उनको जितना व्यवस्थित ढंग से पिछले 30 वर्षों में काम करते देखा है, मतलब क़ायदे से। वे मुझसे अधिक व्यवस्थित है। मैं काग़ज़ इधर-उधर गुमा देता हूँ इत्यादि। लेकिन क्या मेहनती लोग थे। अब आप देखिए, अज्ञेय को इतना सारा साहित्य लिखा, पत्रिकाएँ निकाली, शिविर किए इत्यादि। आप अपना साहित्य रचें और श्रेष्ठ साहित्य रचें यह बहुत ही मूल्यवान काम है और ज्यादातर तो यही करना चाहिए। और कुछ

को भी तो कोशिश करनी चाहिए। तो मुझे ऐसा यद्यपि किसी ने कहा तो नहीं था। मैंने अपने-आप ही ये सोचा। कुछ तो बचपन की आदत भी थी मिल-जुलकर काम करना, पत्रिका निकालना, इस तरह के काम किए थे। उन सबसे एक ज़हनियत बनी हुई थी कि जब मौक़ा मिले, करो। उसके चलते ये सब हुआ। फिर जब मैंने पाया कि आप अपने अधिकार और शक्ति का उपयोग कर सकते हैं और आप अपनेवाली काली छाया जो है उसको छेक सकते हैं अगर आपमें हिम्मत हो तो।

सु. प.—आपने कविता की राजनीति वाले निबन्ध में यह कहा है कि सदी की नियति की अगर कोई परिभाषा करे तो वह राजनीतिक परिभाषा ही हो सकती है। टॉमस मान को 'कोट' करते हुए। मैं देखता हूँ कि सूक्ष्म अर्थों में आपकी कविता में भी राजनीति है और वो राजनीति मैं किसी भी अर्थ में प्रतिक्रियावादी नहीं पाता। मैं उसके व्यापक अर्थों में और बुनियादी अर्थों में प्रगतिशील पाता हूँ, मानवीय पाता हूँ, ज्यादा जनतान्त्रिक पाता हूँ। मगर आपने राजनीतिक घटनाओं पर, जबकि आप कलम के धनी है, इन दिनों 'कभी-कभार' आप लिख रहे हैं अच्छा-खासा उसमें एक 'जर्नलिस्टिक टच' और तमाम चीज़ें नज़र आती हैं। आपने राजनीतिक घटनाओं पर राजनीतिक स्थितियों पर टिप्पणियाँ नहीं की हैं, अपने-आपको बचाके चले हैं तो ऐसा क्यों है?

अ. वा.—इसके दो-तीन कारण है—एक तो मैं सिविल सेवक रहा हूँ, अभी भी हूँ। हालाँकि अभी वि.वि. में प्रतिनियुक्ति पर हूँ पर अभी हूँ। दो-सवा दो साल तक, तो सिविल सेवक की कुछ मर्यादाएँ हैं। उनमें से एक मर्यादा यह है कि आप राजनीति पर सीधे-सीधे बात या टिप्पणी ना करें। मेरे किए-धरे पर ही इतना बावेला मचता रहता था यदि मैं राजनीतिक टिप्पणी भी सीधे-सीधे करने लग जाता तो एक और झंझट फँसती। इससे ये होता कि मेरा बुनियादी जो काम था, उसमें दूसरे ढंग की बाधा पड़ती। दूसरा ये कि मुझे लगा कि हमारे समय में जिस राजनीति की अब बात करने लगे हैं और जिस राजनीति का ज़िक्र टॉमस मान ने किया था उसमें बुनियादी फर्क है। अगर कोई मनुष्य विरोधी एक बड़ा प्रयत्न हो राजनीतिक और आप उसका प्रतिरोध ना करें तो ये आपकी कायरता या आपकी चूक मानी जाएगी। लेकिन ऐसे अनेक अवसर आए हैं जिसमें किसी मुद्‌दे पर राजनीतिक प्रदर्शन हुआ, मैंने भाग नहीं लिया। मुझे इस बारे में कोई संकोच भी नहीं रहा है, लेकिन ऐसे अवसर आए हैं, जैसे प्रेस बिल उस ज़माने में आया था, उसके ख़िलाफ मैंने भी बोला था। इस तरह की अन्य जो घटनाएँ होती रही है, उसके विरुद्ध मैं

बोलता रहा हूँ। लेकिन एक बहुत ही भोंड़ा-सा मोटा-मोटा-सा राजनैतिक ही बन गया है, व्यवहार और अभिव्यक्ति का आडम्बर। जिसमें कोई सही समझ या दृष्टि की राजनीति उतनी नहीं है जितनी वक्तव्य की राजनीति। मैं इससे बचना चाहता था और मुझे मालूम था कि मैं गलत समझा जाऊँगा। चूँकि एक प्रतिक्रियावादी शत्रु चाहिए यद्यपि उन्होंने तय कर लिया है कि मैं शत्रु हूँ, शत्रु क्यों हूँ, ये वे 'एक्सप्लेन' नहीं कर पाए। चूँकि आपने यह मान लिया है तब फिर वो सब भी मान लिया। तो मैंने सोचा कि भरोसा उसी पर करना चाहिए न जो 'सर्वाइव' करे, मरा-मरा जाएँगे, लेकिन बची रहेगी किताबें। उनसे जो समझ निकालनी होगी, एक अधिक सूक्ष्म और अविवक्षित राजनीति अधिक कठिन मामला है, लेकिन अधिक ज़िम्मेदार मामला है। वो भले आपको नाटकीय ढंग से दृश्य पर न लाता हो, लेकिन जहाँ आप हिस्सेदारी करना चाहते हैं वहाँ हिस्सेदारी करने का एक अवसर देता है।

सु. प.—जानना चाहूँगा कि देश में जैसे साम्प्रदायिकता की बढ़त नज़र आती है, धार्मिक तत्त्वों की बढ़त नज़र आती है और एक 'नियो फासिस्ट कल्चर' नज़र आती है और आपकी जो ग्राउंडिंग है और जो पोजीशनिंग है कविताओं में और गद्य में वह नितान्त और नितान्त जनतन्त्र के पक्ष में जानेवाली ग्राउंडिंग है। आपके लिए जनतन्त्र वह जगह है जहाँ सभी बराबर हैं वे भी जो बुरे हैं। ऐसी स्थिति में आपको साहित्य की एक बहुत बड़ी एक्टिविटी है जो समूची सामाजिक एक्टिविटी को दिशा दे सकती और बहुत सारी एक्टिविटिज़ का विकल्प हो सकती है। ये एक बड़ी बात है और इसी ज़िद को आपने लेटेस्ट 'कविता का गल्प' में थ्यारोइज़ किया है कि कविता जो है जोकि अद्‌भुत बात है। और जिसे मैं कहूँगा कि यह लगभग उत्तर-आधुनिक व्याख्या है कविता की। भले ही आपने उन विशेषणों का इस्तेमाल न किया हो लेकिन यह लगभग वहाँ जाती है। इतना जनतन्त्र वहीं सम्भव है, लेकिन क्या इस नए जनतन्त्र पर आप कभी नियो-फासिज़्म का ख़तरा मँडराता हुआ फील करते हैं?

अ. वा.—हाँ बिल्कुल। अव्वल तो अपनी सारी जनतान्त्रिकता के बावजूद मैं यह भूल नहीं सकता कि मुझे इन्हीं तत्त्वों ने दंडित किया। 1990 में मैं जब निकाला गया भारत भवन से और सारे काम से तो उसका जो सीधा कारण था, उनकी समझ थी, कि मैं अपनी सारी बहुलता के बावजूद उनका विरोधी हूँ। उनके पक्ष में नहीं हूँ जो सही थी। मतलब उनकी आवाज़ सुनी जाए, उनको अपनी

आवाज़ सुनाने का मंच ज़रूर मिलना चाहिए। उनकी आवाज़ उठाने के मंच तक तो मेरी जनतान्त्रिकता है, लेकिन इसके आगे मेरा अधिकार विरोध का ही मैं इस्तेमाल करूँगा। मैं आपकी बात सुनूँगा लेकिन मैं आपका विरोध करूँगा। क्योंकि मुझे लगता है कि इसमें दो तरह की कठिनाइयाँ है, मैं यह मानता रहा हूँ कि साहित्य एक आध्यात्मिक कर्म भी है और वो अगर नहीं है जोकि मसलन मुझे लगता है रघुवीर सहाय में नहीं था और यही उनको सचमुच बड़ा कवि बनाने से रह गया। वो ये तत्त्व हैं जिसमें जो मनुष्य के चरम प्रश्न हैं उनसे जूझना ज़रूरी है और अगर आप साहित्य में नहीं जूझेंगे तो क्या राजनीति में जूझेंगे? लेकिन अगर आप इस आध्यात्मिक तत्त्व पर आग्रह करें और एक ऐसे समय में करें जब एक छद्म आध्यात्म छद्म धार्मिकता एक विशेष किस्म की राजनीति को प्रश्रय दे। तो आपके वहाँ ग़लत समझे जाने का अवसर है, आपकी दुर्व्याख्या हो सकती है, आपका दुर्विनियोजन हो सकता है। दूसरी तरफ अगर आप इस बात को कहने से रुक जाएँ कि अभी मौका नहीं है तो अब इन तत्त्वों का जिस तरह से तालमेल और उभार है उसके चलते ऐसा स्वर्ण युग तो आपने जीवन में आने से रहा। तो मेरे जैसे लोग ये खतरा उठाते हैं, हम यह बात कहते हैं, अपनी कविता में भी कहते हैं, अन्यत्र भी कहते हैं और इस ख़तरे को भी मोल लेते हैं कि गलत समझे जाएँगे क्योंकि इसको रोका स्थगित नहीं किया जा सकता। दूसरी तरफ हमने क्या, एक ऐसा वातावरण विशेषकर हिन्दी में आपकी कविता कुछ भी कहे, आपका 'टेक्स्ट' जोकि आपका बुनियादी कर्म है, लेकिन आप अपने वक्तव्य और अपनी वफ़ादरी का इज़हार अन्यत्र करेंगे। अपनी एक छवि बनाते हैं जोकि आपके 'टेक्स्ट' से बनी छवि नहीं है। तो एक बहुत आसान आस्था ये है, वक्तव्य दे दें, सहमत के किसी कार्यक्रम में शामिल हो जाइए। हालाँकि मैं उनके बहुत सारे कार्यक्रमों में जाता रहा हूँ। या कहीं कोई वक्तव्य आए उस पर दस्तख़त कर दीजिए इत्यादि। ये एक प्रकार है। इनमें से बहुत सारे लोग जो हैं, अख़बार में भी काम करते हैं और अख़बारों का अपने लिए दुरुपयोग करने में हिचकिचाते नहीं है। लेकिन यह उनकी विवशता ही है कि राय व्यक्त करें। मेरी ऐसी कोई विवशता नहीं है।

सु. प.—असल में आप इस पॉपूलर एरिया में एंटर ही नहीं करते। यह आपका रुचिकर विषय नहीं है।

अ. वा.—लेकिन मैं जब तब इसकी ज़रूरत से इनकार भी नहीं करता।

सु. प.—लेकिन कविता का आध्यात्म और कविता का एक सेक्यूलर क्षेत्र दोनों

को आप कैसे देखेंगे?

अ. वा.–देखिए इन दोनों में एक तनाव है। वह तनाव यूरोपीय अर्थों में बहुत गहरा और बहुत ध्रुवान्त तक जाने वाला तनाव है। हमारे यहाँ सौभाग्य था वह तनाव ध्रुवान्त तक जानेवाला तनाव नहीं है। आप प्रसाद को, निराला को, शमशेर को, अज्ञेय को, मेरे हिसाब से मुक्तिबोध को बिना इस आध्यात्मिक चिन्ता के परिसर में रखे पूरी तरह से समझ नहीं सकते। विजयदेव नारायण साही ने शायद प्रसाद के बारे में लिखा था कि वह विवेक की यानी एक किस्म के सेक्यूलर विवेक को पावनता जनित विवेक में बदलने की चेष्टा है। वो प्रसाद की चेष्टा है। मतलब मुझे ऐसा लगता है पवित्रता का भाव, रहस्य का भाव, बीसवीं शताब्दी में जिन तीन तत्त्वों पर सबसे अधिक प्रहार हुआ है वह है आश्चर्य, रहस्य और धैर्य, मनुष्य के बुनियादी अस्तित्व के प्रश्नों का इनसे सम्बन्ध है कि किसी हद तक कविता पुनरावृत्ति कर सके, यह उसका सीधा आध्यात्मिक कारण है। इसका अर्थ यह नहीं है कि वह किसी आध्यात्मिक थीम पर कविता लिखे। अगर आप एक वस्तु की उसकी पूरी ऐन्द्रिकता में, कविता में पुनरावृत्ति कर पाते हैं तो आप बुनियादी तौर पर इस रहस्य भाव को जो हमारा संसार के प्रति होने पर ही एक आध्यात्मिक जिज्ञासा जागती है, आप पुनः स्थापित करते हैं। यह अपने आप में आध्यात्मिक काम है। आपकी तथाकथित किसी सत्-असत् के द्वन्द्व पर कविता लिखने की आवश्यकता नहीं है क्योंकि जो हम अपने दैनंदिन जीवन में अपने इन्द्रियबोध के स्थिर पड़ जाने के कारण जिनको लक्ष्य ही नहीं करते, उनको अगर हमारे संवेदना के क्षेत्र में लाने की कोई चेष्टा होती है तो आप एक आध्यात्मिक काम कर रहे हैं।

सु. प.–अक्सर मार्क्सवादी समीक्षा के प्रति आपके जैसे अनुरागी व्यक्ति में कम अनुराग नज़र आता है। बहुत जल्दी आप उसमें दो-चार तमाचे लगा देते हैं। जबकि बेसिकली आप प्रोग्रेसिव हैं। मतलब मॉर्डन डेमोक्रेसी के पार्ट के रूप में थ्योरीज़ देते हैं इसकी वज़ह क्या है?

अ. वा.–दो कारण है। एक तो ये कि भारत में ज्यादातर जो मार्क्सवादी चिन्तन विशेषकर साहित्य के क्षेत्र में, इतिहास के क्षेत्र में जो मार्क्सवादी काम और चिन्तन है उसको मैं मूल्यवान मानता हूँ, उसको बड़ा आदर देता हूँ। उससे आपकी असहमानियाँ हो सकती हैं, लेकिन उन्होंने नए ढंग से राज्य की, सत्ता की, शक्ति की व्याख्याएँ की। उसकी अपनी विडम्बना यह है कि वह काम किसी जनभाषा में न होकर अंग्रेजी में है। लेकिन अगर आप हिन्दी साहित्य के सिलसिले में देखें तो उसका जो बुनियादी रूपक है वह सोवियत संघ

जनित या उससे उत्साहित मार्क्सवाद है। उसका यूरोपीय मार्क्सवादी चिन्तन में बहुत कम सम्बन्ध है। ये बात मैंने 1975 में कही थी, जब मैं पहली बार अपनी विदेश यात्रा से लौटकर आया था कि हमारे यहाँ वामपन्थ का दुर्भाग्य यह है कि हम सोवियत यूनियन वाले वामपन्थ में फँसे हैं। हमारा वामपन्थ यूरोपीय वामपन्थ से अपरिचित है और लगभग अपढ़ हैं। दूसरा ये कि जो यूरोपीय मार्क्सवादी धारणा ने जो विचार दिए बहुत हद तक दूसरे विचारों के साथ एक संवाद करते हुए एक काफी बड़ी यात्रा तय की है। और उतना ही परिष्कृत, सूक्ष्म और जटिल शास्त्र है जितना कि गैर मार्क्सवादी शास्त्र जिससे उसकी मुठभेड़, संवाद चलता है। हमारे यहाँ बहुत ही कूढ़, मोटा-मोटा काम है। दूसरी तरफ हमारे यहाँ मार्क्सवाद, छद्म साहित्यिक मान्यता का माध्यम बना।

सु. प.–हिन्दी के मार्क्सवादी आलोचक में पौरोहित्यवाद वाली टोन है।

अ. वा.–ये मुझे लगता है कि अगर मार्क्सवादी आलोचना की हिन्दी में स्थिति ये है कि उसका लगभग मूल, मार्क्सवादी सिद्धान्तों और मार्क्सवादी मूल्यों की व्याख्या करना तो भारी है, उसका जो हिडेन टेक्स्ट है, वह यह रहा है कि बाकी सारी आलोचनाएँ जो है वो है ही नहीं। एक टोटलाइजेशन है। यह समग्रीकरण की चेष्टा यूरोपीय मार्क्सवाद में नहीं थी। कर भी नहीं सकती थी। मेरे हिसाब से यहाँ भी नहीं कर पाते। और आप देखिए, जिसको व्यवस्थित विध्वंस कहते हैं, वह किसी भी प्रगति विरोधी माने जाने वाले लेखक का मार्क्सवादियों ने नहीं किया है। न अज्ञेय का किया, न निर्मल वर्मा का कर पाए।

सु. प.–मगर सबसे ज्यादा दुश्मनी उन्होंने उन्हीं से की जो उनके मित्र हो सकते थे।

अ. वा.–दूसरी तरफ ये है कि इन सिद्धान्तों में इस बात का कोई विचार नहीं किया गया कि और कहाँ क्या हो रहा है? मतलब आमतौर पर यह माना जा रहा है कि सारी मतलब मार्क्सवादी उत्तर आधुनिकता के बारे में इस तरह से बात करते हैं जैसे वह बहुत पिछड़ी, बहुत नकलची किस्म की एक प्रवृत्ति है। उसके कुछ गम्भीर आशय हो सकते हैं, उसके कुछ गम्भीर मार्क्सवादी आशय हो सकते हैं, इसकी कुछ समझ ही नहीं है।

सु. प.–हिन्दी में मार्क्सवादी आलोचक जितने भी हैं, उनमें से ज्यादातर टायर्ड और रिटायर्ड लोग हैं, पढ़ते नहीं हैं।

अ. वा.–दूसरा इनमें से किसी ने कम-से-कम अपने लेखन में अपने कुछ

अन्तर्विरोधों से, अपनी कुछ भूल-चूकों से या पुनर्विचार को कुछ मजबूरी से दो-चार होने की बिल्कुल कोशिश नहीं की।

सु. प.—मुक्तिबोध में यह बात मिलती है। अपनी छटपटाहट दिखती है।

अ. वा.—वो छटपटाहट बाद में क्यों खत्म हो गई। बल्कि मुक्तिबोध उस छटपटाहट के अन्तिम मुकाम है। उसके बाद किसी में नहीं है। एक मार्क्सवादी आलोचक बुनियादी तौर पर तो आलोचक है। भले वह मार्क्सवाद का इस्तेमाल करता है। लेकिन हमारे यहाँ मार्क्सवादी होना ज्यादा ज़रूरी है, चिन्तक होना जरूरी नहीं। और फिर अफवाहों का, अपरिपक्व मान्यता का, पीठ थपथपने का, अपनी कटूक्तियों और गालियों से अपने तथाकथित वर्ग शत्रुओं को ध्वस्त करने के मूर्ख आत्मविश्वास का बड़ा भारी सर्किट मार्क्सवादी आलोचना में है। और इससे सबसे ज्यादा अहित जो किया है वो हमारी अकादमिक दुनिया ने। जहाँ साहित्य को रसास्वादन के लिए अब कोई पढ़ता ही नहीं। सबकुछ उसका एक सामाजिक आशय खोजते हुए। मतलब उसी आशय में सबकुछ पर्यवसित कर देना जैसे कि ये आलोचना का मुख्य काम हैं यह मुझे बहुत दयनीय भी लगता है और हास्यास्पद भी।

सु. प.—इस हद तक मार्क्सवादी आलोचना की जो परिणति हो सकती थी कि वह दयनीय हो गई। वह नए से जितना घृणा करती है शायद ही कोई विचार इतना करता हो। अब हम एक और क्षेत्र में आ जाएँ। एक गुत्थी है जो मैं बराबर सोचता रहता हूँ और कभी मौका मिला तो शायद उस पर कुछ बात आगे बढ़ाएँ। आप बेहतर सब्जेक्ट हैं मेरे लिए। ये बात वैसे मैं निर्मलजी से पूछता हूँ। लेकिन वे बहुत जल्दी बोलते नहीं, जवाब देते नहीं, इसलिए मैं आपसे पूछ रहा हूँ। निर्मल जी कम्यूनिस्ट पार्टी में रहे हैं फिर हंगरी की घटनाओं के बाद में वे कम्यूनिस्ट पार्टी छोड़ गए। उसके बाद निर्मल जी ने जो सोचा है वो भारतीय संस्कृति के सेंटर में जो प्रश्न हैं उनके बारे में सोचना है और उन प्रश्नों को उत्तरित किए बिना वे मनुष्यता के प्रश्नों को हल नहीं कर सकते। ये तो बाद के प्रश्न हैं। बेसिक क्वेश्चन है—निर्मल जी यदि कम्यूनिस्ट रहे होते तो कैसा लिख रहे होते और यदि वे कम्यूनिस्ट रहे होते तो उनके विचार क्या होते? शायद इससे पहले भी ये कि जब वे कम्यूनिस्ट थे तब उनकी रचनाएँ कैसी थीं। ये इससे रिलेटेड हैं कि आपकी कैटेगरी ठीक निर्मल जी रचनाएँ कैसी थीं। ये इससे रिलेटेड हैं कि आपको कैटेगरी ठीक निर्मल जी की नहीं है, लेकिन जो आघात निर्मल जी को झेलने पड़े हैं, उससे कहीं ज्यादा आपको झेलने पड़े हैं। आप ज़रा उनको रीड कीजिए।

अ. वा.—निर्मल जी के केस में ये लोग भी युवा थे जो 50-60 के दशक में मार्क्सवाद और कम्यूनिस्ट पार्टी की ओर आकर्षित हुए, उसके सदस्य भी बने। उसी कारण सम्भवतः वे स्कॉलरशिप पर चेकोस्लोवाकिया गए। हमारे यहाँ कोई कम्यूनिस्ट समाज तो था नहीं। अभी भी थोड़े-बहुत राज्य जहाँ कम्यूनिस्ट सरकारें हैं भी, समाज वहाँ कम्यूनिस्ट समाज नहीं है। वहाँ और सब धारणाएँ हैं इत्यादि-इत्यादि। साम्यवादी समाज का कोई अनुभव भारत में सुलभ नहीं है। ये सुलभ वहीं था जहाँ निर्मल गए। तो एक मार्क्सवादी सपने के बाद जब वे साम्यवादी समाज के यथार्थ पर पहुँचे तो जो मोहभंग हुआ, जो अन्तर्विरोध नज़र आए, जो सपने और सच के बीच खाई नज़र आई। वो किसी भी संवेदनशील व्यक्ति के लिए बड़ा भारी धक्का था। निर्मल वर्मा के अगर आप कथा-साहित्य को देखें तो जब समाजवादी विचार से हमआहंगी थी उनकी तब भी उनका जो कथा-संसार है वह सीधे-सीधे या किसी प्रगट ढंग से, यान्त्रिक ढंग से मार्क्सवादी चिन्तन से उपजा हुआ संसार नहीं है। निर्मल की बुनियादी जिज्ञासा सम्बन्धों के बहुत ही सूक्ष्म अन्तर या हल्की-सी छाया इधर से उधर हुई तो उसके इस करवट में जो परिवर्तन को लक्षित करने की है। निर्मल असल में तो सूक्ष्म परिवर्तन के द्रष्टा हैं। बड़े-बड़े परिवर्तन उनके कथा-साहित्य में नहीं होते। शायद इसी को क्षतिपूर्ति करने के लिए कथा-इतर गद्य में वे बड़े प्रश्नों और बड़े परिवर्तनों से जूझते हैं। उसमें निर्मल की जो स्थिति है वो बदली हुई है। बुनियादी प्रश्न, एक ज़माने में जिसका हल मार्क्सवाद की ऑक्सीजन से मिल जाता होगा, वो मिलना बन्द हो गया। या कम-से-कम वो उनके लिए उपलब्ध नहीं रहा। तो वो और जिन चीज़ों की ओर मुड़े, हम सब जानते हैं कि कहाँ-कहाँ गए वो। लेकिर मुझे लगता है उनकी जो बुनियादी जिज्ञासाएँ थीं उनमें कोई परिवर्तन नहीं आया। कई बार निर्मल की पोजीशन कुछ एंटी कम्यूनिस्ट पोजीशन लगती है। लगता है, मुझे वो एंटी कम्यूनिस्ट अधिक हैं एंटी मार्क्सिस्ट कम हैं। मैं नहीं समझता कि निर्मल मार्क्स के महत्त्व को नकारते हैं या कम आँकते हैं। लेकिन जो सोवियत सत्ता है या कम्यूनिस्ट सत्ता है, इसके वे भयानक विरोधी हैं। इसमें कोई शक नहीं। फिर भी उनके दुस्संयोग सत्ता है, इसके वे भयानक विरोधी हैं। इसमें कोई शक नहीं। फिर भी उनके दुस्संयोग से उन्हें इसे देखने का या इसमें रहने का सीधा अवसर मिला है, जो हममें से ज्यादातर को नहीं मिला। आप लगातार उन समाजों में रहे और एक ऐसे समाज में रहे जो उस बड़े कम्यूनिस्ट समाज के आतंक में जी रहा है। जोकि चैक समाज था। दूसरी तरफ निर्मल वर्मा की बुनियादी चिन्ताएँ मुझे लगता है शुरू से आध्यात्मिक थीं। यानी अस्तित्व के चरम प्रश्नों से जूझने के अर्थ में। कई

बार उन चिन्ताओं के रहते मुझे लगता है, उनके राजनीतिक जो रुझान हैं यद्यपि वे मूलतः राजनीतिक व्यक्ति नहीं हैं। वे मूलतः एक नैतिक व्यक्ति हैं। नैतिक व्यक्ति जो राजनीति क्षेत्रों पर टिप्पणी करने में चूक जाता है वो निर्मल भी करते हैं। क्योंकि निर्मल दुर्भाग्य से चरित नायक भी बन गए। मुझे लगता है जिस बात ने रघुवीर सहाय को एक ज़माने में किसी हद तक क्षति पहुँचाई थी। वो बात शायद निर्मल को भी क्षति पहुँचा रही होगी कि मैं प्रवक्ता हूँ। स्वनियुक्त प्रवक्ता हूँ, एक प्रवृत्ति का।

सु. प.—आपकी कविता पर बातें करते हैं। आपकी कविता में एक तो है आनन्द और सुख की खोज और उसके लिए जो प्रयत्न है, छटपटाहट है और उसके लिए अभी आप एक प्वाइंट पर आए हैं यद्यपि पहले भी थे : 'बॉडी'। देह का जो विस्तार है, आपकी कविताओं में वो नितान्त सेक्यूलर विस्तार है। दूसरा आपकी चिन्ता है शब्द। कविता में आप अपना अध्यात्म रचने की कोशिश कर रहे हैं इन उपादानों के ज़रिए। बहुत-सी कविताएँ ऐसी हैं जो इशारे करती हैं। एक चीज़ मैं ज़रूर कहूँगा कि भौतिक रूप को एक तरह से ज़बर्दस्त ढंग से एस्टेब्लिश करना। मैं इसलिए बहुत बड़ा हस्तक्षेप मानता हूँ पॉलिटिकल। जहाँ आदमी की देह को नष्ट करके उसमें पवित्र, शुद्ध आध्यात्मिक, पुनर्जन्म वाला तत्त्व उसमें भरकर उसको चाहे जैसे नियुक्त कर लिया जाए धार्मिक शक्तियों द्वारा। उसके मुकाबले आप एक नितान्त भौतिक बनाते हैं आपकी जो कविताएँ हैं वो बेसिकली इस छद्म अध्यात्म और छद्म धार्मिकता को एक तरह से परेशान करनेवाली है। तत्त्ववाद उनमें नहीं रह पाता। तो क्या अब तक जो हिन्दी की आधुनिक कविता के बीच, कोई नया नक्शा आपके दिमाग में है जो इधर आप ज़िद-भरे ढंग से, आर्ग्यूमेंट करते हुए अपने आपसे लिख रहे हैं। देह को क्या मानें? क्या कारण हैं?

अ. वा.—इसके दो-तीन पक्ष हैं। एक तो कोई भी कवि इतना जान-बूझकर योजना बनाकर तो कुछ करता नहीं है। हमारे यहाँ आदत है कि कविता को दूसरी कविता पर टिप्पणी की तरह नहीं पढ़ा जाता। मैं इस पर इसरार करता रहा कि हम लोगों की कविता दूसरों की कविता पर, जैसे कि दूसरों की कविता हम लोगों की कविता पर टिप्पणी थी। मुझे लगता है कि मेरा इस पर बहुत आग्रह रहा है कि हमारी जो रोज़मर्रा की ज़िन्दगी है वही हमारा बुनियादी आध्यात्म है और उसी में, यानी रहस्य का भाव, आश्चर्य का भाव, विचित्रता का भाव कहीं जो दार्शनिकों ने, चिन्तकों ने, धार्मिकों ने देख लिया है एक तरफ वो और दूसरी तरफ हर दिन इसका जो अवमूल्यन विज्ञापनों द्वारा,

बाज़ार द्वारा इत्यादि। इन सबमें कम-से-कम इस इयत्ता को बनाए रखने की कोशिश, हम पूरे-पूरे जो भी हों, हम सीधे-सच्चे आदमी होकर अपने सारे धर्म निभा सकते हैं, न सन्त होकर, न लफंगे और उसकी खोज़ कैसे, मतलब जो आप नहीं देख रहे, जो आप दुर्लक्ष्य कर रहे हैं, या जो आपको नहीं देखने दिया जा रहा है वो चाहे आपमें एक धार्मिक संकोच पैदा कर दिया गया है जोकि आपकी परम्परा का अंग नहीं है या आपमें एक खरीद-फरोख्त का अंदाज़ पैदा कर दिया गया है। इन सबसे अलग होने मात्र की जो ऐन्द्रिकता है, उसकी क्या हम पुनरावृत्ति कर सकते हैं और अगर ऐसा कर सकते हैं तो अभी भी हम शब्द की बुनियादी गरिमा को बचा सकते हैं, हम शब्द की बुनियादी शक्ति को फिर से जगा सकते हैं। शब्द का काम केवल सूचना देना नहीं है। अगर वो सिर्फ अभिव्यक्ति का माध्यम बनकर रह गया है, तो वे तो बदले जा सकते हैं। ये जो शब्द का बुनियादी काम है यानी अस्तित्व में हमारी हिस्सेदारी, हमारे संघर्ष को लगातार उद्‌बुद्ध करना। वह सिर्फ सूचना या अभिव्यक्ति का काम नहीं है। शब्द संसार में हमारी गहरी आध्यात्मिक हिस्सेदारी का काम है। इसलिए शब्द का मेरा कुछ दुराग्रह जैसा है।

सु. प.—एक और बात थी। आपका परिवार है, आपके भाई, बहन। आपके बारे में मेरी राय, जैसे रामविलास जी के बारे में मेरी राय है कि वे अपने परिवार में रचे-बसे व्यक्ति हैं। आपके बारे में भी जैसी सूचनाएँ मिलती हैं परिवार को साधना, परिवार के लिए काम करना, परिवार के लिए चिन्ता करना। यहाँ भाई भाई का सगा नहीं है। ये चीज़ आपमें कैसे है? ये मुझे चकित करती है। आपकी दस बदमाशियाँ मेरे लिए मायने नहीं रखतीं। ये चीज़ इतनी बड़ी मेरे लिये है। आप बहुत सारे लोगों के लिए फेथफुल हैं। दूसरे लोग आप पर भरोसा कर सकते हैं। ये चीज़ आपमें कैसे हैं?

अ. वा.—ये शायद मेरी माँ का, मेरे पिता का ही संस्कार रहा। मेरे पिता भी बहुत दूसरों की मदद करने वाले व्यक्ति थे। हम लोग आठ भाई-बहन थे। हमारे ताऊ की मृत्यु हो गई तो उनकी दो बेटियाँ थीं। मैं छोटे शहर का हूँ। सागर का हूँ और सागर का ही रहा आया। वहाँ असल में मुहल्ले और घर में कोई अन्तर नहीं होता। सुबह खुलता था छह बजे जो दरवाज़ा तो रात में ग्यारह बजे बन्द होता था। तो वो एक भाव बना रहा। फिर मतलब मैं बहुत अकेला रहा हूँ और मैं बहुत अकेला रह सकता हूँ। लेकिन मुझे संग-साथ बहुत पसन्द है और वो संग-साथ न हो तो मैं थोड़ा बेचैन हो जाता हूँ। कोई अगर मेरे जीवन का मुख्य रसायन खोज़े तो संग साथ है।

सु. प.—ये बतलाइए एक दिन हम मंगलेश जी के यहाँ बैठे हुए थे, पंकज सिंह आ गए। चर्चा आप पर निकल आई। तो पंकज ने एक वाक्य कहा। इस वाक्य से मैं सहमत हूँ। एक्सप्लानेशन न ही तब मैंने माँगा। अब आप ही से पूछूँगा। उसने कहा कि आपकी कविता की एक रीडिंग लोग ये करते हैं कि वो बड़े ही उल्लास, बड़े ही समारोहात्मक, बहुत आनन्द केन्द्रित कविता है। पंकज का इंटरवेंशन यह था कि अशोक जी कविता में बेहद अकेलेपन है, सारे समारोहात्मकता के बावजूद बहुत विषाद है। तो ये जो विषाद है, ये जो 'सबटेक्स्ट' है आपका, क्या ये रीडिंग सही है?

अ. वा.—बिल्कुल सही है। असल में बुनियादी तौर पर अवसाद का कवि हूँ। ये अलग बात है कि अवसाद का कवि होना भी अच्छा नहीं माना जाता। एक बार तंग आकर मैंने कहा था कि मैं नव-छायावादी हूँ, ऐसा कहने में मुझको उज्र नहीं है। अवसाद को समझ पाना मुकिश्ल है कि ये क्यों है? इसको आप कहें आमतौर पर सफल जीवन मेरा माना जा सकता है। जो नहीं है, उसकी बहुत ज्यादा आकांक्षा भी नहीं है। कुल मिलाकर तो सब ठीक है। लेकिन एक तो लोगों के बीच रहकर भी, जैसे परिवार में बहुत कम बोलता हूँ। मेरी घर में बातचीत बहुत कम होती है। मेरे जैसा बेहद बातूनी व्यक्ति परिवार में बेहद कम बोलता है। जैसे कि मैं जब छोटा था तो मैं बहुत कम बोलता था। माता-पिता से मेरी बहुत कम बात होती थी। उसी तरह अपने लड़के-लड़कियों से मेरी बहुत कम बात होती है। दूसरा ये है कि ये परिवार ने मुझे सुविधा दे रखी है कि जब मैं चाहूँ, मतलब वे मुझे छेड़ते या मेरे काम में तंग नहीं करते। इसको लेकर मुझे भी थोड़ा-सा रहता है। तो इससे भी थोड़ा आ गया। फिर मेरे माता-पिता की मृत्यु हो गई। काफी जिम्मेदारियाँ मुझ पर आ गई। फिर मैं बचपन में बीमार बहुत रहता था। इसीलिए अकेले पड़े रहने का और कम बोलने की घर में आदत पड़ गई, तो शायद कुछ उससे भी।

सु. प.—विचित्र बात कही है विजयमोहन जी ने। एक दिन बात कर रहे थे हम तो ज़ाहिर है कि पुस्तक पर तैयारी कर रहा हूँ तो अशोक ही अशोक मेरे दिमाग में। बात हो रही थी, उन्होंने कहा कि अशोकजी के लिए 'एप्ट' फिल्मी गाना है 'हँसता हुआ नूरानी चेहरा' ये पंक्ति आपकी जो टोटल छवि है, एक ही झलक में खोल देती है। इसी हँसी के पीछे जो विषाद है...

अ. वा.—एक तो कुछ ये भी हुआ है कि मैं थोड़ा-सा इस बात को लेकर चौकन्ना-सा

कि साहित्य या कविता ही ऐसा क्षेत्र है जिसको ये इज़ाज़त हो कि वो मेरी इस 'इनवायबल स्पेस ऑफ प्राइवेसी' में झाँक ले और किसी की नहीं होना चाहिए। तो एक तरह से दोनों चीज़ें एक मेरा तथाकथित अहंकार उसने भी कई बार इसमें मदद की। फिर ये कि अपनी हँसी आप दूसरों को दें, अपना सुख आप दूसरों को दें, लेकिन अपना दुःख किसको दें वो कौन लेगा? किस काम का? मेरे काम का हो, तो हो दूसरे के किस का। तो इस तरह की ज़हनियत बनती गई तो वो एक इससे मदद भी मिलती है। फिर ये है कि मुझे छोटी-मोटी चीज़ें दुखी नहीं करतीं। उससे फ़ायदा ये भी हुआ कि समझौते नहीं करने पड़े, हमने किए ही नहीं। मतलब अपनी भूल-चूक जो भी रही हो, होती रहती है। हो सकता है, कभी कोई निर्णय या कुछ गलत हो गया हो, अब कौन ऐसा पढ़ा-लिखा के आया है कि आप हमेशा सही होंगे। अभी बीच में आग्नेय जी के दो-तीन फोन आए अब हो गया बहुत, अब मिलकर बैठें। मैंने कहा, ऐसी तो कोई बात नहीं है, आप ही लोगों ने शुरू किया था आप ही जानें, मेरी तो कोई दिलचस्पी नहीं है। अब ये कोई बात हुई कि आप व्यर्थ का मोर्चा खोले रहें जब थक जाएँ तो कहें, चलिए मिल जाएँ। ऐसी क्या बात है। आपकी कोई मजबूरी होती हो मेरी कोई नहीं है। अभी साहित्य अकादमी के चुनाव हुए, जिन मित्रों ने खुलेआम यद्यपि मुझसे अनेक बार वादा करके विश्वासघात किया। मैं उनको भाव नहीं देता। उनमें से कोई-कोई कोशिश होती रहती है, पर मैं ध्यान नहीं देता। अगर आपको लगता है आप ऐसे···

हमेशा एक दरवाज़ा है

पहला दिन

यह पहली सुबह है इस ईसाई सन्त के प्राचीन कमरे में अकेले। दिन धीरे-धीरे चढ़ रहा है। थोड़ी देर पहले इस कमरे में लगे छोटे से बग़ीचे में एक रंगीन-सी चिड़िया थी। पर प्रायः कोई आवाज़ नहीं है : कभी-कभी चीज़ों की अपनी आवाज़ जैसी कुछ सुनाई देती है। जैसे चीज़ें बीच-बीच में अलसाकर अँगड़ाई सी ले रही हों। यों तो होटलों के कमरे भी एकदम अकेले होते हैं पर यहाँ का अकेलापन कुछ अलग है : उसमें कुछ रहस्य, कुछ भय-सा हैं कोई नहीं आता पर लगता रहता है कि कहीं से कोई प्राचीन पुरुष निकल आएगा। कल रात जब यहाँ पहुँचे तो एकदम सुनसान था : रोशन सुनसान। फिर भी जैसे हम प्राचीनता के किसी पवित्र से अवसाद में कोई फूहड़ सा ख़लल डाल रहे हों। यहाँ सब कुछ शान्त है मानो अनुग्रह की अटूट अनन्त असमाप्य प्रतीक्षा है।

चीज़ें, आसपास, सबकुछ अपरिचय से घिरा है। हम सब कुछ धीरे-धीरे ही जानते हैं भले एक अधीर समय में रहते और फँसे हैं। चीज़ें भी हमें धीरे-धीरे ही जानना शुरू करती हैं। जैसे सामने की एक खिड़की और आपके पार एक पुरानी पत्थर की ऊँची दीवार या इधर बगल की आयताकार खिड़की से दीखता दीवार का उतना ही बड़ा हिस्सा, इनमें से किसी ने अभी तक मुझे देखा भी नहीं है।

25 अक्तूबर, '94

खिड़की खुलती है पर कोई झाँकता नहीं

खिड़की बाहर पर खुलती है : वह अन्दर को बाहर से देखने के जरिए जोड़ती है। बाहर है यह अन्दर को याद रहे। बाहर को यह अहसास बना रहे कि अन्दर है। खिड़की अन्दर और बाहर दोनों को एक-दूसरे का एहतराम करने का एक सीधा-साधा अवसर है। आकाश हर घर पर छाया है पर कई बार वह खिड़की से ही दीख पड़ता है। खिड़की के द्वारा घर आकाश को याद करता है। यह भी कि आकाश खिड़की से होकर घर से अन्तरंग बनकर प्रवेश करता है।

खिड़की से बाहर का जो दृश्य दीख पड़ता है वह चुपचाप घर में दाख़िल हो जाता है। उसी रास्ते अन्दर जो हो रहा है। उसका कुछ हिस्सा बाहर फिसल जाता है। कई बार घर के अन्दर से हम खिड़की के माध्यम से ऐसा बहुत कुछ देख पाते हैं जिसे हमने देखा यह न देखे हुए को पता, न किसी और को। खिड़की एक गोपन दृष्टि हो सकती है। एक आँख जो देखती है और जिसे देखते हुए कोई और नहीं देख पाता। खिड़की रहस्य को छिपना और भेद को न खोलना जानती है। अगर वह चाहे तो भेद खोल भी सकती है। खिड़की ख़तरनाक हो सकती है।

कविता संसार की अनन्त पर, खिड़की है। उस निरन्तरता को जो है, हम अगर यह खिड़की न होती तो शायद अलक्षित ही जाने देते। हम चाहें तो इस खिड़की से दृश्यावलोकन कर सकते हैं : हम अनन्त देख सकते हैं। पर खिड़की का, दृश्यता का और अनन्त का होना हमारे झाँकने पर निर्भर नहीं है। खिड़की झाँकने का न्यौता है। हो सकता है कि हमें न्यौते को स्वीकार करने में देर हो जाए। पर इस देरी से फ़र्क नहीं पड़ता क्योंकि कविता जिस अनन्त पर खिड़की है वह बीतता नहीं है।

पर झाँकना करना भी है—जो दूर से देखता है वह हिस्सेदार नहीं है यह धारणा निराधार है। झाँकते हुए हम दृश्य में शामिल हो जाते हैं। हमारे बिना दृश्य पूरा नहीं होता। अनन्त पर झाँककर हम उसमें शामिल हो जाते हैं। कविता भवसागर पार करने की नौका नहीं है पर वह भवसागर की मँझधार में अनन्त पा लेने का दुस्साहस ज़रूर है। वह जो पार और सुदूर है उसे सामने और पास लाना है—कम-से-कम उसकी अथक चेष्टा है।

25 अक्तूबर, '94

आकाशगंगा को आवाज़ देती घास

शत्रूज़ के जिस एक क्रमांक चैम्बर में मैं हूँ वह चौदहवीं सदी में बना था और सैकड़ों बरस उसमें ईसाई सन्त रहते आए थे। फिर फ्रेंच क्रान्ति हुई और वे खदेड़ दिए गए। हरेक चैम्बर के पीछे एक आँगन है जिस पर हरी घास उगी हुई है। सामने एक ऊँचा पुरातन स्मारक है जिस पर कबूतरों का डेरा है। उसके बहुत ऊपर आकाश है।

घास यहाँ हमेशा रही होगी। वह पियराती होगी, सूखी पड़ जाती होगी यह फिर उग जाती होगी। घास यहाँ इस मठ में वैसे ही है जैसे कि समय है। अपनी बेहद मद्धिम लय में बीतता हुआ और फिर भी हमेशा-घास की ही तरह।

घास बहुत नीचे होती है : कई बार कुछ और नहीं होता सिर्फ़ घास होती है। जैसे आसपास कोई पदार्थ या व्यक्ति न हो सिर्फ़ शब्द हों : किसी के द्वारा बोले-पुकारे शब्द नहीं, अपने ही अन्दर एकत्र, घुमड़ते या सहमे हुए शब्द।

घास पर धूप गिरती है, अँधेरा घिरता है, ओस पड़ती है। हवा घास को सहलाते हुए गुज़रती रहती है। जब किसी को ख़बर नहीं होती, घास आकाश की तरफ़ देखती है। वह नीचे भले है पर वह बात करती है। आकाशगंगा से जो कि आकाश के आँगन में ख़िली घास है।

घास आकाशगंगा से अपने हरे-भरे मन की बात कहती है और आकाशगंगा घास से अपनी चमकती आपबीती कहती है। कविता को कभी-कभी यह संवाद सुनाई देता है और याद रहता है। उसी के माध्यम से कभी-कभी हम इस गुपचुप बातचीत के कुछ टुकड़े सुन पाते हैं।

कविता हमें ऐसे कई संवादों का पता देती है। कविता न होती तो हम सोच भी नहीं सकते थे कि घास आकाशगंगा को आवाज़ देती है।

26 अक्तूबर, '94

धूप ने मुझसे पूछा है

आज सुबह से ही पानी गिर रहा है। हल्की-हल्की बारिश है और सबकुछ धुँधला-सा है। लगता है जैसे अभी रात ही चल रही है। यों एकदम निपट अँधेरी रात नहीं, लम्बी भोर है—उजाला है पर अँधेरे का अतिक्रमण कर नहीं, उसके साथ ही। धूप यहाँ यों भी कुछ देर से आती है। सुबह नौ बजे के बाद ही अँगूरों पर चमकती है। खिड़कियों के काँच पर धुन्ध सी जम रही है। कहीं भी धूप का आभास या सन्देह नहीं है। फिर भी धूप की प्रतीक्षा है। बिना धूप के दिन आ गया ऐसा मानना कठिन होता है। दिन से हमारा संवाद धूप से होता है। धूप न हो तो दिन मानों मूक हो जाता है, लगभग निर्वाक्। यहाँ, इस पुराने ईसाई मठ में यों भी शान्ति ही रहती है। प्राचीन पवित्रता अपने रहस्य, भय और मौन के साथ। धूप आती है तो लगता है कि बाहर के संसार से कुछ जुड़ाव हो गया। इस मठ को भी उसके पुराने अकेलेपन से धूप मुक्त करती है। धूप नहीं है तो किसी पक्षी तक की आवाज़ या चहचहाहट सुनाई नहीं दे रही है। ठंडी हवा है पर वह बाहर है। धूप नहीं है तो बाहर चीज़ों के रंग भी एक व्यापक पूरे धूसर में लीन हो गए हैं। धूप चीज़ों का उनके अपने अलग-अलग रंगों में उजागर होने का अवसर होती है। धूप में हम समय की पहचान करते हैं। पर धूप समय के आर-पार फैल जाती है। वह अतीत पर, हमारे वर्तमान पर और भविष्य पर मानों एक साथ छा जाती हैं उसके लिए सब कुछ एक साथ है, एक के बाद एक नहीं। हमारा सारा समय धूप में एकत्र होता है। आज धूप नहीं है तो यह मठ चौदहवीं सदी के धुँधलके में है और हम बीसवीं सदी के ढलान पर। कल जब धूप होगी तो इन सभी सदियों, इनके बीच के अन्तराल पर और हम पर एक साथ होगी। धूप का इतिहास नहीं है : वह हमें भी इतिहास से मुक्त करती है। आकार, प्रत्यय, स्थापत्य, शैलियाँ, रूपाकार, जिजीविषा के संस्कारण सब बदलते जाते हैं पर धूप नहीं। धूप वही है जो थी और जो होगी।

धूप मुझसे सीधे बात नहीं करती। वह अपने शब्दों की तरह घास, इमारतों के आकार, फूल, लोग, बच्चे, स्त्रियाँ, चिड़ियाँ, छायाएँ आदि सबसे बोलती चलती है और मुझे लगता है कि धूप ने मुझसे कुछ पूछा या कहा है।

28 अक्तूबर, '94, सुबह 10 बजे

दस्तक है : कोई नहीं है दरवाज़े के बाहर

यहाँ इस स्मारक में बदल गए ईसाई मठ में अद्भुत शान्ति है। घंटों गुजर जाते हैं, उसके लम्बे-सूने गलियारों में से कोई नहीं गुज़रता। दिन में कुछ सैलानियों की आवाज़ें सुनाई देता हैं : कभी-कभार बच्चों की किलकारियाँ या चीख-पुकार। अगर कोई आता है तो उसकी पदचाप बहुत पहले से सुनाई देने लगती है और बहुत देर तक सुनाई देती रहती है। इतना सुनसान है कि ग़ालिब के शब्दों में 'और गर मर जाइये तो नौहख़्वाँ कोई न हो।' यह सचमुच 'ऐसी जगह' है 'जहाँ कोई नहीं है।' शायद ईश्वर है, पवित्र भय है, शायद ईसाई सन्तों की मँडराती अदृश्य आत्माएँ हैं पर उनमें से कोई भी अपनी उपस्थिति का प्रमाण नहीं देता। चैम्बर का दरवाज़ा बन्द रहता है और उस पर कोई दस्तक नहीं देता। फिर भी जब-तब लगता है कि कोई दस्तक दे रहा है। बहुत हल्की, जैसे बच्चे कभी शरारत में हलकी सी दस्तक देकर किसी दरवाज़े के सामने से ग़ायब हो जाएँ। हम कभी भी निपट अकेले नहीं हो पाते : शायद इसलिए कि वैसा होने में हमें डर लगता है। हम अपने अकेलेपन को, अपने सुनसान को, अपनी निर्जनता को खोलना चाहते हैं : हम चाहते हैं कि हमें कोई पुकारे, हमें आवाज़ दे। कोई याद करे कि यहाँ इस सुनसान में घिरे हम हैं। हम चाहते हैं कि अपनी निर्जनता के घर में हम बन्द न रहें हम इसीलिए जब-तब एक दस्तक सुनते हैं जो दरअसल कहीं नहीं होती, न ही कोई देता है। हम स्वयं अपने एकान्त पर दस्तक देते हैं। इसीलिए दस्तक होती है पर कोई नहीं होता दरवाज़े के बाहर। कभी-कभी हम अपने से ही मिलने अपने बाहर आना चाहते हैं।

क्या कविता आत्मा के सघन एकान्त पर ऐसी ही दस्तक है? वह जमें अपने से ही मिलने का एक दरवाज़ा खोलने के लिए प्रेरित करती है। वह समय की, सचेत करने की, कहीं जाने के लिए तैयार होने की सूचना की दस्तक नहीं है। वह ख़तरे से भी आगाह नहीं करती है। वह होने की दस्तक है : वह अन्दर को बाहर की याद दिलाने की दस्तक है। वह स्थिति को उपस्थिति से जोड़ने की दस्तक है। जब हम कविता की दस्तक अनसुनी करते हैं या वह हमें सुनाई ही नहीं देती तो या तो किसी देवता या सन्त की तरह हमारे भीतर-बाहर में अटूट एकतानता आ चुकी होती या फिर हमने अपने एकान्त में रहना छोड़ दिया होता है।

29 अक्तूबर, '94, सुबह 10.30 बजे

अनन्त की चौकसी करते पुरखे

कल हमें बताया गया कि 1 नवम्बर को पूरे फ्रांस में छुट्टी होगी क्योंकि उस दिन सब लोग अपने दिवंगतों को याद करेंगे। हर साल एक दिन पुरखों का होता है। भारत में हम अपने पुरखों के लिए पूरा एक पितृपक्ष ही मानते हैं। मुझे अकसर लगता रहा है कि पुरखे हमारे घर के आसपास पक्षियों की तरह मँडराते हैं। 'हम अपने पूर्वजों की अस्थियों में रहते हैं।' यों तो इस ईसाई मठ के इस चैम्बर के अपने पुरखे हैं : हो सकता है वे थोड़ी-सी ओस बनकर इसकी खिड़कियों के काँच पर थोड़ी देर के लिए जम जाते हैं ताकि हमारी रात की, हमारी नींद और सपनों की रखवाली कर सकें। पुरखे इस निपट भीषण से एकान्त में हमें निर्भय करते हैं। अकसर हम उन्हें ठीक से नहीं जानते। उनमें से ज़्यादातर के नाम-रूप न हमें ठीक से मालूम, न ही याद। बस एक अजब-सा भरोसा कि वे हैं और कृपालु हैं। पुरखों का किया धरा बहुत थोड़ा बचकर हमारे पास आ पाता है। कोई पैतृक मकान, कुछ आभूषण, एकाध कथरी या मूर्ति और कुछ नाम। कोई पारिवारिक प्रथा जिसका उद्‌गम हमें पता नहीं होता। पर इन सबके बिना या बावजूद पुरखें होते हैं। वही हमारे लिए अपनी कामना-आकांक्षा, जिजीविषा और साहस, कल्पना और जोकि की एक निरन्तरता गढ़ते रचते हैं : हमें उस निरन्तरता में अवस्थित कर अकेले होने के डर से बचाते हैं। वही हमें जताते हैं कि हम उनके हैं, एक दिन उनमें, उनकी पाँत में होंगे पर हम वही नहीं है। पुरखे अनुवाद नहीं करते, न ही हममें अपना अनुवाद देखना पसन्द करते हैं। पुरखे अनन्त को हमारे घर-आँगन में ले आते हैं। वे हमें यह अहसास कराते हैं कि हम बहुत पहले से हैं और बहुत बाद तक रहेंगे। उनके कारण अनन्त सुदूर और अलभ्य नहीं रह पाता : वह जहाँ-तहाँ उग आई हरी घास की तरह घरेलू होकर हमारे आसपास पुरा-पड़ोस में शामिल हो जाता है।

सभी पुरखे सयाने नहीं होते : कुछ में अधीरता और बालहठ भी होता है। सभी हमारे पाप-पुण्य पर नज़र नहीं रखते। कुछ हमें ईर्ष्या से भी देखते हैं : कुछ को हमारी आसक्ति से लालच लगता है। पर उन सबमें धीरज होता है : वे ग़ैब की हद से बाहर नहीं आते। मृत्यु करे, न करे, पुरखे हमेशा हमारी प्रतीक्षा करते हैं।

30 अक्तूबर, '94, सुबह 8 बजे

1

आकाश पहले भी था

इस चैम्बर के ऊपरी हिस्से में, जहाँ मैं इन दिनों काम करता और सोता हूँ, तीन खिड़कियाँ हैं। ईसाई सन्त अपने समय में इन्हीं से बगल के चैपल के शिखर को, बाहर को और आकाश को देखते होंगे। हालाँकि इस कमरे में इस समय बज रहा पश्चिमी शास्त्रीय संगीत उस समय कम-से-कम इस कमरे में न रहा होगा, शेष सबकुछ वैसा ही है। कम-से-कम आकाश तब भी याने पाँच-छह सदियों पहले भी ऐसा ही रहा होगा। कभी-कभार आकाश तब भी याने पाँच-छह सदियों पहले भी ऐसा ही रहा होगा। कभा-कभार अब जो आवाज़ें आती हैं शायद भिन्न तरह की हैं। पर यहाँ का सुनसान और उसके ऊपर छाया आकाश वैसे ही हैं : दोनों ही ईश्वर के अपने सुनसान हैं—उसके निस्स्वर और निश्शब्द आँगन। ईश्वर पता नहीं अब यहाँ या कहीं भी हैं या नहीं। वह मर गया, जैसाकि पश्चिम में माना जाता है या अपनी ही सृष्टि छोड़कर चला गया, कहना मुश्किल है। पर उसका सुनसान, उसका आकाश अभी भी हैं : वैसे ही जैसे पहले थे। आकाश इन खिड़कियों से उन सन्तों को, उनके थोड़े से पात्रों और पवित्र पुस्तक, पोथियों और कम्बल आदि को शायद ही लक्ष्य करता होगा। वह इतना ऊपर है और उसे हर खिड़की से झाँकने के लिए इतने सारे नेत्र चाहिए कि वह शायद ही ज़हमत उठाता हो। फिर समय भी चाहिए। आकाश के पास भला समय की क्या कमी होती होगी? उसके लिए तो समय ही समय होता होगा। आकाश के लिए न पहले, न बाद में : न आगे, न पीछे। वह देश और काल की सीमाओं से ऊपर और पूरे असीम और निरभ्र। आकाश अकेला है : ईश्वर तो दिवंगत हो सकता है या छोड़कर जा सकता है। पर आकाश नहीं—वह वहीं है। वह कहीं नहीं जाता। उसके लिए कहीं नहीं है। सूर्य, चन्द्र, तारे-नक्षत्र, ग्रह सब दीखते हैं मानों आकाश में हों पर वे वहाँ नहीं हैं। आकाश उनसे भी अलग और अकेला। समय बीतता है, देवता ओझल हो जाते हैं, काल आकर अपनी गठरी में बटोर ले जाता है कई जीवन और लिप्साएँ, उत्कापात होता है, चन्द्र और सूर्य ग्रहणग्रस्त होते हैं, दिन-रात होते-बीतते हैं : पर आकाश वैसा ही है—अव्यय, अस्पृश्य और आदि अन्तहीन। जब कोई नहीं था, आकाश था : जब कोई या कुछ नहीं रहेगा, आकाश होगा। आकाश पहले भी था : आकाश अन्त के बाद भी रहेगा। आकाश होना ही है।

1 नवम्बर, '94, सुबह 11.15 बजे

पवित्र जगह

अगर मुझे तुम्हारे पीछे आने में दिक्क़त हुई
तो मैं होंठ सुलगाता हूँ
शान्ति में लौ लगाता हूँ
—आविन्यों में मार्च—1930 में आन्द्रे ब्रेताँ, रेने शा और पाल एलुआर द्वारा लिखी गई एक संयुक्त कविता

हम एक ऐसे समय में रह रहे हैं जिसमें पवित्र जगहें कम रह गई हैं। हमारे कर्मजीवन में पवित्रता की जगह और, लगता है, कई बार सम्भावना ही बहुत सँकरी हो गई है। इसलिए कुछ भी अवध्य नहीं है : हमारी ऐंठ ऐसी है कि हम हर मर्यादा का उल्लंघन कर सकते हैं। क्रान्ति और मुक्ति ने हमें इस निर्बन्धता का पाठ इस शताब्दी में कई बार सिखाया है। अभी भी हमारे भूगोल में कुछ जगहें बची हुई हैं जो पवित्र मानी जाती हैं, शायद हमम्में से अधिकांश को उनका पुरानापन लुभाता है, उनकी पवित्रता नहीं है। इसी शत्रूज़ को देखने रोज़ जो सैलानी आते हैं उन्हें यहाँ का भव्य और भयावह एकान्त किसी तरह की पवित्रता का बोध देता होगा यह मानना कठिन है। यह पवित्र स्थान पहले था : अब नहीं है। फिर भी, यहाँ कुछ है जो मेरे जैसे ग़ैर ईसाई और आस्तिकता से वंचित कवि को यह प्रतीति देता है कि यहाँ कुछ पवित्र है। जिस ईसाई सम्प्रदाय का यह एक केन्द्र था वे मरुस्थल के दर्शन में विश्वास करते थे : निपट उजाड़ और सुनसान में अपने मठ बनाते थे ताकि वहाँ निहायत अकेले में अपना सामना कर सकें : अपने में ही रहकर अनुग्रह पा सकें। पवित्रता क्या सिर्फ़ अकेले में ही पाई जा सकती है : भीड़ जुलूस, शोभायात्रा, तामझाम उसके लिए अप्रासंगिक हैं।

कई बार लगता है कि हमारी समकालीन चेतना के भूगोल में कविता को पवित्र जगह होना चाहिए : हमारे इस अध्यात्म-वंचित, मर्यादाहीन और असंयमित समय में एक जगह जहाँ हम सिर झुका अपनी वेध्यता कुबूल कर सकें, जहाँ हम अपने से बड़ी और शाश्वत सचाई को निस्संकोच स्वीकार कर सकें, जहाँ हमारे शब्द सिर्फ़ आज और अभी के पहले और अतीत के भी एक साथ ही हो सके,

जहाँ अस्तित्व का रहस्य भय ओर आश्चर्य पुनर्वास कर सके, जहाँ वस्तुएँ अपनी सत्ता आभा से, मानवीय अर्थारोपण से नहीं आलोकित हो, जहाँ विनयपूर्वक मनुष्य अपनी मर्यादा स्वीकार करता हो, भाषा अर्थातीत को छूने की चेष्टा करती हो, जहाँ आस्था और मूल्यों के घटाटेप अँधेरे में कविता एक देर रात तक जलनेवाली मोमबत्ती की तरह प्रकाशित रह सके। कविता हमें उम्मीद नहीं भरोसा दे कि जब हम हारे-थके अपने शिविर में लौटेंगे तो वह एक प्रार्थना की तरह हमारे माथे पर झुकी होंगी।

3 नवम्बर, '94, शाम 6.30 बजे, (दीपावली)

शब्द का घर

शब्द हमारे न कुछ होने को प्रमाणित करते हैं, हमारे पैरों तले एक खाई खोलते हुए, किन्तु शब्द हमें एक घर भी दे सकते हैं।

—ईव बोनफुआ

ऐसा क्यों है कि हमारे यहाँ शब्द-शक्ति की महिमा और आशयों पर इधर विचार होना बन्द-सा हो गया है जबकि हमारी परम्परा में शब्द-शक्ति की धारणा एक प्रमुख प्रवृत्ति रही है। हमरे शब्द के बुनियादी उपयोग में कोई परिवर्तन किया हो ऐसा तो नहीं लगता। अभिव्यक्ति, व्यंजना, विश्लेषण और विचार, सम्प्रेषण और संवाद के उपयोग पुराने हैं। अलबत्ता शायद हम शब्दों का उपयोग आज कुछ अधिक तेज़ी से करते हैं : हमारा काम कुछ कम शब्दों का उपयोग आज कुछ अधिक तेज़ी से करते हैं : हमारा काम कुछ कम शब्दों से भी चल जाता है। इन दिनों शब्द तेज़ी से फैलते हैं। शब्द पर विचार को हमारे यहाँ व्यर्थ की दार्शनिकता या कलावादी हरक़त मान लिया गया है। यों ही समाज में शब्द का अवमूल्यन हो रहा है : पढ़ने-लिखने, अख़बार और साहित्य में शब्द के प्रति लापरवाही बढ़ती गई है। एक तरह की कामचलाऊ मानसिकता ने दृश्य पर कब्ज़ा कर रखा है।

मानवीय अस्तित्व के बुनियादी प्रश्नों को लेकर हमारी चिन्ता में जो अन्तर आया है, उसका हमारी शब्द-शक्ति से गहरा सम्बन्ध है यह बात पर्याप्त गम्भीरता से नहीं ली गई है। आज जब साझा मूल्यबोध, पवित्रता और अर्थमयता की साझा अवधारणाएँ क्षरित हो चुकी क्या हमें इस पर नहीं सोचना चाहिए कि शब्द अब हमारे होने की, हमारे साथ और आसपास हमसे बृहत्तर कुछ होने की उपस्थिति से दीप्त या ज्योतित नहीं रह गए हैं? मानवीय उपस्थिति और पवित्र अनुपस्थिति के बीच शब्दों की अब जगह कहाँ है? क्या उन्हें अपना पुराना घर याद आता है—क्या वे हमें उस याद से, उस व्यतीत उपस्थिति से किसी तरह ज़ोड़े या हिलगाये रखने की चेष्टा करते हैं? क्या हम इस चेष्टा को देख पाते हैं? या कि हमने अपने और शब्दों के इस घर निकाले को बिना जाने या विवशता से स्वीकार कर लिया है?

पर अगर हमारा एक घर टूट गया तो हमें दूसरा घर, कोई-न-कोई शरण्य

तो चाहिए। ऐसा शरण्य हम शब्दों में नहीं खोजते। यह मानना-जानना भी हमने दुर्भाग्य से छोड़ दिया है कि शब्द ऐसा शरण्य हो सकते हैं। कविता सदियों हमारी पवित्रता, रहस्य और विस्मय का घर रही है। उसे आज भी ऐसा घर हो सकना चाहिए जो हमारी नगण्यता के सन्त्रस्त करनेवाले भाव को कम करे—हमें फिर अस्तित्व की पवित्रता और रहस्य में पुनर्वास करने की जगह दे। शब्द ही ऐसा घर हो सकते हैं जिसमें एकान्त अन्तरंगता हो पर जो अपनी तरह से मुहल्ले में भी हो : हम अकेले हों पर आदमियों और चीज़ों के बीच और उनसे घिरे भी। उसमें देवता या ईश्वर न हो, पवित्रता और उपस्थिति हों।

4 नवम्बर, '94, दोपहर 12 बजे

हमेशा एक दरवाज़ा है

हम जहाँ होते हैं वहाँ बहुत देर तक नहीं बँधे रह पाते : हमें लगता है कि वहाँ से निकलने का कोई दरवाज़ा होना चाहिए। हमें विस्तार चाहिए पर इतना नहीं कि उसमें से निकलकर कहीं और जाने की राह न हो : हम विस्तार में भी एक द्वार चाहते हैं। किसी बेहद्दी मैदान में हम अधिक देर टिक नहीं सकते। हमें वहाँ से निकालकर किसी हद में पहुँचने के लिए दरवाज़ा चाहिए। बेहद्दी हमारा स्वभाव नहीं। वह कभी-कभार हमारी आकांक्षा हो सकती है। हमें हद चाहिए और कम-से-कम एक दरवाज़ा भी। हद और दरवाज़ा ही देखा जाए तो घर बनाते हैं। हमारा जन्म ही एक घर से निकलना है : माँ का गर्भ जिससे हम निकल आते हैं ऐसा ही घर नहीं तो क्या है? उस घर से निकलकर हम जीवनभर किसी न किसी और घर की तलाश करते रहते हैं जो हमें राहत-आराम, सुख-दुख, नींद-सपनों की हद में बाँधकर रख सके और जब ज़रूरी लगे तो जिसका दरवाज़ा खोलकर हम बाहर की दुनिया में, पुरा-पड़ोस में, शायद बेहद्दी मैदान में जा सकें और उसी दरवाज़े से, या कि पिछवाड़े के दरवाज़े से ही सही, फिर वापस उसकी आत्मीय-अन्तरंग हद में आ सकें। एक घर से दूसरे घर की खोज, एक हद और दरवाज़े से, दूसरी हद और दरवाज़े की खोज़ है। शायद जीवित होने और मनुष्य होने का अर्थ ही अपना घर बनाना, अपनी हद खोजना और उससे बाहर निकालने के लिए दरवाज़े खोलना ही है। जिस घर का दरवाज़ा हम नहीं खोल सकते, वह हमारे लिए क़ैदखाना हो जाता है।

जिस संसार में हम घर बनाते हैं वह भी एक बहुत बड़ा घर है। कुछ को लगता कि वह ईश्वर का घर है। भूगोल भलेक उसकी हदें बताता हो वह बेहद्दी, जिसमें असंख्य दरवाज़े हैं। कुछ को वह अस्तित्व मात्र का घर लगता है : जिसे हद बाँधकर और दरवाज़े खोलकर हम कुछ अर्थ, कुछ बसाहट, कुछ पावनता देते हैं—हम याने सारा प्राणिजगत् और प्रकृति। जो भी हमें जीने-बचने के लिए, रहने-रचने के लिए, सहने-अर्थ देने के लिए घर चाहिए—वही जिसमें हद हो, दरवाज़ा हो और जिसे खोलकर हम जब चाहें बेहद्दी में जा

सकें। समय कितना ही असीम क्यों न लगे हम उसे हद में बाँध ही लेते हैं—हमेशा एक दरवाज़ा होता है। न होता तो ये शब्द भी निकलकर इस पृष्ठ पर अंकित न हो पाते।

5 नवम्बर, '94, दोपहर 2.15 बजे

अनश्वरता का सन्देह

मनुष्य द्वारा रचा गया कोई भी आकार अनश्वर होता है, क्योंकि आकार पदार्थ या तत्त्व से स्वतन्त्र होता है।

—चार्ल्स बोदेलयर

सेब तक की सन्देह-भरी सुबहें होती हैं।

—एलैं बोस्के

बरसों पहले आविन्यों के प्रख्यात ग्रीष्म समारोह में ज्यां क्लोद कैरिये को एक अनूठा कार्यक्रम करते देखा-सुना था : टैक्स्ट इन द न्यूड। दिगम्बर टैक्स्ट्स। ज्यां क्लोद किसी प्राचीन, आधुनिक, मध्यकालीन लेखक या कवि या विचवारक का एक अंश पढ़ते थे बिना किसी सन्दर्भ के और उसके बाद किसी और का सर्वथा असम्बद्ध। और लगता था कि मानों अपने अलग-अलग समयों और सन्दर्भों को छोड़कर वे सभी एक-दूसरे से बातचीत कर रहे हों। काल के पार, निश्चित सन्दर्भों से अलग सम्वाद की निरन्तरता। अगर कविता या गद्य या विचार को उसके स्थान से विचलित कर दो तो वह एक नई स्वतन्त्रता पा लेता है : नई अर्थाभा भी। शब्द कितने भी अकेले और अपने में ही केन्द्रित क्यों न हों उनका स्वभाव ही संवाद करना है : शब्दों की स्थाई रति मानो संवाद है। उस कार्यक्रम के बाद लगा कि यह कितना अद्भुत और विलक्षण है कि कितने सारे लेखक, पुस्तकें और शब्द, हमारे जाने बिना, अनवरत एक संवाद में शामिल है। इस संवाद में शामिल हो पाना एक तरह की अनश्वरता, अक्षरता का उपहार अनायास ही पा लेना है।

आज सुबह मुझे बोदेलयर का कथन, जोकि यहाँ शत्रूज़ की एक पुस्तिका में उद्धृत है, ओर एलैं बोस्के की पंक्ति, जोकि उसकी एक पुस्तक में है जिसे मैं अपने साथ लाया हूँ, साथ याद आई और उन्हें मैंने इस पृष्ठ के ऊपर लिख दिया। दोनों में यों कोई सम्बन्ध क़तई नहीं है। शायद ही किसी और ने उन्हें साथ पढ़ा या सोचा हो। पर साथ आने पर बोदेलेयर के विश्वास और बोस्के के सन्देह में अचानक एक दिलचस्प संवाद होनें लगता है। यों बोदेलेयर आश्वस्ति

का चिन्तक नहीं और बोस्के सन्देह का कवि नहीं। बोदेलेयर के बग़ीचे में पाप के फूल खिले थे और उन्हीं के बीच कहीं गिरता है सन्देह-भरा एक सेब। 'प्रेम के लिए नोट्स' शीर्षक अपनी लम्बी कविता में, जिससे यह पंक्ति है, बोस्के के लिए 'महान पक्षियों का भी आविष्कार हुआ था'। प्रेम में कुछ भी प्रकृत नहीं—सब रचा और मिटाया जाता है। दिन डूब रहा है और मैं एक हिन्द कवि उसी मठ में हूँ, जहाँ दूसरी लड़ाई के दौरान एक संगीतकार की चाची ने यहाँ अपने कमरे में कवि लुई अराँगा को छुपाकर कई दिनों तक रखा था। अब आकर सन्देह, सुबह, नश्वरता, सेब और कवियों के बीच एक संवाद चल पड़ा है। समय, भाषा या यहाँ का भयावह सुनसान कोई बाधा नहीं है।

7 नवम्बर, '94, शाम 4.30 बजे

रास्ता एक ही नहीं था

हम जहाँ भी पहुँचते हैं या पहुँचने की कोशिश करते हैं वहाँ के लिए रास्ता एक ही नहीं होता। अक्सर मन में कचोट रहती है कि दूसरावाला रास्ता क्यों न लिया, शायद वह आसान या मनोरम होता। यह भी कि जहाँ पर हम पहुँचते हैं वहाँ पहुँचनेवाले हम पहले ही नहीं होते : हमसे पहले भी वहाँ कोई न कोई पहुँचा होता है। अक्सर उसके कुछ-न-कुछ चिह्न वहाँ छूट गए होते हैं : कुछ पात्र, काग़ज-पन्नियाँ, कुछ शब्द, कुछ खाए-अधखाये फल, आधे-अधूरे रह गए मनोरथ। उसने हमारे बारे में नहीं सोचा होगा : हम भी शायद ही उसके बारे में सोच पाते हैं, जो, पता नहीं कितने दिनों-बरसों-सदियों बाद, यहाँ पहुँचेगा। हमने चिह्न, अगर बचे रह गए, देखेगा और पाएगा कि वह यहाँ आनेवाला पहला नहीं है—हो सकता है कि फर वह हमारे बारे में सोचे, कुछ कयास लगाए।

जहाँ हम पहुँचते हैं दोपहर को या कि साँझ ढले वहाँ अकसर कोई पुराना आवास, शरण्य या गुफा होती है—या कि एकदम सामने खुल गया-सा असीम हरा पठार। हमें लगता है कि अब हम आकाश के, पर्वत और देवताओं के नजदीक आ गए हैं। हमारी साँसें, हमारी धड़कने, हमारी अपनी आवाज़ हमें इतनी साफ़ पहले कभी नहीं सुनाई दी थी। हम आसपास पाते हैं उस पहले आए कि चिह्नों के अतिरिक्त कुछ शिल्पित-क्षरित पत्थर, कुछ सूखकर पथरा गई-सी काई, उस बियाबान में भी जीवन की हरक़त करते कीड़ों की एक टेढ़ी सी कतार—बहुत सारी हवा, बहुत सारा बियाबन और उनसे घिरे बहुत सारे हम पता नहीं, हम यहाँ क्यों आए हैं, थकान थोड़ी देर कम होने के बाद हम सोचते हैं। यहाँ ऐसा तो कुछ नहीं है जिसके लिए इतनी दूर इतना श्रम कर आना आवश्यक हो। पर फिर लौटना सम्भव नहीं होता—हम जैसा अपना पूरा जीवन, उसकी असंख्य छोटी-बड़ी घटनाएँ, अपने प्रेम और विफलताओं का सारा असबाब, अपने शब्दों और यादों का पूरा अटाला, अपने होने का समूचा बोझ लिये हुए वहाँ पहुँचते हैं और उसमें से कुछ भी वहीं छोड़कर वापस जाना सम्भव नहीं होता। अब हम न वहाँ रहना चाहते हैं और न ही वहाँ कुछ छोड़कर आगे बढ़ना या वापस लौटना चाहते हैं। ठीक इसी समय हमें ख्याल आता है कि चलो यहीं पहुँचना था तो दूसरा कोई रास्ता क्यों

न लिया। पहलेवाला रास्ता भी हमने बहुत सोच-विचारकर नहीं चुना था–तब लगता था कि रास्ते से क्या फ़र्क पड़ता है–असल चीज़ है वह जगह जहाँ पहुँचना था। अब जब वहाँ पहुँच गए हैं तो लग रहा है कि अन्ततः जब यहीं पहुँचना था तो असल तो हैं रास्ता ही। और रास्ता एक ही नहीं था।

8 नवम्बर, '94, सुबह 10.45 बजे

हम पर पत्तियाँ गिर रही हैं

इन दिनों यहाँ आविन्यों और वीलनव्व में, समूचे प्रावांस अंचल में बेमौसम बरसात हो रही है। बीच-बीच में आँधी भी चलती है। यहाँ के पेड़ों पर हरी के अलावा पीली पड़ती पत्तियाँ भी हैं—बारिश-आँधी में वे गिरती हैं और अकसर रास्ते या फुटपाथ उनसे पट से जाते हैं। पता नहीं किसी भी पत्ती को कब पता चलता है कि उसकी अवधि अब समाप्त होने जा रही है—कि उसका हरापन पीला पड़ने को है, कि बिना आँधी तूफ़ान की आकस्मिक और अप्रत्याशित दुर्घटना के भी, वह झरने को है। पत्ती अगर जान जाए तो क्या उसका अवसाद उसमें जल रही हरी लौ को एक बार और तेज़ कर देता है मानों कि वह तेज़ हरी आँच ही उसे पियराने लगे, बजाय किसी रसायन का क्षीण पड़ता स्रोत। हर पत्ती का झरना एक अन्त है, एक मृत्यु है, वृक्ष से विलगाव है। पर वह ऐसा समापन है जिस पर कोई आँसू नहीं बहाता, न कोई शोकगीत गाता है। वृक्ष अगर दुखी सन्तप्त होता हो पता नहीं : वैसे भी हम वृक्ष के प्रसन्न, हर्षोत्फुल्ल होने को तो जानते हैं, उसके दुख का व्याकरण हमें पता नहीं।

पत्तियाँ झरकर सिर्फ़ ज़मीन पर नहीं, हमारे बनाए गलियारों, सड़कों, आँगन और चबूतरों पर भी गिरती हैं। तज दी, गई पुरानी चीज़ों पर, हमारे अचानक हो गए उदास मन पर और कविताओं में खाली रह गई जगहों पर भी पत्तियाँ गिरती हैं। वे प्रायः बिना कोई आवाज़ किए चुपचाप, न-जाने-कब गिरती हैं। ऐसे भी पतन हैं जिनकी कोई आवाज़ तक हम नहीं सुन पाते।

अन्ततः पत्तियाँ हम पर भी गिरती हैं : हममें जो विजड़ित होता जाता है, प्रेम या सम्वेदना में, हममें जो सिकुड़ता और सहमता जाता है, उस पर पत्तियाँ गिरती हैं हम अपना वसन्त पहचानते हैं : अपने पतझर की हमें ख़बर नहीं होती। इस बात से कोई राहत नहीं मिल सकती कि पत्तियों को भी पतझर की ख़बर नहीं होती है।

क्या रिल्के ने बुद्ध की प्रतिमा पर, अपनी किसी कविता में, पत्तियाँ गिरते देखा था?

8 नवम्बर, '94, दोपहर 1 बजे

कोको और अज़ामा

कोको मडागास्कर की औरत है जो यहाँ शत्रूज़ में रसोई का काम देखती है। इतने उत्साह से पकाती और फिर इतने चाव से सबको खिलाती-परोसती है कि अचरज होता। अकसर सातेक बजे शाम तक वह अपना काम कर लेती है। फिर आराम से ऊपर के टी.वी. कमरे में औरों के साथ बैठकर टी.वी. देखती रहती है। फिर लगभग सवा आठ बजे पुकारने पर दौड़ती हुई सी नीचे आकर रात्रि के भोजन का सारा विन्यास मिनिटों में कर देती है। बीच-बीच में साथ ही बैठकर सूप पी लेती है या कि रेड वाइन के सिप लेती रहती है। मेज़ पर कुछ ख़त्म हुआ रोटी के टुकड़े, या सूप या चीज़ या कि रेड वाइन तो फुरती से फिर भर देती है। पूरी अन्नपूर्णा ही।

शाकाहारी होने के कारण उसे परेशानी होती है क्योंकि इन देशों में शाकाहार का न तो रिवाज़ है और न ही विविधता—अभ्यास भी पकाने-खाने का कम है। पर वह बिना माथे पर बल डाले हर शाम कुछ-न-कुछ शाकाहारी पेश कर ही देती है। हर समय हँसती रहती है—न जाने कहाँ-कहाँ से चुनकर प्रायः हर शाम एक नई टोपी पहनती है। इतनी सारी शामों में से किसी में भी कोको को थका या उकताया हुआ नहीं देखा। उसके सारे मेहमान कुछ ही दिनों के होते होंगे—पर वह उनमें से हरेक के बारे में उत्साहित बनी रहती है। भोजन इतना सस्ता देती है कि उसके बाद दुगुने-तिगुने दामों पर बाहर गाँव के किसी साधारण से रेस्तराँ में भोजन करना अश्लील-सा लगता है। हर शाम भोजन सुस्वादु ही हो ऐसा नहीं है कोको के यहाँ। पर स्वाद कुछ भोजन में और कुछ परोसने वाले के चाव में होता है यह बात कोको प्रमाणित करती है। हर शाम पेटभर भोजन बिना किसी अड़चन के खिलाने के लिए ईश्वर को धन्यवाद देने की तो प्रथा ही है : पर असल धन्यवाद, तो मडागास्कर की इस चपल ज़िन्दादिल औरत कोको को।

अज़ामा शत्रूज़ के केन्द्र के साहित्यिक सलाहकार है। बिल्कुल सफ़ाचट सिर। यहाँ इधर-उधर एक पादरी की तरह डोलते रहते हैं। इस केन्द्र से निकलने वाली पत्रिका का सम्पादन करते हैं। शाम तो अकसर खाने की मेज़ पर उनसे मुलाक़ात होती रहती है। उनके एक फ्रेंच नाटक का अंग्रेज़ी अनुवाद कल दिनभर में पढ़

डाला : 'क्रासफ़ायर'। यों मूल नाम 'क्रूसेड' है। अज़ामा कल शाम कह रहे थे कि ब्रेख़्त ने बच्चों के क्रूसेड का ज़िक्र अपनी किसी कविता में किया है। बहुत बेचैन करनेवाला काव्यशक्ति से भरा नाटक है। हिंसा और युद्ध के लिए जो निरुद्विग्न मुहावरा और भाषा चुने हैं वह बहुत विचलित करते हैं। हत्या पलभर में इतनी आसानी से खेल-खेल में होती रहती है। अन्ना फ़र्स ने कहा है कि, "हम मुक्त नहीं हैं और आसमान अभी भी हमारे सिरों पर गिर सकता है—रंगमंच हमें यह सिखाने के लिए ही बना है।" अज़ामा का फलक महाकाव्य का है। उनका एक चरित्र है मदर हैन। वह कहती हैं : "मैं अब आठ सौ बरस से चल रही हूँ। मेरा धीरज ख़त्म हो रहा है पर मेरा सफ़र नहीं। मेरे पास कोई जूते नहीं बचे, मेरे पास कोई पैर तक नहीं बचे।" मदर हैन में एक कद्दावर बूढ़ी माँ की छवि है, ब्रेख़्त की मदर करेज की याद दिलाती हुई। और पता नहीं उसमें कुछ है जो कोको में भी सजीव है—वह भी तो दूसरों को भोजन कराते थकती नहीं है।

अज़ामा कहते हैं : रंगमंच कुछ बदल नहीं सकता। कुछ अन्तःकरणों से वह देर तक सवाल पूछता रह सके इतना काफ़ी है।

परिशिष्ट

कृतिवृत्त

कविता संग्रह :

1. शहर अब भी सम्भावना है, 1966, भारतीय ज्ञानपीठ, बनारस, नयी दिल्ली।
2. एक पतंग अनन्त में, 1984, राजकमल प्रकाशन, नयी दिल्ली।
3. अगर इतने से, 1986, राजकमल प्रकाशन, नयी दिल्ली।
4. तत्पुरुष, 1989, राजकमल प्रकाशन, नयी दिल्ली।
5. कहीं नहीं वहीं, 1991, राजकमल प्रकाशन, नयी दिल्ली।
6. बहुरि अकेला, 1992, संस्कृति प्रतिष्ठान, नयी दिल्ली।
7. आविन्यों, 1995, राजकमल प्रकाशन, नयी दिल्ली।
8. अभी कुछ और, 1998, प्रवीण प्रकाशन, नयी दिल्ली।
9. समय के पास समय, 2000, राजकमल प्रकाशन, नयी दिल्ली।

कविता संचयन :

1. घास में दुबका आकाश, 1994, वाणी प्रकाशन, नयी दिल्ली।
2. थोड़ी-सी जगह, 1994, राधाकृष्ण प्रकाशन, नयी दिल्ली।
3. होना पृथ्वी न होना आकाश, 1994, मोदी कला भारती, नयी दिल्ली।
4. पुनरपि, 1995, भारत भवन, भोपाल।
5. तिनका-तिनका, 1996, प्रवीण प्रकाशन, नयी दिल्ली।
6. जो नहीं है, 1996, किताब घर, नयी दिल्ली।
7. प्रतिनिधि कविताएँ (संपादक—अरविंद त्रिपाठी), 1999, राजकमल प्रकाशन पेपरबैक, नयी दिल्ली।

8. आधुनिक कवि, 2001, हिन्दी साहित्य सम्मेलन, प्रयाग।
9. चुनी हुई कविताएँ (संपादक–मदनसोनी), 2001, वाणी प्रकाशन, नयी दिल्ली।

अनुवाद :

1. तत्पुरुष, 1992, अनुवाद–किशोर शाह : गुजराती : श्रीमती नाथीबाई दामोदर टाकरसी महिला विद्यापीठ, मुम्बई।
2. तरी एकाकोच, 1993, अनुवादक चन्द्रकान्त पाटील : मराठी : आन्ध्रप्रदेश मराठी परिषद्, हैदराबाद।
3. कठै नीं बठै, 1995, अनुवादक–चन्द्रप्रकाश देवल, साहित्य अकादेमी, नयी दिल्ली।
4. आल बट एलोन, 1996, अनुवादक–कृष्ण बलदेव वैद, आर्लीन ज़ाइड, तेजी ग्रोवर और विजय मुंशी : अंग्रेज़ी : हर आनन्द पब्लिकेशन, नयी दिल्ली।
5. आकाश तृणे लीन, 1997, अनुवादक–अमितेश मैती : बंगला : पोएट्री एण्ड आर्ट इण्डिया, कलकत्ता।
6. कहीं नहीं वहीं, 1998, अनुवादक–सादीक : उर्दू : साहित्य अकादेमी, नयी दिल्ली।
7. मैटाफ़ॉरी, 2000, अनुवादक–रैनाटा चैकाल्स्का : पोलिश : आफ़िसिएना लिटेरेका, क्रैको।

आलोचना पुस्तकें :

1. फ़िलहाल, 1970, राजकमल प्रकाशन, नयी दिल्ली।
2. कुछ पूर्वग्रह, 1986, राजकमल प्रकाशन, नयी दिल्ली।
3. समय से बाहर, 1994, वाग्देवी प्रकाशन, बीकानेर।
4. कविता का गल्प, 1996, राधाकृष्ण प्रकाशन, नयी दिल्ली।
5. सीढ़ियाँ शुरू हो गयी हैं, 1996, वाणी प्रकाशन, नयी दिल्ली।
6. बहुरि अकेला, 1999, वाणी प्रकाशन, नयी दिल्ली।
7. कभी-कभार, 2000, वाणी प्रकाशन, नयी दिल्ली।

आलोचना-संचयन :

1. कवि कह गया है, 2000, भारतीय ज्ञानपीठ, नयी दिल्ली।
2. चुनी हुई रचनाएँ, 2001, संपादक–मदन सोनी, वाणी प्रकाशन, नयी दिल्ली।

सम्पादित पुस्तकें :

1. तीसरा साक्ष्य, 1997, सम्भावना प्रकाशन, हापुड़।
2. कुमार गन्धर्व, 1982, राजकमल प्रकाशन, नयी दिल्ली।
3. साहित्य विनोद, 1992, नेशनल पब्लिशिंग हाउस, नयी दिल्ली।
4. कलाविनोद, 1982, नेशनल पब्लिशिंग हाउस, नयी दिल्ली।
5. प्रतिनिधि कविताएँ–गजानन माधव मुक्तिबोध, 1984, राजकमल प्रकाशन, नयी दिल्ली।
6. पुनर्वसु, 1989, राजकमल प्रकाशन, नयी दिल्ली।
7. निर्मल वर्मा, 1990, राजकमल प्रकाशन, नयी दिल्ली।
8. टूटी हुई बिखरी हुई–शमशेर बहादुर सिंह की कविताएँ, 1990, राधाकृष्ण प्रकाशन, नयी दिल्ली।
9. कविता का जनपद, 1993, राधाकृष्ण प्रकाशन, नयी दिल्ली।
10. जैनेन्द्र की आवाज़, 1996, पूर्वोदय प्रकाशन, नयी दिल्ली।
11. परम्परा की आधुनिकता, 1997, पूर्वोदय प्रकाशन, नयी दिल्ली।
12. शब्द और सत्य, 1997, पूर्वोदय प्रकाशन, नयी दिल्ली।
13. सन्नाटे का छन्द–अज्ञेय की कविताएँ, 1998, वाग्देवी प्रकाशन, बीकानेर।
14. स्वच्छंद, 2000, राजकमल प्रकाशन, नयी दिल्ली।

प्रस्तुति :

1. चित्र, नृत्य और कविता की संयुक्त प्रस्तुति 'रीचिंग फ़ॉर ईच अदर', सैयद हैदर रज़ा और प्रेरणा श्रीमाली के साथ, 1995, आविन्यों, फ्रांस।

सम्पादित पत्रिकाएँ :

1. समवेत, 1958-59, अनियतकालीन संकलन, सागर।
2. पहचान, 1970-74, अनियतकालीन सीरीज़, अम्बिकापुर, भोपाल।
3. पूर्वग्रह, 1974-91, फिर प्रधानसंपादन 1994 से आज तक, भोपाल।
4. बहुवचन (अंग्रेज़ी में) अनियतकालीन, 1989, भोपाल।
5. कविता एशिया (अंग्रेज़ी में) अनियतकालीन, 1990, भोपाल।
6. समास, 1992-95, अनियतकालीन, नयी दिल्ली।
7. बहुवचन, 1999 से आज तक, हिन्दी त्रैमासिक, नयी दिल्ली।
8. हिन्दी, 2000 से आज तक, अंग्रेज़ी त्रैमासिक, नयी दिल्ली।

●●●